HATIER CONC[...]

Collection dirigée par
Roland Charnay et Michel [...]

Préparation à l'épreuve de français du concours de professeur des écoles

TOME 2

par

MARYVONNE DHERS
Professeur agrégée IUFM Toulouse

PHILIPPE DORANGE
Professeur agrégé IUFM Aquitaine

CLAUDINE GARCIA-DEBANC
Professeur d'Université en Sciences du Langage IUFM Toulouse

CLAUDE PIERSON
Professeur agrégé IUFM Toulouse

ANDRÉ SÉGUY
Professeur agrégé IUFM Aquitaine

HATIER

© Hatier – Paris, janvier 1999 – ISBN 2.218.72434-0

Sommaire des 2 tomes

La rédaction de cet ouvrage a été assurée par :
Maryvonne Dhers
pour les chapitres 7, 12, 13, 14, 19, 26;
Philippe Dorange
pour les chapitres 11, 14, 16, 18, 23, 27;
Claudine Garcia-Debanc
pour les chapitres 1, 7, 8, 12, 17, 20, 27, 28, 29;
Claude Pierson
pour les chapitres 5, 6, 10, 15, 18, 25, 30, 32;
André Séguy
pour les chapitres 2, 3, 4, 9, 21, 22, 24, 31.

TABLE DES MATIÈRES

L'entrée dans l'écrit aux cycles 1 et 2

Quelles activités de production d'écrits proposer aux cycles 1 et 2?

▣ Pour poser le problème

Voici une liste de situations de production d'écrits réalisées aux différents niveaux des cycles 1 et 2.

Essayez de trouver plusieurs modes de regroupement possibles de ces situations. Inventoriez les paramètres par lesquels elles se différencient.

---

1 – Élaboration collective d'une affiche annonçant un spectacle de marionnettes (PS).

2 – Mot individuel aux parents pour approvisionner le coin bricolage : « Garde-moi les boîtes vides et les bouchons ». Essais individuels en écriture inventée. Mise au point du message en ateliers. Copie du modèle avec utilisation d'un traitement de texte (GS).

3 – Après lecture en classe, invention par groupes d'un épisode supplémentaire de *Bon appétit Monsieur Lapin*, album de Claude Boujon à l'École des Loisirs (début CP).

4 – Correspondance régulière avec une autre classe : lettres collectives dictées à la maîtresse (MS).

5 – Légendes des fleurs collées dans un herbier collectif : nom de la fleur, nom de l'enfant qui l'a trouvée, nom de l'endroit où elle a été cueillie (MS).

6 – Copie d'une poésie (CE1).

7 – Entraînement du geste graphique : faire des boucles pour décorer une assiette en carton (MS).

8 – Résumé de l'histoire d'un livre de bibliothèque sur le cahier de brouillon. Travail individuel (CE1).

9 – Lettre par laquelle les GS invitent les CP voisins à une grillée de châtaignes. Élaboration par petits groupes en écriture inventée puis mise au point collective de la lettre envoyée (GS).

10 – Élaboration collective par dictée à l'adulte des règles de vie de la BCD (MS).

11 – Invention d'un parcours en éducation physique : chaque groupe invente un parcours qu'un autre groupe devra réaliser sous son regard critique (CE1).

12 – Invention d'une phrase en réutilisant le vocabulaire de la leçon de lecture : travail individuel noté (CP).

13 – Livre de vie de la classe : y sont collés les textes individuels rendant compte des moments importants de chaque journée de classe (CP).

14 – Invention individuelle d'un conte de Noël après lecture et analyse de plusieurs contes de Noël à partir du choix d'un héros, de lieux, d'opposants… (CE1).

15 – Tableau de la répartition des enfants en ateliers : chaque enfant s'y inscrit le matin (GS).

16 – Chaque groupe d'enfants reconstitue la liste des objets qui flottent et de ceux qui ne flottent pas, après expérimentation, en utilisant des étiquettes portant le nom de ces objets préalablement travaillées en lecture (GS).

17 – Réalisation collective d'une brochure de conseils pour l'élevage du cochon d'inde destinée aux parents qui en ont la garde pendant les longs week-ends (GS).

18 – Affiches-slogans invitant à la lecture d'un livre apprécié (CE1).

19 – Réalisation collective (une page par enfant) **d'un imagier des mots en « para »** : *parapluie*, *parachute* mais aussi *paramite* ou *para-auto*… (CP).

20 – Gestion par les enfants du fichier d'emprunt de la BCD (GS).

21 – Écriture du prénom de l'enfant sur ordinateur (GS).

22 – Légendes des photos de la classe verte pour une exposition destinée aux parents, par une dictée à l'adulte (MS).

23 – Lettre au Père Noël avec une liste des jouets souhaités : ces objets sont découpés dans un catalogue avec leur légende (GS).

24 – Chaque enfant réalise son arbre généalogique (CE1).

25 – Élaboration individuelle de la grille des critères pour écrire un conte (CE1).

26 – Affiche rappelant la liste des figures de danse réalisée par l'enseignant sous la dictée des enfants (GS).

27 – Élaboration collective de la liste des vêtements à emporter en classe verte (CP).

28 – Lecture progressive d'un album : chaque enfant écrit et dessine l'épisode qui suit. Par exemple *Pezzetino* de Léo Lionni à l'École des Loisirs (CP).

29 – Réalisation de phrases à partir d'étiquettes à remettre en ordre (CP).

30 – Après chaque séance de piscine, chaque enfant dessine et écrit ce qu'il a appris à faire (CP).

31 – Grand livre des arbres : chaque enfant dessine un arbre en utilisant des techniques diverses (peinture au doigt, au fusain, à la craie grasse…) après observation des arbres de l'école, promenade en forêt et écoute de poèmes. Les autres enfants commentent les productions : « l'arbre qui pleure », « l'arbre fou », « l'arbre penché ». L'album regroupe les dessins et leurs légendes (d'une part rappel de la technique utilisée, d'autre part réactions des enfants) (CP).

32 – Inventaire collectif des tâches à réaliser pour préparer un spectacle : la maîtresse écrit au tableau (GS).

33 – Exercice à trous individuel : réemploi des mots du jour (CP).

34 – Élaboration par groupes de fiches de fabrication : réalisation d'objets différents dans la classe, écriture seul ou à deux des fiches de fabrication, échange des productions, analyse des caractéristiques des consignes de fabrication, réécriture (CE1).

Les niveaux de classes ne sont précisés qu'à titre indicatif.
PS désigne la Petite Section, MS la Moyenne Section, GS la Grande Section d'école maternelle, CP le Cours Préparatoire. Ces niveaux sont ceux dans lesquels a été observée effectivement l'activité mentionnée. Cependant, la plupart des situations réalisées en fin de Grande Section peuvent également être conduites au cours du premier trimestre de CP. Ce sont celles-ci qui nous intéresseront plus particulièrement dans ce chapitre.

■ Premiers éléments de réponse

Le verbe **écrire** a trois significations qu'il importe de distinguer soigneusement. Écrire peut désigner :
– l'acte de **graphier**, le geste graphique (**situation 7**)
– l'activité de **copie** (**situation 6**)
– la **production d'écrits** en tant que conception et mise en texte d'un écrit adapté à la situation de communication dans laquelle il s'inscrit.
C'est à ce troisième type d'activité que nous nous intéresserons plus particulièrement ici, excluant de notre investigation des situations comme la situation 7. En effet, comme l'indiquent Paulette Lassalas et Marguerite Chaumin dans un ouvrage consacré à l'école maternelle[1], lorsqu'on parle d'écrire, il faut bien distinguer « le geste » et « le sens ». C'est le sens qui nous intéresse ici.

Les programmes distinguent des compétences d'écriture (au sens de geste graphique) et de production d'écrits. Nous nous attacherons ici aux compétences liées à la production d'écrits.

Diversité de la part d'activité des élèves

Les situations présentées diffèrent par la nature de l'écrit produit : phrase, texte, écrit comportant du texte et des éléments graphiques (affiche, panneau d'exposition), écrit qui n'est pas un texte (schéma, tableau…), mais aussi par la nature de l'activité de l'élève : selon les cas, copie (**situation 6**), phrase à compléter (**situation 33**), conception du texte avec un enseignant en position de secrétaire comme dans **les situations 4, 10** ou **32** (on parle alors de « dictée à l'adulte »), conception du texte et essai d'écriture, selon la technique dite de l'« écriture inventée » (**situations 2 et 9**).

La **dictée à l'adulte et l'écriture inventée** sont les deux principales modalités de la mise en œuvre d'activités de production d'écrits aux cycles 1 et 2. Les significations de ces termes seront précisées dans la suite de ce chapitre.

Diversité de la nature des écrits produits

On peut distinguer :

• **Des écrits fonctionnels** inscrits dans une communication utilitaire indispensable aux besoins de la vie de la classe : **1, 2, 4, 5, 9, 13, 15, 17, 20, 22, 26, 27, 32**.

• **Des écrits fictionnels** mettant en jeu l'imaginaire et le jeu avec la langue : **3, 6, 19**.

• **Des écrits permettant d'évaluer les acquis des enfants** ou constituant des outils de travail : **12, 25, 33**.

En tant qu'adultes, nous produisons essentiellement des écrits fonctionnels, en réponse à des besoins utilitaires. Ce constat ne doit pas pour autant conduire à négliger à l'école les écrits fictionnels mettant en jeu la langue et l'imaginaire, écrits si essentiels à la construction de la personne de l'enfant. D'où la nécessité de veiller, dans une programmation annuelle ou de cycle, à un équilibre entre production d'écrits fictionnels et d'écrits fonctionnels.
Les situations d'écriture ne doivent pas se limiter à des situations d'évaluation terminale d'acquis antérieurs en lecture. Même si, dans notre passé d'élève, l'écrit servait

---

1. Paulette Lassalas et Marguerite Chaumin, *Écrire : le geste et le sens,* Pédagogie préscolaire, Nathan.

avant tout à avoir une note et appelait le rouge du correcteur, il importe de montrer aussi aux élèves l'intérêt **d'écrits intermédiaires,** qui aident à réfléchir comme dans **la situation 16**.

Les écrits fonctionnels s'inscrivent le plus souvent dans des projets de classe ou répondent à des besoins liés à la vie de la classe, comme dans **les situations 2, 15 ou 27**.

Diversité des fonctions des écrits

Les écrits peuvent correspondre à divers fonctions de l'écriture :
– communication différée avec un destinataire absent au moment où on écrit (**situations 1, 2, 4, 9, 11, 34**),
– mémoire (**5, 10, 11, 13, 16, 20, 26, 27, 32**),
– restructuration des connaissances (**16, 24, 25, 30**),
– jeu avec le matériau verbal (**19**).

Diversité des supports

Pour beaucoup d'activités, le support n'est pas précisé mais on peut imaginer qu'il s'agit :
– d'un cahier en **6, 8, 12, 33**,
– de lettres de grand format en **4**,
– d'affiches en **1, 10, 15, 18, 26**,
– d'albums de la classe en **5, 13 ou 31**,
– de panneaux d'exposition en **22**.

Les affiches sont mentionnées en **1, 15, 18 et 26** mais ces diverses affiches ne répondent pas aux mêmes fonctions : l'annonce du spectacle en **1** est informative et incitative pour des lecteurs potentiels (l'affiche peut être placée dans l'entrée de l'école ou chez divers commerçants), la répartition des enfants de la **situation 15** est liée à un besoin d'organisation de la classe, de même que l'affiche **26**, elle, est à seule destination des élèves de la classe, tandis que l'affiche évoquée en **18** s'adresse à des lecteurs potentiels inconnus, si elle est placée dans la BCD.

Diversité des outils

Les outils scripteurs utilisés (feutre, stylo, crayon) ne sont indiqués que lorsqu'il s'agit de technologies récentes, comme l'ordinateur (**2 ou 21**). Outre le fait qu'elles permettent une valorisation des productions écrites et une initiation technologique, certaines d'entre elles aident les enfants à rechercher une équivalence entre diverses formes des lettres (par exemple capitales et minuscules d'imprimerie), à visualiser les espaces entre les mots grâce à la barre d'espacement, à repérer les différences pertinentes entre les lettres de leur prénom.

Modalités d'organisation de la classe

Les activités 8, 12 ou 13 font appel à une écriture individuelle. D'autres, comme la **4** ou la **17** font intervenir l'ensemble du groupe-classe. D'autres encore, comme la **3** ou la **11**, sont effectuées en sous-groupes. Plusieurs de ces situations, comme la **9**, font alterner situations en petits groupes d'ateliers et travail en groupe-classe. Les productions collectives peuvent, selon les cas, être le résultat de négociations collectives (**1, 4, 27** par exemple) ou être constituées par la combinaison de productions individuelles (**13 ou 19**).

Nature des interactions entre lecture et écriture

Certaines des activités d'écriture donnent lieu à une observation des caractéristiques des écrits à produire : affiche comme en **1**, fragment d'album comme en **3**… Cette observation peut être préalable à l'écriture comme en **14** ou intervenir en cours de projet d'écriture comme en **34**. Elle peut donner lieu à l'élaboration de critères (cf. chap. 21).

Place de la réflexion sur la langue dans la tâche de production d'écrits

La situation 19 permet non seulement un jeu poétique fantaisiste dans la création de mots mais aussi une véritable réflexion métalinguistique sur la notion de préfixe, même si le terme n'est pas prononcé. Sa mise en œuvre contribue à entraîner les enfants à une posture particulière par rapport à la langue, pour en observer le fonctionnement, compétence qui semble aujourd'hui indispensable à la réussite en lecture (cf. chap. 16 et 9) et qui sera également requise à la fin du cycle 2 dans toutes les activités de grammaire.

Les situations de production d'écrits aux cycles 1 et 2

■ Les programmes

Au cycle 1

À la rubrique *Production d'écrits,* les programmes de cycle 1 inventorient divers **types d'écrits** qui peuvent être travaillés dès l'école maternelle :

L'enfant, seul ou avec les autres, doit pouvoir :

• remettre en ordre les images représentant les différents épisodes d'un récit simple ;
• commencer à produire des textes variés en les dictant au maître : lettres, listes, règles de jeux, recettes, récits, poèmes… ;
• élaborer une fiche (règle de jeu, recette, etc.) ou un petit livret (récit, documentaire, etc.) en assemblant des textes courts et des images qui ont été auparavant travaillés (textes lus par le maître, images commentées collectivement).

Au cycle 2

L'élève doit pouvoir :

• écrire un texte bref de quelques lignes répondant à des consignes claires : court récit, résumé d'un texte, suite d'une histoire, légende d'un dessin, bulles d'une bande dessinée, lettres, textes prescriptifs (règles de jeux, règles de vie, modes d'emploi…) ;
• tenir compte des contraintes propres à chaque type d'écrit :
– présentation (lisibilité, ponctuation…),
– vocabulaire adéquat,
– syntaxe (emploi de pronoms, de mots de liaison, usage des temps).

Les Programmes, p. 45.

À l'exception du récit qui correspond à un type de séquence textuelle (cf. chap. 8 sur les typologies de textes), cette programmation repose essentiellement sur une énumération de genres ou de types d'écrits. Quant aux dernières lignes de ce texte, elles suggèrent des critères d'évaluation et indiquent des modalités de mise en œuvre (cf. chap. 21, Évaluation des écrits).

Un inventaire similaire des situations de production d'écrits pour l'ensemble des cycles se trouve au chapitre 20 du tome 2.

Pourquoi faire écrire les élèves avant qu'ils sachent écrire ?

Une plus grande motivation
L'enfant éprouve une véritable jubilation à tracer des simulacres d'écriture, alors que l'activité de lecture lui reste plus longtemps mystérieuse. Que font donc les lecteurs, les yeux baissés ? Un enfant qui a des frères ou sœurs plus âgés ou qui est élève dans une classe à plusieurs cours a, en revanche, très rapidement envie d'avoir un cahier et de faire des devoirs comme les grands.

La prise en compte des diverses fonctions de l'écrit
La mise en œuvre de ces situations variées aide l'enfant à appréhender la diversité des fonctions de l'écrit : l'écrit permet en effet la communication différée avec un destinataire lointain ou momentanément absent (les parents, les correspondants…), mais aussi la mémoire des choses faites (livre de vie de la classe, plantations…) ou à faire (pense-bête). De plus, il facilite les jeux avec les mots dans l'activité poétique.

Le développement des compétences de lecture
C'est bien souvent la mise en écriture qui provoque une curiosité supplémentaire pour la chose écrite, considérée désormais avec le regard de l'artisan cherchant à cerner comment l'écrit est constitué. De plus, si l'on veut retrouver un mot pour pouvoir le recopier, il faut mettre en jeu une activité de lecture sélective pour isoler le fragment pertinent et seulement celui-là.

Les paramètres à prendre en compte pour une programmation des activités

Il importe de varier les situations de production d'écrits mises en place, en ménageant un équilibre entre situations fonctionnelles et situations de production d'écrits imaginaires.

■ Des situations fonctionnelles

La plupart des situations que l'on peut mettre en place à l'école maternelle et en CP/CE1 sont des situations de communication fonctionnelle dont les enjeux et les destinataires sont bien connus des enfants, voire très affectifs, par exemple :

• **Les écrits occasionnés par les projets de vie de la classe :** faire un petit mot aux parents pour leur demander de prendre à l'école le vélo pour une séance d'éducation physique ou pour leur annoncer une visite de la ferme du papi d'un élève de la classe. Ces messages écrits remplissent une fonction de **communication différée**. Ils permettent de ne pas oublier de communiquer aux parents des informations importantes. Ces écrits seraient de toute façon indispensables au fonctionnement de la classe. Il s'agit donc seulement d'exploiter leur apparition, au lieu de remettre aux enfants un mot ronéoté que l'enseignant aurait lui-même rédigé, et ainsi de transformer ces situations en situations d'apprentissage de la production d'écrits.

• **Les écrits ritualisés affectifs :** les enfants d'une classe maternelle rurale comportant toutes les sections, de la Petite Section à la Grande Section, correspondent avec une mamie conteuse qui intervient régulièrement dans la classe pour choisir les histoires qu'ils ont envie d'entendre et lui dire celles qu'ils ont le plus appréciées. Ailleurs, les Grandes Sections correspondent régulièrement avec les CP de l'école voisine ou avec les Grandes Sections d'une autre école du département.

• **Les écrits échangés occasionnellement avec une autre classe du même cycle de l'école**. Ainsi des CP rédigent la fiche de fabrication du papier marbré pour la transmettre aux CE1 ; des Grandes Sections élaborent en plusieurs étapes la recette de la pâte à sel pour la proposer aux Moyennes Sections de la même école.

• **Les écrits-mémoires** rendant compte d'un événement important de la vie de la classe :

> *Aujourd'hui, lundi, nous sommes allés au cirque.*
> *Nous irons à la patinoire jeudi 13 novembre.*
> *Maxime a apporté trois sauterelles.*

L'écrit sert alors à conserver la trace de ce qui est important pour le groupe-classe, par exemple dans un livre de vie.

Les avantages des situations fonctionnelles

Ces situations présentent un certain nombre d'avantages pour faire découvrir à des enfants de cycle 1 et début de cycle 2 l'intérêt des situations de production d'écrits :

– Les enfants sont très motivés et perçoivent rapidement l'intérêt d'écrire.

– Ils peuvent évaluer immédiatement l'efficacité de leur message : les CE1 parviennent ou pas à fabriquer convenablement la pâte à papier. Les enfants apprennent ainsi à se décentrer, à ajuster leur écrit aux besoins du destinataire.

– Les messages de ce type sont le plus souvent économiques et demandent peu d'écrit. La résolution des problèmes d'écriture posés est donc relativement à la portée de jeunes enfants.

– Certains termes sont souvent répétés, comme « bonjour » dans les lettres et permettent donc la constitution d'un stock de mots de référence conventionnels auxquels peuvent se reporter les enfants.

Leurs dangers et limites

En revanche, la mise en place exclusive de ce type de situations présente certains dangers :

– Elles risquent d'étouffer la dimension créatrice de l'imaginaire et du jeu avec la langue, essentielle dans la construction de la personne.

– Les retours à la ligne fréquents, par exemple dans l'affiche, après chaque unité d'information, peuvent laisser penser à l'enfant qu'il en est de même dans tous les types d'écrits.

– De plus, cela conforte leur représentation dominante selon laquelle on écrit essentiellement les noms et les mots importants, le lecteur rétablissant librement le message à partir de ces mots. Les jeunes enfants pensent en effet, comme l'a montré Emilia

Ferreiro, que seuls les noms sont écrits; ils ne considèrent pas indispensable d'écrire les verbes ou les déterminants. Or, dans une affiche, les verbes et les noms sont effectivement le plus souvent absents. L'enfant peut alors réaliser un produit textuel satisfaisant sans pour autant s'être posé le problème d'écriture qui convient.

■ Des situations de production d'écrits imaginaires

Aussi est-il important de proposer également des **situations de production de textes poétiques pour l'œil** (jeux autour des configurations graphiques et de la lettre, variations autour de l'écriture de son prénom) **et pour l'oreille** (comptines).

L'imaginaire alimente et s'alimente à des **activités autour d'albums littéraires**. Celles-ci contribuent à développer le goût de lire et à mettre en place des références culturelles. On peut choisir des albums à structure répétitive comme *Une histoire sombre, très sombre* de Ruth Brown chez Gallimard ou *Bon appétit, Monsieur Lapin* de Claude Boujon à l'École des Loisirs ou encore *Je veux une maman* de Janet et Allan Ahlberg. Ces albums présentent l'avantage de comporter des images riches pour l'imaginaire, un texte peu abondant, avec un lexique répétitif et une interaction dynamique entre le texte et l'image, chacun étant porteur d'éléments d'informations spécifiques.

Ils permettent un travail de lecture-découverte, de systématisation sur l'acquisition d'un vocabulaire et de structures de phrases qui préparent les activités de production d'écrits consistant à inventer une suite ou de nouveaux épisodes. Il est un peu plus long et difficile à conduire que celui sur les écrits fonctionnels. Il a le double avantage d'aider l'enfant à affiner la prise d'indices en lecture (il faut retrouver et isoler les mots pertinents dans un long texte) et à repérer la présence fréquente dans les textes de mots-outils (déterminants, adverbes…).

Comme nous l'avons montré plus haut, la programmation devra notamment veiller à varier :
– les destinataires et les fonctions de l'écrit,
– les types d'écrits et les types de textes,
– les modalités de l'écriture (écriture individuelle, en petits groupes, en groupe-classe), de façon à ce que les élèves rencontrent la diversité des formes et des fonctions de l'écrit, et ce dès la petite section de l'école maternelle.

■ Un exemple d'outil de programmation

Le document suivant a été conçu par des enseignants du cycle 2 au cours des concertations de cycles en vue de mettre en œuvre une cohérence pour l'apprentissage de la production d'écrits tout au long du cycle. Un constat a pu être établi sur la diversté des pratiques et l'absence de continuité : la maîtresse de Grande Section met en place régulièrement des situations très diversifiées qui conduisent les élèves à de nombreuses situations-problèmes mettant en jeu l'écriture inventée, tandis que les situations d'écriture sont très rares au CP et interviennent tardivement dans l'année, essentiellement comme évaluations et occasions de réemploi des mots de la leçon du manuel de lecture. Les enfants rencontrent à nouveau des situations diversifiées au CE1.

Il est donc apparu nécessaire de mettre en place une plus grande continuité, en particulier dans l'articulation GS/CP. Pour cela, les enseignants ont essayé de mettre à plat les différentes situations pratiquées occasionnellement ou régulièrement dans les diverses classes et de confronter les modalités concrètes de mise en œuvre des situations d'écriture.

Inventaire de situations de production d'écrits pour le cycle 2

individuel : X travail collectif : G	Consignes explicites	Lecture	Critères	Réécriture	Valorisation (support)
Correspondance Lettres ou cartes personnelles Cartes d'invitation Faire-part Lettres à un organisme officiel					
Textes poétiques Jeux de rimes Jeux sur les mots Comptines Devinettes Charades Poèmes					
Textes narratifs Récits d'événements vécus par tous Reformulations de récits entendus ou lus Invention de contes Suites de récits Lecture progressive Bandes dessinées Résumés de récits Faits divers					
Textes descriptifs Météo Légendes de photographies Cartes d'identité Portraits de personnages Cartes / plans Menus					
Textes injonctifs Recettes Recettes imaginaires Règles de jeu Modes d'emploi Consignes de fabrication Consignes de travail Messages					
Textes informatifs Annonces de nouvelles Comptes rendus Calendriers Annuaires de la classe Textes documentaires Résumés en sciences					
Textes argumentatifs Affiches Tracts et invitations Dos de couverture de livres Slogans Petites annonces					
Autres écrits					

Travail réalisé en réunion de Cycle, Écoles Cambon/Monteil, Rodez.

Commentaires du tableau :

Les écrits recensés ont été regroupés par types de séquences textuelles : la colonne de gauche regroupe les divers genres textuels énumérés en textes narratifs, descriptifs, injonctifs, informatifs, argumentatifs; les textes poétiques et les écrits de correspondance, très fréquents au cycle 2, ont fait l'objet de rubriques indépendantes.

La description des modalités de mise en œuvre a permis également de recenser certaines caractéristiques des situations de production, qui font l'objet de cinq colonnes :
– certains écrits sont produits à partir de **consignes** précises explicites, d'autres sont plus « libres »;
– la production d'écrits peut être ou non mise en relation avec **la lecture et l'observation d'écrits** du même genre que ceux qui doivent être produits;
– cette observation et cette analyse peut ou non donner lieu à la **formulation de critères** explicites (cf. chap. 21);
– les brouillons des élèves peuvent faire l'objet d'une ou plusieurs **réécritures**;
– certains des écrits produits sont « **valorisés** » en étant diffusés à des destinataires extérieurs à la classe.

Ce tableau se veut simple et rapide à remplir : chaque fois qu'une activité de production d'écrit est pratiquée, l'enseignant coche les cases correspondant aux caractéristiques de l'activité mise en œuvre. Le tableau ainsi réalisé sert d'aide-mémoire sur les activités conduites, mais aussi d'outil de programmation tout au long du cycle. Il permet de constater d'un premier coup d'œil ce qui a été ou pas travaillé au cours d'une période scolaire et ainsi de réguler les activités en équilibrant mieux les divers aspects de la production d'écrits.

À l'école maternelle et au tout début du cycle 2, les situations mises en place se distinguent essentiellement par la nature de l'activité des élèves :
– ou bien les élèves se trouvent en position de dicter leur texte à l'enseignant qui se place en position de personne-ressource dans des situations dites de dictée à l'adulte;
– ou bien les élèves s'essayent eux-mêmes à écrire.

Des situations de dictée à l'adulte

Celles-ci sont précisément décrites dans la brochure *Maîtrise de la langue* :

Produire des textes avec l'aide de l'adulte

Un exercice devenu familier à l'école maternelle, la **dictée à l'adulte**, est un excellent **moyen de faire produire des textes à des enfants qui ne savent pas encore écrire seuls**, ou, plus tard, dont l'écriture est si lente et si laborieuse que leur attention n'est pas disponible pour l'activité de production proprement dite.

Pour sérier les difficultés, on peut **mettre l'accent sur l'adaptation du texte à son usage** (pour informer une classe voisine, vaut-il mieux faire une lettre ou une affiche? le texte retenu possède-t-il bien les caractéristiques de l'une ou de l'autre?), **sur sa structure générale et sur sa cohérence**. On peut, au contraire, au cours d'autres séances de travail, **s'attacher au détail de la mise en mots**, à la cohésion de la phrase ou à celle des enchaînements. Selon les cas, on utilise des situations de dictée collective, de dictée en petits groupes ou même de dictée individuelle. Ce dispositif peut valoir pour **divers types d'écrits** : récits, lettres, consignes, modes d'emploi ou même comptines ou jeux poétiques. L'essentiel réside d'abord dans la **prise de conscience** par les élèves que l'on se trouve dans une situation d'écriture, que les énoncés que l'on doit produire sont destinés à être écrits.

Cette situation impose des contraintes spécifiques qui, en fin de cycle 1, commencent à être « senties » puis deviennent, au cours du cycle 2, explicitement désignables. Dans ce but, on ne saurait se contenter de simples transcriptions de l'oral. Il est nécessaire que, avec doigté, **l'enseignant aide aux reformulations des énoncés** en situant ses exigences à peine au-delà de la limite de ce que les enfants sont capables de trouver par eux-mêmes. En passant du grand groupe au petit groupe, voire à la relation interindividuelle, il est ainsi possible de doser les efforts et d'adapter la situation aux besoins de chacun.

La Maîtrise de la langue à l'école, p. 47.
(Les fragments mis en relief par l'usage de caractères gras figurent en tant que tels dans le texte initial.)

Ce passage met l'accent sur l'importance de la variation des situations d'écriture et des dispositifs. De plus, l'enseignant a la responsabilité de choisir les dimensions pertinentes sur lesquelles porte l'effort de négociation de la trace écrite avec l'enfant.

◼ Les choix de l'enseignant

Supposons qu'un enfant de Moyenne Section ait fait un dessin et que l'enseignant l'aide à le légender pour le transmettre ensuite à la famille.

L'enfant lui dit :
eh ben euh là euh tu vois y a y a y a ma maison et puis là y a ma chambre et puis y a la balançoire dans euh le jardin et puis moi j'aime m'amuser à la balançoire

L'enseignant a le choix entre les trois positions suivantes :

• **Écrire strictement ce que lui dit l'enfant** en éliminant seulement quelques *euh* et quelques *ben*... On retrouve alors peut-être dans la légende le charme de la fraîcheur enfantine et de l'authenticité, mais cela n'aide guère l'élève à prendre conscience de la spécificité et des exigences de la langue écrite.

• **Écrire directement une phrase élaborée,** inspirée par le contenu des propos de l'enfant :
J'aime faire de la balançoire dans mon jardin.

Dans ce cas, la phrase produite à destination des parents est tout à fait convenable, mais on peut s'interroger sur le profit qu'a retiré l'élève de cette situation quant à une réflexion sur le fonctionnement de l'écrit. Si l'enseignant relit ensuite la phrase qu'il vient de concevoir seul, l'enfant constatera peut-être les écarts entre sa formulation initiale et la formulation écrite, mais rien n'est moins sûr.

• **Établir un échange avec l'enfant** au cours duquel apparaîtront les caractéristiques d'une production écrite. C'est dans ce cas seulement qu'on parle de dictée à l'adulte.

◼ Les caractéristiques d'une situation de dictée à l'adulte

Une longue retranscription de dictée à l'adulte figure à la fin du chapitre 11 : on y voit une élève de Grande Section rédiger la légende de son dessin et se présenter aux correspondants de la classe, avec l'aide de ses camarades et de la maîtresse qui l'assistent pour trouver des formulations écrites adéquates.

La dictée à l'adulte est une **situation mixte d'oral et d'écrit** : les enfants sont amenés à oraliser de l'écrit en tenant compte des spécificités de l'écrit. La dictée à l'adulte peut être réalisée individuellement ou en petits groupes. Dans le jeu des interactions entre l'enfant et l'adulte, entre les enfants eux-mêmes et entre « parler » et « écrire », l'observateur peut quelquefois saisir les représentations des enfants dans le processus même de transformation du message oral vers la langue écrite.

Le guidage de l'enseignant est très fort, par :
– les questions qu'il pose, questions qui sont celles d'un scripteur expert,
– les pauses qu'il provoque, pour permettre une planification de la suite du texte (cf. chap. 20),
– les décisions qu'il aide à prendre sur les différences entre ce qu'on peut dire à l'oral et ce qu'on peut écrire,
– son rôle de médiateur entre les enfants mais aussi par rapport à la culture écrite.

Un exemple de dictée à l'adulte

Vincent, élève de Grande Section, écrit à une correspondante pour l'inviter à se joindre à la classe pour visiter le zoo.
Les répliques sont numérotées : V désigne Vincent, M l'enseignant.

---

1 Vincent *(dictant)* – « On peut l'inviter au zoo ».

2 M – Tu parles comme ça à ta correspondante, quand tu lui demandes quelque chose, qu'est-ce que tu dis ?

3 V – Je dis si elle veut venir avec nous

4 M – Bon / c'est à elle qu'il faut l'écrire / c'est elle avec sa maîtresse qui va lire ce que tu lui demandes

5 V – Oui *(puis, reprenant la dictée)* « Est-ce qu'elle peut venir avec nous ? »

6 M – Attends / si tu lui parlais / comment tu dirais ?

7 V – Tu veux bien venir avec nous au zoo ?

8 M – Bon / on va l'écrire / je t'écoute

9 V *(dictant)* – « Chère Aurélie… »

10 M *(reprenant la dictée de l'enfant)* – « Chère Aurélie… »

11 V – « Est-ce que tu veux bien venir avec nous au zoo ? »

Transcription empruntée à Jacques David,
« Les relations oral/écrit dans les premiers apprentissages de l'écriture »,
Les Actes des Rencontres éducation en Seine-Saint-Denis, pp. 40-41,
Nathan/Créteil, 1994.

Le débit ralenti et l'intonation permettent de distinguer les moments où Vincent dicte (1V, 5V, 9V) des moments où il parle. La formulation initiale, en 1V, ne s'adresse pas directement au futur destinataire ; Vincent parle de ce destinataire absent à la troisième personne : *je dis si elle veut venir avec nous*. Les interventions de l'enseignant, en 2M, 4M et 6M, visent à rappeler les caractéristiques de la situation de communication et à provoquer une sorte de jeu de rôle (6M) : *si tu lui parlais, comment tu dirais ?* Cet échange permet à l'enfant de choisir les pronoms qui conviennent (7V), puis de proposer lui-même la formule d'ouverture de la lettre (9V).

Cet échange a permis à Vincent d'appréhender les spécificités d'une situation de communication différée, dans laquelle on doit s'adresser à l'interlocuteur physiquement absent du lieu et du moment de l'écriture, comme s'il était présent. De nombreuses autres expériences du même type seront nécessaires pour que l'enfant intègre les caractéristiques d'une situation de communication écrite différée.

Des situations d'écriture inventée

Dans les situations d'écriture inventée, les enfants s'essayent eux-mêmes à écrire des mots qu'ils ne savent pas encore écrire. Ce type de tâche-problème les met en position d'élaborer des hypothèses sur le système orthographique. Or, comme l'ont montré des chercheurs, notamment Emilia Ferreiro pour l'espagnol et Jean-Pierre Jaffré pour le français, l'essentiel de l'acquisition du système orthographique se passe avant même que l'enfant sache lire ou écrire. C'est par les hypothèses qu'il fait sur la manière dont s'agencent les lettres que le jeune enfant se construit progressivement une représentation du système d'écriture qui sous-tendra ensuite son orthographe.

L'intérêt pédagogique de ce type de situations, individuelles ou en petits groupes, est de permettre à l'enseignant d'observer où en est chaque enfant et de l'aider à aller plus loin. De plus, l'élaboration d'un écrit par petits groupes est une situation privilégiée pour gérer l'hétérogénéité. Nous verrons dans la suite de ce chapitre comment interpréter les erreurs des enfants et les rapporter à un stade de développement par rapport à l'entrée dans le système d'écriture. Les essais/erreurs successifs obligent en effet l'élève à une analyse phonologique.

■ Un exemple de situation d'écriture inventée

Cinq élèves de Grande Section, au mois d'avril [2], annoncent l'arrivée d'un cochon d'inde dans la classe à leurs camarades de CP de l'école voisine avec lesquels ils correspondent régulièrement. Pour cela, ils essaient d'écrire :

> *La mamie de Guillaume Fau nous a donné un cochon d'inde.*

La recherche des éléments nécessaires à la rédaction de ce message va donner lieu à une activité intense, faisant intervenir des procédures variées.

Le mot *mamie* est présent dans une affiche récapitulant les termes de la parenté. Il est trouvé rapidement par les enfants. Le mot *Guillaume* figure parmi les prénoms de la classe, même si ce n'est pas *Guillaume Fau* mais *Guillaume Dupont* qui s'y trouve mentionné. Cela occasionne le doute de certains enfants sur l'écriture de son prénom, preuve que, encore en Grande Section, le prénom est attaché à la personne. Dans ces deux cas, le mot est retrouvé directement.

La tâche est plus difficile pour les mots *de* et *Fau* que les enfants n'ont jamais rencontrés. Les enfants doivent alors recourir à l'écriture inventée. La première tentative pour écrire *de* se solde par l'écriture d'un *e*, la voyelle étant le plus souvent plus facile à identifier par les enfants. Une petite fille du groupe se rappelle que le mot *de* était dans une des lettres reçues des correspondants, dans l'expression *on a fait de la luge*. En groupe, les enfants sont capables de retrouver dans le texte le fragment d'écrit correspondant. Ils font preuve ainsi d'une compétence de lecture sélective. Ils comparent ensuite son écriture à leur tentative précédente et complètent le mot correctement.

Pour l'écriture du mot *Fau*, les enfants procèdent à une analyse phonologique serrée, avec l'aide de la maîtresse, par comparaison avec le prénom *Florian* déjà connu.

Ce tâtonnement qui procède par essais successifs et erreurs met en jeu des hypothèses sur le fonctionnement du système d'écriture, une réflexion sur ce qui s'écrit par rapport à ce qui s'entend, une appréhension des équivalences complexes entre phonèmes et graphies.

---

2. Classe de GS de l'école Cardaillac à Rodez-AGIEM de l'Aveyron (cf. bibliographie).

Comment évaluer les productions obtenues
et aider l'élève à progresser ?

Une composante de la compétence professionnelle de l'enseignant est de savoir inter-préter convenablement les productions ainsi obtenues. Les erreurs orthographiques obtenues en grand nombre dans ce genre de productions sont à interpréter comme signes de la représentation que se fait l'enfant du système orthographique. En effet, comme l'ont montré les travaux notamment d'Emilia Ferreiro, c'est entre 4 et 6 ans que les enfants vont prendre petit à petit conscience que l'écrit ne dessine pas le monde mais représente la langue.

■ Les grandes étapes
de mise en place du système orthographique
chez l'enfant apprenti-lecteur

Diverses études ont été conduites sur la genèse du système d'écriture chez les enfants apprentis-lecteurs. Pionnière en ce domaine, Emilia Ferreiro est une chercheure mexi-caine qui a appliqué les principes de l'analyse piagétienne aux premiers essais d'écri-ture des enfants. Elle a successivement travaillé avec des populations suisses puis avec des enfants d'analphabètes d'Amérique latine. Ceux-ci étaient souvent conduits à redoubler parce que, à l'issue du CP, ils oubliaient des lettres dans les mots qu'ils avaient à écrire. L'analyse d'Emilia Ferreiro a permis d'établir l'existence de plusieurs stades dans l'élaboration de la trace écrite.

Emilia Ferreiro ayant travaillé sur l'espagnol, certains chercheurs français, psychologues ou linguistes, ont mis en œuvre des tests expérimentaux pour affiner sa description à propos de la langue française ; Jean-Pierre Jaffré dans les équipes HESO (Histoire et Structure de l'Orthographe Française) du CNRS, Jean-Marie Besse et Marie-Madeleine de Gaulmyn à Lyon, Jacques Fijalkow ou Yves Préteur à Toulouse ont décrit les étapes de cette genèse pour des enfants français. L'équipe de Jacques Fijalkow a conçu un outil d'évaluation-diagnostic, particulièrement utile pour les élèves de zones d'édu-cation prioritaire.

On peut récapituler rapidement ces étapes, en illustrant chacune d'elles par des productions d'élèves.

Du simulacre d'écriture
à la découverte d'un système arbitraire

L'enfant de 2 à 4 ans a un grand plaisir à noircir la page par des boucles et des simu-lacres d'écriture. Il croit que seuls les noms s'écrivent. Il ne situe pas un segment par-ticulier dans l'énoncé écrit qui lui est lu à haute voix. Si on lui montre une phrase en lui disant : « Tu vois, ici, il y a écrit : *L'ours mange du miel*, et si on lui demande où est écrit le mot *miel*, il peut montrer l'ensemble de la phrase ou le début du message. Il cite *train* comme mot long, puisque l'objet correspondant est long, et il pense que *papillon* est un mot plus court qu'*ours*. Bref, il n'établit aucune relation entre la lon-gueur du message oral et la longueur de la chaîne écrite.

• **Benoît, élève de Moyenne Section,** fait la liste des jouets qu'il voudrait pour Noël.

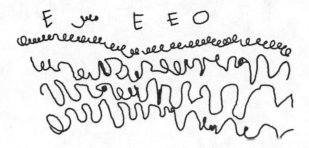

Il mêle des arabesques et quelques lettres de son prénom disposées dans un ordre arbitraire. Lorsqu'il relit son écrit, il énumère un jouet par ligne écrite.

Ceci n'est qu'un extrait de sa production qui couvre toute la page. On remarque l'absence de blancs graphiques et le souci de couvrir exhaustivement la surface disponible.

• **D'autres élèves de Moyenne Section, comme Victor,** utilisent exclusivement des signes arbitraires, que ce soient des lettres ou d'autres signes tels que notes de musique ou figures géométriques. Ici non plus, pas de blancs graphiques. Les signes sont arbitraires et bien formés. Le début de la ligne est démarqué par un signe conventionnel, différent des « lettres ». À ce stade semble dominer une jubilation de la trace, sans aucun souci de mise en relation entre message oral et trace écrite.

Du système arbitraire à la permanence de la trace

• **Edouard, élève de Moyenne Section,** demande au Père Noël un écran magique et un robot et, pour cela, écrit :

Les signes utilisés sont tous des lettres. Elles correspondent pour la plupart aux lettres du prénom Edouard organisées dans un autre ordre, mais on retrouve également les points des trémas remarqués dans *Père Noël*. À noter qu'il n'existe aucune correspondance entre la longueur du message oral et la longueur du mot écrit. Edouard ordonne les lettres au hasard et remplit les lignes sans aucun blanc graphique, chaque ligne correspondant à la dénomination d'un objet.

• De même, lorsque **Fanny** veut écrire *Arbre de joie*, elle propose :

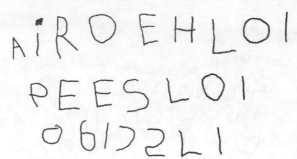

On ne note aucun essai de mise en relation entre la longueur du mot et le nombre de lettres nécessaires à son écriture. Ainsi *de* est écrit en 7 lettres. Il semble qu'un nombre important de lettres soit considéré comme nécessaire pour qu'il y ait mot. Emilia Ferreiro a pu constater qu'en deçà de trois lettres, les apprentis-lecteurs avaient du mal à considérer qu'il s'agissait d'un mot. Comme dans la production de Victor, à côté des lettres, sont également présents d'autres signes arbitraires, comme des chiffres en miroir (le nombre 2).

En revanche, certains enfants de Moyenne Section commencent à percevoir la nécessité d'une permanence de la trace associée à un fragment d'oral. Ils utilisent les mêmes lettres ou ensembles de signes pour un même mot, même si cette écriture n'est pas canonique et n'établit pas encore de relation entre phonie et graphie.

• **Des élèves de Moyenne Section** avaient à écrire successivement les deux phrases :

> *Maman prépare une tartine.*
>
> *Maman prépare deux tartines.*

Certains enfants, comme **Christophe,** dessinent successivement les deux tartines réalisées :

Lorsque l'enfant est invité à relire sa production, il indique que le cercle correspond au verbe *prépare* et que les deux signes qui suivent représentent les deux tartines successives. Le système d'écriture ainsi mis en œuvre est de nature idéographique, chaque signe notant une unité de signification. L'enfant n'éprouve pas le besoin d'écrire tous les mots et ne note que les verbes et les noms.

Pour écrire les mêmes phrases, **Pierre** matérialise, par la répétition du verbe *prépare*, les deux actions réalisées successivement par la maman :

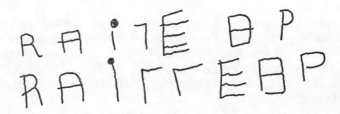

Les hypothèses sur les relations entre mot oral et mot écrit

Emilia Ferreiro a pu montrer que les enfants n'établissent pas naturellement une relation entre la longueur du mot écrit et la longueur du message oral. Ils ont plutôt tendance à calquer la longueur du mot sur la taille de l'objet.

Les relations entre message oral et message écrit commencent à s'établir lorsqu'on constate un écriture constante pour un même mot, même s'il ne s'agit pas encore de la forme normée de ce mot. De même, certains enfants parviennent à écrire un mot nouveau en référence à un mot plus long qu'ils connaissent.

Ainsi, **Victor, élève de Moyenne Section** en avril, écrit :

> MER à partir de MERCREDI affiché sur le mur de la classe.

Il manifeste ainsi qu'il établit une relation entre syllabe orale et mot écrit et qu'il est capable d'isoler dans le mot écrit les éléments pertinents. Il fait preuve d'une **conscience métalinguistique** assez remarquable à son âge.

L'hypothèse syllabique

Les enfants passent ensuite par une phase qualifiée par Emilia Ferreiro d'hypothèse syllabique, dans laquelle ils notent une lettre par syllabe entendue, par exemple A pour *la* ou S pour *sur*. Le plus souvent, ils notent d'abord la voyelle, dans la mesure où, comme son nom l'indique, elle peut être prononcée isolément.

D'autres enfants, les plus nombreux en milieu de Grande Section, utilisent un système mixte dans lequel ils mêlent l'écriture intégrale ou partielle de mots déjà connus qu'ils retrouvent sur des référents affichés sur les murs de la classe et une écriture syllabique (une lettre correspond à une syllabe orale) à laquelle ils ajoutent parfois d'autres lettres.

C'est le cas dans la production suivante d'**Alice, élève de Grande Section,** inventant avec l'aide de deux camarades une bêtise imaginaire de Snoopy, le lapin de la classe :

Le blanc graphique est apparent pour les mots connus, pas pour les autres. Derrière cette écriture défaillante apparaît une réflexion déjà avancée sur le fonctionnement de notre système orthographique. Cette élève n'oublie pas de lettres, mais au contraire en ajoute par rapport à une hypothèse alphabétique. Pour le mot *lapin*, Alice a seulement écrit la première syllabe.

L'écriture phonétique

L'exemple suivant est **une production d'un groupe de trois élèves en fin de Grande Section**. Ils ont voulu écrire :

> *Bonjour les CP*
> *Vendredi, on est allé à la patinoire. On s'est bien amusé.*

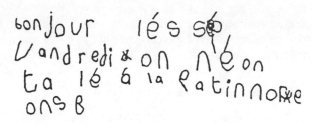

Malgré des erreurs dans le choix des graphies ou les coupures entre les mots, dans l'ensemble, le message écrit comporte cette fois toutes les lettres nécessaires. Mais, à la fin, sans doute sous l'effet de la lassitude, une lettre *S* note à elle seule le mot *s'est*. Le groupe se situe entre l'écriture phonétique et l'hypothèse syllabique.

■ Le rôle de l'enseignant dans les situations d'écriture inventée

Même si l'enseignant s'efface à certains moments du travail des groupes, pour laisser les enfants se poser et résoudre des problèmes d'écriture, son rôle n'en est pas moins très important :

– **Il constitue les groupes d'écriture** en veillant à la fois aux affinités entre les enfants, à la diversité de leurs niveaux pour ce qui est de la représentation du fonctionnement de l'écriture, sans que la disparité de compétences ne soit trop importante.

– **Il installe dans la classe des référents divers** (textes étudiés, albums de référence, calendriers, affiches, imagiers, collections de mots-repères…) auxquels les enfants pourront se reporter. Si besoin est, il suscite les situations propices à leur utilisation efficace par les enfants.

– Dans certains cas, **il aide à l'élaboration du message** tenant compte des spécificités de la trace écrite par rapport à une production orale.

– **Il enseigne des méthodes de travail** : chercher dans le référent pertinent un mot déjà rencontré, décomposer un mot nouveau en repérant quelques phonèmes…

– Il installe dans la classe **un climat où l'erreur est tolérée** et devient un élément essentiel de l'apprentissage.

– **Il aide à mettre au point les productions** avant leur socialisation finale. C'est lui qui est la ressource sur les caractéristiques de l'écrit.

Il importe de distinguer ce qui relève de la mise au point du texte produit pour être communiqué à l'extérieur de la classe sous une forme lisible et normée, et les interventions visant à aider les enfants dans le processus de construction de la représentation de la langue écrite. C'est la confrontation entre la diversité des productions des enfants qui est le support privilégié pour conduire ce travail.

AU CONCOURS

Les sujets se rapportant au cycle 1 sont encore peu nombreux, mais les recommandations ministérielles demandent aux concepteurs de sujets de favoriser davantage les sujets sur l'école maternelle dans les prochaines années.

■ Sujet 1 : analyse de productions d'élèves

(sujet de concours invalidé en raison d'un incident dans la distribution des sujets au cours de l'épreuve de mathématiques)

Toulouse
1995

Ci-joint deux textes de CP, produits au début du second trimestre, à partir de la consigne suivante :
« Écris ton portrait afin que tes camarades puissent te reconnaître ».

| TEXTE 1 | TEXTE 2 |

Vous analyserez les compétences orthographiques de ces élèves, tant sur le plan des erreurs que sur celui des réussites.

Quelques indications sont données sur la production de ces écrits :

– La production d'écrit est individuelle, dans le cadre d'un échange avec des correspondants, en début d'année de CP.

– Le texte produit est une description, plus particulièrement un autoportrait.

CORRIGÉ

Les phrases déclaratives, qui correspondent probablement à des structures apprises en classe, ne comportent ni majuscules ni points. La première phrase de chacun des textes : *Je suis une fille/Je suis un CP* est correcte, malgré l'hésitation sur l'ordre des lettres dans le texte 2, comme en témoigne la rature, portant trace d'une écriture en miroir. On peut remarquer – mais ce ne serait pas à dire pour répondre à la question posée dans l'épreuve – que les phrases répondent à une progression thématique à thème constant et ne comportent aucun connecteur.

L'auteur du texte 1 n'a pas su orthograhier correctement *j'ai* malgré la fréquence de cette forme verbale. En écrivant *g*, elle a mis en œuvre une stratégie phonologique reposant sur le nom de la lettre.

L'orthographe de *cheveux* n'est pas connue, de sorte que le mot est orthographié phonétiquement. Il est à noter que *cheves* porte une marque de pluriel, même si ce n'est pas la bonne. Le mot *blond*, correctement orthographié par l'élève, a sans doute été vu ou donné par l'enseignant. L'accord n'est pas fait, ce qui semble normal au CP.

Ble pour *bleu* dans le texte 2, de même que *cheve* pour *cheveu* dans le texte 1, correspondent à un mauvais choix de graphie.

Dans le texte 2, on note également une lettre oubliée (*ties* pour *tiens*), oubli qui altère gravement la valeur phonique, ou ajoutée (*sitilo* pour *stylo*), difficulté qui semble liée ici à la présence de la double consonne, rare d'ailleurs en français.

Ces enfants prennent peu de risque par rapport à l'écriture : dans l'ensemble, ils réutilisent les mots ou les structures de phrases qu'ils ont apprises.

■ Sujet 2 : analyse didactique

Une enseignante de Grande Section d'école maternelle propose à ses élèves d'inventer la suite d'un album qu'ils sont en train de lire : *L'ogre, le loup, la petite fille et le gâteau* de Philippe Corentin, École des Loisirs. Les suites ainsi inventées seront envoyées à la classe de Grande Section avec laquelle ils correspondent régulièrement depuis le début de l'année. Après une discussion collective permettant de reformuler l'histoire et de mettre en commun les premières hypothèses, les enfants vont écrire à leur place. Ils peuvent se lever pour s'approcher de l'un des référents.

Inédit

Ils ont à leur disposition les référents suivants :

• Au tableau :

– les jours de la semaine en lettres majuscules

– quelques mots du texte utilisés dans l'activité : *le loup, le gâteau, la petite fille, l'ogre, mangera*

• Sur les murs :

– les noms et les prénoms des enfants

– les lettres de l'alphabet et les mois de l'année en majuscules

– des affiches diverses correspondant à des événements vécus par la classe

– un alphabet dans les quatre écritures (majuscules d'imprimerie, cursives, script, majuscules cursives)

– un alphabet en majuscules associant à chaque lettre les prénoms des élèves commençant par cette lettre

– les jours de la semaine en trois écritures

– des mots parmi lesquels : *automne, hiver, printemps, été, hier, aujourd'hui, demain, qui a 6 ans*

– des chiffres

Voici les productions écrites de Marina, Anaïs, Léa, Gaëtan et Guillaume (document 1 en p. 27) **ainsi que la lecture qu'ils ont faite de leur écrit, à la fin de l'activité** (document 2 en p. 28-29).

(Ces documents sont empruntés au mémoire de maîtrise de sciences du langage de Cécile Oulières, Université de Toulouse, le Mirail, juin 1998.)

Productions écrites de Marina, Anaïs, Léa, Gaétan et Guillaume

LUNDi — LA-PETiTE-FiLLE
MANGERA-LE-GÂTEAW-MAi-A-RODEZ-iNA
PA§2-LOUP
marina

LUNDI-L'-OGRE
NA-PU-RO-VU.-LA-PETiTE
FiLLE-MAi-LE-LOUP
A-MANGE-LA-PETiTE-FiLLE
Anaïs

LEUDi
sa petite fille Mamogera
le gâteau

LÉA

LUNdi la petite fille
mangera le gâte au
d ne hi
GAÉTANDEL

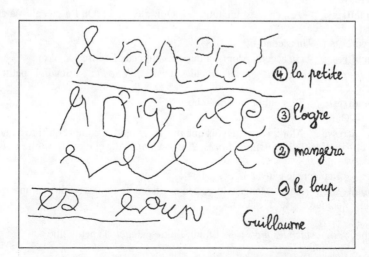

④ la petite
③ l'ogre
② mangera
① le loup
Guillaume

Lecture orale des écrits devant la maîtresse

147 La maîtresse : – Qu'est-ce que tu m'as écrit ? Je lis « Lundi ». À toi.

148 Marina : – « Lundi, la petite fille mangera le gâteau ».

149 La maîtresse : – Voilà, et tu continues l'histoire si tu veux, si tu penses qu'elle n'est pas terminée. Continue.

(…)

219 La maîtresse : – Alors, vas-y.

220 Anaïs : – « Lundi, l'ogre n'a plus r<u>ou</u>vu la petite fille / mais le loup » / Après, je m'en, rappelle plus.

221 La maîtresse : – Alors, qu'est-ce que tu veux écrire ?

222 Anaïs : – « Mais le loup a mangé la petite fille ».

223 La maîtresse : – Ah ! Alors, écoute bien : [ã], tu sais l'écrire ? [mãʒe], [mãʒe], qu'est-ce qu'on entend ? [mãʒe], qu'est-ce qu'on entend à la fin ?

224 Anaïs : – M, A, N.

225 La maîtresse : – Oui, ça c'est le [mã], [mãʒe]…

226 Les enfants : – [ʒe].

227 La maîtresse : – Qu'est-ce que c'est cette lettre ?

228 Les enfants : – G.

229 La maîtresse : – G, mais à la fin c'est un [ɸ] ou c'est un [e] ?

230 Un enfant : – [ɸ].

231 La maîtresse : – Ah ! J'ai pas dit [mãʒɸ], j'ai dit [mãʒe].

232 Gaétan : – [e].

233 La maîtresse : – « Mangé », [e]. Alors le [e], on le connaît. Gaétan, comment ça s'écrit le [e] ?

234 Un enfant : – L.

235 Gaétan : – M.

236 La maîtresse : – Non, le [e]. Le [e], comment ça s'écrit ? Vous ne vous en souvenez plus ?

237 Rachel : – E

238 La maîtresse : – Oui, c'est un E avec quoi ?

239 Un enfant : – S.

240 La maîtresse : – Ah, ça c'est un autre [e]. Oui, c'est bien. On l'a vu celui-là aussi. Mais c'est le E avec…

241 Les enfants : – Un accent.

242 La maîtresse : – Un accent. Alors « a mangé », tu peux l'écrire.

283 Léa *désigne correctement les mots en même temps qu'elle lit* **:** – « Jeudi, la petite fille mangera »…

284 La maîtresse : – T'as oublié quelque chose ?

285 Léa : – Oui.

286 La maîtresse : – Alors, vas-y. Je vois que tu t'en es rendue compte qu'il te manquait quelque chose. *(Quelques instants après, Léa revient.)* Ah, elle avait oublié quelque chose. Vas-y.

287 Léa : – « Mangera le gâteau ».

286 La maîtresse : – Ah ! « Mangera le gâteau ». Eh oui, tu t'en es rendue compte que tu avais oublié quelque chose. Très bien.

(…)

289 Rachel *désigne bien les mots* **:** – « Lundi, l'ogre mangera la petite fille ».

290 La maîtresse : – Très bien. Tu signes surtout. Guillaume, j'aimerais que tu écoutes l'histoire.
Allez Gaétan, on va t'aider, essaie de te souvenir.

291 Gaétan : – « Lundi ».

292 La maîtresse : – Montre-nous les mots si ça t'aide.

293 Gaétan : – « Lundi *(il montre « lundi »)* la petite fille *(« la petite »)* va manger le loup (*« fille »*) »//

294 La maîtresse : – Ça y est ?

295 Gaétan : – Je m'en rappelle plus après.

296 La maîtresse : – Tu ne te rappelles plus après ? Là *(elle montre « dmanche » sur sa feuille)*, il me semble que tu as voulu écrire « dimanche », non ? Tu t'en rappelles plus ?

297 Gaétan : – Non.

298 La maîtresse : – Tu t'en rappelles plus ? Tu veux que je te lise ce que tu as écrit ?

299 Gaétan : – Oui.

300 La maîtresse : – « Lundi, la petite fille mangera le gâteau. Dimanche ». Tu voulais écrire autre chose ?

301 Gaétan : – Oui.

302 La maîtresse : – Alors, qu'est-ce que tu voulais écrire ? Même si tu n'as pas eu le temps, ça ne fait rien mais dis-nous quand même ce que tu voulais écrire.

303 Gaétan : – « Dimanche, l'ogre va manger le loup ».

304 La maîtresse *désigne les mots en même temps qu'elle lit* : – « Dimanche, l'ogre va manger le loup ». Bon, tu l'écriras la prochaine fois. Tu écris ton prénom quand même.

Guillaume, tu viens nous lire ton histoire.

267 Guillaume *lit son texte de bas en haut :* « Le loup (*« le loup »*) mangera (*« fille »*) la petite (*« l'ogre »*) fille (*« la petite »*) »

268 La maîtresse : – D'accord, tu signes maintenant. Tu signes de ton prénom, un peintre signe son tableau en mettant son nom, toi tu signes en mettant ton prénom.

---

1) Caractérisez la situation d'écriture proposé. (2 points)

2) Analysez les compétences de ces élèves. Pour chacun d'entre eux, vous considérerez successivement la production écrite en elle-même et l'entretien avec la maîtresse. (4 points)

3) Quelle est la nature des interventions de la maîtresse? (2 points)

CORRIGÉ

1 **La situation proposée est une situation fictionnelle** : il s'agit d'inventer une suite de récit imaginaire. Elle est liée à un projet de la classe : les diverses productions seront lues et comparées dans la classe, avant d'être adressées aux correspondants.
La **tâche** est relativement **ouverte** : diverses suites sont possibles et toutes les fins sont permises. La tâche est **individuelle**, bien que les enfants aient le droit de discuter entre eux pour résoudre un problème d'écriture. Les enfants ont à assumer **les diverses opérations requises dans le processus rédactionnel** : planifier le texte (le concevoir, s'en

faire une image idéale), mettre en texte (construire des phrases et chercher à écrire les mots) et, si nécessaire, le réviser (l'ajuster pour qu'il soit plus conforme à ce qu'on souhaite réaliser).

Les stratégies requises relèvent de l'écriture inventée. Même si les enfants peuvent reproduire des mots figurant sur les référents, il est probable qu'ils auront également à écrire des mots qu'ils n'ont jamais rencontrés auparavant.

Cependant les élèves semblent avoir bridé leur imaginaire en fonction de ce qu'ils savent écrire, de sorte que l'ensemble des productions sont relativement stéréotypées et dépendantes du matériau verbal qui était à leur disposition dans les référents.

Très peu d'enfants, comme Anaïs ou Marina, se sont risqués à une écriture inventée.

Un temps de **relecture systématique**, à l'issue du travail, permet à la fois de mieux comprendre ce que les enfants ont voulu faire et de vérifier qu'ils savent encore relire les mots qu'ils ont écrits, et qu'ils ne les ont pas utilisés au hasard.

2 **Les compétences de ces divers élèves** sont très différentes, ce qui met bien en évidence l'extrême hétérogénéité des compétences dès la Grande Section de l'école maternelle.

• **Anaïs et Marina** inventent un texte long, en utilisant non seulement les mots déjà rencontrés en écriture mais aussi en faisant des hypothèses en écriture inventée sur les mots qu'elles ne savent pas écrire. Elles sont capables de :
– reconnaître et reproduire correctement les mots usuels déjà rencontrés : *lundi, l'ogre, la petite fille, loup, mangera, Rodez,*
– marquer les frontières entre les mots. Elles le font toutes les deux grâce à des tirets qui matérialisent les blancs en frontières de mots,
– segmenter la chaîne orale : *na* pour *n'a.*

Cette analyse des rapports phonie-graphie engendre parfois certaines erreurs :
– écriture phonétique : *mai* (pour *mais*). Les enfants ont-ils vu le nom du mois de *mai* ?
– confusion entre nombre et préposition : *2* pour *de*
– mauvaise segmentation des mots : *n'a plus revu* écrit en 4 morceaux
– confusions altérant la valeur phonique : *ro* pour *re, pu* pour *plus, INA* pour *il n'y a.* Il est à noter que ce sont les liquides comme *l* dont le repérage suscite des erreurs.

Ces deux enfants sont capables de relire leurs productions sans erreur. Elles sont déjà engagées dans l'écriture phonétique et sont tout à fait prêtes à travailler systématiquement les relations entre phonie et graphie.

L'analyse des échanges avec la maîtresse montre tout de même une différence sensible de compétences entre ces deux petites filles. Marina a écrit toute seule, tandis qu'Anaïs a résolu le problème orthographique d'écrire *a mangé* seulement avec l'aide de la maîtresse qui l'a aidée à effectuer une décomposition phonique du mot.

• De son côté, **Léa** s'est bornée à reproduire des mots qu'elle savait écrire, parfois avec une erreur dans le tracé (dans *mangera*, le *n* a trois jambes comme un *m*). Au cours de la relecture, elle se rend compte d'elle-même qu'elle a oublié le déterminant *le* dans *le gâteau* et est capable seule d'en retrouver l'écriture. Elle manifeste donc des compétences de révision de son écrit.

• **Gaëtan** a géré assez maladroitement l'espace de la page. Il a mêlé écriture en capitales (pour le mot *LUNDI* et pour son prénom) et écriture liée pour les autres mots. Les lettres apparaissent parfois superposées, comme si certains mots avaient été rajoutés après coup. Le dernier mot, d'un tracé très maladroit est incomplet : *dmche.* On peut se demander s'il s'agit là d'un problème de copie ou de la trace de l'hypothèse syllabique, une lettre notant une syllabe : *d* pour *di, m* pour *man*. Le tracé très hésitant témoigne de la difficulté à copier. Il est vrai aussi que les enfants n'ont pas souvent l'occasion d'écrire le mot *dimanche*.

Au cours de la relecture, Gaétan commet des erreurs : s'il relit correctement *lundi*, il confond *la petite fille* avec *la petite* de sorte qu'il lit *loup* là où il a écrit *fille*. Il ne cherche pas à vérifier strictement ses hypothèses de lecture. La relecture par l'enseignante du texte qu'il a écrit est nécessaire pour l'aider à continuer. On peut toutefois douter de la cohérence de son texte : il semble avant tout réitérer des structures de phrases.

• **La production de Guillaume** manifeste de grandes difficultés. Le tracé est très hésitant et difficile à déchiffrer. Cela tient peut-être au fait que Guillaume a une mauvaise position pour recopier les mots : il est accroupi près du tableau. Mais cela montre aussi peut-être qu'il ne sait pas en mémoriser la graphie.

L'espace de la page est mal géré : le premier mot figure au bas de la feuille, la lecture devant s'effectuer de bas en haut. Un mot ou un groupe de mots (déterminant + nom ou déterminant + adjectif) occupe chaque ligne. La production est ininterprétable sans la lecture qu'en donne l'élève. On a plutôt l'impression qu'il a copié certains mots, comme *l'ogre* au hasard, sans être forcément capable de les lire. On est ici très proche du simple simulacre d'écriture.

L'aide de la maîtresse est nécessaire en permanence à Guillaume. L'état de ses compétences est très éloigné du problème à se poser et à résoudre.

3 **Le rôle de la maîtresse est très différent selon les enfants** et s'ajuste à l'état de leurs compétences :
– elle encourage, elle aide au cours du travail,
– elle invite à vérifier,
– elle aide parfois à l'analyse de la chaîne phonique, lorsque les enfants sont prêts à se poser la question,
– en aucun cas, elle ne rectifie les erreurs.

On peut seulement regretter qu'elle ne demande pas souvent de justifications.

Pistes bibliographiques

■ Ouvrages de base

◆ Chartier Anne-Marie, Clesse Christiane, Hébrard Jean : *Lire écrire – Entrer dans le monde de l'écrit*, tome 1 Hatier, 1991 ; tome 2, Hatier, 1998.

◆ Devanne Bernard, *Lire, écrire, des apprentissages culturels*, Armand Colin, 1992.

■ Pour aller plus loin

◆ AGIEM (Association des Instituteurs et Institutrices des Écoles Maternelles) :
« L'enfant, la trace, l'écrit », *Actes du Colloque* des 8-9-10 mai 1992, Rodez.
(*AGIEM* 1201 – École Maternelle Paul Girard : 15, Rue de la Gare, 12000 Rodez.)

◆ Ferreiro Emilia, *Lire/écrire à l'école. Comment s'y apprennent-ils ?*, CRDP Lyon, 1988.

◆ Inspection de l'Éducation nationale (Circonscription de Roubaix-Est),

    tome 1 : *Lire et écrire à partir d'écrits fonctionnels,*

    tome 2 : *Lire et écrire à partir d'écrits fictionnels,*

Cycle des apprentissages fondamentaux GS/CP/CE1 – Démarches et outils pour la classe, CRDP Lille, 1995.

◆ Fijalkow Jacques : « L'entrée dans l'écrit », *Les dossiers de l'éducation* n° 11/12, 1986 ; «*Existe-t-il une psychogenèse de l'écrit ?*», Presses Universitaires du Mirail, 1992.

◆ Jaffré Jean-Pierre, « Pourquoi ça s'écrit pas pareil ? Autour d'un problème orthographique : la distinction des homophones », *Repères* n° 65, pp. 49-57, février 1985.

◆ Jaffré Jean-Pierre, « Compétences orthographiques et systèmes d'écriture », pp. 77-96, *Pratiques* n° 46, juin 1985.

◆ Jaffré Jean-Pierre, « Le traitement élémentaire de l'orthographe : les procédures graphiques », *Langue Française* n° 95, pp. 27-48, septembre 1992.

◆ Rieben Laurence, « Régulations didactiques dans une situation de lecture/écriture ou comment aider les enfants à chercher des mots pour écrire », in *Didactique de la lecture : regards croisés*, Presses Universitaires du Mirail/CRDP Midi-Pyrénées, pp. 129-146, 1996.

L'apprentissage continué de la lecture au cycle 3

Une pratique extrêmement diversifiée

■ Pour poser le problème

Il existe une infinité de projets de lecture, une multitude de façons de lire, de types de lecteurs :

> Il y a les petites filles modèles qui dévorent les pages, les curieux qui en profitent pour s'instruire et les irréductibles qui ne lisent que contraints et forcés.
>
> Début d'un article de Nicole Duroy sur «les 8/12 ans et la lecture»,
> *Télérama* n°1925, décembre 1986.

> Les plaisirs de la lecture sont multiples. On lit pour savoir, pour comprendre, pour réfléchir. On lit aussi pour la beauté du langage, pour s'émouvoir, pour se troubler. On lit pour partager. On lit pour rêver et apprendre à rêver.
>
> José Morais, *L'art de lire*, Odile Jacob, pp. 12-13, 1994.

Cette diversité se retrouve dans les finalités assignées à l'enseignement de la lecture au cycle 3 que traduisent les 20 affirmations qui suivent.

Regroupez-les en fonction des tendances majeures qui les inspirent.

A	La lecture doit devenir pour les enfants un plaisir, une nécessité, une hygiène.
B	Les élèves doivent savoir choisir un livre, un journal dans une BCD, une bibliothèque ou une librairie en fonction de leur projet de lecture.
C	L'école doit révéler aux enfants le plaisir de lire hors de toute préoccupation utilitaire.
D	Les élèves doivent savoir entrer dans un ouvrage en utilisant les indices externes (couverture, table des matières, illustrations…).
E	Les élèves doivent accéder aux grands classiques qui proposent à leur imagination une expérience qu'ils ne peuvent rencontrer ailleurs.
F	Les élèves doivent déchiffrer un mot inconnu sans hésiter en lecture à haute voix.
G	Les élèves doivent savoir lire pour pouvoir rêver, s'émouvoir, s'évader…

H	Les élèves doivent savoir utiliser un horaire de chemin de fer, un annuaire, une carte routière.
I	Toute lecture est bonne quelle qu'elle soit pourvu que les élèves lisent.
J	Les vrais « bons » lecteurs sont les dévoreurs de romans qui ne se contentent plus de lire des documentaires.
K	Il faut que les élèves maîtrisent l'ensemble de la combinatoire hormis les exceptions les plus rares.
L	Les élèves doivent accéder à l'autonomie pour prélever de l'information dans un écrit en fonction d'un objectif : prendre des notes, rédiger une fiche, un dossier…
M	Pour vraiment comprendre les textes, les élèves doivent être initiés au champ culturel auquel ces textes réfèrent.
N	Pour lire efficacement, les élèves doivent avoir acquis une vitesse de lecture suffisante.
O	Les élèves doivent acquérir des techniques de lecture sélective par écrémage, repérage… du texte.
P	L'école doit amener progressivement les élèves à une approche littéraire des textes pour les préparer au collège.
Q	La lecture est le meilleur moyen d'occuper les enfants qui n'ont rien à faire à l'école ou à la maison.
R	Il faut améliorer la largeur des fixations oculaires, la finesse des discriminations, la capacité d'anticiper, les conduites d'exploration de la page.
S	Il faut que les élèves sachent bien lire pour échapper à l'emprise de la télévision.
T	Les élèves doivent apprendre comment fonctionnent les différents types de textes et d'écrits pour mieux les lire.

■ Premiers éléments de réponse

La lecture considérée comme une fin en soi (A, S, I)
Pour beaucoup, la lecture est sa propre fin et le verbe lire en devient presque intransitif. On prête à la lecture toutes les vertus comme le fait François Nourrissier (**A**) parce que lire est une conduite active opposée à la passivité généralement prêtée au malheureux esclave du petit écran (**S**). Dès lors, peu importe ce qu'on lit pourvu qu'on lise : mieux vaut, disent certains, lire un roman de la collection Harlequin ou un roman-photo que de ne pas lire (**I**).
Cette sacralisation de la lecture n'est pas sans danger car, à force de vouloir que les enfants lisent pour lire, on risque d'occulter à la fois le plaisir et l'utilité de la lecture. C'est ainsi que certains adolescents, ne voyant dans la lecture qu'une obligation scolaire, s'en estiment affranchis quand ils ont terminé leur scolarité.

Approche culturelle et littéraire (E, M, P, J)
La lecture est souvent considérée comme l'accès privilégié sinon unique à une culture dont les grands classiques de la littérature de jeunesse, ancienne et moderne, sont les dépositaires (**E**) et cette culture est souvent présentée comme un préalable à la compréhension de ces classiques (**M**). L'approche littéraire des œuvres de fiction est en même temps conçue comme une préparation à l'explication de texte dans la perspective du collège (**P**). Cette conception érige souvent en lecteur « modèle » l'amateur de romans et fait alors peu de cas d'autres écrits pratiqués par les jeunes mais considérés comme non culturels : bandes dessinées, revues spécialisées dans la mécanique, le sport, etc. (**J**).

Approche technique (K, F, N, O, R)

Pour certains maîtres, la priorité reste au cycle 3, et plus particulièrement à son début, de mener à bien l'apprentissage « technique » de la lecture. Cette approche pourra se faire, avec de nombreuses variantes, selon deux modèles dominants correspondants à la conception que chacun a de l'acte de lecture :

– Elle pourra être plutôt traditionnelle et mettre l'accent sur la maîtrise de la combinatoire (**K**), la sûreté du déchiffrement considéré comme le préalable à une lecture efficace (**F**).

– Elle pourra être qualifiée de « moderne » lorsqu'elle elle vise à améliorer en priorité la rapidité nécessaire à l'efficacité de la lecture par un « entraînement systématique en vue de la maîtrise des gestes mentaux utilisés par tout lecteur efficace »[1] (**N, O, R**).

Approche hédoniste (C, G)

Suivant en ceci les bibliothécaires, beaucoup de maîtres sont particulièrement attentifs à donner aux enfants le goût de la lecture pour le plaisir qu'elle procure (**C, G**). Ils veillent donc à leur laisser des moments de totale liberté et des lieux accueillants (coin lecture dans la classe ou la bibliothèque centre documentaire) conçus comme autant de zones franches où la lecture échappe aux pratiques proprement scolaires et ne fait notamment l'objet d'aucun contrôle ni d'aucune évaluation.

Approche fonctionnelle (L, B, D, H, T/Q)

Une approche dominante est sans doute celle qui vise à faire acquérir par les enfants un comportement fonctionnel de lecteur. Cela doit leur permettre de faire de la lecture un moyen de mener à bien un projet choisi par eux ou dicté par les circonstances (**L**), de choisir pour cela le document le plus indiqué (**B**) – et de savoir s'en servir le plus efficacement possible (**D, H, T**). Lire pour le plaisir est, bien entendu, un projet de lecture parfaitement légitime !

Comme il est de règle en pareil cas, ces finalités ne s'excluent pas mutuellement et peuvent être privilégiées simultanément ou tour à tour. Savoir choisir un livre peut relever d'une approche culturelle et hédoniste, autant que fonctionnelle, de la lecture.

Nous mettrons à part l'attitude qui consiste à ne voir dans la lecture qu'un simple bouche-trou dans l'emploi du temps, une façon de faire tenir les enfants tranquilles (**Q**) ou, pire, un pensum lorsqu'on leur demande de rédiger un résumé ou un compte-rendu d'un roman pour sanctionner un travail non fait ou une entorse à la discipline. C'est sans doute le moyen le plus efficace de les détourner du livre et de la lecture !

Le savoir lire au cycle 3

■ Une conception renouvelée du lecteur accompli

« Savoir lire, lire souvent, aimer lire », cette devise résume de façon lapidaire l'idéal assigné à chaque élève à la fin de l'école élémentaire et au-delà. Elle nécessite cependant quelques explications. Le goût de lire ne se décrète pas, il peut cependant être suscité et renforcé durant le temps scolaire et en marge de celui-ci. Il ne servirait à rien de faire lire souvent les élèves en recourant à la contrainte ou en assortissant

---

1. Préface au manuel *a.r.t.h.u.r*, Nathan/Retz, 1989.

cette lecture d'exercices scolaires qui la rendraient trop rebutante. Sans négliger pour autant les deux autres volets du triptyque, l'école peut et doit surtout faire progresser les élèves dans leur construction d'un savoir lire de plus en plus élaboré et de plus en plus efficace.

Depuis quelques décennies, en effet, l'école élémentaire se trouve face à une obligation nouvelle : elle doit préparer tous les élèves au collège puis au lycée et, à plus long terme, à la vie professionnelle et sociale pour laquelle la maîtrise de la lecture est devenue indispensable. En effet, toutes les enquêtes le montrent, l'illettrisme est un des facteurs déterminants de l'exclusion. Ce terme définit, rappelons-le, la situation d'une personne qui, bien qu'ayant été scolarisée et alphabétisée, se révèle dans l'impossibilité de comprendre et d'exploiter un écrit simple en rapport avec la vie quotidienne. Cette nouvelle perspective a obligé l'école à reconsidérer les compétences qui définissent aujourd'hui le « bon lecteur » et l'apprentissage continué de la lecture s'en est trouvé profondément modifié au cycle des approfondissements particulièrement bien nommé en l'occurrence.

L'ancien modèle d'apprentissage de la lecture, aujourd'hui périmé, comportait trois étapes :
– la première faisait acquérir les mécanismes de la combinatoire afin de pouvoir **déchiffrer**;
– la deuxième consistait à accélérer le déchiffrement pour accéder à la **lecture courante**;
– le stade ultime était la **lecture orale expressive** dont l'expérience a montré qu'elle ne reposait pas nécessairement sur la compréhension des textes.

Ce modèle a laissé place à **un profil de lecteur beaucoup plus complexe**[2] où l'on retrouve, à un degré supérieur de maîtrise, les compétences construites au cycle 3 et de nouvelles compétences nécessaires pour que l'élève puisse aborder la sixième dans de bonnes conditions. On a en effet souvent constaté que l'entrée au collège posait aux élèves des problèmes de lecture redoutables.

■ Les compétences à construire en lecture en fin de cycle 3

Connaître le fonctionnement des lieux et objets de lecture

Au cycle 3, l'élève doit savoir s'orienter dans les lieux de lecture (bibliothèques extérieures à l'école, B.C.D., librairies…) et dans les divers ouvrages en s'aidant notamment du sommaire, de la table des matières…

Être un lecteur polyvalent

Pendant longtemps les élèves ont appris à lire sur des ouvrages propres à l'école : livres de lecture dite courante, recueils de morceaux choisis. Ils doivent désormais lire des ouvrages très différents. Depuis un quart de siècle, l'école a d'abord admis puis promu le livre non scolaire, dit aussi livre de bibliothèque[3], qu'il soit documentaire ou de fiction. Parallèlement, le nombre de livres publiés a crû dans des proportions

---

2. Ce profil de lecteur est détaillé dans *Maîtrise de la langue à l'école*, pp. 95-107.

3. La nouveauté réside dans le fait qu'elle lui donne aussi droit de cité dans l'enseignement, durant le temps scolaire, et ne se borne plus à recommander ou prêter des livres à lire « à la maison ».

considérables, les deux phénomènes se sont sans nul doute mutuellement renforcés. Cette période a vu aussi entrer à l'école les écrits de la vie quotidienne et, nouveauté capitale, la presse.

Au cycle 3 les élèves apprennent à adapter leur lecture à la variété des types de textes (narratif, informatif, explicatif, argumentatif…), documentaires ou de fiction, pour aboutir à une attitude de lecteur autonome. Connaissant le fonctionnement attendu des divers types de textes, ils peuvent mieux mémoriser ce qui a été lu et anticiper sur ce qui va suivre tout en contrôlant la construction du sens au fur et à mesure de la lecture.

Ils doivent lire des ouvrages sur des thèmes variés, parfois nouveaux pour eux…

> La lecture devient aussi pour [l'élève] un moyen d'accéder à des mondes nouveaux de connaissances ou d'émotions, à des interrogations encore étrangères à son expérience. Elle devient ainsi un véritable instrument d'enrichissement culturel.
>
> *La Maîtrise de la langue à l'école*, p. 72.

Ils doivent accéder à la lecture « longue », notamment de romans.

Perfectionner la maîtrise de la combinatoire

L'élève doit parachever l'apprentissage de la combinatoire pour ne plus avoir à s'en servir, élargir considérablement le stock de mots qu'il reconnaît au premier coup d'œil. Pour cela vont se multiplier les lectures donnant l'occasion de rencontrer des mots plus difficiles dans des contextes différents afin de les reconnaître sans recourir au déchiffrement et de choisir la signification pertinente.
Certaines relations rares mais régulières entre phonèmes et graphèmes vont donner lieu à des exercices de distinction rapide de mots identiques à une ou deux lettres près. Les différents phénomènes qui caractérisent le fonctionnement du code alphabétique doivent être explicités et ordonnés.

Comprendre des textes plus longs et plus difficiles

Au cycle 3, les écarts sont très marqués entre des élèves incapables de lire un texte excédant quelques lignes et d'autres qui peuvent lire un roman qui les passionne en un laps de temps réduit, ce qui pose au maître des problèmes quand il s'agit de travailler en classe sur une œuvre complète (cf. chap 19). En outre, et les deux constats vont de pair, les évaluations en début de 6e font apparaître des différences de niveau marquées quant à la compréhension en lecture :
– **20 %** seulement des élèves possèdent des **compétences dites remarquables** supposant l'accès à l'implicite ;
– **30 %** des élèves disposent de **compétences approfondies** relatives à la mise en relation de plusieurs informations explicites pour construire du sens ;
– **30 %** ne possèdent que les **compétences de base** consistant en un repérage d'informations figurant dans le texte ;
– **20 %** d'élèves, en danger **d'illettrisme**, restent en dessous de ce seuil.

Le cycle 3 doit donc permettre aux élèves d'améliorer ces compétences pour accéder autant que possible aux niveaux supérieurs. Cela suppose notamment de travailler les compétences suivantes :
– savoir saisir l'essentiel d'un texte,
– prélever des informations ponctuelles explicites,

– mettre en relation plusieurs informations explicites, même éloignées, pour construire du sens,
– percevoir les enchaînements d'un écrit : succession, analogie, ordre chronologique, relation logique…,
– manifester une compréhension « fine », supposant l'accès à l'implicite en recourant à la capacité à inférer.

Inférer, c'est savoir induire une information qui n'est pas explicitement donnée dans le texte à travers des indices qui y figurent. Elle consiste donc à mettre en relation ces indices et ce que l'on sait déjà du sujet par ses connaissances antérieures ou les informations précédemment données dans le texte.

Recourir à des stratégies de lecture diversifiées

Selon le type de texte et d'écrit qu'il lit et en fonction de son projet de lecture, l'élève doit pouvoir recourir à la stratégie de lecture la plus adaptée :
– lecture **intégrale** d'un texte narratif, en particulier d'un roman,
– lecture **sélective** de textes informatifs pour trouver des réponses à des questions précises ou repérer des passages traitant de thèmes ou de centres d'intérêt privilégiés,
– lecture **découverte** explorant un texte en quête d'un thème ou d'un centre d'intérêt non défini à l'avance,
– lecture **critique** qui ne se borne pas à prélever des informations mais qui permet de présenter un avis personnel et argumenté sur ce qui a été lu.

Vers la lecture des textes littéraires

La compréhension d'un texte n'est pas l'unique but que l'on puisse poursuivre, en particulier face à des œuvres poétiques, dramatiques ou narratives (contes, nouvelles, romans). Sans attendre de jeunes enfants qu'ils se livrent aux exercices difficiles de l'explication littéraire, on peut, dès l'école élémentaire, aller du partage des émotions morales ou esthétiques, vers la prise de conscience que l'écriture est un procédé susceptible de produire des effets puissants, de créer des univers de référence imaginaires, de donner vie à des fictions de langage, de donner sens à des paroles dénuées de toute urgence sociale et de toute utilité fonctionnelle.

La Maîtrise de la langue à l'école, p. 159.

Lire des documentaires

Certains domaines privilégiés de la lecture au cycle 3 sont développés dans des chapitres qui leur sont explicitement consacrés : **la littérature de jeunesse** (chap. 14), **le roman** (chap. 19).
Un autre domaine a vu son importance croître avec notamment l'implantation des BCD et le recours aux pratiques de recherche d'informations dans les diverses disciplines ou dans le cadre de la pédagogie du projet. Nous allons donc l'aborder ici, il s'agit de **la lecture des ouvrages dits « documentaires »**.

Qu'il s'agisse d'utiliser un manuel ou de faire une recherche à la BCD ou ailleurs, la lecture documentaire devient une situation courante de lecture et intervient directement et de multiples façons dans les apprentissages disciplinaires de l'élève de cycle 3. Mais en raison de la nature même des ouvrages de type documentaire, qui sont souvent fort complexes, et aussi parce que cette situation de lecture requiert une activité particulière de la part du lecteur, la lecture documentaire n'est pas facile.

■ Spécificités des ouvrages de type documentaire

Les ouvrages documentaires qui mobilisent généreusement les ressources techniques de l'édition afin de donner au lecteur le plus d'informations possibles sur un sujet donné sont des objets complexes et composites. C'est aussi pourquoi ils posent des problèmes particuliers de lecture que l'on peut situer à trois niveaux : l'organisation d'ensemble du livre lui-même, la composition de la double page, la nature des textes.

L'organisation du livre

Des manuels scolaires aux encyclopédies, il existe plusieurs types d'ouvrages documentaires ayant chacun leurs spécificités et leurs principes d'organisation. Tous cependant sont composés de différentes parties : sommaire, index, glossaire, table des illustrations, notes en marge ou de bas de page, etc., dont chacune possède sa propre logique et sa fonctionnalité. En fait, chaque partie constitue un outil bien spécifique dont l'usage requiert des compétences particulières, notamment la maîtrise du principe de classement alphabétique. De plus, ces différents éléments constitutifs de l'ouvrage ne fonctionnent pas isolément les uns des autres et entretiennent entre eux des relations d'interdépendance étroites qui obligent le lecteur à rompre avec une lecture linéaire pour **circuler** dans l'ensemble de l'ouvrage en mettant en relation des titres, des textes, des images, des chiffres et souvent des codes internes à chaque ouvrage : système de logos, symbolisation par des jeux de couleurs...

La composition de la double page

La double page tend de plus en plus à constituer la véritable unité de ce genre d'ouvrage. Elle est conçue pour permettre un parcours global du regard, pour donner non seulement à lire mais aussi à voir. Cependant la présence conjointe d'éléments de nature différente, images et textes, ayant chacun leurs codes singuliers, la rend particulièrement dense et complexe, d'autant que les textes ont des statuts et des fonctions diverses.

• **Le terme générique d'image** recouvre des réalités aussi diverses que la photographie, le dessin, le graphique, le schéma, le tableau, le logo... dont chacune possède des règles propres : un dessin ne se « lit » pas comme une photo parce que le rapport instauré avec la chose représentée n'est pas le même (la photo produit un effet d'analogie; le dessin signale davantage qu'il n'est qu'une représentation). En outre, les images remplissent des fonctions différentes dans le document et entrent dans un jeu de relations complexes avec les textes qu'elles accompagnent : fonction « décorative », fonction de « traduction » iconographique du texte, fonction véritablement informative quand elles apportent une information non donnée par le texte, et dans le cas des manuels scolaires, fonction de support à l'expression des élèves[4].

• **De leur côté, les textes** portent dans leur énonciation les marques, qu'il faut pouvoir interpréter, de cette relation aux images. Ce sont les déictiques qui signalent ce qu'il y a à observer dans les images correspondantes. Par exemple dans les deux petits textes suivants[5] :

---

4. Toutes ces fonctions de l'image dans un document sont détaillées dans la brochure *La Maîtrise de la langue au collège*, CNDP, 1997.
5. Exemple tiré de *La fleur*, coll. « Mes premières découvertes », Gallimard, 1991. Cet ouvrage est destiné par l'éditeur aux enfants de 3 à 6 ans.

Le pistil (1) se cache à l'intérieur de « la fleur ».

Observe aussi les étamines (2) : elles contiennent le pollen.

placés au-dessous d'un dessin pleine page représentant en coupe un crocus, les déterminants définis *le* devant « pistil », *la* devant « fleur », *les* devant « étamines », les numéros *1* et *2* entre parenthèses, qui renvoient directement aux chiffres correspondants dans l'image, et le verbe *observe* à l'impératif, qui s'adresse directement au lecteur, sont des déictiques. Et, pour profiter pleinement de la richesse de cette page documentaire, il est absolument nécessaire de bien saisir le parcours de lecture induit par ces mots.

La richesse de la double page fait appel à la liberté et à l'esprit de décision du lecteur. Les possibilités de parcours de lecture en sont considérablement accrues. Mais, pour jouir pleinement de son autonomie, le lecteur doit d'abord se repérer convenablement dans l'organisation de cette double page, identifier les éléments qui la constituent et comprendre les relations qui les unissent avant d'aborder la construction du sens proprement dite.

Le texte informatif-explicatif

Enfin, le dernier niveau de difficulté réside dans les textes eux-mêmes. La difficulté est double : d'une part, parce que les textes proviennent de sources multiples et se trouvent détournés de leur fonction initiale (les textes littéraires dans les livres d'histoire ou de géographie par exemple), d'autre part parce que les textes informatifs ou explicatifs qui constituent l'essentiel des textes des ouvrages documentaires présentent des difficultés particulières.

• **Les textes rapportés** sont parfois délicats à comprendre parce qu'ils ont été produits pour un autre usage que celui qui en est fait dans l'ouvrage documentaire. Ils présentent donc des différences importantes du point de vue de l'énonciation et de la visée (ils n'ont évidemment pas été écrits pour le lecteur du documentaire) et réclament un effort particulier de contextualisation qui exige une culture étendue.

• **Les textes informatifs** se caractérisent par la densité de l'information qu'ils véhiculent. Contrairement au texte narratif, ils obéissent à un ordre logique plus que chronologique et sont très peu redondants. La nécessité qui est la leur d'apporter un maximum de connaissances entraîne une progression de l'information, ou progression thématique (cf. chap.26), particulière. Cette singularité peut jouer notamment sur le rapport thème/rhème et retentir sur leurs dimensions respectives. Ainsi, plus le texte a une haute teneur informative, plus la partie correspondant au thème, qui se fonde sur la connaissance supposée partagée entre l'auteur et le lecteur et qui rappelle ce qu'il faut déjà savoir pour continuer, est longue. Or ce phénomène censé mieux préparer à la réception de l'information nouvelle contenue dans le rhème est propre à dérouter le jeune lecteur qui peut trouver que le texte « n'avance pas », qu'il ne dit rien.

Liés à la progression thématique, les divers procédés de reformulation participent pour beaucoup à la densité de l'information. En effet, les reformulations dissimulent généralement un savoir nouveau et constituent autant d'explications complémentaires. Mais elles peuvent également rendre difficile à suivre la progression thématique pour l'élève qui manque de connaissances sur le sujet concerné ou d'habileté en lecture. Ainsi tel texte sur les techniques de chasse du léopard va désigner l'animal tantôt par son nom particulier, le léopard, tantôt par son appartenance à des familles plus larges, le carnivore ou le félin.

■ L'activité du lecteur de documentaires

Il doit varier en permanence les modalités de sa lecture

On sait que le sens d'un texte n'est jamais donné et que la lecture est bien une activité du lecteur. Dans le cas de la lecture documentaire, celle-ci paraît particulièrement sollicitée. C'est en effet au lecteur qu'incombe la responsabilité de son parcours de lecture. Alors que dans la lecture du texte narratif et littéraire, le lecteur suit simplement l'ordre du texte, dans la lecture documentaire il décide à tout moment de ce qu'il va lire ou regarder. Et pour ce faire, il doit faire varier en permanence les modalités de sa lecture : feuilletage rapide, identification visuelle très globale, lecture exploratoire pour mieux se rendre compte du contenu, lecture sélective du ou des passages contenant les informations recherchées, lecture attentive d'un extrait; tout cela avec des va-et-vient dans l'espace de la double page et dans la totalité de l'ouvrage ou avec des incursions en direction d'ouvrages ou d'outils complémentaires.

Il doit adapter sa lecture à son projet

La lecture documentaire dépasse volontiers le cadre de la page ou de la double page et même le cadre de l'ouvrage pour renvoyer le lecteur chercheur au choix même des ouvrages qu'il consulte. Le lecteur de textes documentaires doit surtout garder présentes à l'esprit les raisons et les finalités de sa recherche et pour cela sans cesse adapter sa lecture à son projet. Cela suppose qu'il dispose de toute une palette de stratégies et qu'il puisse constamment « moduler sa prise d'information en fonction du texte lu et des objectifs qu'il se fixe ». La difficulté, pour l'élève, est bien de ne pas se perdre au cours de sa recherche, de ne pas se laisser distraire au moment de l'exécution de la tâche et de ne pas en oublier la finalité. Il doit donc avoir suffisamment intériorisé son projet et ses objectifs d'abord pour choisir les documents dont il a besoin et ensuite pour les utiliser en fonction de buts bien précis. Tout utilisateur d'encyclopédie sait à quel point ce sont des livres intéressants et « distrayants » : une image, un mot, un titre nous entraîne avec une facilité déconcertante vers des lectures divergentes sans rapport avec notre intention initiale.

À cette difficulté commune, s'ajoute, pour le jeune lecteur, une fragilité particulière due à la nouveauté de ses compétences parfois encore peu solides du fait des automatismes encore fragiles qui rendent le traitement de l'information plus hasardeux et plus lent, avec tous les risques d'oublis et de « distraction » que cela comporte.

La lecture de textes documentaires plus que d'autres types de lecture touche beaucoup aux compétences méthodologiques de traitement de l'information et requiert des savoir-faire nombreux. Rechercher une information, c'est en effet être capable de savoir consulter et utiliser des outils culturels extrêmement variés : textuels (lexique, dictionnaire, fichier, table des matières, index, etc.), iconiques (graphique, plan, carte, schéma, tableau, etc.), ayant chacun leur fonctionnement propre :

> L'élève doit, par son travail personnel ou en groupe, être capable de rechercher une information.
>
> • Par exemple :
> – savoir consulter et utiliser un lexique, un dictionnaire, un fichier, une table des matières, un annuaire;
> – pouvoir utiliser un appareil audiovisuel courant (magnétophone, minitel…);
> – savoir lire un graphique simple, un plan, une carte, un schéma, un tableau.

• Il doit être capable d'analyser ou de synthétiser l'information ainsi recueillie, notamment :
– pouvoir retrouver les étapes essentielles d'un texte ;
– savoir sélectionner des informations utiles et les organiser logiquement ;
– savoir analyser un document simple et en préciser quelques traits caractéristiques.

• L'élève doit pouvoir, aussi bien à l'oral qu'à l'écrit, exposer l'information recueillie, argumenter, en particulier :
– être capable de communiquer ses démarches ;
– faire le compte rendu d'une lecture, d'un film documentaire et présenter un avis personnel et argumenté.

• L'élève doit être capable d'utiliser l'ordinateur pour une recherche simple de documentation ou pour la mise en forme des résultats d'un travail simple (traitement de texte, graphique…).

Programmes de l'école primaire, CNDP, 1995.

A U   C O N C O U R S

La lecture au cycle 3 peut donner lieu à maintes synthèses, ainsi qu'à des analyses didactiques comme le sujet que nous vous proposons.

■ Sujet d'analyse didactique

Inédit

Soit les trois documents suivants :

Document A : *Sciences et technologie, Collection Gulliver, Cycle 3, niveau 1*, pp. 70-71, Nathan, 1995.

Document B : *Mon bibliotexte, Cycle 3*, pp. 88-89, Bordas, 1997.

Document C : *L'ami lire CM2, Textes pour lire avec plaisir*, Bordas 1997.
Document C1 : livre de l'élève, pp. 124-125 ;
Document C2 : livre du maître, p. 141.

1. Quels sont les points communs à ces trois documents (1 point)

2. Pour chacun d'entre eux :

2.1. – Quels types de textes et d'écrits sont les supports d'un apprentissage? Quelle en est l'origine? (2 points)

2.2. – Quels sont les objectifs majeurs? (2 points)

2.3. – Quels problèmes particuliers de lecture le document pose-t-il à l'élève. Comment est-il aidé? (3 points)

LA FORÊT
encyclopédie

Des mots pour comprendre

Décomposeurs : ce sont les êtres vivants qui se nourrissent des déchets et des cadavres des animaux et des végétaux. Certains champignons sont des décomposeurs. En participant à la décomposition de la matière vivante, les décomposeurs ont un rôle très important dans la vie de la forêt.

Essence : c'est le mot employé par les forestiers pour désigner les différents arbres d'une même forêt. Les essences feuillues ont des feuilles aplaties. Dans nos régions, la plupart perdent leurs feuilles en automne. Les essences résineuses ont des feuilles en aiguilles qui vivent souvent plusieurs années.

Feuille : elle est fixée sur la tige par une partie mince appelée pétiole.
Pour connaître le nom des arbres, observe :
– comment elles sont disposées sur la tige ;
– quelle est leur forme (simple ou composée ou en aiguille).

Feuillus : voir «essence».
Résineux : voir «essence».

Le calendrier de la forêt

La forêt change tout au long de l'année. Ce tableau rassemble quelques transformations saisonnières d'une chênaie.

	J	F	M	A	M	J	J	A	S	O	N	D
	Les écureuils et les loirs sont en hibernation.		Floraison des plantes à bulbes : jacinthes, narcisses. Puis ouverture de nombreux bourgeons de nombreux feuillus.		Chants des oiseaux. Début de floraison du chêne. Naissance des faons. Éclosion des œufs des oiseaux. Floraison de nombreuses plantes herbacées.		Le Règne des insectes.		Saison des fruits et des champignons. Le lierre fleurit.		Repos de la végétation. Le houx porte ses fruits rouges.

À chacun sa place !

Voici le menu de quelques êtres vivants dans une chênaie.

chenille	feuilles
chouette	mulots, musaraignes, taupes
insecte sous les écorces	bois
mulot	graines et glands
sanglier	fruits, racines, insectes, mulots
pic	insectes sous les écorces
taupe	insectes, vers de terre
vers de terre	feuilles mortes

La forêt

Organisation verticale de la forêt.

grands arbres

arbustes et arbrisseaux

plantes herbacées et fougères

champignons et mousses

racines

Un terrarium

Si tu veux construire un terrarium, reporte-toi à la page 36. Pour cela, prélève quelques échantillons de végétaux dans la forêt avec précaution. Dans cette «petite forêt» reconstituée, tu pourras voir les animaux vivre, les plantes grandir et beaucoup d'autres choses intéressantes encore.

Les essences forestières

Dans les forêts françaises, les arbres les plus nombreux sont des feuillus, et les autres, des résineux. Parmi les feuillus, deux sur trois sont des chênes ou des hêtres.

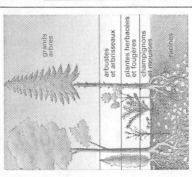

Les feuillus

Châtaignier

Hêtre

Chêne

les résineux

Pin sylvestre

Épicéa

HISTOIRE DE FORÊTS

La forêt recouvre actuellement le quart de la surface de la France. C'est un milieu vivant très riche qui a souvent été modelé par l'homme. Quand la forêt est jeune, les arbres sont petits. Ils sont serrés, ce qui les protège. Quand ils grandissent, ils ont besoin de plus en plus d'espace et de lumière. Les forestiers choisissent les arbres qu'ils veulent conserver et ils coupent les autres pour faire de la place (voir page 80).

Comment reconnaître un arbre

Feuille / carte d'identité

Pour trouver le nom d'un arbre ou d'un arbuste, il suffit en général de bien regarder ses feuilles : elles constituent la « carte d'identité » la plus sûre. Parfois l'observation de la feuille ne suffit pas. Il faut alors regarder les bourgeons, les fruits, certains caractères de l'écorce.

En débutant, l'observation de la feuille doit être précise (choisir une feuille bien développée et sans anomalie) : pour ce faire, lire dans l'ordre des numéros les légendes accompagnant chacun des dessins. Très vite, un simple coup d'œil suffit et, comme un véritable forestier, vous pourrez même reconnaître certaines espèces, de loin, à la couleur de leur feuillage, à leur silhouette, à leurs fruits...

Raymond TAVERNIER, *Quel est cet arbre ?*, © Larousse-Bordas.

L'ARBRE QUI CHANTE

LES saisons passent sur la ferme du grand-père où vivent Isabelle et Gérard. Les saisons passent, mais le gros érable n'a plus bourgeonné depuis deux printemps. Grand-père va à l'abattre, c'est sûr, l'arbre est mort.

« Les arbres ne meurent jamais... Je vous le prouverai en faisant chanter votre vieil érable ! » Ainsi parle Vincendon, l'ami de toujours. Bah, le vieux Vincendon, avec ses grosses mains râpeuses, ce n'est pas sûrement pas un sorcier !

Comment va-t-il s'y prendre pour que l'érable chante ? Il faut de la patience et de l'amour. Il faut que quelques saisons passent pour qu'un jour, peu avant Noël...

L'ARBRE QUI CHANTE ET DEUX AUTRES HISTOIRES DE NATURE
Textes : Bernard Clavel
Illustrations : Christian Heinrich
Éditions Albin Michel Jeunesse

Fourmi verte n°9, Mars 1997 © Éd. de la Fourmilière

Questions

1. Quel est le thème commun à tous ces textes ?
2. Quelle est la fonction de chacun de ces textes ? raconter, informer, expliquer, faire réaliser, faire rêver...
3. Quels textes sont accompagnés d'illustrations ? À quoi servent-elles ?

à la découverte

Qu'est-ce qu'un arbre ?

Dans le langage courant, un arbre est une plante de grande taille, ayant un tronc et des branches constituées par du bois.

Arbrisseau : moins de 7 mètres, ayant plusieurs troncs ramifiés dès la base.

Arbuste : moins de 7 mètres, un seul tronc.

Arbre : plus de 7 mètres à l'âge adulte.

1/Cime
2/Houppier (branches et feuillage)
3/Branches maîtresses
4/Tronc
5/Bourrelet du recouvrement
6/Collet
7/Racines principales
8/Racines secondaires
9/Racines radicelles

Conifère

Feuillu

Les arbres se répartissent en deux groupes :

- **Les conifères.** Leur fruit est un cône, un pomme de pin. Certains ont des feuilles en aiguilles, comme le pin, d'autres en écailles, comme le cyprès. On les appelle également non résineux, car la plupart d'entre eux fabriquent de la résine, collante et odorante. Pour les botanistes, ce sont des gymnospermes, c'est-à-dire des plantes dont la graine n'est pas enfermée dans un fruit clos. Les conifères sont apparus sur terre bien avant les feuillus, il y a environ 150 millions d'années. La plupart gardent leur feuillage en hiver.

- **Les feuillus.** Comme leur nom l'indique, ces arbres ont des feuilles larges et plates. Ils appartiennent au groupe des angiospermes, leur graine est protégée par un fruit bien ferme.

Comment mesure-t-on un arbre :
La hauteur de l'arbre est égale à la distance entre l'observateur et le pied de l'arbre.

Tailler deux bâtons égaux. Se placer de façon à ce que le haut de l'arbre coïncide avec les deux extrémités du bâton vertical.

Gaud MOREL / Jubin WILKINSON, *Le Livre des arbres.*
Découverte cadet, © Gallimard Jeunesse.

Drôle d'invention !

« Dis donc, tu t'es moqué de nous, avec tes arbres ! Qu'est-ce que c'est que cette invention que l'arbre perd ses feuilles avant que la neige se mette à tomber ? Où veux-tu que nous trouvions de quoi nous abriter, nous ? »

Le diable dut bien reconnaître qu'ils avaient raison et qu'il n'était pas drôle du tout de vivre ainsi sous des tempêtes de neige.

Comme il l'avait fait avant de créer les feuillus, il se mit à réfléchir et après un moment, il dit : « Si j'ai bonne mémoire, je n'ai rien fait pousser en haut des montagnes ? »

Bernard CLAVEL, *Légendes des montagnes et des forêts.*
Livre de poche jeunesse, © Hachette Livre.

RÉCIT *

L'homme qui plantait des arbres

Au cours d'une promenade en Haute-Provence, l'auteur a un jour rencontré un berger solitaire et paisible, qui plantait des arbres, des milliers d'arbres. Ainsi, au fil des ans, il allait rendre à la vie une contrée aride et désolée.

LE BERGER QUI NE FUMAIT PAS alla chercher un petit sac et déversa sur la table un tas de glands. Il se mit à les examiner l'un après l'autre avec beaucoup d'attention, séparant les bons des mauvais. Je fumais ma pipe. Je me
5 proposai pour l'aider. Il me dit que c'était son affaire. En effet : voyant le soin qu'il mettait à ce travail, je n'insistai pas. Ce fut toute notre conversation. Quand il eut du côté des bons un tas de glands assez gros, il les compta par paquets de dix. Ce faisant, il éliminait encore les petits fruits ou ceux
10 qui étaient légèrement fendillés, car il les examinait de fort près. Quand il eut ainsi devant lui cent glands parfaits, il s'arrêta et nous allâmes nous coucher.

La société de cet homme donnait la paix. Je lui demandai le lendemain la permission que rien ne pouvait le déranger. Ce repos
15 lui. Il le trouva tout naturel, ou, plus exactement, il me donna l'impression que rien ne pouvait le déranger. Ce repos ne m'était pas absolument obligatoire, mais j'étais intrigué et je voulais en savoir plus. Il fit sortir son troupeau et il le mena à la pâture. Avant de partir, il trempa dans un seau
20 d'eau le petit sac où il avait mis les glands soigneusement choisis et comptés.

Je remarquai qu'en guise de bâton, il emportait une tringle de fer grosse comme le pouce et longue d'environ un mètre cinquante.

---

25 Je fis celui qui se promène en se reposant et je suivis une route parallèle à la sienne.

La pâture de ses bêtes était dans un fond de combe[1]. Il laissa le petit troupeau à la garde du chien et il monta vers l'endroit où je me tenais. J'eus peur qu'il vînt pour me reprocher mon
30 indiscrétion mais pas du tout, c'était sa route et il m'invita à l'accompagner si je n'avais rien de mieux à faire. Il allait à deux cents mètres de là, sur la hauteur.

Arrivé à l'endroit où il désirait aller, il se mit à planter sa tringle de fer dans la terre. Il faisait ainsi un trou dans lequel
35 il mettait un gland, puis il rebouchait le trou. Il plantait des chênes. Je lui demandai si la terre lui appartenait. Il me répondit que non. Savait-il à qui elle était ? Il ne savait pas. Il supposait que c'était une terre communale, ou peut-être, était-elle la propriété de gens qui ne s'en souciaient pas ? Lui
40 ne se souciait pas de connaître les propriétaires. Il planta ainsi ses cent glands avec un soin extrême.

Après le repas de midi, il recommença à trier sa semence. Je mis, je crois, assez d'insistance dans mes questions puisqu'il y répondit. Depuis trois ans il plantait des arbres dans cette
45 solitude. Il en avait planté cent mille. Sur les cent mille, vingt mille étaient sortis. Sur ces vingt mille, il comptait encore en perdre la moitié, du fait des rongeurs ou de tout ce qu'il y a d'impossible à prévoir dans les desseins de la Providence. Restaient dix mille chênes qui allaient pousser
50 dans cet endroit où il n'y avait rien auparavant.

C'est à ce moment-là que je me souciai de l'âge de cet homme. Il avait visiblement plus de cinquante ans. Cinquante-cinq, me dit-il. Il s'appelait Elzéard Bouffier. Il avait possédé une ferme dans les plaines. Il y avait réalisé sa vie.

Jean Giono, *L'homme qui plantait des arbres*,
© Éditions Gallimard, 1983.

J'ai bien compris le texte

1. Quel est le métier de « l'homme qui plantait des arbres » ?
2. Avant de planter les glands, quelle est l'étape indispensable à respecter ?
3. En trois ans, combien en a-t-il plantés ?
4. Sur cent arbres plantés, combien vont finalement pousser ?

1. combe :
vallée profonde

Jean Giono
(1895-1970)
Écrivain français.
Il adopte le ton lyrique ou
épique pour célébrer la
nature et la vie paysanne.

CHAPITRE 18 - L'apprentissage continué de la lecture au cycle 3   **45**

L'homme qui plantait des arbres

— pages 124 et 125 —

Jean GIONO, *L'homme qui plantait des arbres*, Gallimard, 1983.

A. L'auteur et son œuvre

Jean Giono a passé toute sa vie à Manosque, en Provence. Il y a écrit toute son œuvre, qui comporte de nombreux romans où la nature tient une grande place. Il a toujours aimé les arbres ; quand il était petit, il allait se promener dans les collines en compagnie de son père. Tous les deux emportaient dans leurs poches des glands qu'ils plantaient dans la terre à l'aide de leur canne à bout ferré, en espérant qu'ils deviendraient de superbes chênes.

B. Comprendre et réfléchir

1. À PROPOS DU TEXTE

En racontant l'histoire d'Elzéard Bouffier et de son extraordinaire réussite, Jean Giono souhaitait « faire aimer l'arbre, ou plus exactement, faire aimer à planter des arbres, ce qui est depuis toujours une de mes idées les plus chères ».

Publié en 1953 par un magazine américain, le texte de cette nouvelle est pratiquement inconnu en France, alors qu'il est traduit en treize langues.

L'auteur l'a écrit pour répondre à la question : « Quel est le personnage le plus extraordinaire que vous ayez jamais rencontré ? ».

2. SUPPORT D'ENTRETIEN

1. Comment le berger procède-t-il pour trier les glands ? Pourquoi élimine-t-il les petits fruits et ceux qui sont fendillés ?

2. Pourquoi refuse-t-il l'aide de l'auteur ?

3. Quand arrête-t-il son travail ?

4. Qu'apporte la compagnie de cet homme ? Auriez-vous aimé connaître quelqu'un comme lui ? Pourquoi ?

5. Pourquoi trempe-t-il dans l'eau les glands sélectionnés ?

6. Quel usage le berger fait-il de la tringle de fer ? Quels renseignements supplémentaires a-t-on sur cet objet ?

7. Où le berger mène-t-il ses bêtes ? Qui surveille son troupeau ? Que fait-il pendant ce temps ?

8. Comment s'y prend-il pour planter des chênes ? Où les plante-t-il ?

9. Que sait-on de la terre sur laquelle il plante les chênes ? Comment réagiraient les propriétaires, s'ils savaient qu'on plante des arbres sur leurs terres ?

10. Pourquoi le berger plante-t-il autant de chênes ? Pourquoi ne sortent-ils pas tous ?

11. À votre avis, aime-t-il sa région ? Pourquoi y plante-t-il des arbres ?

12. Pourra-t-il en profiter ? Qu'est-ce que cela lui apportera ?

13. Pourquoi l'auteur croit-il bon de préciser l'âge du berger ? Quels détails ont pu lui faire penser que le berger avait plus de 50 ans ? Quel est l'âge du berger, en réalité ?

14. Que vous évoque le prénom de cet homme, « Elzéard » ?

15. Aimez-vous ce texte ? Quelles impressions s'en dégagent ?

1 **Points communs aux trois documents :**

Nous avons affaire à trois extraits de manuels scolaires pour des élèves du cycle 3 ; le premier s'adresse au niveau 1 (CE2) ; le deuxième couvre la totalité du cycle ; le troisième est destiné au CM2. Ce sont donc des outils destinés à l'apprentissage de compétences relevant de ce cycle. Tous les textes portent sur un même thème – les arbres, la forêt – qui est ainsi «neutralisé».

Les trois extraits comportent des textes et des illustrations. Deux d'entre eux (B, C) comportent un paratexte pédagogique : des consignes, des questions auxquelles l'élève est invité à répondre. Le premier au contraire ne comporte aucune question et, y compris lorsqu'il suggère de construire un terrarium, est quasiment conçu comme un documentaire non scolaire.

2.1 **Quels types de textes et d'écrits sont les supports d'un apprentissage ? Quelle est l'origine des textes ?**

• **Document A :** Cette double page est composée, au sens fort du terme, de 7 rubriques relativement courtes ; trois sont constituées de texte (B, D, E), trois autres de texte et d'illustrations complémentaires (A, C, F), la dernière est un texte sur un fond plus décoratif qu'illustratif (G). Beaucoup d'informations sont organisées sous forme de tableaux.

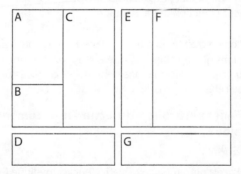

Tous les éléments qui composent la double page ont une visée documentaire ; ils ont été écrits et illustrés spécialement pour le manuel (ils ne comportent pas de références).

• **Document B :** La double page est un montage de 4 extraits d'ouvrages différents dont sont données les références précises. Ces extraits sont référencés (A, B, C, D) pour faciliter leur distinction.

Nous avons affaire à :
– deux écrits nettement documentaires. Le premier est à dominante informative (A) et le second peut être rangé parmi les textes explicatifs (C).
– un extrait d'un texte narratif, une légende des origines expliquant pourquoi les arbres perdent leurs feuilles (B).
– un document complexe, à visée informative, présentant un autre écrit « enchâssé », à savoir un extrait d'une revue comportant lui-même la reproduction de la couverture d'un livre dont l'auteur, le titre et le texte de présentation incitent à penser qu'il est de type narratif (D).

• **Document C :** Nous sommes en présence d'un seul texte, un assez long extrait « coiffé » d'un résumé des chapitres précédents, d'une nouvelle de Jean Giono, *L'homme qui plantait des arbres*, présentée comme un récit autobiographique alors qu'il s'agit d'une fiction romanesque (Cette nouvelle comporte d'ailleurs des invraisemblances « sylvicoles » qui font sourire les ingénieurs des Eaux et Forêts !).

2.2 Quels sont les objectifs majeurs ?

• **Document A :** Cette double page constitue une « leçon » de biologie et ses objectifs majeurs relèvent de cette discipline.
– Connaître un milieu : la forêt ;
– Analyser les relations entre les êtres vivants et leurs milieux.

• **Document B :** Contrairement au manuel précédent et bien qu'elle porte sur le même thème, avec des contenus voisins (cf. l'opposition conifère/feuillu), cette double page n'a pas pour objectif avoué – au vu des questions posées – d'apporter des connaissances sur les arbres et la forêt. Nous sommes face à un corpus classique, bien qu'extrêmement réduit, tel qu'on peut le constituer pour une activité de « tri de textes ».
Pour mettre en évidence la forme des textes et leur fonctionnement, les quatre extraits portent sur le même thème ainsi neutralisé.

Les objectifs majeurs peuvent être ainsi définis
– reconnaître la visée dominante d'un écrit (raconter, informer, expliquer, faire réaliser, faire rêver…) ;
– distinguer entre l'informatif et l'explicatif ;
– mettre en évidence la fonction des illustrations.

• **Document C :** Si l'on en croit le sous-titre du livre, il s'agit pour l'élève de lire avec plaisir. Le libellé des questions ne nous informe guère plus : elles visent, semble-t-il, à vérifier la compréhension par l'élève d'informations ponctuelles données par le texte et généralement à s'assurer que l'élève a bien lu le texte.

2.3 Quels problèmes particuliers de lecture le document pose-t-il à l'élève. Comment est-il aidé ?

• **Document A :**
La visée de l'ensemble est nettement informative, encyclopédique. Comme dans beaucoup de manuels de sciences (histoire, géographie, biologie, technologie), certaines rubriques reviennent à la même place dans les doubles pages, par exemple le glossaire (E) qui définit et explique des mots-clés de la leçon.

Il n'existe pas de parcours de lecture préétabli comme dans certains manuels où chaque rubrique porte un numéro. On notera qu'il n'y a pas, à proprement parler, de résumé : la rubrique D (*histoire de forêts*) ne joue pas ce rôle ; les informations qu'elle contient ne figurent pas dans les autres passages de cette double page…
Chaque rubrique peut être lue indépendamment mais une bonne lecture de l'ensemble du document suppose une compétence particulière :

Mettre en relation diverses informations prélevées dans les textes et les illustrations.
On notera ainsi que, dans la page de gauche, la rubrique *Les essences forestières* (C) utilise trois termes – essences, feuillus, résineux – qui sont expliqués dans le glossaire (E) de la page de droite *Des mots pour comprendre*. Le terme de feuillus revient aussi dans *Le calendrier de la forêt* (F).

Outre un parcours de lecture non linéaire, cette double page demande à l'élève des stratégies de lecture différentes pour les divers tableaux :
– Celui de **la rubrique A** reproduit par sa disposition les strates végétales, il peut donc être lu de bas en haut ou, mieux encore, de bas en haut.
– En revanche la disposition du second tableau de cette même page (**tableau C**) – les feuillus placés au-dessus des résineux – n'a aucune signification et les deux tableaux ne doivent pas être lus de la même façon.
– **Le tableau F** doit être lu de gauche à droite, colonne après colonne, pour respecter la chronologie.
– Pour une bonne lecture de **la rubrique G**, il faut avoir compris que le terme « menu » amène à repérer une relation qui peut être lue gauche à droite (la chenille mange les feuilles) ou de droite à gauche (les feuilles sont mangées par la chenille).

On pourra parler de lecture « fine » puisque l'élève doit constater que certains termes (insectes, mulots, vers de terre) figurent dans les deux colonnes (il y a, semble-t-il, des indices pour réviser la notion de chaîne alimentaire).

On voit donc combien la lecture d'un tel manuel n'est pas évidente pour des élèves de CE2 et doit faire l'objet d'un apprentissage spécifique qui peut être mené à l'occasion de telles leçons ou parallèlement à celles-ci.
Notons que la plupart des manuels de sciences ou d'histoire géographie présentent, au début de l'ouvrage, une maquette légendée aidant à s'orienter dans les doubles pages.

• **Document B :** On peut considérer que cette double page ne présente pas de difficulté particulière mais qu'elle modifie les écrits originaux en les « découpant » et en les insérant dans le manuel.

• **Document C :** Ce texte peut poser aux enfants de nombreux problèmes ponctuels de compréhension du fait du vocabulaire et des tournures de phrases de Giono : *la société de cet homme*, (l. 13) ; *j'eus peur qu'il vînt pour me reprocher mon indiscrétion*, l.29 ; *peut-être, était-elle la propriété de gens qui ne s'en souciaient pas*, (l. 38), etc. ; mais ce sont là des difficultés inévitables et même souhaitables, pour susciter la réflexion, et que les élèves résolvent en mettant leurs savoirs et leurs réflexions en commun avec l'aide du maître.

Comme nous l'avons vu plus haut, le livre de l'élève ne nous fournit guère d'information et, comme souvent, il faut donc, pour comprendre vraiment le mode de fonctionnement d'un document destiné à l'élève, voir ce que les auteurs proposent dans le livre du maître.

On voit que dans le cas de ce texte, s'agissant de la lecture proprement dite, le livre du maître propose, dans une rubrique intitulée « support d'entretien », une trentaine de questions pouvant être posées aux élèves ; la compréhension du texte risque d'en être quelque peu « atomisée ».

Quelques-unes de ces questions appellent une réponse ponctuelle. D'autres requièrent un travail d'interprétation du texte.

– On remarquera aussi la présence de questions sur la psychologie supposée du personnage (2 - 11.1 – 11.2). L'une d'entre elles est particulièrement convenue (11.1) et la réponse est fortement sollicitée.

– D'autres questions suscitent de la part des enfants une réponse positive tout aussi attendue (4.2 – 15.1).

– Ce type de questionnement relève d'un abord des textes très traditionnel que confirme le libellé de la question n° 2 qui confond l'auteur et le narrateur.

Pistes bibliographiques

■ Ouvrages de base

On peut se reporter aux ouvrages signalés aux chapitres 13, 14, 15 et en particulier à un ouvrage déjà cité :

◆ Chauveau Gérard, *Comment l'enfant devient lecteur*, Retz, 1997.

■ Pour aller plus loin

◆ Boyer Christian, *L'enseignement explicite de la compréhension en lecture*, Graficor, Boucherville (Québec), 1993.

◆ Fraisse Emmanuel, L'école lieu de lecture, in *Lecture, livres et bibliothèques pour enfants*, sous la direction de Claude-Anne Parmegiani, éditions du Cercle de la Librairie, 1993.

◆ Compte-rendu du colloque organisé par la MAFPEN de Paris en 1989, *On n'a jamais fini d'apprendre à lire*, Hatier, 1990.

◆ L'ouvrage *1001 livres pour les écoles* que nous vous avons déjà signalé au chapitre 14 présente une sélection d'ouvrages documentaires. On peut le consulter sur le site Internet du Centre national de documentation pédagogique (www.cndp.fr), à la rubrique « Bibliothèque des milles et un livres ». C'est un guide des ouvrages pour les enfants de 2 à 11 ans avec pour chacun une fiche de lecture complète, sa couverture, un résumé, des entrées pédagogiques par âge, thème et genre.

19 | Lire un roman en cycle 3

L'activité de **lecture suivie** d'un roman répond à plusieurs objectifs, bien explicités dans les textes officiels.

> Sans négliger les écrits de la vie courante (journaux, revues…), les textes documentaires, on réservera, dans la perspective du collège, une part accrue à la **lecture longue**, à la littérature de jeunesse et aux textes littéraires accessibles aux élèves. Il s'agit de développer des attitudes différentes de lecture : sélection d'informations, lecture découverte, lecture intégrale, lecture critique…
>
> Programmes de l'école primaire, p. 58.

Dans la brochure sur *La Maîtrise de la langue à l'école*, il est rappelé que les enseignants ont toute liberté pour choisir les titres qu'ils souhaitent travailler en classe. Il leur est toutefois conseillé de privilégier la **production littéraire destinée à l'enfance,** en ne se limitant pas à la production française. « Le patrimoine littéraire n'est pas, en effet, limité à notre littérature nationale, c'est aussi celui de toute l'humanité. (…) L'école doit permettre de **comprendre le monde et d'en aimer la diversité.** »
Il est également rappelé que « **lire des textes de plus en plus longs** est aussi un objectif du cycle 3. C'est, de plus, un objectif difficile à mettre en œuvre dans les classes, dans le cadre des horaires et des emplois du temps qui poussent à faire des morceaux choisis traditionnels le modèle de la lecture scolaire. »

Comment dynamiser la « lecture suivie » ?

■ Pour poser le problème

Voici trois propositions d'activités réalisées dans une classe de CM2 de 25 enfants[1] à partir du même roman : *Le Professeur a disparu,* de J.-P. Arrou-Vignod chez Folio-Junior, Gallimard, 1995.

Résumé de l'intrigue : Trois adolescents d'une classe de 4e, Mathilde, Rémi et Pierre-Paul, heureux lauréats d'un concours, partent visiter Venise avec leur professeur d'histoire, M. Coruscant. Au cours du voyage, ce dernier disparaît. Les trois héros se lancent à sa recherche et trouvent sur leur chemin un redoutable trafiquant de tableaux

---

1. Travail effectué dans la classe de P. Carsalade (École Victor Hugo, Toulouse).

célèbres. Après maintes aventures, ils finissent par le faire arrêter et par retrouver leur professeur disparu. Sur fond d'histoire policière et de décor vénitien, le roman qui est raconté alternativement et successivement par les trois personnages permet à chacun d'eux de parler de sa propre vie, de faire son autoportrait et celui de ses camarades. Humour et émotion garantis.

À votre avis, en quoi les trois activités suivantes se différencient-elles ?

Première activité : Pour une première approche du roman les enfants, livre en main, sont invités à observer la première et la quatrième de couverture (sur laquelle figure une lettre adressée par les trois élèves à leur principal, à leur arrivée à Venise) ainsi que la table des matières. À partir des indices relevés – texte et illustrations –, ils doivent repérer les informations concernant les noms de l'auteur, de l'illustrateur, de l'éditeur, de la collection, puis émettre des hypothèses sur la nature de l'intrigue, le genre littéraire, l'atmosphère. La réflexion est individuelle dans un premier temps. Un échange collectif est organisé dans un second temps. L'enseignante note sur de grandes affiches les diverses propositions, en faisant remarquer que seule la lecture du roman permettra de valider les différentes hypothèses.

Deuxième activité : Les enfants ont lu les huit premiers chapitres, les premiers en classe, les suivants à la maison. Répartis par groupes de trois, ils doivent choisir l'un des chapitres lus et élaborer un questionnaire dit « de compréhension », à l'usage d'un autre groupe. Ce questionnaire doit être rédigé en répondant à certaines règles :
– il doit comporter 5 questions,
– la réponse à la première question doit se trouver explicitement formulée dans le texte,
– la réponse à la deuxième question doit faire l'objet d'un raisonnement et ne pas être explicitement donnée dans le texte,
– la troisième question doit consister en un exercice vrai/faux,
– la quatrième question doit se présenter sous forme de QCM avec la consigne : « Mets une croix dans la bonne case »,
– la cinquième question nécessite une réponse rédigée (phrase ou texte court à produire).

Lorsque les enfants ont fini d'élaborer le questionnaire, ils s'attellent à la rédaction de la fiche-réponse. Un échange intergroupes a ensuite lieu. Chaque groupe doit remplir un questionnaire qu'il n'a pas rédigé. Il peut ensuite contrôler ses réponses avec la fiche fournie par le groupe des rédacteurs. En cas de désaccord, une discussion avec ce groupe est possible… et souhaitable.
L'activité prend en général deux séances. Certains groupes ont besoin d'une aide plus appuyée de l'enseignant pour arriver au bout de leur tâche.

Troisième activité : À la suite de la lecture du roman de J.-P. Arrou-Vignod, les enfants et la maîtresse décident d'écrire à leur tour une nouvelle policière qui aura pour titre *Madame Francis a disparu* et se déroulera à Toulouse.
Les enfants parviennent en deux séances à se mettre d'accord sur une trame d'intrigue. Mais les premiers jets qu'ils produisent se trouvent totalement dépourvus de passages descriptifs concernant les lieux évoqués. La maîtresse décide donc de leur proposer un retour sur le roman initial, en leur demandant de remplir un tableau dont elle a elle-même élaboré les rubriques (travail par groupes de quatre). Le roman a été scindé en sept parties afin que les enfants n'aient pas à analyser la totalité des descriptions du roman, tâche lourde et fastidieuse. Les rubriques du tableau sont les suivantes : le lieu où se déroule l'histoire, le moment où intervient la description, la personne qui décrit, l'état psychologique dans lequel se trouve ce personnage (n'oublions pas qu'ils sont trois), le lexique utilisé.
Les réponses sont ensuite mises en commun. Elles permettent de faire un certain nombre de remarques sur l'écriture des séquences descriptives.

■ Premiers éléments de réponse

Ces trois activités se situent à des **moments** tout à fait différents de la lecture. La première est effectuée en amont de la lecture proprement dite. La seconde se déroule en cours de lecture. La troisième intervient après la lecture intégrale de l'ouvrage. Il s'agit ici d'une seconde lecture rétrospective, d'une nature tout à fait différente de la première. En conséquence, les **objectifs** poursuivis par l'enseignante sont tout à fait différents.

• **La première activité vise à faire approcher l'objet-livre** (retour sur tous les types d'informations données en couverture, sur le rôle et l'identité des différents professionnels engagés dans la parution d'un livre) et à créer un horizon d'attente chez les jeunes lecteurs. Elle peut également aider l'enseignant à cerner les représentations de ses élèves sur la notion de genre, leurs connaissances sur la structure des intrigues, la pertinence des hypothèses émises par rapport aux indices prélevés.

• **La deuxième activité poursuit un double objectif :**

– Apprendre à des enfants à concevoir un questionnaire, ce qui suppose une analyse préalable et assez poussée de questionnaires déjà existants (types de questions posées, formulation des consignes). Le document proposé par les livrets d'évaluation nationale (CE2) peut fournir un bon support pour cette analyse. Cette activité devrait permettre aux élèves d'être mieux armés face à ce type d'exercice. C'est donc une activité qui fait jouer **l'interaction lecture/écriture**.

– Répondre à des questions de compréhension établies par des camarades. L'interactivité entre les enfants, l'émulation créée les rendent au fil de l'année de plus en plus efficaces et créatifs, surtout si l'enseignant introduit à son tour, de nouvelles façons de procéder.

• **La troisième activité poursuit essentiellement un autre objectif :** fournir une aide à l'écriture, à partir de besoins repérés en production. Il s'agit donc d'une activité d'**analyse** de procédés d'écriture qui développe chez les enfants une modalité de lecture particulière : **la lecture sélective**, à la recherche d'informations précises. C'est encore un type d'activité qui fait jouer **l'interaction lecture/écriture**.

Ces trois activités se distinguent également par les **modalités de travail** instituées : dans la première activité, il s'agit d'abord d'un travail individuel, puis d'un échange au sein du groupe classe; les deux autres activités privilégient plutôt le travail en petits groupes. Dans l'activité 2, la confrontation avec le groupe-classe dans sa totalité ne semble pas nécessaire. En revanche, une mise en commun générale paraît importante pour dégager, avec les enfants, un certain nombre de remarques sur les séquences descriptives et leur insertion dans la trame narrative.

Enfin, elles mettent en jeu différemment la **production d'oral** ou **d'écrit**. Même si la maîtresse garde une trace écrite des propositions des enfants dans l'activité 1, l'essentiel de la séance est constitué par un échange oral. Les deux autres activités sont davantage centrées sur la production d'écrit.

Les différents types de lecture suivie

Engager des élèves dans la lecture suivie d'un roman, c'est en fait les engager dans **deux parcours de lecture** assez différents, même si on ne peut établir une frontière étanche entre les deux.

Un parcours de découverte progressif et linéaire d'une œuvre inconnue

Le lecteur s'efforce de comprendre une histoire, des personnages, de se familiariser avec un univers qui fait appel à des références qu'il partage ou non avec l'auteur. Même si quelques enfants s'autorisent à sauter certains passages – pratique peu répandue, semble-t-il, ou en tout cas peu avouée – cette lecture est le plus souvent **intégrale**. Si l'enfant est un lecteur compétent et si le sujet du livre rencontre ses préoccupations et centres d'intérêt, on sait que cette lecture peut aller très vite. Mais on peut constater tous les jours que certains enfants sont rebutés par une trop grande quantité de lecture et que l'ouvrage choisi par l'enseignant ne rencontre pas forcément leur adhésion.

On peut tirer de ces observations au moins deux conclusions :
– croire qu'on aide des enfants en difficulté, en leur laissant beaucoup de temps pour lire un roman, est un leurre ;
– égrener la lecture du roman, chapitre après chapitre, en classe, risque de les conforter dans leur représentation d'une activité ennuyeuse, sans enjeu réel.

Le meilleur moyen pour dynamiser leur lecture et en faire des lecteurs actifs, c'est peut-être encore de leur proposer des activités qui vont jalonner leur lecture, sans trop la fractionner.

Un second parcours qui propose une lecture rétrospective et sélective

Désormais la tâche n'est plus centrée sur : «qu'est-ce que le livre raconte?», mais «comment l'auteur s'y est-il pris pour raconter son histoire, décrire ses personnages, produire tel ou tel effet?...».
La distinction entre ces deux modes de lecture est particulièrement claire dans la lecture du roman policier : dans un premier temps, le lecteur s'efforce, tout comme le détective, de mettre en relation des indices pour découvrir le coupable. Ou il réussit, ou il doit attendre le dénouement pour avoir la clé de l'énigme. Mais une fois le mystère percé, le lecteur a pour toujours perdu son « innocence ». Il peut alors s'intéresser à la mécanique souvent savante qu'a fabriquée le romancier pour doser habilement fausses pistes et vrais indices, utiliser des procédés de suspense qui retardent la découverte de la solution...

Ces activités d'**analyse**, qui préparent le travail demandé sur les textes au collège et au lycée, sont d'autant mieux vécues par les élèves qu'elles sont une aide à la réalisation de projets d'écriture fictionnels, plus ou moins ambitieux. On n'est pas obligé d'écrire un roman sous prétexte qu'on vient d'en lire un !

La lecture-découverte

Pour aider les enfants à découvrir le livre choisi, l'enseignant(e) peut leur proposer de nombreuses activités. Ces dernières ont un double but : faciliter la lecture longue et travailler de façon plus spécifique certaines compétences de lecture (capacité à anticiper, à émettre des hypothèses et à les valider…). Même si ces activités ont un caractère souvent ludique, elles devront faire l'objet d'un choix de la part de l'enseignant, sous peine d'alourdir et de morceler énormément la découverte du roman. « On sait combien la fragmentation indéfinie d'un roman peut lasser les enfants qui en viennent à peiner plus d'un mois sur le même livre », nous rappelle avec sagesse la brochure sur la *Maîtrise de la langue*.

Nous ne reviendrons pas sur les activités déjà mentionnées p. 52 qui relèvent très clairement de la lecture-découverte (cf. première et deuxième activité : examen des données de la couverture, élaboration de questionnaires par les enfants).

L'entrée en lecture

Le ou les premiers chapitres constituent un moment stratégique pour le lecteur. C'est, en effet, au début du roman qu'un véritable contrat est passé entre l'auteur et le lecteur : d'un côté l'auteur doit assurer la crédibilité de l'univers fictif qu'il a créé, de l'autre le lecteur doit comprendre et accepter d'entrer dans cet univers. Ce début de lecture aura tout intérêt à être fait en classe avec l'ensemble du groupe et à être suivi d'un échange qui permettra de répondre à quelques questions essentielles : Combien de personnages ? Quelle est leur identité ? Leur rôle explicité ou prévisible, leurs relations ? L'endroit et le moment où se passe l'histoire ? Qui raconte cette histoire ? Quelle est la tonalité générale ?

Ces premiers éléments posés, il semble préférable de laisser aux enfants le soin de lire quelques chapitres chez eux, à leur propre rythme.

La lecture progressive

Cette activité n'est envisageable que si les enfants n'ont pas lu l'ouvrage d'une seule traite. Rappelons qu'elle consiste à leur demander de formuler des hypothèses sur les suites possibles du récit, à partir d'un moment choisi. Les propositions sont ensuite confrontées et validées ou non, certaines d'entre elles étant incompatibles avec l'épisode qui précède. Même si les propositions des enfants sont individuelles, l'essentiel de l'activité est mené dans le cadre collectif de la classe.

Dans son ouvrage, *Pour lire le roman policier*, Marc Lits propose une activité un peu différente où chaque élève tient une sorte de carnet de bord personnel de sa propre enquête : « crayon en main », il doit relever au fil de la lecture tous les indices qui lui permettent de désigner tel ou tel personnage comme suspect. Il est bien sûr autorisé à revenir en arrière, à relire ses notes et à modifier son jugement, si nécessaire. En revanche, il n'est pas autorisé à anticiper sur les chapitres inexplorés.

La lecture-puzzle

Elle peut être pratiquée selon plusieurs modalités. Dans le cadre de la lecture suivie qui nous occupe, la lecture-puzzle est en général mise en œuvre de la façon suivante : un chapitre est fractionné en six ou sept parties et la classe est divisée en groupes où le nombre de membres à l'intérieur du groupe est le même que le nombre de parties retenues. Chaque enfant reçoit donc à l'intérieur de son groupe un fragment du chapitre, le groupe possédant la totalité des éléments pour pouvoir le reconstituer. Après une lecture individuelle de sa partie, chaque enfant est tenu de reformuler aux autres le contenu de son fragment. S'engage alors une discussion… parfois animée, pour restituer le bon ordre. Les enfants peuvent ensuite vérifier la validité de leur proposition en consultant le roman. Une mise en commun avec le groupe-classe peut intervenir concernant la nature des indices prélevés qui ont permis d'aboutir et les stratégies de résolution utilisées à l'intérieur des différents groupes.

L. Planes et C. Roger, dans leur ouvrage *Dynamiser la lecture au cycle 3*, publié par le CDDP de la Lozère en 1997, présentent cette activité sur un livre entier et indiquent quelques titres qui leur paraissent particulièrement appropriés à cette activité.

La lecture lacunaire

Il vaut mieux attendre d'avoir bien avancé dans la lecture du roman pour proposer cette activité. L'enseignant efface certains mots ou certaines phrases sur deux ou trois pages. Les enfants doivent faire des propositions pour « combler les trous ». Le choix des éléments manquants est déterminant pour l'intérêt de l'activité. Il convient de retenir certains mots-clef de l'œuvre et c'est la raison pour laquelle il vaut mieux l'entreprendre quand les enfants sont bien familiarisés avec le roman. Mais il est intéressant de retenir également des éléments moins facilement prévisibles qui montrent, dans certains cas, les audaces de l'écrivain. Intéressant aussi de demander aux enfants de rédiger la dernière phrase du roman en leur donnant, par exemple, le dernier mot.

La mise en relation texte/image

La plupart des romans de jeunesse sont illustrés, fût-ce en noir et blanc, dans les collections de poche. On peut donc, dans un premier temps, demander aux enfants de retrouver dans le livre les passages que l'illustrateur a choisis d'illustrer et d'établir si possible une correspondance systématique entre le texte et les images. On pourra ensuite s'interroger à partir de l'analyse plus fouillée d'une ou deux images (type de dessin, composition de l'image, éléments personnels introduits par l'illustrateur et ne figurant pas dans le texte) sur les effets produits, les modifications éventuelles entraînées chez le lecteur quant à l'interprétation du texte.

La lecture rétrospective

Une fois la phase de découverte terminée, il convient d'engager les élèves dans une nouvelle phase de lecture, essentiellement analytique : la lecture rétrospective. Elle a pour but de les sensibiliser aux problèmes posés par l'écriture d'un roman et de leur permettre d'apprécier les propositions des auteurs. Si les enfants s'engagent ensuite eux-mêmes dans une production, ils pourront trouver dans ces analyses des solutions à leurs propres problèmes d'écriture. Parmi tous les domaines explorables, on peut privilégier :
– le système des personnages,
– l'organisation générale de l'intrigue,
– la représentation de l'espace,
– la représentation du temps,
– la voix narrative ou instance d'énonciation.

Le système des personnages

Dans un article du n° 60 de la revue *Pratiques* consacré au personnage, M. Laparra met en évidence les difficultés de jeunes lecteurs dans le repérage initial des personnages et la compréhension des qualifications qui leur sont attribuées. Elle montre que pour beaucoup d'entre eux, les personnages présentés relèvent plus de la collection que de la construction en réseau organisé. Il est donc tout à fait essentiel de proposer aux enfants des activités qui permettent de travailler ces différents domaines.

1ʳᵉ activité : établir la liste des personnages

Sans regarder dans un premier temps, puis en s'aidant du livre si nécessaire pour compléter, les enfants doivent inventorier la liste des personnages du roman. Cette activité suppose que l'on se mette assez vite d'accord sur la notion de personnage. Certains enfants confondent personnage et personne humaine, personnage et individu (or il existe bien des acteurs collectifs : les Indiens, le Club des Cinq…). Il faut décider si on ne retient que les personnages qui ont un rôle dans l'action ou si on intègre tous les personnages évoqués. Cette activité permet également de vérifier si les enfants repèrent le même personnage sous des désignations différentes. Par exemple, dans le roman de Boileau-Narcejac *Sans-Atout et le cheval-fantôme* (Folio-Junior, Gallimard), le héros est appelé tantôt Sans-Atout, tantôt François.

2ᵉ activité : classer des personnages

Une fois les premiers repérages effectués, on peut demander aux enfants de classer les personnages sur une cible par ordre d'importance (du centre vers la périphérie, par exemple). Mais on peut aussi leur donner des critères plus précis. En prenant appui sur le schéma actantiel (cf. chap. 23, pp. 132-133), on peut leur demander de répartir les personnages par rapport au héros en trois camps : les amis, les ennemis, les « neutres ». Une autre activité intéressante consiste à leur faire établir un schéma des relations entre les différents personnages. Ainsi un roman comme *Le Jobard* de M. Piquemal (coll. Zanzibar, Milan), se prête bien à ce type d'activité. Il traite essentiellement de la relation d'amitié qui s'établit progressivement entre un enfant de ZUP, Brice, et un clochard marginal, M. Julien. Brice est le chef d'une bande de copains bien organisée et très solidaire (Stéphane, Mouloud, Philippe, Jacques, Sylvie…). M. Julien a un chien qu'il soigne avec tendresse.

On peut également demander aux enfants de trouver eux-mêmes des critères de classement. L'activité est d'autant plus facile que les personnages sont nombreux. Ainsi dans le roman de Boileau-Narcejac déjà cité, on peut trouver : le monde des jeunes face aux adultes, des Parisiens face aux Bretons, des bourgeois face aux « gens du peuple ». L'essentiel est de faire découvrir aux enfants que les personnages ne sont pas des entités autonomes, mais qu'ils sont organisés selon des réseaux d'oppositions ou de contrastes qui permettent à l'histoire de fonctionner.

3ᵉ activité : qualifications et portrait des personnages

Cette activité est d'autant plus motivée que les enfants ont eux-mêmes à se confronter à la tâche, en production : insérer un portrait dans un récit déjà existant ou inventé par eux.

Une première activité peut être, après avoir recherché dans le roman plusieurs séquences de portraits, de recenser les différents éléments qui peuvent y figurer. On peut ainsi établir une fiche signalétique des différents personnages qui fera apparaître leurs traits communs et leurs traits spécifiques. Ainsi, dans la classe de CM2 qui a travaillé sur le roman *Le professeur a disparu*, les enfants ont établi le tableau suivant :

	Mathilde	Pierre-Paul	Rémi
Désignations (nom, surnom)			
Traits physiques			
Traits de caractère			
Situation familiale			
Âge			
Registre de langue			
Problème de « vie »			
Goûts particuliers			

Toutefois ce travail, portant uniquement sur des caractéristiques de contenu, laisse les enfants peu armés pour rédiger eux-mêmes le portrait de leurs personnages. Il faut donc pousser plus loin le travail d'observation des procédés d'écriture, tant sur l'organisation d'ensemble de la séquence (de l'hyperthème vers les sous-thèmes et inversement) que sur des éléments textuels plus locaux comme les divers procédés de qualification (expansions du nom, métaphores…). Il est important de faire apparaître aussi la cohérence d'ensemble du personnage : en effet, le personnage est doté de qualifications stables, même si certaines d'entre elles vont évoluer au cours du récit. Il y a donc un lien à établir entre le portrait du personnage et son comportement, ses paroles.

Ainsi l'enseignant peut choisir de lire à haute voix un extrait de dialogue dans un chapitre, en occultant volontairement le nom des protagonistes. Les enfants doivent retrouver quel est ou quels sont les personnages qui parlent, en indiquant les indices qui les ont mis sur la voie (registre de langue, nature des informations véhiculées…). L'activité peut être également proposée à l'écrit.

La construction de l'intrigue

Une fois le livre fini, il est important d'embrasser à nouveau la totalité de l'histoire et de se demander comment elle a été construite.

4e activité : La flèche événementielle

Le roman est divisé en chapitres et la classe en petits groupes. Chaque groupe a pour tâche de retrouver les événements essentiels de deux ou trois chapitres. Sur une grande affiche fixée au tableau, on a matérialisé l'axe du temps par une flèche qui va de gauche à droite. Chaque secrétaire de groupe vient inscrire le numéro des chapitres traités et les événements retenus comme importants dans ces chapitres.

Flèche événementielle établie à partir de l'ouvrage «Sans-Atout et le cheval fantôme»

chapitre 1	chapitre 2	chapitre 3	chapitre 4	chapitre 5	chapitre 6
Départ de François pour le château de Kermoal (propriété de famille qui va être vendue)	1re apparition du cheval-fantôme	Le cheval a laissé des empreintes	Visite de Duchizeau Légende de l'abbé Flohic	Un nouveau visiteur : M. Van Der Troost	2e apparition cheval-fantôm
Situation initiale	**Énigme posée**	**L'énigme s'épaissit, mais Sans-Atout mène l'enquête.**			. . .

Lorsque cette tâche est réalisée, une analyse de la structure de l'histoire est possible. En s'appuyant sur le schéma quinaire de P. Larivaille (cf. chap. 23) on demande aux enfants de retrouver ce qui, d'après eux, constitue la situation initiale, le ou les événements déclencheurs, la situation finale, s'ils pensent que la situation finale résoud le ou les problèmes posés au début du livre.

En ce qui concerne l'exemple présenté ci-dessous sur la double page à partir du roman *Sans-Atout et le cheval fantôme*, on peut voir que dans les premiers chapitres l'auteur « installe » le cadre de son histoire. Le rythme est assez lent : un seul événement par chapitre. Dans la suite de l'histoire (chap. 7, 8, 9 et 10), les événements s'accélèrent et se multiplient dans un laps de temps très court.

La première partie de l'activité, qui demande aux enfants de choisir ce qui leur paraît essentiel dans l'action et de le reformuler sous une forme très condensée, est un exercice difficile pour beaucoup d'entre eux. Mais il a l'avantage de faire travailler le résumé et la recherche de titres en situation motivée.

5e activité : Retrouver la structure d'un roman policier

Attention à ne pas vouloir appliquer de façon mécanique le schéma quinaire et uniquement le schéma quinaire à tous les romans. Certes, même dans un roman policier, on peut retrouver les cinq étapes canoniques. Mais il est plus intéressant d'approcher ici la structure spécifique du récit d'énigme :

– *Une énigme est posée au début du livre* : la faire reformuler par les élèves.

– *Une enquête est conduite par un détective* : combien de chapitres va durer l'enquête ?

– *Une solution est trouvée : le ou les coupables sont démasqués.* Il est intéressant alors en consultant la frise de se demander quels étaient les indices pertinents qu'il fallait prendre en compte pour trouver. L'étude de la scène finale au cours de laquelle le détective réunit tous les protagonistes de l'histoire pour présenter sa « démonstration » est particulièrement intéressante.

La représentation de l'espace

Contrairement au conte, genre court et merveilleux, le roman est confronté à la représentation d'un espace le plus souvent réel ou à l'image de la réalité. Certes, on peut trouver des romans dans lesquels les auteurs se plaisent à inventer un univers onirique, marqué par l'étrangeté comme Alain-Fournier dans *Le Grand Meaulnes* ou R. Dahl dans *Charlie et la chocolaterie*. C'est aussi le cas, bien sûr, des romans de science-fiction. Mais la plupart du temps, les écrivains souhaitent créer un « effet de réel », pour donner plus de crédibilité à leur fiction. Toutefois, loin de n'être qu'un décor pour la fiction, la représentation de l'espace est très étroitement liée au fonctionnement du roman.

chapitre 7	chapitre 8	chapitre 9	chapitre 10	chapitre 11	chapitre 12	chapitre 13
e blessé e bouton ramassé a statuette en or anne du téléphone : de la 2 CV a tache brune	Récit de son agression par Jean-Marc	Visite aux Mouettes À nouveau : le blessé François témoin d'une discussion : « kapelle-altar » Face à face avec un chien-loup furieux.	Découvertes en chaîne : – le souterrain – le bunker – le trésor – le laboratoire de J.-Marc	3e apparition du cheval-fantôme	Retour de M. Robion Dernière apparition du cheval-fantôme Voix de Sans-Atout	Les coupables sont confondus « Happy end »

.... Découverte de la solution   Explication finale

Quelques pistes semblent particulièrement intéressantes à explorer concernant la description :

Les différentes fonctions qu'elle peut jouer à l'intérieur du récit

Marquant une pause dans le récit, la description peut suspendre momentanément le rythme de l'action. Ainsi, dans *Le professeur a disparu*, les enfants se lancent à la poursuite d'un suspect, à travers les rues de Venise. Mais, tout à coup, surgit la place Saint-Marc. Pierre-Paul, émerveillé, admire le spectacle. En tant que narrateur, il décrit la scène pour le lecteur. Inutile de dire que ce bref moment de répit suffit pour faire échouer la filature. Dans certains cas, la fonction est totalement inverse. La description d'un lieu dangereux (gouffre, fleuve furieux, forêt inextricable…) que le héros doit franchir dramatise encore la situation et renforce le suspense de l'action.

La description peut aussi fournir des connaissances encyclopédiques au lecteur, sur des civilisations peu connues par exemple. Dans *les Chevaux de vent* d'Y. Heurté (Milan, coll. Zanzibar), le personnage de Nicole, jeune touriste française, décrit abondamment les villages, les vêtements et, d'une façon générale, les mœurs et coutumes des Tibétains. Plus près de nous, M. Cosem dans *Les neiges rebelles de l'Artigou* (Messidor, La Farandole) permet à de jeunes lecteurs citadins de découvrir les villages de montagne pyrénéens, quand ils sont bloqués par la neige. Toutefois, il sera intéressant de faire comparer les indications documentaires de ce type dans un récit de fiction et dans des ouvrages plus informatifs (guides touristiques, magazines spécialisés comme *Géo* ou *Pyrénées magazine*, encyclopédies…).

Les relations qui existent entre personnages et décor

C'est le sens de la troisième activité présentée au début du chapitre, p. 52. Très souvent la description est faite par un personnage (cf. la notion de point de vue et de focalisation interne, abordés dans le chapitre 23 sur le récit) et porte alors la marque de ses états d'âme du moment. Ainsi dans *L'œil du loup* de D. Pennac (Poche Nathan), au début du livre, le loup décrit le zoo et sa cage avec une très grande tristesse. Mais grâce à sa rencontre avec un jeune garçon qui sait très bien raconter les histoires, Loup Bleu peut regarder et décrire son environnement dans les dernières pages du roman de façon très différente.

Toujours dans le cadre du rapport entre « descripteur » et lieu décrit, il sera intéressant de remarquer la position et le statut du « descripteur » : est-il statique ou se déplace-t-il dans le décor ? Est-il l'expert qui renseigne des visiteurs (le cas est fréquent chez J. Verne) ou est-il le naïf qui découvre l'endroit pour la première fois ? Pour décrire, fait-il seulement appel à la vue ou utilise-t-il d'autres sens ?

Enfin un travail s'impose, à partir de l'observation de séquences descriptives, sur l'organisation interne de ce type de texte, les différents modes de progression de l'information (cf. chap. 26), les organisateurs textuels qui mettent en relation les différents éléments de la description et guident ainsi le lecteur.

La représentation du temps

En règle générale, le roman inscrit l'action dans une durée longue et une époque précise, même si celle-ci est encore à venir (roman de science-fiction).

Il est donc important, dès les premières pages, que les enfants repèrent à quelle époque se situe l'action et à quelle date a été écrit le livre. Il peut y avoir ou non coïncidence entre ces deux dates. Ainsi, les enfants peuvent certainement trouver encore du plaisir à lire la comtesse de Ségur ou Charles Dickens qui présentent de jeunes héros vivant au XIXe siècle, tout comme ils prennent plaisir à « rencontrer » des enfants qui vivent à la même époque qu'eux. C'est un des grands intérêts de la littérature de jeunesse que de nous renvoyer l'image de héros actuels, confrontés aux problèmes et aux modes de vie qui sont les nôtres… Mais on peut constater aussi de grands décalages entre la date d'écriture des romans et l'époque où se situe l'histoire. Ainsi, des auteurs contemporains n'hésitent pas à reprendre la tradition du roman historique : Jean-Côme Noguès avec *Le vœu du paon* (Gallimard, coll. Folio Junior) écrit une histoire qui se situe au Moyen-âge; Hélène Montardre avec *Les enfants sous la lande* (Milan, coll. Zanzibar) situe son intrigue sous la Révolution française…

Une fois ces premiers repérages effectués, il est intéressant d'entrer plus avant dans l'œuvre et de travailler sur la notion de durée, en comparant le temps de la fiction : Combien de temps a duré cette histoire? et le temps de la narration? Combien de pages l'auteur a-t-il consacré à la relation de tel ou tel événement? Des relevés systématiques peuvent être opérés, sous forme de tableau : voici un exemple de ce type de travail, à partir du roman *Le professeur a disparu*, réalisé dans le CM2 de P. Carsalade. Seule, la première partie du tableau a été reproduite.

Dates et heures	N° de chapitre	Nombre de pages	Actions
Dimanche 18 février 20 h 12	1	1	Avant le départ.
20 h 15	2	3	Dans le train : présentation des personnages.
20 h 15 jusqu'à l'heure de dormir	3	2	Pierre-Paul se présente.
Nuit du 18 au 19 février	4	5	Mathilde entend chuchoter en allemand.
Matin du 19 février	5 - 6 - 7	4 - 5 - 8	Le professeur a disparu. Les enfants trouvent une feuille blanche et suivent l'inconnu.
idem	8	4	Les enfants déjeunent place Saint-Marc.
idem	9 - 10 - 11	6 - 3 - 4	Ils décident d'aller à la Ca'Rezzonico et ne trouvent pas l'inconnu.
Midi	12	2	Ils décident d'aller au Consulat de France.

Le tableau complet permet d'établir avec précision sur combien de jours s'est déroulée l'action. Il permet aussi de voir que le temps de la narration est différent du temps de la fiction. Alors qu'il ne faut qu'un chapitre pour rendre compte de toute une nuit, il n'en faut pas moins de sept pour relater les événements de la matinée qui a suivi. On peut ainsi remarquer que les temps d'accélération et les temps de ralentissement (pauses descriptives, temps de réflexion des héros…) de la narration sont en relation étroite avec les événements de la fiction.

On peut également observer la construction particulière de certains romans : par exemple, dans *Rue de la chance* (Hachette), C. Klotz nous raconte alternativement, dans chaque chapitre, la vie simultanée de deux personnages qui n'ont apparemment rien à voir l'un avec l'autre, une vieille dame et un riche pdg. Ces derniers finiront par se rencontrer à la fin du roman. De même, la plupart des romans policiers commencent par la découverte d'un délit plus ou moins grave. L'enquête qui suit devra permettre, à la fin du livre, de remonter aux origines du drame.

La ou les voix narratives : qui raconte?

C'est la focalisation neutre, dite encore focalisation zéro (cf. chap. 23) qui est la plus fréquente dans les romans de jeunesse, comme en littérature générale.

Toutefois, de nombreux romans pour la jeunesse sont écrits à la première personne — le narrateur est censé être un enfant— et imitent une voix enfantine, le plus souvent ingénue, drôle et critique tout à la fois. Le point de vue est alors totalement subjectif et souvent très subtil, dans la mesure où sont inextricablement mêlés le regard de l'enfant et celui de l'adulte. Le titre le plus connu, illustrant ce genre d'ouvrages, est certainement *Le petit Nicolas* de Sempé et Goscinny (Gallimard).

Mais beaucoup d'autres auteurs ont recours à ce procédé. Citons Susie Morgenstern, M.-Aude Murail, N. Schneegans, J.-Philippe Arrou-Vignod qui n'hésite pas à faire raconter la même histoire par trois enfants différents. Dans *Les chevaux de vent* déjà cité, Y. Heurté utilise systématiquement deux instances d'énonciation. Chacun des chapitres du livre est consacré à un des deux personnages du roman et porte son nom : Nicole, jeune Française perdue au Tibet, et Titsing, jeune Tibétain qui la sauve. Mais alors que les chapitres intitulés « Nicole » sont rédigés à la première personne, les chapitres intitulés « Titsing » sont rédigés à la troisième. Ce choix permet sans doute au lecteur de mieux comprendre les réactions de la jeune Française (peur face au danger et à l'inconnu…) et d'être mieux informé sur la civilisation tibétaine (modes de vie, croyances, histoire…) par le recours à l'emploi de la troisième personne.

Le repérage par les enfants de ces différentes instances d'énonciation est souvent difficile à appréhender ainsi que les effets de sens que permettent de tels dispositifs. Il est important de les leur faire expliciter assez rapidement.

A U   C O N C O U R S

■ Sujet d'analyse didactique

Voici deux épreuves d'évaluation concernant la lecture d'un roman proposées à des élèves de cycle 3.

Inédit

• La première est empruntée à *50 activités pour apprivoiser des livres* de P. Cassagnes, C. Garcia-Debanc et J.-P. Debanc, p. 93, CRDP de Tarbes.

• La deuxième est empruntée à *Objectif : livres – Dynamiser la lecture au cycle 3* de L. Planes et C. Roger, pp. 45-46, CDDP de la Lozère.
(Seules 7 questions sur les 13 proposées ont été retenues.)

1) Quelles sont les différentes compétences évaluées par chacune de ces deux épreuves ? *(4 points)*

2) Quelles sont, à votre avis, les différences essentielles entre ces deux situations d'évaluation ? *(4 points)*

ÉVALUATION 1

Matériel

Chaque élève est muni d'un roman de jeunesse correspondant à son âge et qu'il ne connaît pas. Ce roman doit présenter une table des matières, un texte de quatrième de couverture et, éventuellement, quelques illustrations.

Modalité de travail

Chaque enfant travaille seul pendant trente minutes.

Déroulement

1. Choix du roman

Le maître a déposé à la vue de tous les élèves une bonne quarantaine de romans qu'il pense peu connus des élèves. Il invite chacun à choisir un roman non encore lu pour le découvrir.

2. Feuilletage

Chaque enfant doit, en trente minutes, utiliser le livre comme il le veut, pour reformuler brièvement le contenu du roman et répondre rapidement aux questions :
– J'aimerais (je n'aimerais pas lire) ce livre parce que… (4 raisons demandées) ;
– Titres de livres déjà lus qui avaient avec ce roman un point commun (auteur, collection, genre ou thème).

Pour les enfants en difficulté, le maître pourra compléter l'information par un bref entretien au cours duquel les élèves pourront préciser les difficultés qu'ils ont rencontrées. Riche de toutes ces informations, le maître peut organiser la suite des apprentissages qui s'imposent.

ÉVALUATION 2

Après avoir lu en classe l'ouvrage *Chichois de la rue de Mauvestis* de Nicole Ciravegna (éditions Pocket, 1995), les enfants doivent remplir le questionnaire suivant, sans recourir au livre.

1. Les deux héros du livre sont ....et ....
Quel est le lien de parenté qui unit Chichois à mémé Za ?...................................
Peux-tu citer le nom des trois autres personnages de l'histoire ? ....

2. Écris le nom de trois lieux différents où se passe cette histoire : ....
....

3. Raconte en deux ou trois phrases un épisode de ce livre (celui dont tu te souviens le plus ou celui qui t'a beaucoup intéressé) : ....
....
....

4. Quel est l'événement le plus important de ce livre? ....
....
Pourquoi? ....

5. Maintenant que tu connais toute l'histoire, explique pourquoi on a choisi ce titre (il faut trouver au moins trois raisons) : ....
....
....

6. Dans quelle catégorie ranges-tu cette histoire :
roman policier – roman historique - roman d'aventure – roman réaliste – conte de fée.
Souligne la bonne réponse.

7. Écris trois questions que tu aurais envie de poser à N. Ciravegna après la lecture de ce livre :
1. ....
2. ....
3. ....

C O R R I G É

1 Différentes compétences évaluées par les deux épreuves

Évaluation 1
La première situation permet d'évaluer des compétences :

• **En lecture :** L'enfant doit prélever rapidement (temps limité) des informations concernant l'intrigue du roman, en utilisant des indications paratextuelles (première et quatrième de couverture, table des matières, illustrations éventuelles…) et la lecture de quelques brefs passages. Il s'agit donc d'évaluer ici l'efficacité d'une stratégie qui per-mette une lecture sélective et rapide.
Il doit par ailleurs être capable de mettre en relation ce roman particulier avec d'autres, ce qui suppose de bonnes capacités à repérer rapidement le nom de l'auteur, de la collection, du thème traité et une bonne connaissance des caractéristiques des différents genres romanesques.

• **En production écrite :** L'enfant doit savoir rédiger un résumé qui rende compte des infor-mations essentielles, ces dernières devant être exactes. Il doit être également capable de rédiger une réponse argumentée et de justifier ainsi des goûts personnels : «j'aimerais ou je n'aimerais pas lire ce roman parce que…».

Évaluation 2
Le questionnaire permet d'évaluer des compétences :

• **En lecture.** On peut ici différencier ce qui relève de :
– *la mémorisation* : les enfants doivent être capables de restituer fidèlement les noms des différents personnages de l'histoire, les relations qui les unissent ainsi que le nom des dif-férents lieux, sans recourir à l'ouvrage (questions 1 et 2).

– *la compréhension de l'histoire proprement dite* : énoncé de l'événement le plus important (question 4) ; justification du titre par rapport au contenu de l'histoire (question 5).
– *la capacité à situer le roman par rapport à la notion de genre.* On remarquera que les distinctions proposées ici sont fines. L'enfant doit être au clair avec les différents genres romanesques : roman d'aventure, roman policier, roman historique, roman réaliste (question 6).

• **En production écrite.** L'enfant doit être capable de :
– *résumer un épisode de son choix* en deux ou trois phrases (question 3). On remarquera toutefois que l'activité est moins exigeante que dans l'évaluation 1 pour laquelle il fallait résumer la totalité du roman, sans précision de longueur.
– *rédiger des justifications écrites* à certaines réponses (questions 4 et 5).
– *rédiger des questions en direction de l'écrivain* (question 7).

2 Différences entre les deux situations d'évaluation

• **La première situation d'évaluation** est plus **ouverte** : l'enfant peut choisir le roman sur lequel il va travailler, il peut utiliser des types d'indices différents pour réaliser la tâche demandée…
Elle fait surtout appel à des compétences plus globales et plus complexes. L'enfant doit être capable de prélever des indices multiples, de nature différente et de les mettre en relation pour construire une intrigue cohérente. Il doit pouvoir hiérarchiser les informations (ne retenir que l'essentiel), le tout en temps limité.
La rédaction d'un résumé est aussi un exercice redoutable à cet âge. Outre le choix des informations pertinentes, il demande une bonne maîtrise des procédés de reprise et de condensation de l'information et une capacité importante à articuler les idées entre elles (rôle des connecteurs).
Par ailleurs, la première situation se situe en début d'apprentissage. Elle a surtout pour fonction d'aider l'enseignant à prélever des informations sur les stratégies mises en œuvre par les enfants autant que sur leur degré de réussite dans les diverses activités proposées. D'où l'importance de l'entretien pour les enfants les plus en difficulté. Il s'agit bien de la première phase d'évaluation appelée quelquefois diagnostique, dans le cadre d'un processus d'évaluation formative.

• **La deuxième situation d'évaluation** assure un **guidage plus serré** de l'élève, par le biais d'un questionnaire. L'évaluation est plus précise et plus fractionnée et permet ainsi d'évaluer des compétences de nature et de niveau différents. Comme nous l'avons vu plus haut, on évalue des compétences aussi différentes que la mémoire, la compréhension, la capacité à justifier une réponse. Les exigences en matière de production écrite sont plus limitées.
Cette deuxième situation d'évaluation prend son sens au terme d'une série d'activités qui ont dû être menées sur la lecture du roman. Les enfants sont censés bien le connaître et redevables d'un certain nombre d'acquisitions. Cette évaluation sert de bilan, elle peut faire l'objet d'une notation précise. On parle dans ce cas d'évaluation sommative.

Pistes bibliographiques

De nombreuses associations et publications spécialisées font paraître régulièrement des sélections d'ouvrages, parmi lesquels des romans. Les maisons d'édition publient également tous les ans un catalogue de leurs publications (disponible chez les libraires).

■ Des ouvrages de base

◆ La nouvelle édition réactualisée d'*Album en roman*, publiée par le CRDP de Créteil, 1997.

◆ L'ouvrage plus ancien de R. Causse, *Guide des meilleurs livres pour enfants*, Calmann-Lévy, 1986.

◆ Quelques publications essentiellement centrées sur des propositions d'activités : *Je… Tu… Ils lisent des histoires jusqu'au bout*, CRDP de Nancy, 1996.
(Cet ouvrage a le mérite de proposer des activités diversifiées en fonction des goûts et des compétences des enfants.)

◆ L. Planes et C. Roger, Objectif : *livres – Dynamiser la lecture au cycle 3*, CDDP de la Lozère, 1997.
(Ouvrage déjà cité et présenté à l'intérieur du chapitre.)

■ Pour aller plus loin

◆ C. Tauveron, *Le personnage – Une clef pour la didactique du récit à l'école élémentaire*, Delachaux et Niestlé, 1995.

◆ J.-P. Goldenstein, *Pour lire le roman*, De Boeck-Duculot, 1989.

◆ M. Lits, *Pour lire le roman policier*, De Boeck-Duculot, 1989.

Chapitre 20

Qu'est-ce qu'écrire ?

Comment se différencient les situations de production écrite ?

■ Pour poser le problème

Voici un inventaire de situations de production d'écrits à divers niveaux de l'école primaire.

Essayez d'expliciter les traits par lesquels se différencient ces situations.

---

1. Écriture par groupes de trois d'une lettre aux parents pour leur demander d'apporter un objet à l'école (Grande Section).

2. Insérer dans un récit cohérent les trois phrases suivantes (CM2) :
– *Elle habitait là depuis longtemps.*
– *Il se retourna en entendant ce grand bruit.*
– *Depuis cette aventure, les enfants ne sortent plus la nuit.*

3. Après avoir écrit le texte précédent, formuler dix conseils par écrit pour que des élèves d'une autre classe réussissent ce travail (CM2).

4. Rédaction individuelle puis par groupes de deux de la règle de l'awélé (jeu de société africain) en vue de la transmettre aux camarades de la classe de CE2 voisine. Les enfants regardent ensuite comment leurs camarades jouent à partir de la règle qu'ils ont écrite. À partir des constats ainsi réalisés, ils réécrivent à quatre la règle de jeu avant de la transmettre à leurs correspondants par écrit (CE2).

5. Projet d'écriture long (trois mois) : rédaction par groupes de deux de nouvelles policières. Les enfants lisent diverses nouvelles policières pour en dégager les traits caractéristiques. Ils vont consulter ces textes-ressources lorsqu'ils rencontrent des problèmes d'écriture, par exemple pour savoir comment commencer. Chaque groupe réalise un livret vendu ensuite aux élèves de l'école et du collège (CM).

6. Légendes de photographies d'une sortie en vue de réaliser une exposition pour les parents d'élèves (CE2).

7. Évaluation trimestrielle : suite de récit (CM1).

8. Confection par groupes de trois d'un album à lire aux élèves de Grande Section de l'école maternelle voisine (CP).

9. Notations des étapes de croissance d'une plante dans la classe (Grande Section).

10. À partir des éléments figurant sur la couverture d'un livre inconnu fermé, les enfants imaginent la première page de ce livre (CM).

---

11. Réalisation d'une affiche collective pour inviter les classes de l'école maternelle au Carnaval (Petite Section).

12. Le début et la fin d'un récit sont donnés. Il s'agit d'inventer le fragment qui manque (CM).

13. Prise de notes à partir de documents d'Histoire (CM).

14. Formulation individuelle des critères de réussite d'un récit : *« Pour qu'une histoire soit réussie, il faut que… »* (CM).

15. Après lecture de devinettes extraites de l'album de Charpentreau, *Les cent plus belles devinettes*, invention individuelle de devinettes collées sur un cahier de la classe qui peut être consulté par tous les élèves (CP).

16. Rédaction individuelle de récits légendaires sur le village où on habite. Les textes réécrits seront publiés dans le journal de l'école (CM).

17. Réalisation d'un tableau récapitulant les conditions à réunir pour obtenir des moisissures (CM).

18. Consigne : *« Raconte une histoire qui se passe au fond de la mer et qui mette en scène trois personnages »* (CM).

19. Formulation de phrases en vrai/faux sur les différentes valeurs de la lettre *s* dans le système orthographique français à soumettre aux camarades de la classe après observation de corpus (CM).

20. Réalisation individuelle de calligrammes après en avoir observé plusieurs (CM).

■ Premiers éléments de réponse

Les situations de production d'écrits évoquées sont extrêmement variées par :

• **Le niveau d'élèves** qu'elles concernent : de la petite section d'école maternelle (11) au CM 2 (2 et 3).

• **Le caractère** imaginaire, fictionnel de la production écrite attendue (2, 5, 7, 8, 10, 12, 16, 18, 20) ou au contraire **utilitaire, fonctionnel** (1, 6, 11, 13, 14, 17, 19).

• **Les types de séquences textuelles** réalisées : narratif (2, 5, 8, 10, 12, 16, 18), injonctif (4, 14), descriptif, informatif (1, 6, 9, 13), argumentatif (cf. chap. 8).

• **Les diverses fonctions remplies par l'écrit** dans les différents cas : communication différée (1), mémoire (9, 13), structuration des connaissances (17, 19), développement de la personne par l'activité poétique (20).

• **Les destinataires** de la production écrite : parents d'élèves (1, 6) mais aussi autres élèves de l'école (4, 11) ou de l'école voisine (8), sans oublier l'élève lui-même.

• **Le support** final de la production : cahier de l'élève (9) mais aussi affiche (11), lettre (1), brochure (5) ou journal scolaire (16).

• **La durée** des divers projets d'écriture : de 2 séances (7) à trois mois (5).

• **Les modalités d'écriture :** écriture individuelle (2, 3, 7, 10…), par paires (5), individuelle puis par paires (4), avec alternance de divers dispositifs de travail.

• **L'élaboration de critères** par les élèves (3, 14, 15) ou pas (cf. chap. 21).

• **Les modalités de l'interaction lecture-écriture** (cf. chap. 22) : en 15 ou 20 la lecture est préalable à l'écriture, en 5 elle intervient à divers moments du projet; pour certaines des activités, le statut de la lecture n'est pas précisé.

• **L'existence d'une réécriture** (4, 5) ou pas.

D'autres paramètres sont à prendre en compte :

• **Les tâches d'écriture** proposées se différencient par leur **caractère plus ou moins ouvert** : si, dans les situations 5 ou 18, l'élève doit effectuer tous les choix (choix du genre, des personnages, du point de vue, des temps verbaux…), dans les situations 7 ou 12, la marge de choix est beaucoup moins importante. Quant à la situation 2, c'est une situation-problème qui oblige l'élève à résoudre un problème d'écriture qu'il évite souvent d'affronter, la gestion des ambiguïtés.

• Les activités d'écriture inventoriées ici ne sont pas réservées aux seules activités de français : la production d'écrits intervient aussi **dans les autres disciplines** (6, 9, 13, 17) et, dans le cadre des activités de français, pour structurer les connaissances (19).

• L'élaboration d'une trace écrite, par exemple sous la forme d'une liste de critères (comme dans les situations 3 ou 14), remplit une **fonction métacognitive**.

• Enfin, l'écrit ne remplit pas strictement la fonction d'**évaluation sommative** à laquelle on le cantonne parfois, même si cette fonction n'est pas niée (situations 7 et dans une moindre mesure 12).

La mise en place d'une didactique de la production d'écrits suppose que soient programmées **des situations de production d'écrits les plus diversifiées possible.**

Les situations de production d'écrits

■ Les différents sens du mot écrire

Le mot « écrire » a plusieurs significations, comme le rappelle le titre de l'ouvrage de P. Lassalas et D. Chaumin, *Écrire : le geste et le sens*, éditions Préscolaires, Nathan. En effet, « écrire » peut signifier :
– graphier, c'est-à-dire maîtriser le geste graphique,
– copier un message écrit déjà conçu par quelqu'un,
– concevoir un texte.
C'est seulement cette troisième signification que nous conserverons ici. Or, dans les classes, si les enfants passent souvent beaucoup de temps un crayon à la main à copier des textes ou à compléter des phrases, il est parfois plus rare qu'ils soient mis en situation de produire des textes diversifiés.

■ La production d'écrits dans les programmes

Nous avons présenté et analysé dans le chapitre 17 les contenus des programmes des cycles 1 et 2 en matière de production d'écrits. Les programmes de cycle 3 s'inscrivent dans la continuité des apprentissages définis pour les niveaux précédents :

Expression écrite

L'interaction entre la lecture et l'écriture, préconisée au cycle des apprentissages fondamentaux, reste essentielle au cycle des approfondissements.

Les productions sont nombreuses et de plus en plus conformes aux exigences d'organisation et de présentation : articulation des idées, organisation en paragraphes.

La rédaction de textes dépasse progressivement le stade de la simple transcription ou relation pour faire appel aux facultés d'analyse et de jugement qui seront sollicitées au collège.

L'élève doit pouvoir s'exprimer et communiquer dans des situations variées :
– narration (terminer un récit, créer un récit avec ou sans support, modifier un récit…);
– comptes rendus;
– correspondance;
– élaboration d'un journal…
L'élève reprend, corrige, améliore ses productions antérieures avec le souci de la qualité, de la forme et de l'expression.

Les Programmes, p. 59.

L'apprentissage de la production d'écrits au cycle 3 est situé dans la continuité à la fois du travail entrepris au cycle 2 (cf. chap.16 et 17) et dans l'articulation avec le collège. L'accent est mis sur la diversification des écrits à produire (cf. chap. 8) : diversité des supports (correspondance, journal), des genres et types d'écrits, des types de textes… L'importance de l'interaction lecture/écriture est affirmée (cf. chap 22). La nécessité d'une réécriture est explicitement posée, même si les critères de réussite sont ici définis de façon très générale (cf. chap. 21).

■ Un essai de classification des situations de production d'écrits

Les situations de production d'écrits peuvent être très variées. Quels traits communs entre un projet d'écriture longue par groupes de trois de nouvelles policières pendant un trimestre et la rédaction individuelle du résumé d'une leçon de sciences?

Les situations de production d'écrits peuvent ainsi être regroupées en fonction de deux paramètres[1] comme le montre le tableau de la page suivante.

On peut d'une part distinguer :
– des **écrits d'interaction sociale**, à dominante fonctionnelle : écrits pour informer, convaincre, agir, faire agir sur le monde… ;
– des **écrits littéraires** (ou fictionnels) : écrits pour créer, nourrir l'imaginaire, jouer avec les mots, travailler sur le langage… ;
– des **écrits outils de travail** : écrits pour organiser le travail, faciliter l'écriture, faire progresser la construction des savoirs, dans toutes les disciplines.

Cette classification est à croiser avec l'enjeu dominant dans chacun des cas .
– un **enjeu social** : écrire pour communiquer, créer, agir…
– un **enjeu d'apprentissage** : écrire pour apprendre à écrire, activités décrochées ou différées.

---

1. Groupe EVA, *De l'évaluation à la réécriture*, coll. «Pédagogies pour demain – Didactiques»,Hachette Livre, 1996.

Classement des écrits des élèves selon leur finalisation dominante dans la vie de la classe

	ENJEU DOMINANT DES ACTIVITÉS D'ÉCRITURE	
	❶ ENJEU SOCIAL (écrire pour communiquer, créer, agir…)	**❷ ENJEU D'APPRENTISSAGE** (écrire pour apprendre à écrire : activités décrochées ou différées)
A ÉCRITS D'INTÉRACTION SOCIALE (écrits pour informer, convaincre, agir, faire agir sur le monde)	**A❶** – recettes, modes d'emploi, notices, règles du jeu… (écrits prescriptifs) lettres diverses, affiches, interviews… (écrits informatifs et argumentatifs) – articles (presse), comptes rendus… (écrits documentaires, informatifs et explicatifs, parfois narratifs)	**A❷** – essais pour apprendre à produire des écrits de communication (ex : écrire une recette pour apprendre) – écrits d'entraînement pour un apprentissage spécifique (ex : transformer un récit en une recette)
B ÉCRITS LITTÉRAIRES (écrits pour créer, nourrir l'imaginaire, jouer avec les mots, travailler sur le langage…)	**B❶** – contes et récits (écrits narratifs de fiction) – portraits, descriptions, fiches d'identification de personnages… – écrits « intermédiaires » pouvant constituer des mini-projets plus ou moins autonomes (écrits descriptifs) – écrits produits en ateliers d'écriture, jeux d'écriture.. – poèmes (écrits poétiques)	**B❷** – essais pour apprendre à produire des écrits littéraires (ex : écrire un récit de fiction) – genres scolaires « littéraires » identifiés et travaillés comme tels (ex : rédactions, etc.) – écrits d'apprentissage spécifiques, décrochés ou différés (ex : terminer un conte, faire une introduction, changer le point de vue…)

C
 	
ÉCRITS OUTILS DE TRAVAIL
 	
(écrits pour organiser le travail, faciliter l'écriture, faire progresser la construction des savoirs, dans toutes les disciplines)
	C❶
	– affiches, listes, calendriers…
	(écrits permettant le pilotage des projets, l'organisation de la vie de la classe)
	– réserves de matériaux pour écrire (réservoirs de mots, banques…)
	– outils spécifiques d'un projet (règles d'écriture, fiches outils, schémas, plans, canevas…)
	– fiches de synthèse (ex : les verbes dans les recettes; écrits en JE et IL; les façons de présenter un tableau; pour comprendre un énoncé de problème…)
	– grilles d'évaluation (ex : savoir écrire une lettre, un conte des origines, un énoncé de problème, savoir faire un plan, résoudre un problème…)
	– prises de notes, résumés, « traces écrites », comptes rendus d'observation, énoncés de problèmes… (outils pour écrire et apprendre à écrire, outils au service de la construction des savoirs dans toutes les disciplines)
		C❷
		– essais et exercices pour apprendre à produire des écrits outils de travail :
		  – prise de notes
		  – confection de fiches
		  – construction de schémas
		  – construction de tableaux
		  – élaboration de grilles
		
		– essais et exercices pour apprendre à produire des genres scolaires, identifiés et travaillés comme tels :
		  – énoncés de problèmes
		  – solutions de problèmes…

Séguy A., « Écrire et réécrire en classe, pour quoi faire ? Finalisation des écrits et critères de réécriture », in *Repères*, n° 10. « Écrire, réécrire », pp. 13-32, INRP.

Travailler sur un type d'écrit comme **la petite annonce** peut prendre des formes fort différentes selon que l'on prend en compte l'enjeu social ou qu'on la considère comme un support d'apprentissage exclusivement. Dans le premier cas, les élèves découvriront la visée argumentative de la description dans la petite annonce et l'intérêt de l'abréviation TBE (Très Bon État); ils seront invités, par exemple, à rédiger des annonces pour échanger des jouets. Dans le deuxième cas, la petite annonce sera choisie comme support de travail en grammaire pour montrer la fréquence de la catégorie des déterminants. Les élèves imiteront ensuite la structure d'une petite annonce.

Ce n'est pas la même chose de rédiger une lettre pour obtenir une documentation nécessaire à un voyage scolaire et d'écrire une lettre officielle sur un fichier à partir d'un ensemble de consignes formelles même si, dans les deux cas, on est conduit à analyser les caractéristiques d'une lettre officielle.

La conjonction de ces deux paramètres aboutit à la classification reproduite dans le tableau de la page 71. La mise en place d'une didactique de la production d'écrits suppose une articulation lucide et contrôlée entre les diverses cases de ce tableau.

Un modèle du processus rédactionnel

Que se passe-t-il lorsqu'on écrit? Et pourquoi est-il si difficile d'écrire un texte? La didactique de la production d'écrits a tout d'abord été centrée, dans les années 70, sur les **caractéristiques du produit à réaliser**, les **caractéristiques textuelles des écrits à produire**. On considérait alors que, pour écrire un récit, il suffisait de connaître les propriétés structurelles des récits.

Les années 80 se caractérisent par une attention au processus rédactionnel, c'est-à-dire à **l'activité du sujet en train de rédiger**. Cet intérêt est lié à la diffusion en France de travaux de psychologues anglo-saxons, en particulier du modèle du processus rédactionnel mis au point par Hayes et Flower. Ce modèle vise à rendre compte des diverses opérations intervenant dans la rédaction d'un texte. Ces travaux ont pour origine le constat des difficultés des étudiants américains à rédiger. Les chercheurs utilisent notamment la technique de l'analyse de protocoles, qui consiste à soumettre à des sujets experts des situations-problèmes d'écriture (rédiger un essai, une dissertation, une lettre…) et à leur faire verbaliser à haute voix ce qu'ils font quand ils rédigent.

L'analyse des enregistrements obtenus a permis de distinguer trois grandes familles d'opérations intervenant dans la rédaction d'un texte :

• **Les opérations de planification** consistent à définir le but du texte (j'écris pour quoi? pour qui? Pour quoi faire? Quelles représentations est-ce que je postule chez mon lecteur?) et à établir une ébauche de l'ensemble de la production escomptée. Elles vont bien au-delà du simple plan. Ces opérations de planification peuvent se concrétiser sous la forme d'ébauches, de notes, de plans…

• **Les opérations de mise en texte** désignent les activités liées à la rédaction proprement dite : Comment commencer? Dans quel ordre présenter les informations? Le scripteur doit gérer une suite d'énoncés syntaxiquement et orthographiquement acceptables. Pour cela, il doit faire face à des contraintes à la fois locales (choix des mots, syntaxe, orthographe…) et globales (type de texte, cohérence macrostructurelle, progression thématique…). Plus le scripteur est jeune, plus les problèmes locaux risquent de lui faire perdre de vue les choix plus globaux.

• **Les opérations de révision** se rapportent à la relecture critique et à la mise au point du texte. Le rédacteur se décentre de l'écrit réalisé pour le comparer à l'image de l'écrit idéal tel qu'il voudrait l'obtenir et effectue des modifications locales (rectifications orthographiques) ou plus globales (déplacements de blocs, ajouts…).

Ces opérations sont **itératives** (elles se répètent à plusieurs reprises au cours de la rédaction d'un texte) et **variables selon les rédacteurs** : certains ont besoin de procéder à une planification préalable systématique avant de se lancer dans l'écriture, tandis que d'autres engagent une mise en texte avant de revenir sur les opérations de planification.

La simultanéité des opérations à gérer explique la difficulté des tâches d'écriture. Les psycholinguistes parlent alors de **surcharge cognitive**. Rien d'étonnant alors à ce que les élèves réussissent à éviter les erreurs d'orthographe dans une dictée et les multiplient dans une tâche de production d'écrits, particulièrement lorsque leur attention est mobilisée par le contenu de ce qu'ils ont à dire.

De plus, alors que l'expert (par exemple l'étudiant ou l'enseignant) accorde une place décisive aux opérations de planification, qui l'aident à opérer les choix locaux, le jeune élève de CE1 est tellement occupé à contrôler le geste graphique et l'écriture des mots qu'il a souvent bien des difficultés à conserver le fil de ses idées.

La didactique de la production d'écrits doit donc prévoir des aides pour permettre aux élèves de mieux gérer les opérations défaillantes, c'est-à-dire la planification et la révision. Les opérations de révision seront traitées au chapitre 24. **Les opérations de planification** sont évoquées dans la brochure *Maîtrise de la langue* qui se réfère explicitement au modèle du processus rédactionnel pour développer des propositions pédagogiques :

> **Apprendre à organiser un texte**
>
> D'une manière générale, on peut privilégier l'une des deux composantes essentielles de l'activité rédactionnelle : tantôt **l'organisation du texte** (sa planification), tantôt **le travail d'écriture proprement dit** (la mise en mots).
>
> Dans le premier cas, il s'agit d'abord de **définir** de manière explicite l'objectif que l'on vise, c'est-à-dire **la situation de communication écrite** qui est en jeu, le destinataire du texte, l'usage attendu de ce dernier et ses finalités spécifiques, qu'elles soient fonctionnelles ou esthétiques. Une trame générale peut alors être collectivement construite, **un cadre très large** qui corresponde à ces objectifs. On peut ensuite demander au grand groupe ou à des petits groupes distincts de se livrer à une **recherche**, la plus exhaustive possible **de ce que le texte devra transmettre** à ses lecteurs (des informations, des émotions, des injonctions ou des arguments selon les cas). Déjà, à cette occasion, le scénario, l'argumentaire, le plan du texte s'élaborent selon une première préfiguration. Un travail de discussion, appuyé sur ces matériaux, va permettre de vérifier que l'on a respecté les consignes. Dans la plupart des cas, des réajustements sont nécessaires. Ils doivent être proposés et justifiés. Ce type de travail s'appuie sur **des traces écrites** (au tableau mural ou sur tableau de papier) de toutes les propositions faites. Les réagencements doivent être matérialisés par des déplacements de feuilles, des découpages, des collages. Les contenus ainsi formulés et mis en ordre sont autant de morceaux d'écriture qui pourront être réutilisés ou qui devront être, au contraire, réécrits ultérieurement.
>
> *La Maîtrise de la langue à l'école*, p. 83.

Ce texte distingue principalement opérations de planification et opérations de mise en texte. Il s'attache longuement, dans ce paragraphe, à définir les opérations de planification.

■ Quelles aides apporter aux élèves?

Les élèves se lancent souvent directement dans l'écriture de phrases sans prendre suffisamment en compte les enjeux auxquels doit répondre l'écrit à produire et les caractéristiques qu'il doit présenter.

Des outils, fiches de guidage fabriquées dans la classe à partir de l'observation d'écrits, peuvent consolider les niveaux d'opérations repérés comme défaillants chez les novices, pour les aider en particulier à opérer des choix et à aiguiser leur vigilance dans la phase de production et de relecture critique.

Quelques exemples d'outils

• Des élèves de CE1 apprennent à différencier **les caractéristiques d'une lettre familière** adressée à leurs correspondants **et d'une lettre officielle** au maire de la commune. Ces observations prennent la forme d'une affiche en deux colonnes mettant en regard les caractéristiques matérielles (format, écriture, couleur, mise en page) et les formules les plus fréquentes dans les deux cas. La consultation de cet outil leur permettra par la suite de choisir l'écrit convenable selon les caractéristiques de la situation de communication.

• **Après lecture de plusieurs nouvelles policières** et étude en classe de deux textes choisis par l'enseignant, des élèves de CM1 ont établi :
– une liste des composantes nécessaires d'une nouvelle policière : méfait, énigme, personnages, suspects, indices, alibi, coupable, fausses pistes…
– un inventaire des propriétés que doit présenter, selon eux, une nouvelle policière pour être jugée intéressante.
La fiche de travail ainsi constituée les aide, en début de projet, à décider de la trame d'ensemble de leur nouvelle. Elle leur permet ensuite de relire de façon critique la production d'un autre groupe pour suggérer des améliorations.

• Des élèves de CM2 engagés **dans l'apprentissage du résumé de texte narratif** bénéficient de l'aide d'une liste de contrôle pour détecter les erreurs les plus fréquentes. Ces erreurs ont été repérées par l'observation et la comparaison de travaux d'élèves et de textes fabriqués par l'enseignant en fonction des erreurs à mettre en évidence.

A U   C O N C O U R S

■ Les sujets possibles

La production d'écrits inspire un grand nombre de sujets dans les deux volets de l'épreuve. Les thèmes abordés dans les différents chapitres de cette partie de l'ouvrage : évaluation des écrits, travail en projet, relations entre lecture et écriture, production de récits ou d'écrits poétiques s'entrecroisent le plus souvent et peuvent rencontrer celui des processus rédactionnels.

Synthèse de documents

La question de l'écriture et des processus rédactionnels présente un grand intérêt dans de nombreux domaines. C'est pourquoi elle peut être abordée selon des perspectives très diverses : historique, ethnographique, sociologique, psychologique, linguistique, didactique, etc. D'autre part il ne faut pas oublier le point de vue singulier des écrivains et poètes qui essayent souvent de répondre à cette question « Pourquoi écrire ? ».

Il est évidemment illusoire d'envisager une liste exhaustive des « sujets » de synthèse abordant cette question. Mais parmi les préoccupations courantes qui interfèrent généralement, citons :

• **Le processus rédactionnel** : De quoi est-il fait ? Qu'est-ce qui le stimule ou au contraire le réfrène ? Est-ce le même phénomène selon qu'il s'agit d'experts ou d'apprenant ?…

• **La nature de l'écrit** : En quoi est-il semblable ou différent de l'oral ? Comment s'articule la relation lecture-écriture ? Quelles sont les fonctions de l'écrit ? Comment notre rapport à l'écrit a-t-il évolué ?…

• **Les activités d'écriture à l'école** : Quelles sont-elles ? Ont-elles changé, et comment ? Y a-t-il une spécificité de l'écriture littéraire ?…

Analyse didactique

Plusieurs types de supports peuvent être proposés à l'analyse : tables des matières, sommaires, avant-propos et pages de manuels, préparations d'enseignant. La production d'écrit permet en outre de proposer à l'analyse des documents multiples à mettre en perspective : extrait de manuel ou de préparation d'enseignant et productions correspondantes d'élèves, avec éventuellement les annotations du maître, voire extrait de transcriptions orales d'élèves en train de produire lors d'un travail d'écriture à plusieurs.

■ Sujet de synthèse de documents

Vous rédigerez une note de synthèse objective et ordonnée des trois documents suivants :

Inédit

Document A : Dominique Bucheton, « L'épaississement du texte par la réécriture », in *L'apprentissage de l'écriture de l'école au collège*, PUF, 1996, pp. 160-161.

Document B : Annie Ernaux, « J'ai conservé mes rédactions d'élève », *Les cahiers pédagogiques* n° 363, avril 1998.

Document C : Yves Reuter, « Imaginaire, créativité et didactique de l'écriture », revue *Pratiques* n° 89 « *Écriture et créativité* », mars 1996.

L'épaississement du texte par la réécriture

Poser le sujet écrivant au centre du dispositif pédagogique, c'est donc trouver les moyens de développer, enrichir, modifier, reconstruire parfois, ce rapport à l'écrit, sans installer les cassures ou les ruptures irrémédiables que tous les travaux sur l'illettrisme ou l'échec scolaire ont bien analysées (J.-M. Besse, M.-M. De Gaulmyn *et al.*, 1992).

Ce rapport à l'écriture, on le sait, s'enracine très profondément dans l'entrecroisement de l'histoire personnelle, familiale, sociale et scolaire de chacun. Pour des raisons multiples, il arrive fréquemment qu'il ne soit pas très heureux ou, disons, peu propice au développement des compétences d'écriture. Trop d'élèves sortent de l'école, y compris du lycée, dotés certes de certaines compétences d'écriture, mais avec une image d'eux-mêmes très négative et inhibante comme sujets écrivants. Ils ne se sentent pas capables d'écrire, ils ont peur de montrer leurs écrits, ils trouvent « qu'ils ont un mauvais style » ou « qu'ils n'ont rien à dire »[1]. C'est dire si cette question du rapport que le sujet entretient avec sa propre écriture, si ce regard qu'il porte sur lui-même est certainement une question essentielle.

L'école peut-elle contribuer à aider l'individu à se forger cette image positive et personnelle de lui-même comme sujet écrivant ? Est-ce bien ce rôle-là qu'elle se fixe ? Ne se contente-t-elle pas plutôt, pour l'essentiel, d'enseigner des normes, des formes, des habiletés rhétoriques, des cadres de pensée et d'écriture, bref des modèles ; sans suffisamment se pré-occuper de la manière dont ces modes d'écriture ou de pensées sont perçus par les élèves ; sans se poser la question de la proximité ou de la distance culturelle de ces modèles avec les pratiques sociales de l'écrit, vécues ou imaginées par les élèves. On peut alors se demander si ces écrits de l'école ne sont pas alors perçus par un nombre trop important d'élèves comme des modèles hors de leur culture, ou plus simplement comme des modèles à strict usage scolaire. Pour certains, en échec dans les écrits scolaires, ces formes enseignées semblent rester très extérieures, loin de leurs centres immédiats d'intérêt.

Posée ainsi, on le voit, la question sort du champ strictement scolaire ou didactique et prend une dimension sociale et éthique. On pourrait la reformuler ainsi : comment permettre à l'individu de construire dans les formes qu'il se sera appropriées, scolairement et socialement, un rapport au langage et à l'écriture dans lequel et par lequel il puisse exercer une liberté, une pensée particulière et la communiquer.

Pédagogiquement, cela revient alors à inventer des procédures, des activités, des passerelles qui permettront à l'élève de circuler entre le socialement et le scolairement construit, d'accepter puis d'intérioriser les savoirs enseignés ou rencontrés, voire d'être demandeur d'autres savoirs parce que le « à dire », « à comprendre » en vaut la peine, parce que le sens et l'intérêt de l'écriture ont été construits. Il s'agit donc de mettre en place des situations didactiques qui offriront à l'élève un espace de parole, un espace d'écriture pour qu'il s'approprie, développe, affirme, construise, structure ses habiletés linguistiques propres. Espace de parole et d'écriture qui lui permettront d'affirmer sa manière de penser, son identité et de construire un rapport particulier, individuel aux savoirs enseignés et à la culture.

Dominique Bucheton

---

1. Représentations de l'écriture recueillies auprès d'adolescents de collège, lycée professionnel, d'étudiants en sciences de l'éducation ; elles confirment un certain nombre d'inhibitions bien montrées par D. Bourgain (1977) ou M. Dabène (1987).

« J'ai conservé mes rédactions d'élève »

J'ai conservé mes rédactions d'élève de la sixième à la troisième. Profond sentiment d'accablement quand je les relis. Dans ces narrations et ces descriptions, toujours à la première personne et toutes très bien notées, il n'y a rien de moi, rien de la réalité qui était la mienne. Pas une ligne, pas un mot qui réfère au commerce de mes parents, aux gens que je connaissais, aux choses de la maison. Ma vraie vie, celle dont ma mémoire a conservé la trace, est rigoureusement absente de ces pages où, par ailleurs, le passé simple et le subjonctif imparfait, les « je fis » et les « que j'eusse », gagnent du terrain d'année en année. Le « je » que j'emploie n'est pas le mien. Lorsqu'on me demande d'évoquer le retour à la maison natale, ce n'est pas l'épicerie-café au bord de la rivière, à L..., où je suis née, que je décris, mais « une maison qu'enlace une vigne vierge, avec un toit de tuiles rouges, un large vestibule, de grandes pièces accueillantes ». (...). Assemblage hétéroclite de choses dont je ne connais alors que les mots ou, parfois, l'image, dans des journaux. Sans arrêt, je m'irréalise dans des pratiques et des décors qui appartiennent à un monde social dont, plus même que la légitimité, l'exemplarité m'est attestée par les textes scolaires, les romans et les magazines féminins.

Cet acharnement à se nier, poursuivi avec constance pendant toute la scolarité et, sans doute, en toute inconscience, je l'analyse maintenant comme une nécessité. Tout se passe comme si mon vécu d'enfant et d'adolescente était indicible dans tous les sens du terme, qu'il soit à la fois objet d'une censure et impossible à formuler. Je ne veux pas évoquer dans mes rédactions ce qui est considéré comme « pas bien » aux yeux de l'institution scolaire. Non seulement ce qui est ouvertement stigmatisé dans le discours des professeurs, l'alcoolisme, les disputes familiales, les coutumes paysannes, mais encore des pratiques et des anecdotes liées à un mode de vie populaire, absent de ce même discours. Si je remplace dans les devoirs la cuisine réelle, avec le linge à repasser voisinant sur la table avec mes cahiers, par un patchwork de citations d'objets tirés de publicités ou de romans, c'est que cette cuisine est indigne d'être donnée à lire. (Ne pas oublier que tout ce qui est écrit à l'école a une destination précise, le professeur et, si le devoir est jugé bon, les autres élèves). « Une moquette » et « de grandes pièces accueillantes » ont pour fonction première de me protéger, moi et mon monde. Le choix d'un « je » fictif se déployant au travers de stéréo-types valorisés et valorisants est une attitude inconsciente de défense à l'égard d'une institution ressentie comme à la fois familière et étrangère, une façon de ne pas « donner prise ». Plus les années passent et plus s'aiguise le sens de ce qu'il convient de dire ou de ne pas dire, ainsi la toile cirée qui figure encore dans les rédactions de sixième sur la cuisine disparaît en quatrième au profit d'une « lourde table en bois ciré »...

Mais il y a encore ceci. Les mots et les choses dans la première expérience du monde — et rien ne me fera départir de cette certitude, pour ainsi dire vécue — ne font qu'un. Cela signifie que la réalité de mon enfance est inséparable du langage de mon milieu avec ses tours patoisants, ses mots concrets, son absence d'abstraction, inséparable des intonations des gens de mon entourage, des ouvriers et des paysans. Un langage presque corporel, qui ne s'écrit pas.[1] Comment la petite fille de douze ans que je suis alors pourrait-elle relater une vraie réunion de famille, un vrai voisin, sans les mots avec lesquels les événements et les êtres sont perçus, sans le texte de paroles qui les entoure ? Dissocier les mots et les choses, dire l'expérience réelle dans la syntaxe châtiée et le vocabulaire « riche » des livres ? Impossible. Me représenter ma mère (« moman ») en train de me crier après (« Arrête de faire du clapot ! ») et écrire : « Maman m'a grondée parce que je renversais de l'eau partout » est inconcevable, incongru. Cette mère-là ne serait plus la mienne. Pas plus que « mon voisin, un vieux jardinier, grommelle toujours à cause du temps » n'aurait quelque chose à voir avec mon voisin réel, le père L..., et ses gros mots. Il est plus simple — et moins déstructurant pour l'être enfantin — d'inventer et d'écrire, « mon voisin est un vieil original qui a parcouru tous les continents, rapporté de Chine des vases et des masques, etc. » De s'irréaliser dans le langage-monde valorisé par l'école.

Annie Ernaux*

---

1. Je me souviens de la sensation étrange éprouvée lorsque j'ai écrit pour la première fois des mots de mon enfance, à plus de trente ans, tels que le « quat'sous » (le sexe féminin) ou les chaussettes « en carcaillot » (en tire-bouchon). Je les regardais avec stupeur, m'interrogeant sur leur orthographe impossible à déterminer.

*Romancière, Annie Ernaux est notamment l'auteur de *Les armoires vides*, *La place*, *La honte* (Gallimard).

Préciser une hypothèse quant à l'échec scolaire

La première piste concerne à mon sens la précision d'une hypothèse quant à l'échec scolaire. Elle est formulée très nettement par Abdallah Kaici (1991 et 1992) qui a analysé pour sa thèse deux cents rédactions d'élèves de sixième et de cinquième à partir d'un sujet-inducteur. (…) Selon Kaici, les « bons élèves » mettraient mieux en place des mécanismes de défense et/ou seraient plus soucieux des attentes scolaires (dans cette optique, la « banalité » serait un indice d'adaptation…) que les « mauvais élèves » plus spontanés, repérant moins bien les véritables exigences scolaires etc. Dans ce cadre, on devient/reste « mauvais élève » parce que l'on n'a pas su bien se repérer institutionnellement et/ou parce que l'on n'a pas voulu se taire et/ou parce que l'école n'a pas voulu (pas pu) écouter (accepter) certaines paroles. Réussir à l'école serait, en quelque sorte, accepter de sacrifier imaginaire et investissement.

Il me semble intéressant — au risque de surprendre certains — de rapprocher ce travail de celui d'Abdelhamid Khomsi [1] qui portait sur la compréhension-interprétation d'un texte intitulé « Les grillons » (tiré de A. Lobel, *La soupe à la souris*, L'École des Loisirs, 1978). Ce texte se caractérise par une ambiguïté dans le conflit qui oppose la souris qui veut dormir et le grillon qui la réveille : soit il n'y a qu'un simple quiproquo, soit on est en présence d'ironie : le grillon fait semblant de ne pas comprendre (cela n'est pas explicitement marqué en surface). Khomsi, après avoir fait passer des évaluations de compréhension à partir de cet écrit constate notamment :

– que les enfants de maternelle voient mieux l'ironie que des étudiants de psychologie, des enseignants et des collégiens;
– qu'il en est de même pour les élèves de sections préprofessionnelles par rapport aux élèves de collège;
– que l'interprétation ironique décline avec l'âge.

Khomsi conclut à une insensibilisation progressive à l'interprétation des textes ambigus, parallèle au fait que les élèves font de mieux en mieux ce que l'on attend d'eux du point de vue de l'évaluation scolaire de la compréhension notamment en ce qui concerne le traitement des marques de surface. Il conclut encore en évoquant des élèves, « qui jouant avec le langage, perçoivent l'ironie, mais peuvent ne pas utiliser, éventuellement, les procédures enseignées » et en se demandant : « Les considérera-t-on comme de bons élèves ? » …

Ce qui relierait ces deux recherches *a priori* fort éloignées, ce serait selon moi, l'articulation homologue mais dans des espaces différents de trois hypothèses complémentaires :
– les attentes de l'institution scolaire portent principalement sur la maîtrise, en production et en réception, du formel, du marquage de surface (il existe, conséquemment, une mise à distance de ce qui est plus « profond » : imaginaire, investissement…) ;
– les « bons élèves » sont ceux qui s'adaptent le mieux à ces demandes ;
– les élèves les plus jeunes et les élèves en échec perçoivent moins ces demandes et/ou ne veulent/ne peuvent s'y soumettre et sont, souvent, plus en difficulté en production sur le marquage de surface et le contrôle de l'imaginaire, moins réservés quant aux risques interprétatifs en réception, même si, sous certains aspects, leurs productions et leurs interprétations peuvent parfois être considérées comme plus originales.

Yves Reuter

---

1. A. Khomsi, « Comprendre un texte ironique, le cas d'élèves du cycle professionnel », *Pratiques* n° 76, « L'interprétation des textes », décembre 1992.

Commentaires : *Cette synthèse ne pose pas, a priori, de difficultés majeures. Il convient de bien saisir la spécificité de chaque document et d'en tenir compte dans leur mise en perspective : deux textes, dont l'un s'affirme comme très proche de la recherche, s'inscrivent en effet dans le champ de la didactique, tandis que le troisième, celui d'Annie Ernaux, se présente comme un témoignage d'expérience personnelle. D'autre part, les trois textes étant assez convergents, il convient d'être attentif aux écarts, mêmes minimes, qui peuvent donner du dynamisme à la confrontation.*

Synthèse corrigée

Les trois documents proposés abordent bien la même thématique : celle du rapport du sujet écrivant à l'écriture. Récents et contemporains, puisqu'ils datent de 1996 et 1998, ils abordent ce sujet en termes proches. Cependant, le témoignage d'écrivain d'Annie Ernaux se distingue par son caractère intime des analyses des deux didacticiens que sont Dominique Bucheton et Yves Reuter. Ces trois auteurs, à travers des contributions à un ouvrage collectif comme *L'apprentissage de l'écriture de l'école au collège* pour Dominique Bucheton ou à des revues telles que *Pratiques* pour Yves Reuter ou *Les Cahiers pédagogiques* en ce qui concerne Annie Ernaux, s'adressent à un public d'enseignants ou d'étudiants et de chercheurs en didactique.
À travers le constat ou le témoignage des problèmes et des difficultés rencontrés en ce qui concerne l'entrée dans l'écriture à l'école, ces trois textes s'interrogent sur les rapports du sujet écrivant avec l'écriture. Trois questions se posent : De quoi ce rapport est-il fait ? Quel est le rôle de l'école dans la gestion de ce rapport difficile ? Comment envisager et améliorer ce rapport ?

Les formes du rapport du sujet qui apprend à écrire avec l'écriture[1]

Le constat unanime fait état de difficultés. Ce rapport n'est ni évident, ni facile. Yves Reuter le lie directement à l'échec scolaire : la difficulté de ce rapport constitue la base même de son hypothèse concernant l'échec scolaire. C'est par le truchement d'un certain

---

1. Certains IUFM conseillent la présence d'intertitres dans la synthèse, d'autres la sanctionnent (cf. chap. 2).

rapport à l'écrit que s'opère le partage entre « bons » et « mauvais » élèves ; et de manière tout à fait convergente, Dominique Bucheton fait état de travaux antérieurs d'autres chercheurs qui soulignent le lien entre illettrisme ou échec et rapport problématique à l'écrit. Quant au témoignage d'Annie Ernaux, sans parler directement de l'échec scolaire, il met en évidence un malaise ancien d'élève confrontée au sujet de rédaction, malaise assez fort pour survivre chez l'adulte et « l'accabler » encore bien des années plus tard.

Ce rapport difficile est aussi un rapport douloureux. C'est sans doute Annie Ernaux, parce qu'elle est écrivain et qu'elle parle de sa propre expérience, qui exprime le mieux cette douleur faite d'un sentiment d'étrangeté et de dénégation de soi, mais Yves Reuter évoquant l'intériorisation par les élèves du classement en « bons » et « mauvais » et surtout Dominique Bucheton, lorsqu'elle signale la représentation négative de soi et le profond sentiment de dévalorisation identitaire qui se développe chez certains enfants à cause de l'écriture, lui font écho.

Pourquoi ce rapport est-il si difficile ? Il semble qu'il y ait un véritable problème de communication ou de compréhension entre deux univers : celui de l'écrit à l'école et celui de la vie. Y. Reuter émet la supposition que l'écrit scolaire serait incompatible pour les élèves avec la liberté et la vérité de l'imaginaire. Annie Ernaux et Dominique Bucheton soulignent, chacune à sa façon, l'écart qui existe entre racines, vérité profonde de soi et formalisme des situations d'écriture à l'école. Ces deux auteurs rappellent que les univers personnels peuvent être séparés des modèles culturels reconnus et valorisés par l'école. Annie Ernaux fait aussi part de son intime conviction que les mots et les choses sont indissociables pour le jeune être qui apprend à écrire, et que les maîtres et les pairs jugent, à travers les productions, les « choses » de l'univers familial et social. Pour elle, mots et choses se mettent mutuellement en cause.

Le rôle de l'école

Le rôle traditionnel de l'école en ce qui concerne la manière dont est instauré le rapport de l'élève à l'écriture est fortement remis en question. La critique la plus forte se dégage sans doute du texte d'Yves Reuter, à travers les travaux de recherche qu'il cite. Ainsi Abdallah Kaici, en expliquant comment se fait le partage entre « bons » et « mauvais » élèves, montre bien ce que l'école a comme effet négatif sur la spontanéité et l'imaginaire des élèves en rejetant ce qu'ils veulent dire et signifier. De même, Abdelhamid Khomsi, toujours cité par Y. Reuter, tend à démontrer un appauvrissement progressif et paradoxal des capacités interprétatives des élèves au fur et à mesure qu'ils s'intègrent aux cursus scolaires.

Dans le texte A, en posant directement la question du rôle de l'école, l'auteur semble douter de celle-ci. Le rappel de ce qui se passe le plus souvent en matière d'enseignement de l'écrit révèle un travail formel, desséché et tristement modélisant. Dominique Bucheton fait également remarquer combien on fait peu de cas de la culture réelle des élèves en agissant comme s'il n'existait aucun écart culturel entre milieux des élèves et milieu scolaire.

Les propos d'Annie Ernaux peuvent d'ailleurs apparaître comme une illustration et une exemplification de ceux d'Yves Reuter et surtout de D. Bucheton. La négation de la culture de l'élève y est précisément rappelée à travers l'expression cruelle : « acharnement à se nier », et la mise en place d'une culture exclusivement formelle est bien expliquée à travers la progression dans ses productions d'élève, au fil de la scolarité, des stéréotypes et de formes propres à la culture écrite scolaire : le passé simple et le subjonctif imparfait.

Esquisses de solutions

La questions des solutions est parfois traitée par l'implicite et les avis peuvent diverger tant les points de vue sont différents. Ainsi, Annie Ernaux, parce qu'elle ne se pose pas en didacticienne et ne parle que de son cas personnel, s'écarte sensiblement du point de vue des deux autres rédacteurs. En dépit de la douleur qu'elle a éprouvée et qui est toujours ravivée quand elle regarde ses anciennes copies, elle a été une « bonne élève » du point de vue du système scolaire. Pour elle, la fausseté de ses rédactions d'alors a été une nécessité salvatrice. Cette duplicité, cette sorte de dédoublement de l'enfant écrivant correspond pour elle à une perception des enjeux réels de ces écrits, c'est-à-dire : la communication au professeur et parfois aux pairs qui jugent aussi le socialement correct. L'enjeu, pour l'élève qu'elle était, consistait à masquer ce qui socialement était dévalorisé.

Ce témoignage est corroboré par Kaici, cité par Reuter, pour qui les bons élèves développent des « mécanismes de défense » parce qu'ils perçoivent mieux les enjeux réels et pourtant cachés. Reuter abonde dans ce sens en formulant son hypothèse en trois points qui confirme sur quoi se joue l'adaptation ou l'absence d'adaptation des élèves. Mais, si la recherche d'une certaine lucidité constitue un premier pas vers l'ébauche de solutions, le passage choisi du texte d'Yves Reuter ne permet pas de connaître d'éventuelles propositions.

C'est le texte de Dominique Bucheton qui est le plus précis sur ce point. Celle-ci pose les principes d'une action à visée non seulement didactique mais aussi « sociale et éthique », cherchant à réconcilier les élèves avec l'écriture. Elle propose une attitude d'innovation et d'ouverture envers les paroles et les écrits d'élèves. Cette attitude consiste à reconnaître la diversité sociale en accueillant les productions qui en émanent plutôt qu'à chercher à imposer une norme.

Pistes bibliographiques

▰ Ouvrages de base

◆ Devanne Bernard, *Lire et écrire. Des apprentissages culturels*, tome 2 : « Cycle des approfondissements et collèges », Armand Colin, 1992.

◆ Équipe INRP Lozère, *Objectif Écrire*, CDDP Mende, 1987

◆ Groupe EVA, *Évaluer les écrits à l'école primaire*, Hachette Éducation, 1993.

◆ Groupe EVA, *De l'évaluation à la réécriture*, Hachette Éducation, 1996.

▰ Pour aller plus loin

◆ Reuter Yves, *Enseigner et apprendre à écrire*, ESF, 1996.

◆ Turco Gilbert et l'équipe INRP de Rennes, *Écrire et réécrire*, CRDP de Rennes.

Revues

◆ *Pratiques* (8, Rue du Patural, 57000 Metz), en particulier les numéros :

– n° 78, *Didactique du récit*, juin 1993.

– n° 82, *Pratiques des manuels*, juin 1994.

– n° 83, *Écrire des récits*, septembre 1994.

– n° 86, *Lecture/écriture*, juin 1995.

– n° 89, *Écriture et créativité*, mars 1996.

◆ *Repères* (INRP, Service des Publications, 29 rue d'Ulm, 75230 Paris), en particulier les numéros

– n° 3, *Articulation oral / écrit*, 1991.

– n° 4, *Savoir écrire, évaluer, réécrire en classe*, 1991.

– n° 5, *Problématique des cycles et recherche*, 1992.

– n° 10, *Écrire, réécrire*, 1994.

Manuels scolaires et livres du maître

◆ Schneuwly Bernard, Revaz Françoise, Sandon Jean-Michel, *Expression écrite*, Cycle des approfondissements, Nathan, 1995.

◆ Bentolila Alain, Bessonnat Daniel, Chiss Jean-Louis, Coltier Danielle, *Maîtrise de l'écrit*, 6e, Nathan, 1994.

Chapitre 21
L'évaluation des productions écrites

Évaluer quoi? pour quoi? comment?

■ Pour poser le problème

Nous reproduisons ci-dessous un texte d'enfant.

> C'est l'histoire d'un aigle qui voulai faire quelque chose destraordinaire, pur être chef d'une bande. Mais ne trouvant quoi faire il essaya de se suisider. Il essaya une, deux, trois fois mais il ni arriver ps. Au bout de la quatrième fois car aucun oiseaux ne savait volait il sota dans le vide au moment ou il sota il ne fut par car il deplia c'est ailles est s'envola il montra son escploi à tous les oiseaux et il essayaire ils reusire tous et son reeve fut accompli Et c'est depuis ce jour que les oiseaux volent

Répondez aux questions suivantes :

1. Quelle note sur vingt proposeriez-vous?
2. Les phrases du texte sont-elles correctes?
3. Ce texte vous semble-t-il riche et original?
4. L'histoire est-elle facile à comprendre?
5. Que pensez-vous de l'orthographe du texte?
6. L'auteur du texte est-il bon en français?
7. Qu'est-ce qui vous semble réussi?
8. Quels points devraient être améliorés en priorité?
9. Avez-vous eu des difficultés à répondre à certaines questions? Pourquoi?

■ Premiers éléments de réponse

Vous avez joué le jeu… Mais il était piégé, afin de faire surgir la problématique de l'évaluation. Aussi, votre perplexité devant certaines questions (presque toutes, peut-être…) est-elle tout à fait rassurante.

Plutôt que des réponses (souvent impossibles) aux huit questions, nous proposons une réflexion sur les difficultés qu'elles étaient chargées de faire apparaître.

Certaines questions ne semblent pas poser de problème insurmontable

C'est le cas de la **question 2** (correction des phrases) et de la **question 5** (ortho-graphe) qui portent sur un contenu défini. En examinant le texte avec précision, on peut relever les éléments, de réussite ou d'erreur, en référence à des contraintes lin-guistiques objectives (syntaxe et orthographe).

Pour l'orthographe, on peut proposer le relevé et la correction des erreurs. Cela ne pose pas de question épineuse. En revanche, on voit bien que la question « que pensez-vous de la correction de l'orthographe ? » implique, en revanche, une réflexion qui dépasse ce simple aspect technique. Quelle méthode adopter ? Compter les fautes ? Classer les erreurs selon une typologie ? Laquelle ? Prendre en compte les aspects de l'orthographe que semble maîtriser l'auteur ? Tenir compte de l'âge de l'élève ?[1]

Pour la correction des phrases, on peut faire à peu près les mêmes remarques. Avec, toutefois, une difficulté supplémentaire. Car, si l'orthographe fait l'objet d'une norme uniforme, il n'en est pas de même de la syntaxe des phrases. Selon le type d'écrit[2], la situation de communication, des variations sont acceptables on non. Or rien ne nous est dit ici de la situation d'écriture.

Donc, si, à la base de l'évaluation, il est nécessaire de s'appuyer fermement sur les faits de langue, l'évaluation ne peut s'arrêter là. Elle doit prendre en compte d'autres dimensions : il est nécessaire de connaître le type d'écrit attendu, la situation d'écri-ture, l'âge de l'auteur, sa classe, les savoirs normalement exigibles.

Certaines questions semblent faire appel à la subjectivité du lecteur

La **question 3** (texte riche et original) ne réfère pas à des critères faciles à expliciter… La richesse et l'originalité sont relatives. Elles dépendent de la situation d'écriture, du projet, du type d'écrit… Elles mettent en jeu la subjectivité du lecteur. La question, posée ainsi, demande un jugement de valeur absolu, renvoyant à des catégories qui restent du domaine de l'implicite.

Par exemple, on pourrait répondre :
– Cette histoire d'aigle qui veut se suicider et qui invente le pouvoir de voler est inat-tendue ;
– Le récit est vraiment trop court ; on aimerait pouvoir se représenter les actions, assis-ter aux conversations entre oiseaux…
– Le récit est bref et mené avec vivacité ; il met en évidence l'essentiel de l'anecdote et de sa signification…

---

1. Voir *l'orthographe*, tome 2, chapitre 30.
2. Voir *Classer les textes et les écrits*, tome 1, chapitre 8.

Il en est de même de la **question 7** (Qu'est-ce qui vous semble réussi?). Certes, cette question invite à cerner de manière plus analytique des éléments à identifier, vise à déglobaliser les fonctionnements du texte. Mais le lecteur ne dispose, pour accomplir cette tâche, que de sa seule subjectivité. Par exemple :

«C'est très clair; c'est correct, facile à suivre; l'histoire est bien construite…»

Quels éléments retenir pour répondre à la question? En fonction de quels critères? Comment les hiérarchiser?

La **question 4** peut sembler du même ordre. « Facile à comprendre » : pour qui? dans quelle situation? Toutefois, elle pose un problème majeur, d'ordre pragmatique, propre à toute production écrite : la nécessité pour tout écrit de pouvoir être compris d'un lecteur, indépendamment de la situation d'écriture. En termes plus linguistiques, le texte est-il assez explicite, assez autonome par rapport à la situation d'énonciation, assez cohérent3 pour que le lecteur puisse construire facilement sa signification? Vraie question, qui peut donc se décomposer en sous-questions (choix énonciatifs, cohérence…).

Certaines questions invitent à formuler une appréciation de niveau sur le texte ou sur l'élève

C'est le cas de la **question 1** (Quelle note sur 20?) : Comment noter? Avant de savoir comment, il est impératif de savoir ce que l'on veut faire de la note attribuée. On ne connaît ni l'âge de l'élève, ni sa classe, ni la nature exacte de la tâche qui lui était demandée… S'agit-il d'une épreuve d'évaluation? D'un exercice d'apprentissage? D'une production spontanée? Quelles exigences sont posées en référence? Quels critères prioritaires prendre en compte?

La **question 6**, sous une autre forme, demande un jugement de même ordre. Avec une difficulté supplémentaire : peut-on inférer d'une **performance** (un écrit unique produit dans une situation déterminée) l'évaluation d'une **compétence** (ce que l'élève est capable de faire, en s'adaptant à des situations diversifiées…)? Un texte ne suffit sans doute pas pour affirmer que son auteur est bon en français…, et en outre il faudrait pouvoir définir ce que l'on entend par là. Quelles représentations se fait-on de cette compétence complexe? Jusqu'à quel degré peuvent-elles être explicitées?

La question 8 invite à prendre des décisions didactiques

Il s'agit pour l'évaluateur de se fixer des choix sur les apprentissages à conduire. Par exemple, considérer que, s'il s'agit d'un élève de la fin de cycle 3, il est indispensable de clarifier la maîtrise du système de ponctuation, l'orthographe des terminaisons des verbes; qu'il faut également travailler la manière de raconter une histoire, en faisant alterner des scènes, des sommaires, en intégrant des éléments descriptifs permettant de mieux construire les personnages… Ces choix dépendent à la fois de l'âge des élèves et des projets en cours. Quelle place ce texte occupe-t-il dans un travail sur le récit? etc.

---

3. Situation d'énonciation, cohérence : voir ces notions dans le chapitre 26, *De la grammaire de phrase à la grammaire de texte*.

On ne conclura évidemment pas que toute évaluation est impossible! Le jeu proposé a rempli son but s'il a permis de poser les problèmes qui accompagnent obligatoirement toute évaluation. Poser ces problèmes est d'autant plus nécessaire que l'évaluation est parfois entourée d'une aura de nécessité, d'efficacité, de technicité quasi magique... qui fait oublier parfois de poser les questions de base.

Nous tirerons les conclusions suivantes de ce petit jeu :

• Savoir d'où vient le texte qu'on évalue : la situation de production
Une production d'élève a peu d'intérêt hors de son contexte didactique. Il est indispensable de connaître :
– le niveau présumé de l'auteur : âge, situation scolaire dans le cursus des cycles...,
– les savoirs travaillés ou non : Pour un récit de ce type, a-t-on abordé avec les élèves la structure du récit des origines? A-t-on travaillé sur le traitement de la durée?[4],
– la situation d'écriture : Quelle consigne? (sujet imposé ou non, formulé en quels termes?) Quelle destination? Travail en projet ou non? Individuel ou non? Quelle démarche? A-t-on ou non explicité des critères avec les élèves? S'agit-il d'un premier jet? etc.[5]

• Savoir pour quoi on évalue
– repérer le niveau atteint par rapport au niveau exigible (**évaluation sommative**), ce qui aboutit à mettre une note ou une appréciation quantifiée de manière plus ou moins fine, en référence avec le niveau attendu;
– réguler les apprentissages (**évaluation formative**), ce qui conduit à analyser les fonctionnements maîtrisés et les dysfonctionnements afin d'aller vers des progrès dans la compétence d'écriture.

• Savoir ce qu'on évalue
Se trouve posé le problème central des **critères**. Tout texte est un ensemble complexe de fonctionnements multiples, de natures, de niveaux différents : orthographe, vocabulaire, contenu, présentation... On ne peut tout évaluer sur tous les textes, il est impératif de choisir.

• Savoir comment évaluer
Une illusion assez répandue laisse croire qu'il existe des outils qui pourraient se substituer en grande partie aux évaluateurs (exercices tests, questionnaires, grilles, etc.). Mais si certains outils constituent une aide, ils sont toujours à concevoir, à adapter, à choisir et ne se substituent en aucun cas à la responsabilité et à la compétence de l'évaluateur!

Les fonctions de l'évaluation : le sommatif et le formatif

On distingue quelquefois trois sortes d'évaluation, selon la place occupée par rapport au processus d'apprentissage :
– évaluation dite « **diagnostique** », située en amont, destinée à faire le point sur les compétences acquises ou non avant d'engager le processus d'enseignement;

---

4. Voir chapitre 23: *Le récit à l'école.*
5. Ces points seront abordés dans le chapitre 22 : *Écrire et réécrire : le travail en projet.*

– évaluation « **formative** », en cours d'apprentissage, permettant de réguler le processus;

– évaluation « **sommative** », en fin de parcours, permettant de faire le bilan des compétences acquises.

En fait, l'essentiel peut être ramené à deux fonctionnements, qui dépendent du rôle que joue l'évaluation.

■ L'évaluation sommative

Au-delà des multiples formes qu'elle peut revêtir, elle a pour fonction de mesurer le niveau atteint par l'élève, en référence à une norme et à des critères plus ou moins explicites… Elle aboutit à un jugement qui peut se traduire de diverses manières (note sur 10 ou sur 20, niveau de 1 à 5, lettre de A à E, etc.). Ces variantes, au-delà de nuances parfois byzantines, se ramènent en général à un verdict binaire : l'élève se situe dans la zone du satisfaisant, ou dans celle de l'insuffisant.

L'évaluation sommative peut revêtir un aspect institutionnel, lorsqu'il s'agit par exemple d'attribuer un diplôme, de décider d'un passage de classe ou de cycle, de décider d'une orientation. En outre, l'évaluation sommative relève de la seule compétence de l'enseignant à qui l'institution a délégué cette responsabilité. Les modalités peuvent être diverses : examens, épreuves normées, tests, prise en compte d'éléments recueillis tout au long des activités scolaires (moyenne des notes). L'évaluation sommative revêt toujours un aspect quantitatif et globalisant : il faut parvenir, en fin de compte, à indiquer par une mesure la valeur de l'élève.

■ L'évaluation formative

Elle a pour fonction de réguler les enseignements-apprentissages. Elle s'appuie obligatoirement sur des critères explicites, qui servent de repères dans la construction des savoirs et des compétences. Cette évaluation est à usage interne : elle n'a pas à être communiquée à l'institution; elle ne se traduit pas forcément en notes ou niveaux, mais fonctionne davantage sur le mode qualitatif. Par exemple, l'emploi des temps verbaux dans un récit au passé fait apparaître des éléments maîtrisés et des éléments non encore acquis.

Il existe deux pratiques de l'évaluation formative.

Dans l'une, c'est le maître seul qui organise les enseignements. Il définit les savoirs à construire, choisit des critères pertinents, évalue les progrès et régule en conséquence. Cette conception relève fondamentalement d'une conception **transmissive** de la pédagogie, selon laquelle le maître enseigne et l'élève reçoit.

Dans l'autre, les élèves sont associés au processus d'apprentissage à toutes ses étapes. Les critères sont construits progressivement par le maître et les élèves; leur explicitation permet une régulation, qui suppose une pédagogie de type **appropriatif**. Le modèle n'est pas la leçon, mais le **travail en projet** et ses variantes éventuelles (contrat notamment).

Cette conception de l'évaluation formative, qui place l'élève « au centre du système éducatif », fait de lui un acteur confronté à différentes tâches : construire et expliciter des critères, choisir les priorités pour tel ou tel projet, construire des outils, pratiquer diverses formes d'évaluation (coévaluation, auto-évaluation), etc. C'est cette deuxième forme d'évaluation, qui met en cohérence l'ensemble des choix pédagogiques et didactiques, que l'on désigne couramment sous le nom d'évaluation formative.

On voit qu'au-delà des choix de modalités d'évaluation qui peuvent apparaître comme des possibilités offertes par les technologies éducatives, les éclairages fondamentaux sont donnés par les **stratégies d'enseignement** mises en œuvre. Les termes « **transmissif** » et « **appropriatif** » cristallisent deux tendances cardinales. Nous explicitons brièvement dans le tableau ci-dessous leurs caractéristiques fondamentales, définies dans le cadre de la didactique de la production d'écrits.

Stratégie transmissive	Stratégie appropriative
Modèle d'apprentissage de référence	
– centré sur la reproduction de modèles adultes – stratégie relativement constante	– centré sur la résolution de problèmes d'écriture – stratégies diversifiées
Médiations entre savoirs et apprenants	
– circuit transmissif court (maître médiateur entre deux états de connaissance)	– circuit appropriatif long (médiation du groupe, confrontation aux autres, aux données du réel, de l'intertexte)
Consignes et outils de travail	
– consignes pour faire reproduire, pour appliquer des règles – outils en petit nombre, fixes, établis ou choisis par le maître	– consignes pour faire produire, pour faire évoluer des savoirs – outils diversifiés, évolutifs, élaborés avec les élèves

D'après Gilbert Turco,
Comment les maîtres évaluent-ils les écrits de leurs élèves en classe?,
ouvrage collectif, sous la direction de Maurice Mas, INRP, 1991.

Les critères d'évaluation

Le terme de critère est utilisé couramment, sans qu'on lui donne toujours l'acception rigoureuse qu'il possède dans le champ de la didactique et de la pédagogie. Pour De Landsheere, le critère est « le caractère ou propriété d'un objet d'après lequel on porte sur lui un jugement d'appréciation »[6]. Sans entrer dans des subtilités hors de propos, nous préciserons la notion de critère en l'opposant à celle d'indice et à celle de règle de fonctionnement.

---

6. De Landsheere G., *Dictionnaire de l'évaluation et de la recherche en éducation,* PUF, 1979.

■ Critères et indices observables

Nous prendrons comme exemple le texte proposé au début de ce chapitre : « C'est l'histoire d'un aigle… ».
Cet écrit d'élève présente de multiples éléments directement observables, dont on peut chercher à établir un relevé exhaustif. Par exemple :
– douze lignes complètes,
– trois virgules et quatre points,
– trois verbes conjugués à l'imparfait de l'indicatif.

Ces éléments (le mot est volontairement vague) constituent des faits concrets repérables dans le texte. Par critères, on pourrait entendre en revanche :
  longueur du texte,
– maîtrise de la ponctuation,
– choix et gestion des temps verbaux…

On voit que les critères appartiennent à un autre ordre que les éléments concrets :
– ils ne sont pas directement observables dans les écrits,
– désignés par des termes abstraits, ils sont le résultat d'une conceptualisation.

Il existe un rapport entre les faits observables (qui peuvent jouer le rôle **d'indices**) et les **critères**. Ce rapport n'est pas simple. Pour passer des indices aux critères, il est toujours nécessaire d'opérer un raisonnement.
Le critère *maîtrise de la ponctuation* est en relation avec des indices tels que : présence et nombre de virgules et de points; mais aussi avec d'autres indices : place de ces signes; utilisation d'autres éléments démarcatifs (majuscules), etc.
Le critère *respect du schéma narratif* demande un examen du texte qui ne peut porter sur des marques de surface, mais sur la construction mentale de l'histoire racontée[7].
La notion de critères suppose donc d'une part la construction de catégories abstraites (syntaxe de la phrase, énonciation…) et d'autre part un raisonnement permettant de mettre en relation indices et critères.

■ Critères et règles de fonctionnement

On parlera de règles de fonctionnement à propos d'un type d'écrit. Par exemple, pour le type *Recette de cuisine*, on pourrait énoncer des **règles de fonctionnement** telles que :
– doit permettre au lecteur de réaliser une préparation culinaire,
– contient la liste précise des ingrédients,
– contient des indications précises relatives aux actions à enchaîner.

Ces règles mettent « à plat » les caractéristiques du type d'écrit. Elles ne sont pas destinées à évaluer un écrit réalisé, mais à décrire un modèle textuel.

On pourrait, s'agissant d'une recette écrite par un élève, imaginer les **critères** suivants :
– *efficacité* : la recette a permis de réaliser la préparation;
– *précision* :
    - la liste des ingrédients est donnée de façon précise, avec tous les détails utiles,
    - les actions à enchaîner sont formulées au moyen de verbes précis;
– *clarté* : l'ordre des actions est clairement indiqué; il est mis en évidence par des éléments tels que numéro, retour à la ligne, etc.;

---

7. Voir dans le chapitre 23 la distinction entre *histoire* et *récit*.

– *maîtrise des modes et temps verbaux* pour indiquer les actions à accomplir (infinitif, impératif…);
– *lisibilité* : présentation aérée, écriture soignée, etc.

En résumé, à travers cet exemple :

• **Les règles de fonctionnement concernent un type d'écrit d'une manière générale;** elles cherchent à décrire son fonctionnement. Elles peuvent être constituées en une liste plus ou moins exhaustive et détaillée. Elles font le point sur les savoirs relatifs aux caractéristiques linguistiques du type d'écrit.

• **Les critères ont un but différent**. Ils visent à évaluer une production écrite. De ce fait, en fonction du projet, ils peuvent considérer tel ou tel trait comme essentiel ou secondaire. Ils portent non seulement sur les traits de fonctionnement du type d'écrit, mais aussi sur la maîtrise des aspects textuels et linguistiques.

■ Quels critères pour analyser un écrit d'élève?

À votre tour, exercez-vous!

Nous vous proposons de reprendre le texte proposé en début de chapitre, mais cette fois-ci la tâche n'est plus tout à fait la même.

Il s'agit maintenant :
– de formuler des remarques en essayant de ne rien laisser perdre d'important,
– de proposer un regroupement de ces remarques en critères.

Vous disposez en outre de renseignements supplémentaires sur la situation d'écriture :

> – Il s'agit d'un élève de fin cycle 3; le travail a été proposé par le maître au dernier trimestre de l'année scolaire.
> – La consigne d'écriture était : « Vous écrirez une histoire qui se termine par la phrase : *Et c'est depuis ce jour que les oiseaux volent* ».
> – Les élèves de cette classe ont, certes, abordé plusieurs fois l'écriture de récits; mais aucun travail systématique n'a été conduit sur le conte des origines ou récit étiologique (genre induit par la consigne). Les traits de fonctionnement de ce genre n'ont donc pas été explicités au préalable.
> – Ce travail a été effectué en temps limité (une heure et quart); il ne s'agit pas du brouillon, mais d'une version jugée acceptable par son auteur.

Le tableau EVA

Il est indispensable d'introduire le **tableau EVA,** outil qui sert de référence depuis plusieurs années à l'évaluation des écrits d'élèves. La version retenue ici est composée d'une série de questions « pour évaluer les écrits ». Elle est extraite de l'ouvrage *Évaluer les écrits à l'école primaire*, produit collectivement par le groupe EVA, dans le cadre de l'INRP[8] (cf. page suivante).

---

8. Nous ne saurions mieux faire que de renvoyer à cet ouvrage, et notamment à la présentation commentée du tableau (pages 53 à 63).

Questions pour évaluer les écrits

Points de vue	Unités	Texte dans son ensemble	Relations entre phrases	Phrase
Pragmatique		(1) - L'auteur tient-il compte de la **situation** (qui parle ou est censé parler ? à qui ? pour quoi faire ?) ? - A-t-il choisi un **type d'écrit** adapté (lettre, fiche technique, conte...) ? - L'écrit produit-il l'**effet recherché** (informer, faire rire, convaincre...) ?	(4) - La **fonction de guidage** du lecteur est-elle assurée ? (utilisation d'organisateurs textuels : d'une part... d'autre part : d'abord, ensuite, enfin...) - La **cohérence thématique** est-elle satisfaisante ? (progression de l'information, absence d'ambiguïté dans les enchaînements...)	(7) - La **construction des phrases** est-elle variée, adaptée au type d'écrit ? (diversité dans le choix des informations mises en tête de phrase...) - Les **marques de l'énonciation** sont-elles interprétables, adaptées ? (système du récit ou du discours, utilisation des démonstratifs...)
Sémantique		(2) - L'**information** est-elle pertinente et cohérente ? - Le choix du **type de texte** est-il approprié ? (narratif, explicatif, descriptif...) - Le **vocabulaire** dans son ensemble et le registre de langue sont-ils homogènes et adaptés à l'écrit produit ?	(5) - La **cohérence sémantique** est-elle assurée ? (absence de contradiction d'une phrase à l'autre, substituts nominaux appropriés, explicites...) - L'**articulation** entre **les phrases** ou les propositions est-elle marquée efficacement (choix des connecteurs : mais, si, donc, or...)	(8) - Le **lexique** est-il adéquat ? (absence d'imprécisions ou de confusions portant sur les mots) - Les phrases sont-elles **sémantiquement acceptables** ? (absence de contradictions, d'incohérences...)
Morphosyntaxique		(3) - Le **mode d'organisation** correspond-il au(x) type(s) de texte(s) choisi(s) ? - Compte tenu du type de l'écrit et du type de texte, le **système des temps** est-il pertinent ? homogène ? (par exemple imparfait/passé simple pour un récit...) - Les **valeurs des temps** verbaux sont-elles maîtrisées ?	(6) - La **cohérence syntaxique** est-elle assurée ? (utilisation des articles définis, des pronoms de reprise...) - La **cohérence temporelle** est-elle assurée ? - La **concordance des temps et des modes** est-elle respectée ?	(9) - La **syntaxe de la phrase** est-elle grammaticalement acceptable ? - La **morphologie verbale** est-elle maîtrisée ? (absence d'erreurs de conjugaison) - L'**orthographe** répond-elle aux normes ?
Aspects matériels		(10) - Le **support** est-il bien choisi ? (cahier, fiche, panneau mural...) - La **typographie** est-elle adaptée ? (style et taille des caractères...) - L'**organisation de la page** est-elle satisfaisante ? (éventuellement présence de schémas, d'illustrations...)	(11) - La **segmentation** des unités de discours est-elle pertinente ? (organisation en paragraphes, disposition typographique avec décalage, sous-titres...) - La **ponctuation** délimitant les unités de discours est-elle maîtrisée ? (points, ponctuation du dialogue...)	(12) - La **ponctuation** de la phrase est-elle maîtrisée ? (virgules, parenthèses...) - Les **majuscules** sont-elles utilisées conformément à l'usage ? (en début de phrase, pour les noms propres...).

Tableau EVA

I.N.R.P. EVA. Janvier 1991.

Sans qu'il ait un quelconque statut officiel, le tableau EVA inspire largement les pratiques actuelles; non seulement il est en usage dans la quasi-totalité des IUFM, mais il constitue la référence sur laquelle s'appuient (parfois assez librement) les évaluations CE2 et 6ᵉ du ministère de l'Éducation nationale. Il est indispensable de le connaître… et surtout de savoir l'utiliser.

Le groupe EVA a mis au point ce tableau de critères en tentant de répondre aux deux questions : quels critères, et comment les classer?

Les problèmes posés aux maîtres sont les suivants :

> Peut-on être sûr, en évaluant un texte d'élève, de ne rien laisser échapper d'important? En d'autres termes, comment ne pas oublier de critères?
>
> Peut-on se contenter d'un simple recensement, par exemple sous la forme d'une liste, la plus exhaustive possible? Dans ce cas, on court deux risques :
> – atomiser l'écrit en une multitude de critères juxtaposés, dont on ne saisirait pas les relations réciproques;
> – mettre sur le même plan des critères de nature et d'importance différentes (par exemple, une erreur de conjugaison comme « il ouvra » et un changement de perspective temporelle en cours de récit).
>
> Il est donc nécessaire d'organiser et de hiérarchiser.

Groupe EVA, *Évaluer les écrits à l'école primaire*, p. 53,
coll. «Pédagogies pour demain, Didactiques», Hachette Livre, 1991.

■ Commentaire du tableau EVA

Les unités prises en compte

Texte dans son ensemble, relations entre phrases, phrases constituent les colonnes verticales du tableau. Leur définition ne soulève guère de difficultés. Elles permettent d'intégrer, de manière organisée, les faits relevant de la grammaire du texte à côté des éléments, plus classiques, relevant de la phrase.

Les trois points de vue retenus : pragmatique, sémantique et morphosyntaxique

Nous partirons d'un exemple *La soupe manque de sel* [9], en procédant à l'analyse de son fonctionnement :
– Selon le point de vue **morphosyntaxique**; on repère alors une phrase déclarative simple, constituée d'un groupe nominal sujet (*la soupe*) suivi d'un groupe verbal (*manque de sel*) lui-même composé d'un verbe et d'un complément d'objet indirect.
– Le point de vue **sémantique** permet d'attribuer un sens possible à cette phrase : il s'agit d'une préparation culinaire qui présente un défaut (insuffisance de sel).
– Mais ces deux points de vue éludent la question centrale : mais enfin, pourquoi dit-on cela? Où veut en venir celui qui prononce ou écrit cette phrase? Il est indispensable de passer au point de vue **pragmatique**, qui rend nécessaire la prise en compte de la **situation d'émission**.

Par exemple, monsieur vient de porter à table la soupière; madame dit sur un ton acerbe la phrase en question : reproche non équivoque. Si la situation est moins tendue, la phrase peut signifier simplement : « fais-moi passer le sel ».

---

9. Exemple emprunté à l'ouvrage de Moeschler Jacques et Reboul Anne, *Dictionnaire encyclopédique de pragmatique*, Seuil, 1994.

On voit que la phrase déclarative peut prendre des valeurs pragmatiques diverses : reproche, injonction, qui ne relèvent nullement d'une intention déclarative… Dans le cadre de cette page, qui constitue elle aussi un message en situation, les lecteurs auront compris que cette histoire de soupe n'a qu'un but pédagogique : celui d'illustrer par un exemple un concept linguistique. On aurait tout aussi bien pu parler de chat ou de poubelle…

En résumé

• **Le point de vue morphosyntaxique** concerne la relation des signes entre eux. C'est l'entrée privilégiée de la grammaire traditionnelle. Habituellement appliqué à la phrase, ce point de vue peut s'étendre au texte dans son ensemble et aux relations entre phrases. Il porte sur l'organisation et la relation des éléments entre eux.

• **Le point de vue sémantique** concerne la façon dont les signes désignent, c'est-à-dire la relation entre les signes et leurs référents. C'est donc un des éléments majeurs de la construction du sens.

• **Le point de vue pragmatique** concerne la relation entre le message et ses utilisateurs. Il s'agit de considérer l'écrit par rapport à la situation dans laquelle il fonctionne. Quel est l'enjeu de cet écrit ? qui parle ? à qui ? pour quoi faire ? etc.

• À ces trois points de vue ont été ajoutés les **aspects matériels**, faciles à repérer, qui peuvent relever de chacun des trois points de vue.

Les douze cases du tableau EVA

Le croisement des trois unités et des points de vue d'analyse détermine douze cases qui regroupent un nombre plus ou moins élevé de critères. La place des cases dans la « géographie » du tableau relève d'une pertinence didactique voulue. On se bornera à en indiquer ici le fonctionnement d'ensemble :

• **Les cases « en haut et à gauche »** (la case 1 par excellence) contiennent les critères relevant de l'ensemble du texte et du point de vue pragmatique. Il s'agit de questions qui permettent d'effectuer les **choix fondamentaux** : quel type d'écrit ? pour quel enjeu ? etc.

• **En revanche, les cases « en bas à droite »** (la case 9, par exemple) concernent non plus les choix à effectuer par l'auteur, mais les **contraintes linguistiques** qu'il doit respecter (correction des phrases, conjugaison, orthographe…).

D'une manière générale, le tableau découpe donc l'ensemble des critères selon la logique des fonctionnements textuels : des **choix** relevant de la responsabilité de l'auteur, en fonction de la situation d'écriture (en haut et à gauche), des **contraintes** imposés par le fonctionnement des codes de la langue, qu'il est nécessaire de maîtriser (en bas à droite). Il n'y a pas séparation étanche entre colonnes et cases, les faits étant souvent interactifs.

■ Le tableau EVA appliqué à un exemple

Afin de préciser de manière concrète ce que peut être le contenu du tableau EVA, nous proposons l'analyse du texte choisi comme exemple depuis le début de ce chapitre. Afin de gagner de la place, les titres de rubriques (lignes et colonnes) n'ont pas été reproduits (cf. page suivante).

Analyse du texte «C'est l'histoire d'un aigle...» au moyen du tableau EVA

• Situation : écrit scolaire; les règles du jeu scolaire sont respectées. • Consigne d'écriture respectée, pas uniquement sur le plan formel, mais avec ce qu'elle implique (choix du type d'écrit) • Type d'écrit : un récit étiologique acceptable. • Effet recherché : intéresser le lecteur; en partie atteint. • Absence de titre.	• Guidage du lecteur assez bien assuré par les organisateurs temporels (au bout de la quatrième fois, au moment où...). • Bonne cohérence thématique : enchaînements non ambigus entre les phrases; texte facile à lire.	• Construction des phrases relativement variée; informations mises en tête: reprise du personnage central, des événements antérieurs.... • Énonciation : système du récit, avec bonne utilisation des déterminants anaphoriques.
• Information pertinente : faits utiles à la compréhension, sans détails superflus; • Information cohérente : casualité claire entre les événements. Préciser au début qu'en ces temps lointains, les oiseaux ne savaient pas voler. • Deux histoires superposées : celle de l'aigle qui veut être chef et celle de l'espèce qui apprend à voler; mieux marquer les rapports; • Type de texte bien choisi : texte narratif. • Vocabulaire et registre de langue : adaptés au type d'écrit.	• Cohérence sémantique : absence de contradiction; toutefois, la cohérence pourrait être renforcée en apportant des précisions (comment sont tentés les trois premiers suicides?). • Substituts nominaux : pas d'ambiguïté, mais absence de variété. • Connecteurs adaptés (mais, mais car, car...).	• Lexique adéquat (dépila pour déploya?). • Phrases sémantiquement acceptables.
• Mode d'organisation : déroulement chronologique qui convient au récit. • Système des temps : passé, avec passé simple et imparfait. • En général, choix des temps assurant la mise en relief (problème pour Il ni arriver pas).	• Bonne cohérence syntaxique : reprises par les pronoms; les déterminants. • Bonne cohésion temporelle : pas de changement de temps. Les présents du début et de la fin « encadrent » le récit au passé sans constituer une rupture.	• Syntaxe des phrases acceptable. • Pas d'erreur de concordance des temps ou des modes. • Morphologie verbale maîtrisée. • Orthographe : de nombreuses erreurs, notamment sur les verbes (Voir le chapitre 28, consacré à l'orthographe, qui reprend cet exemple).
• Choix du support : dans le cadre d'un exercice scolaire, la question ne se pose pas. • Typographie et organisation de la page : écriture sans aucune recherche de mise en page.	• Absence de paragraphes. • Ponctuation délimitant les phrases : des oublis dans la deuxième moitié du texte (points et majuscules).	• Ponctuation interne de la phrase : quasi-absence de virgules et autres signes. • Bonne lisibilité graphique.

Quelles conclusions tirer de l'analyse de ce texte au moyen du tableau EVA ? C'est un texte qui, dans l'ensemble, fonctionne bien. Les choix essentiels sont effectués avec pertinence. Il serait utile d'apporter des précisions, rendant le récit plus explicite. Les dysfonctionnements principaux relèvent de la ponctuation et de l'orthographe.

■ À quoi peut servir le tableau EVA ?

Tout d'abord, il constitue un **outil de formation** non négligeable (même si le groupe EVA ne l'a pas conçu à cette fin !). Il apparaît que les professeurs, comme les candidats à cette fonction, peuvent construire ou affiner des savoirs indispensables en analysant des textes d'élèves au moyen du tableau EVA. Celui-ci met en jeu, en effet, une sorte de répertoire exhaustif des compétences à construire en matière de production d'écrits.
Nous ne saurions trop conseiller à nos lecteurs l'appropriation du tableau, sous forme notamment de travaux pratiques consistant à analyser de manière systématique des écrits d'enfants, les plus divers possibles.

Mais cette appropriation ne constitue qu'une étape, en amont d'**utilisations didactiques**. Car le tableau EVA a d'abord été construit non comme une grille d'analyse, mais pour offrir le plus grand choix de critères possibles, à adapter à un projet d'écriture en fonction des savoirs antérieurs, des objectifs définis avec les élèves, etc.
Des priorités doivent être établies (et donc des critères éliminés) sous peine d'écraser les élèves sous une surcharge insupportable (voir dans le chapitre 22 la façon dont on peut élaborer des règles d'écriture adaptées à un projet). Le tableau EVA permet de repérer les lieux d'intervention possibles, mais il ne décharge pas le maître de la responsabilité de choisir ce qu'il retient ou écarte. C'est de toute évidence un outil de clarification pour les maîtres, et non un outil destiné aux élèves !

En outre, il n'est pas souhaitable qu'au concours, si une épreuve nécessite d'analyser un ou des textes d'élèves, on retrouve dans les réponses des candidats le fameux tableau, avec ses rubriques codées… Il est indispensable :
– **de dégager ce qui est pertinent** (en ne suivant pas forcément le plan du tableau, de la case 1 à la case 12 : certains fonctionnements ou dysfonctionnements, particulièrement remarquables, doivent être mis en évidence);
– **de traduire en des termes moins agressifs** certaines formulations, qui hérissent parfois certaines catégories de correcteurs;
– **de ne pas perdre de vue les caractéristiques de la situation d'écriture** qui justifient les choix à opérer (voir l'épreuve du concours avec son corrigé, à la fin du chapitre).

Procédures et outils d'évaluation

Nous nous situons dans la perspective de l'évaluation formative des écrits des élèves. Cette évaluation a deux objets convergents :
– dans le cadre d'un projet d'écriture, permettre à l'élève d'atteindre le but fixé : quel texte écrire, quelles modifications apporter au premier état du texte, quelles réécritures entreprendre ?;
– dans le cadre des apprentissages, permettre à l'élève d'être acteur en saisissant le but et l'utilité des activités, donner au maître des indications lui permettant de concevoir des interventions utiles.

L'évaluation formative n'est pas une technique : elle revêt des formes multiples, dont le choix dépend des problèmes à résoudre. On distingue les **procédures** d'évaluation (terme assez général, désignant la marche à suivre) et les **outils** d'évaluation (objets matériels facilitant la révision d'un texte; ils peuvent prendre des formes diverses : liste de règles d'écriture, schéma ou croquis, questionnaire…).

■ Procédures d'évaluation

Qui évalue?

Selon l'agent de l'évaluation, on distingue :

– l'évaluation par le maître;

– l'auto-évaluation (par l'auteur) du texte;

– l'évaluation par les pairs, avec des variantes justifiées par les situations :
   - évaluation mutuelle : échange de textes et de remarques deux à deux,
   - évaluation en petits groupes,
   - lecture à haute voix du texte à un ou des auditeurs…

La compétence à construire, dans le cadre du processus rédactionnel, est l'auto-évaluation, qui permet à l'auteur d'effectuer les choix de réécriture [10].

Autres variables

Les procédures peuvent faire varier d'autres facteurs :

– évaluation exhaustive/évaluation ciblée, dite « par objectifs », qui consiste à relire le texte en cherchant à détecter un dysfonctionnement dans un domaine précis (respect du schéma narratif, cohérence des personnages, ponctuation, orthographe…),

– évaluation « armée » ou « outillée » qui s'opère avec l'aide des outils constitués ou choisis.

Le recours à ces procédures permet d'éviter les écueils de la relecture sans but précis, qui constitue bien souvent une tâche hors de la portée des élèves, tant elle demande de mobiliser en même temps des savoirs et savoir-faire multiples.

■ Outils d'évaluation destinés aux élèves

Nous ne parlerons pas ici des outils sommatifs destinés aux maîtres, visant à évaluer les compétences des élèves (tests, épreuves normalisées, grilles, etc.). **Dans l'optique de l'évaluation formative**, les outils ont pour but d'aider les élèves à résoudre des problèmes d'écriture. Ils sont soit fabriqués par la classe, avec l'aide du maître, soit découverts de manière progressive (dictionnaires, livres de conjugaison…). Ces outils et l'utilisation qui en est faite constituent des étapes dans la conquête d'une compétence; leur nature est donc essentiellement provisoire et évolutive [11].

---

10. Voir le chapitre 20, Qu'est-ce qu'écrire?

11. Voir dans *Évaluer les écrits à l'école primaire* (Groupe EVA, Hachette 1991), de nombreux exemples d'outils (pages 167 et suivantes).

On peut distinguer :

– **des outils limités à une tâche d'écriture** (réservoirs de mots, de formes verbales utiles, liste de règles d'écriture définies pour tel ou tel projet…),

– **des outils de synthèse, résumant les savoirs construits** (comment éviter les répétitions dans un récit, comment écrire une fiche de fabrication, les terminaisons verbales en -[e], etc.).

Les outils peuvent revêtir des formalisations différenciées, alors que trop souvent ils revêtent une forme unique, stéréotypée. Par exemple, pour le schéma narratif, on trouve fréquemment dans les manuels une forme figée du « schéma quinaire » [12] dont l'abstraction rend l'utilisation difficile aux enfants. Pour construire un récit comportant un schéma narratif efficace, il est possible de fabriquer avec les élèves d'autres outils, qui correspondent à l'état de leur savoir :

– le texte de référence étudié en commun, avec des indications (surlignages, etc.);

– un canevas explicitant le fonctionnement d'un exemple;

– une ligne du temps sur laquelle sont indiquées les étapes pertinentes;

– un schéma abstrait, appliqué à un exemple précis…;

– un schéma abstrait, sans référence concrète…

A U   C O N C O U R S

■ Les sujets possibles

Évaluer des écrits constitue une activité centrale, qui permet à la fois de mesurer la compétence du candidat dans des domaines linguistiques précis portant aussi bien sur les textes que sur les contraintes du code de la langue, et de juger de sa pertinence sur le plan didactique. Cela explique que l'évaluation peut figurer dans les deux volets de l'épreuve de français. Nous proposerons dans ce chapitre un exemple de question du deuxième volet.

Synthèse de documents

La conception de l'évaluation est à la base des choix didactiques et pédagogiques en matière de production d'écrits. Les textes qui abordent ces problèmes sont nombreux et de nature diverse (travaux de recherche, préfaces de manuels, textes officiels, articles de revues…). Qu'il s'agisse du débat sur le contenu des savoirs (*savoirs linguistiques* donnant la priorité à la construction du code : syntaxe, conjugaison, orthographe…,

---

12. Voir le chapitre 23, *Le récit à l'école*.

ou *savoirs textuels* : types d'écrits, adaptation à des situations d'écriture), sur les démarches (progression ordonnée fondée ou non sur un manuel ou appropriation selon une démarche de résolution de problèmes), les sujets de débats sont multiples. On peut imaginer de nombreux groupements de textes pouvant constituer des dossiers de synthèses. Notamment, des dossiers contenant des textes **très divergents**, ou des dossiers contenant des textes **convergents** issus des recherches actuelles, ayant intégré l'essentiel des choix concernant l'évaluation formative.

Analyse de productions d'élève

En principe, il ne s'agit pas, dans cette annexe faisant partie du premier volet, d'une analyse exhaustive en liaison avec des choix didactiques mais de l'étude de certains domaines précisés par un questionnement explicite. C'est pourquoi, il nous semble que l'évaluation, dans sa problématique d'ensemble, et tout ce qui s'ensuit (choix de conceptions pédagogiques, prise en compte de paramètres de toute nature) ne concerne pas directement la question 2, qui revêt un aspect plus limité, explicitement circonscrit.

Toutefois, à l'occasion de questions demandant au candidat d'organiser une réponse synthétique (par exemple : *classer les erreurs de toute nature commises sur les verbes*), la bonne connaissance du **tableau EVA** peut-être utile pour caractériser la nature et la portée des dysfonctionnements relevés (ensemble du texte ou dysfonctionnements locaux, points de vue pragmatique, sémantique ou morphosyntaxique…).

■ Sujet d'analyse didactique

Après lecture et analyse préalable de contes bâtis sur un modèle identique, un enseignant de CE2 a distribué à ses élèves le début d'un conte et leur a demandé de le terminer.

Rennes
1992

Vous trouverez :

– le début du conte tel qu'il a été fourni aux élèves (**document I**);

– une grille d'évaluation conçue par l'enseignant seul, complétée par lui et non communiquée aux élèves (**document 2**);

– une copie d'élève (Vincent) (**document 3**).

1) Que pensez-vous de la démarche suivie par l'enseignant?
2) Vous analyserez la copie d'élève du point de vue :
   a) de la cohérence de la narration,
   b) de la maîtrise des relations entre les phrases.
3) Que pensez-vous des critères d'évaluation retenus? En proposeriez-vous d'autres? Si oui, pourquoi?
4) En référence à la copie d'élève présentée, quels devraient être les points prioritaires pour un travail d'amélioration de l'écrit?

Le fils du pêcheur

Il y a bien longtemps de cela, un pêcheur trouva dans ses filets un énorme poisson rouge et luisant. « Personne n'a jamais attrapé un pareil poisson, pensa-t-il, je vais devenir célèbre. » Reste ici, dit-il à son fils qui l'accompagnait, et surtout veille bien ce poisson, je vais chercher une charrette pour le ramener à la maison. »

Une fois que son père se fut éloigné, le jeune homme se mit à parler au poisson. « C'est une honte de ne pas te laisser nager en liberté », lui dit-il. Et aussitôt, il décida de le rejeter à la mer. Le grand poisson rouge glissa gracieusement dans l'eau, puis remonta à la surface pour parler au garçon.

« C'est gentil de m'avoir sauvé la vie. Voici une de mes arêtes. Si tu as besoin d'aide, prends-la et appelle-moi. Je viendrai tout de suite. »

Le fils du pêcheur mettait l'arête dans sa poche quand son père arriva avec la charrette. En voyant ce qu'avait fait son fils, le pêcheur entra dans une colère terrible.

« Va-t-en, lui dit-il, et que je ne te revoie jamais ! »

Le garçon partit tristement. À force de marcher, il arriva dans une grande forêt. Soudain, au milieu des arbres, il vit un animal qui semblait courir vers lui. C'était un pauvre cerf épuisé que poursuivait une meute de chiens de chasse. Le garçon eut de la peine pour le cerf. Quand les chasseurs apparurent, il saisit le cerf par ses bois et dit : « C'est une honte de pourchasser un animal apprivoisé. Cherchez une bête sauvage, si vous voulez vraiment chasser. »

Voyant le cerf immobile à côté du jeune homme, les chasseurs crurent que c'était vraiment un animal domestiqué, et ils partirent au galop en sens inverse.

« C'est gentil de m'avoir sauvé la vie », dit le cerf. Et arrachant un poil de sa belle robe marron, il ajouta : « Garde ce poil et si tu as besoin d'aide, prends-le et appelle-moi, je viendrai tout de suite. »

Le fils du pêcheur mit le poil dans sa poche avec l'arête du poisson, remercia le cerf et se remit à marcher.

Tout à coup, il entendit un battement d'ailes au-dessus de lui, et levant les yeux, il distingua un grand oiseau – une grue – qui était attaquée par un aigle. Affaiblie, la grue ne pouvait plus se battre et l'aigle allait la tuer.

N'écoutant que son bon cœur, le garçon lança un bâton en direction de l'aigle qui s'enfuit. La grue se posa au sol.

« C'est gentil de m'avoir sauvé la vie, dit-elle, je te donne cette plume, garde-la bien. Si tu as besoin d'aide, prends-la et appelle-moi, je viendrai tout de suite. »

Poursuivant toujours son chemin, le fils du pêcheur parvint à la lisière de la forêt, tout près d'un superbe château.

« Qui habite là », demanda-t-il.

« Une belle princesse, lui répondit-on. Êtes-vous l'un de ses prétendants ? » Le fils du pêcheur se présenta au château et demanda à voir la princesse. Elle était vraiment très belle.

Conte d'origine populaire.

fils du pêcheur
grille d'évaluation

	passé simple	cohérence avec le début	réutilisation des personnages - objets magiques	vocabulaire merveilleux	épreuves	déroulement chronologique	
Katell			X			X	
Patrick	X	X	X	X		X	
Malcom	X	X	XXX	XXX		X	
Soizic		X	X	XXX		X	→ dialogue
Karim	X	-				X	
Julien M	X	?	XXX	XXX		X	
Franck	X	X	XXX	XXX		X	
Laetitia	X	X	XX	XXX		X	
Samira	X	X	XXX	XX		X	
Tiphène	X	?	XXX			X	
Valérie G.	X	X	XXX	XX		X	
Thomas	X	X	XXX	XXX		X	
Isabelle	X	X	.	X		X	
David	X	X	XXX	?		X	→ épreuve: parvenir à la princesse
Alexis	X	?	XX	XX		X	ennemis ?
Anne-Sophie	X	X	XX	XX		X	
Nicolas	X	X	XXX	X		X	→ épreuve: tour du monde inachevé
Nora	X	X	X	X	XXX	X	
Julien G	X	X	XXX	XXX		X	
Aurélien	X	?	XXX			X	→ épreuve: attraper les animaux et les relâcher
Gaëtan					?	X	→ chapeau
Clément	X		XXX	X		X	
Ludivine	X	X	XXX	XXX		X	
Mathieu	X	X	XXX	XXX		X	
Olivier	X	X		XXX		X	
Véronique	X	X		XXX		X	
Elise	X	X	XXX	XXX		X	
Virginie	X	?		X		X	
Valérie L.	X	?		X		X	→ épreuve: concours de ?
Fabienne	X	?		X		X	→ épreuve: énigme
Gilles	X	X	XXX	X		X	→ inachevé
Eric			XX	XXX		X	→ inachevé
Audrey	X			X		X	→ épreuve: frapper à la porte
Vincent	X	X	XXX	XXX		X	

(1)   (2)

(1) une croix par personnage / objet utilisé

(2) une croix par épreuve imposée au héros

Vincent Le fils demanda a voir la princesse.

la prinssesse vena il lui dit ve tu mepouser.

la prinssesse dit a des condisions que tu

fasse trois épreuve la premièr je vai lancer

un brasselai ~~...~~ ~~...~~ dans l'eau tu devras

fla pe aller la chercher le fils du pêcheur

dit c'est d'acor la princesse lança le

brasselai alors le fils du pêcheur apelle le

poisson et lui dit tu peu aller me chercir

un brasselai en or alors le poisson trouva

le brasselai il a la princesse lui dit

maintenant du do aller chercher un serf

alors le fils du pêcheur appelle le serf et lui

dit de revon au chateau alors la princesse

lui dit il te reste un épreuve tu dois aller

chercher

un oeuf de grue alors il apelle la grue

alors et lui dit de lui danora un oeuf

et il retourna au château et alors le fls

du pêcheur s'appellar marc alors il

se mariairent.

CORRIGÉ

Commentaires : *Le sujet porte en grande partie sur **l'évaluation** des textes d'élèves. Mais il ne se limite pas à cet aspect. En particulier, la première question demande d'apprécier **la démarche suivie par l'enseignant.** Il s'agit donc de repérer et d'analyser les conceptions mises en œuvre. Vous trouverez des éléments utiles dans d'autres chapitres, notamment dans le chapitre 20 : le travail en projet.*

1 La démarche suivie par l'enseignant

Une telle question, formulée ainsi, demande évidemment une prise de position du candidat. Mais cette prise de position doit être fondée sur une description précise de la démarche, reconstituée à partir des informations fournies. Ce n'est qu'en s'appuyant sur cette description que pourront être dégagés les objectifs et les conceptions mises en œuvre.

• La démarche suivie comporte plusieurs étapes :
– Avant l'écriture du texte, une analyse préalable de contes au fonctionnement identique (rencontres et épreuves) est opérée. On ignore si cette étude a abouti à l'explicitation par les élèves de traits de fonctionnement de ce type d'écrit.
– La consigne de travail est donnée par le maître : elle associe le début d'un conte et une injonction (terminer le conte). On ignore si des critères ont été définis par les élèves (ou avec eux), si des outils ont été construits.
– Le maître évalue les textes produits, au moyen d'une grille qu'il a conçue, et qui n'est pas communiquée aux élèves.
– Les informations fournies ne nous permettent pas de savoir quelles sont les suites éventuelles : réécritures ? organisées et évaluées comment ? poursuite des apprentissages ?

• Cette démarche se caractérise par les rôles respectifs tenus par le maître et les élèves :
– Le maître fait les choix (étude préalable, consigne, modalités et outils d'évaluation.). Il organise tout seul l'enseignement, selon une démarche qui vise à construire des savoirs, les faire réinvestir, les évaluer.
– Les élèves n'ont aucune part visible dans la définition des enjeux (il ne s'agit pas d'un projet d'écriture, mais d'un exercice scolaire traditionnel), l'explicitation des critères, ni les modalités d'évaluation. Ni auto-évaluation ni co-évaluation. Leur rôle est essentiellement un rôle d'exécution.

• Par ailleurs, le maître est attentif à la nature des contenus : Il pratique un travail critérié qui vise à définir les savoirs à construire. Il accorde de l'importance non seulement aux questions relevant de la maîtrise des codes linguistiques (ce qui apparaît dans les annotations des copies : orthographe, notamment), mais surtout à l'organisation du texte dans son ensemble. Presque tous les critères énoncés concernent ce niveau de fonctionnement.

• La démarche pourrait donc se caractériser ainsi : Le maître met en œuvre des contenus pensés, permettant un travail sur le texte. Il cherche à les expliciter, à les évaluer. La tâche d'écriture est pertinente : elle induit sans ambiguïté les choix de fonctionnement textuel. En revanche, la pédagogie relève d'un choix « transmissif ». Les élèves ne sont guère partie prenante dans la construction des compétences. On a l'impression que la régulation s'opère sans eux. Il ne s'agit ni de démarche de résolution de problèmes, ni de travail en projet.

2 Analyse de la copie d'élève

Voici une occasion concrète de mettre en œuvre le tableau EVA. Même si l'analyse délimite des domaines partiels, la maîtrise du tableau ouvre des pistes pour élaborer les réponses aux deux questions posées.

*La **cohérence de la narration** n'est pas un critère qui figure en tant que tel dans EVA. Il s'agit d'un « hyper-critère » qui recouvre des éléments relevant essentiellement du texte dans son ensemble. Le terme de « narration » renvoie ici à la totalité des fonctionnements narratifs (histoire, récit, narration… [13]). Cohérence est à prendre ici dans son acception la plus large :*
– cohérence entre le début du conte et l'écrit de Vincent,
– cohérence du contenu de l'histoire elle-même (situation finale, épreuves, cohérence des personnages…),
– cohérence de la manière dont elle est racontée (point de vue, narrateur, perspective temporelle, organisation de la chronologie, de la durée…).

*Les **relations entre les phrases** constituent une colonne du tableau. La tentation pourrait être d'appliquer purement et simplement la grille ! On verra qu'il est nécessaire d'organiser la réponse afin de mettre en évidence les faits essentiels.*

a) Cohérence de la narration

La suite de l'histoire écrite par Vincent présente des éléments de cohérence nombreux avec le début du conte *Le fils du pêcheur* :
– les trois épreuves sont en relation avec les trois objets gagnés lors des trois rencontres,
– l'ordre respectif des rencontres et des épreuves correspondantes est maintenu,
– la situation finale constitue une clôture acceptable (mariage du fils du pêcheur avec la princesse), en relation avec la situation initiale.

Les choix narratifs posés par le début du conte sont respectés :
– respect d'un récit chronologique qui ne bouleverse pas l'ordre des événements,
– maintien du point de vue : extérieur aux personnages,
– maintien des choix énonciatifs : narration en IL, récit au passé, avec alternance passé simple/imparfait,
– utilisation de dialogues pour marquer les moments importants du récit (avec cependant une accélération à la fin, avec l'introduction de discours indirects et la phrase finale qui résume des événements qui auraient mérité un traitement plus développé).

On peut relever cependant quelques éléments qui affaiblissent la cohérence :
– l'apparition saugrenue du prénom du héros dans la dernière phrase, avec une justification incohérente (que peut bien signifier cet *alors* ?),
– l'absence de précisions qui, sans constituer une entorse à la cohérence, laisse des questions sans réponse : par exemple, pourquoi la princesse impose-t-elle ces épreuves ?

Dans l'ensemble, en dépit de ces réserves, si l'on considère qu'il s'agit d'un élève du CE2, la cohérence de la narration est tout à fait acceptable.

b) Relations entre les phrases

• **Le guidage du lecteur** est insuffisamment assuré. Non seulement les retours à la ligne sont inexistants, mais en outre on ne trouve pas d'organisateurs qui auraient pu mettre en évidence les articulations essentielles, comme par exemple les trois épreuves et leur résolution. Vincent utilise parfois *alors*, mais en mêlant ses rôles de connecteur et d'organisateur.

---

13. Voir le chapitre 23 sur *le récit à l'école*.

En outre, la quasi-absence de ponctuation, tant en ce qui concerne la délimitation des discours directs que la démarcation des phrases, rend le texte difficilement lisible.

• **Quant aux substitutions nominales**, elles sont inexistantes. Le texte initial proposait : *le fils du pêcheur, le jeune homme, le garçon* ; Vincent ne retient pour désigner les personnages (outre les pronoms, correctement utilisés) que *le fils du pêcheur et la princesse*.

• **La progression thématique** [14] ne pose pas de problèmes graves (absence d'ambiguïtés) ; toutefois, elle manque de variété : les deux thèmes qui commencent les phrases sont soit le fils *du pêcheur*, soit *la princesse*.

• **La perspective temporelle** est cohérente : Vincent n'introduit pas de changement de temps intempestif. On peut s'interroger sur le verbe *appelle* ou *appela* : « le *fils du pêcheur appelle le serf* » (ou *appela* ? l'écriture prête à confusion).

3 Que pensez-vous des critères retenus ?

Cette question, comme la suivante, oblige à faire des choix et donc à prendre des risques. Il est indispensable de justifier les réponses, en indiquant non seulement les choix, mais les raisons qui les ont amenés. Il ne saurait d'ailleurs y avoir de réponse standard. Rappelons que le choix des critères relève de décisions didactiques complexes, qui doivent prendre en compte des paramètres variés, bien au-delà de la connaissance des fonctionnements textuels.

a) Remarques sur les critères retenus par le maître

• **Une première remarque** : les critères retenus (*passé simple – cohérence avec le début – réutilisation des personnages ; objets magiques – vocabulaire merveilleux - épreuves – déroulement chronologique*) sont morcelés, et non hiérarchisés. On ne voit pas les relations qui peuvent exister entre eux ; ils risquent d'aboutir à une série d'informations éparses, hors d'une logique textuelle d'ensemble.
En outre, leur formulation est trop implicite. Que peut signifier *passé simple* ? (choix de ce temps pour la mise en relief, formes correctes ?), *épreuves* ? (il est vrai que cette grille est à l'usage du maître qui l'a conçue, et qu'il peut mettre un contenu précis sous ces formulations incompréhensibles par un lecteur extérieur).

• **Ces critères ne sont pas sur le même plan :** par exemple *cohérence avec le début* constitue un hyper-critère, alors que *passé simple* ne vise qu'un aspect circonscrit.
On peut constater en outre que deux critères sont sans efficacité : *vocabulaire merveilleux* (au contenu obscur) qui aboutit à une colonne vide ; et *déroulement chronologique*, qui inversement n'amène aucune observation utile.
Ces remarques posées, il faut reconnaître que le choix des critères indique (même avec une certaine confusion) un souci prioritaire : celui d'évaluer des fonctionnements concernant le texte dans son ensemble, en liaison avec la situation d'écriture, notamment le début proposé. Il semble judicieux d'avoir retenu :
– *cohérence avec le début* (incluant *réutilisation des personnages, objets magiques et épreuves*) ;
– *passé simple*, si l'on considère que dans ce récit au passé, le choix du temps est un indicateur intéressant.

b) On pourrait certainement proposer d'autres critères

Les propositions qui suivent s'articulent en deux temps :
– critères possibles étant donné la tâche d'écriture,
– éléments didactiques pour choisir les critères à retenir.

---

14. Voir le chapitre 26.

• Parmi les critères possibles :

Cohérence avec le début :
– situation finale explicite constituant une résolution, amenée par les épreuves
– choix des trois épreuves en cohérence avec les objets magiques
– réutilisation des personnages principaux : fils du pêcheur et princesse
– maintien des choix énonciatifs (narration en IL, temps du récit au passé)
– maintien des choix narratifs : récit avec dialogues répétitifs (épreuves)
– maintien du registre de langue

Relations entre les phrases :
– guidage du lecteur : paragraphes, organisateurs textuels
– reprises correctement assurées (substituts nominaux et pronoms)
– enchaînement des phrases assuré
– utilisation rigoureuse des marques du dialogue
– ponctuation délimitant clairement les phrases

Respect des contraintes de la langue :
– syntaxe des phrases
– conjugaison
– orthographe

• Il n'est pas question de retenir tous ces critères, qui résument les compétences termi-
nales à maîtriser. Il est donc nécessaire de choisir, en fonction de la place et du rôle assigné
à cet écrit dans le cursus d'apprentissage.
– Par exemple : si un travail antérieur a mis l'accent sur les fonctionnements narratifs des
contes, on peut choisir les critères déjà explicités avec les élèves, soit les trois premiers ; si
on a mis l'accent sur la manière de raconter une histoire, on sera plus attentif aux critères
suivants, etc.
– Autre paramètre : selon le moment où interviennent les critères (avant le premier jet -
pour préparer une réécriture) ils peuvent être différents ; dans le premier cas, on prévoit
des caractéristiques textuelles à respecter ; dans le deuxième, on cherche à résoudre un
problème apparu en cours d'écriture.
– Enfin, un paramètre essentiel : le choix pédagogique du maître. On peut avoir une progression rigoureuse, établie a priori avec l'aide éventuelle d'un manuel ; dans ce cas, les critères sont définis par le maître seul, pratiquant une démarche « transmissive ». À l'inverse,
dans le cadre d'une pédagogie de projet, l'explicitation et le choix des critères, par les élèves
eux-mêmes, sont au cœur de la construction des compétences.

4 Points prioritaires pour l'amélioration de l'écrit

Pour définir les priorités, il est nécessaire de prendre en compte deux éléments :
– les dysfonctionnements du texte de l'élève
– les objectifs que l'on considère comme essentiels.
Ce deuxième élément dépend évidemment des choix didactiques. On sera donc amené à modu-
ler la réponse.

• Les dysfonctionnements principaux du texte de Vincent :
– une incohérence locale : l'apparition saugrenue du prénom Marc,
– la fin trop rapide (discours indirect, scènes bâclées…),
– absence de paragraphes,
– absence d'organisateurs,
– absence de marques du dialogue,
– absence de délimitation des phrases,
– erreurs orthographiques.

• Que considérer comme prioritaire ?

Cela dépend de la destination du texte réécrit et du projet d'enseignement-apprentissage. On envisagera trois cas assez typiques :

– <u>Correction scolaire traditionnelle</u>. Le texte doit être amendé afin de présenter un état acceptable. Dans ce cas, on accorde une importance prioritaire au respect des contraintes linguistiques (ponctuation, orthographe, paragraphes).

– <u>Projet d'écriture</u> (par exemple, recueil des fins possibles de l'histoire du Fils du Pêcheur). Il est nécessaire de retravailler tous les aspects du texte, afin de parvenir à un état final digne d'être conservé ; même si la perfection ne saurait être exigée, on ne peut se permettre de négliger un des aspects du texte. Donc, des réécritures qui portent à la fois sur l'histoire, la manière de la raconter, le respect des contraintes formelles ;

– <u>Projet d'apprentissage explicité avec les élèves.</u> On constate par exemple que la majorité des textes présentent des dysfonctionnements dans les dialogues. La réécriture porte prioritairement sur cet aspect, traité selon une démarche de résolution de problème. (Où placer les dialogues ? Que faire dire aux personnages ? Comment les faire parler ? Quelles marques formelles utiliser ?).

Pistes bibliographiques

■ Ouvrage de base

◆ Groupe EVA, *Évaluer les écrits à l'école primaire*, INRP, Hachette, 1991.

(C'est l'ouvrage de base, largement cité au cours de ce chapitre. Vous y trouverez des indications sur le rôle et les modalités d'évaluation, critères, outils, procédures (en particulier, une description précise du tableau EVA). L'ouvrage propose en outre un glossaire très accessible qui clarifie les définitions des termes les plus fréquents dans le champ de la didactique de l'écrit.)

■ Pour aller plus loin

◆ Groupe EVA, *De l'évaluation à la réécriture*, Hachette, 1996.

◆ Turco Gilbert, *Écrire et réécrire*, CRDP de Rennes, 1988.

◆ Bentolila Alain, Bessonnat Daniel, Chiss Jean-Louis, Coltier Danielle, *Maîtrise de l'écrit 6e, 5e*, Nathan, 1994.
(Manuel avec livre du maître.)

◆ À titre d'information, il est utile de consulter **les cahiers d'évaluation de CE2 et de 6e** proposés par le ministère de l'Éducation nationale. L'ensemble du dispositif comprend : le cahier de travail de l'élève, une brochure destinée aux maîtres (consignes de passation et conseils de correction et codage), une brochure contenant les résultats commentés.

Chapitre 22 Écrire et réécrire : le travail en projet

Dans quels cas peut-on parler de travail en projet ?

■ Pour poser le problème

Voici six exemples d'activités d'écriture. Elles sont rapidement décrites, de façon que puissent être repérés des traits de fonctionnement essentiels.

Peut-on parler de travail en projet ?

---

1. Un roman policier

Dans cette ville moyenne, un écrivain, Alain Bellet, a été invité par les services culturels municipaux à résider plusieurs mois au cours desquels il a animé des activités littéraires : ateliers d'écriture pour adultes, interventions dans les classes (école, collège, lycée) désireuses de mener à bien une création romanesque.

La maîtresse d'une classe de cycle 3 (un CM2) a accueilli favorablement cette possibilité et coordonné l'ensemble de l'activité. Le travail a débouché sur l'écriture d'un petit roman policier *Maudit 13*, produit collectivement par la classe. Il a duré un mois et demi, et a comporté des phases différentes : choix des personnages et de l'intrigue, écriture et réécriture, réalisation matérielle de la petite brochure. L'écrivain est intervenu régulièrement, en tant que professionnel : il a apporté des conseils pour la technique du roman, il a suggéré des solutions, il a lu les productions et fait des remarques… Mais l'essentiel du travail a été effectué en son absence.

---

2. Lapinou [1]

Consigne donné à des élèves de CE2 : «Écris la suite et la fin de cette histoire» :

Il était une fois un jeune lapin qui s'appelait Lapinou. Il vivait avec ses parents, ses frères et ses sœurs dans un terrier très profond. Il était très heureux mais il n'avait pas le droit de sortir à cause des chasseurs.

Un jour, il en eut assez et, pendant que ses parents dormaient, il décida d'aller faire une petite promenade…

---

1. Sujet inspiré de l'Évaluation CE2, 1992.

Travail individuel d'environ une demi-heure,

lecture des textes par le maître,

les élèves sont invités à les corriger en tenant compte des annotations et des remarques ; ils les recopient ensuite dans leur cahier.

----

3. La lettre au maire

Une classe de CE1, dans le cadre d'un projet de vie [2] (aménager la cour de récréation) décide d'écrire une lettre au maire de la localité pour lui demander la permission de mettre des jeux dans la cour et le préau.

Les élèves, en petits groupes, écrivent des premiers jets.

Le lendemain, les essais sont lus et analysés et divers dysfonctionnements apparaissent (ratures, formules, mise en page, expéditeur : on, nous, etc.).

On décide d'observer des lettres de même genre, recueillies et triées, pour chercher des solutions.

La réécriture prend en compte les critères et les solutions explicités.

La lettre est envoyée au maire.

----

4. Le journal de l'école

Tous les mois est diffusé un journal d'école dans une classe rurale à cours multiples. Les lecteurs sont essentiellement les parents d'élèves.

Le maître choisit les textes qui lui semblent dignes d'être publiés : rédactions réussies d'élèves du cycle 3, phrases d'élèves du cycle 2, textes collectifs écrits à l'occasion d'activités diverses (visites, enquêtes), etc.

Les textes ont été produits dans les situations habituelles de classe, sans référence explicite au journal. Ils ont fait l'objet d'un travail de mise au point classique (correction, orthographe, ponctuation…).

En ce qui concerne la fabrication du journal, l'essentiel du travail est réalisé par les grands élèves (saisie au traitement de texte). C'est le maître qui fait les choix de mise en page, organise et supervise.

----

5. Le kaléidoscope [3]

1. Lire et observer

Les élèves sont invités à lire attentivement un document : la fiche de fabrication d'un kaléidoscope, présentée sous la forme d'un texte et de schémas, occupant une page entière.

2. Questions

Une série de questions précises demande de prélever le maximum d'informations dans le document.

3. À toi de jouer !

La consigne d'écriture suivante est alors proposée : « *Rédige une fiche de fabrication d'un objet que tu aimes (avion, château, herbier, bateau…), destinée à un ami ou à une amie* ».

----

6. Changer de point de vue

Activité conduite dans une classe de CM2. Les élèves ont déjà eu l'occasion d'écrire de nombreux récits, depuis le cycle 2. Ils ont observé que les contes étaient toujours écrits avec « il », ce qui suppose un narrateur extérieur à l'histoire, mais que ce n'était pas le cas de bien d'autres récits.

----

2. On trouvera la description détaillée de cette activité dans *Évaluer les écrits à l'école primaire*, pp. 22 à 25, coll. «Pédagogies pour demain, Didactiques», Hachette.

3. Cette activité est proposée par le manuel scolaire : *Les sept clés pour lire et pour écrire*, CM2, Hatier, 1988.

Pour explorer les possibilités offertes par les changements de point de vue, la classe, sur la suggestion du maître, décide de raconter la même histoire de façons différentes.

Un canevas très grossier (un accident sans gravité) est établi en commun.

Les élèves, par groupes de trois, devront inventer quatre versions différentes :
– selon le point de vue de l'auteur de l'accident,
– selon le point de vue de la victime,
– selon le point de vue d'un témoin qui a assisté à la scène,
– selon le point de vue d'un journaliste qui n'était pas présent sur les lieux.

Les essais sont ensuite mis en commun, comparés, analysés.

On en tire quelques remarques sur le point de vue, le narrateur…

■ Premiers éléments de réponse

Dans ces six exemples, peut-on parler de travail en projet ?

• **Un roman policier :** Les élèves n'ont pas eu l'initiative de l'activité, mais ils l'ont accueillie avec enthousiasme. Collectivement, ils ont choisi ce qu'allait être leur roman : personnages, décor, intrigue. L'aide apportée par l'écrivain n'a pas consisté à imposer des solutions qui se seraient substituées à celles des enfants. Le travail, étalé sur une durée importante, a conduit la classe à anticiper. En outre, les différentes phases (choix, écritures, réécritures…) ont mis les élèves aux prises avec les problèmes réels de la production d'écrits. Le travail a débouché sur une réalisation dont la diffusion a largement dépassé les limites de la classe.
Sans aucun doute, il s'agit d'un travail en projet.

• **Lapinou :** Manifestement, il ne s'agit pas d'un travail en projet. Les élèves n'ont aucune part d'initiative, ni en ce qui concerne la définition des tâches, ni en ce qui concerne les modalités. On est ici dans le cadre d'un exercice scolaire classique dans lequel le maître assume l'ensemble des responsabilités.

• **La lettre au maire :** Ici, en revanche, on reconnaît immédiatement qu'il s'agit d'un projet. Le texte à écrire est défini par les élèves en fonction d'un enjeu précis. Il sera effectivement envoyé à son destinataire. La démarche d'écriture consiste à effectuer des essais, à construire des réponses aux questions rencontrées, à partir d'écrits de référence permettant d'expliciter des critères. La réécriture apparaît comme une nécessité fonctionnelle.

• **Le journal de l'école :** Cet exemple est ambigu. Certes, il s'agit de publier des textes d'élèves à l'intention de lecteurs extérieurs. Certes, les élèves participent effectivement aux tâches matérielles.
Mais c'est le maître qui conserve les décisions fondamentales : choix des textes retenus, mise en page… En outre, les textes publiés n'ont pas été écrits ni réécrits à cette fin : il s'agit d'écrits scolaires, non d'écrits destinés aux lecteurs d'un journal.
Donc, projet du maître, et non travail en projet.

• **Le kaléidoscope :** Il ne s'agit aucunement d'un travail en projet. Les étapes sont imposées : lire, répondre à des questions sur le texte, écrire un texte censé être de même type, sans que le travail préalable ait permis de dégager des traits de fonctionnement opératoires. Exemple d'activité fortement induite (transmissive), qui est supposée mettre en œuvre une interaction lire-écrire sommaire.

• **Changer de point de vue :** En dépit des apparences, il s'agit bel et bien d'un travail en projet. Certes, les écrits produits sont « scolaires », ils constituent des exercices de style qui n'ont pas pour but d'être diffusés vers un public extérieur. Mais la démarche est celle d'un projet :

– les élèves ont explicité les enjeux de l'écriture et les savoirs à construire : points de vue et narrateurs,

– le dispositif permet une construction des savoirs associant étroitement les enfants,

– les régulations opérées relèvent d'une évaluation formative qui donne sens aux essais.

À partir de ces exemples, peut-on déterminer ce qui caractérise le travail en projet ?

• Initiative des élèves ?
Si ce critère a une certaine importance, il ne semble ni nécessaire, ni suffisant. Certes, dans trois exemples de « non projets » (*Lapinou, le journal de l'école, le kaléidoscope*) les élèves n'ont aucune part d'initiative.

Mais, pour les trois autres cas, on constate que ce paramètre n'est pas toujours significatif :

– *Roman policier* : initiative venue de l'extérieur, mais accueillie avec enthousiasme,

– *Lettre au maire* : initiative des élèves, travail en projet,

– *Changer de point de vue* : initiative problématique, travail en projet.

En fait, ce qui compte, au-delà de l'initiative des élèves, c'est leur implication dans une tâche d'écriture et de réécriture qui a un sens.

• Type d'écrit : écrit scolaire ou non ?
Il est certes plus facile de construire un projet portant sur un type d'écrit social, portant dans sa définition un rôle et une destination. C'est le cas du *roman policier* et de la *lettre au maire*. Mais on voit deux contre-exemples évidents, avec d'une part la fiche de fabrication induite par le *kaléidoscope*, qui n'a rien d'une écriture en projet, et d'autre part *changer de point de vue*, où des écrits scolaires constituent la base d'un projet d'écriture.

• Destinataire extérieur ?
On peut faire la même remarque. Un destinataire extérieur facilite la démarche de projet : écrire pour être lu hors de la classe finalise l'écriture. Mais ce n'est pas obligatoire. Peut-on parler de projets à propos *du journal de l'école ?* Et en revanche, même si les textes ne sortent pas de la classe, *changer de point de vue* met en œuvre une démarche de projet.

• Activité articulée dans la durée, avec des étapes ?
Cette condition semble importante. Il n'y a pas projet si l'acte d'écriture se résume à un moment d'expression écrite coupé d'un avant et d'un après (*Lapinou, kaléidoscope*). Le projet exige en effet une anticipation, et l'articulation dans la durée d'actions successives : prévoir ce que l'on va faire, le réaliser, l'évaluer, l'améliorer,

le mettre au point, le communiquer... Ces étapes n'entraînent pas forcément une durée de plusieurs semaines. Il peut y avoir des projets longs (écrire une nouvelle policière) et des projets courts (écrire une lettre, une recette...).

• Construction des savoirs intégrée à la démarche d'écriture?
Ce critère est lui aussi déterminant. Le travail en projet implique en effet que soit modifiée l'ensemble de l'organisation et donc de la démarche d'apprentissage. Deux modèles s'opposent[4]. Dans l'un, la succession d'enseignements éclatés (orthographe, grammaire, conjugaison, vocabulaire) est censée conduire à l'**expression écrite**, activité séparée occupant dans les emplois du temps une place limitée. Dans l'autre (la démarche de projet), on postule que la réalisation du texte constituant l'objet du projet (écrire et réécrire) conduit les élèves à résoudre des problèmes et pour ce faire, à construire des savoirs intégrés à la réalisation elle-même. On ne trouve cette démarche que dans trois exemples : **roman policier, la lettre au maire** et **changer de point de vue**.

• Nécessité d'un travail collectif?
Toute écriture en projet n'est pas forcément collective; l'écriture collective (à deux ou en petits groupes) reste de toute façon minoritaire. Mais tout projet comporte, à divers moments, une dimension sociale. Que ce soit dans la définition des enjeux, la recherche de solutions, la confrontation, l'évaluation... la médiation du social est essentielle pour la démarche de construction des savoirs.

• Choix d'une pédagogie appropriative[5]?
La démarche appropriative est fondée sur la participation de l'élève, acteur et sujet de ses apprentissages. C'est le choix fondamental du travail en projet. Pour l'élève, donner du sens à ses activités, être en mesure d'en saisir l'utilité. Au-delà des caractéristiques formelles des projets d'écriture (les étapes, les critères, les outils, les évaluations...), c'est le critère réellement déterminant, la boussole qui permet d'éviter les dérives.

Les caractéristiques du projet d'écriture

L'élève est acteur du projet

On se permettra d'insister sur ce point : ce qui fait le projet, ce n'est pas le respect de règles formelles portant sur l'organisation du travail; il ne saurait y avoir de recette. Ce qui est essentiel, c'est l'esprit avant la lettre; pour qu'il y ait projet, il faut que l'élève soit réellement impliqué à titre d'acteur responsable dans une tâche dont il perçoit l'enjeu. Pour le dire d'une autre manière : le travail en projet est du côté de l'élève, et non du côté du maître, même si ce dernier doit assumer la mise en œuvre d'une démarche d'appropriation des savoirs.

Il existe de nombreuses variantes de projets, chaque projet étant défini par des paramètres qui sont à adapter aux buts choisis, aux savoirs antérieurs, etc. Non seulement il n'y a

---

4. Cf. *Les choix fondamentaux pour enseigner le français*, tome 1, chapitre 7.
5. Voir chapitre précédent.

pas un schéma unique, mais chaque projet est modifié en cours de réalisation par les nécessaires régulations, pilotées par la mise en œuvre de l'évaluation formative.

Projets d'écriture et projets d'apprentissage

On peut distinguer deux grandes familles de projets (illustrées par *la lettre au maire* et *changer de point de vue*)[6].

Dans le premier cas, on a affaire à un **enjeu direct de communication**. Écrire quelque chose à quelqu'un, avec l'intention explicite d'être lu, compris, et d'obtenir un retour. L'écriture joue tout son rôle de moyen d'interaction sociale à distance.

Dans le deuxième cas, il ne s'agit pas d'écrire pour un destinataire à qui on a besoin de communiquer un message mais **d'écrire pour apprendre**. Cette fonction de l'écrit existe et est même fondamentale à l'école. Le projet n'est pas ciblé sur un lecteur extérieur, mais sur la réalisation d'un texte qui s'inscrit dans la construction d'un apprentissage. Dans ce cas, la démarche de projet se confond quasiment avec ce que l'on appelle parfois la pédagogie de contrat.

Les ingrédients fondamentaux

Qu'il s'agisse de projet de communication ou de projet d'apprentissage, les **ingrédients** fondamentaux restent les mêmes :
– **Pour les élèves, être au clair sur des enjeux explicites** (pour quoi écrit-on ? À quoi sert le travail entrepris ?).
– **Mettre en place un dispositif anticipant** sur le produit attendu, les moyens de parvenir à sa réalisation.
– **Procéder à des essais,** qui seront évalués explicitement par les élèves, ce qui permet de définir les modifications à apporter et de construire les savoirs nécessaires.
– **Intégrer dans le cours du projet des apprentissages en situation,** qui permettent d'aller vers la résolution de problèmes d'écriture; ces apprentissages portent aussi bien sur le fonctionnement des textes que sur la maîtrise des codes de la langue. Dans la construction de ces apprentissages l'interaction lire-écrire est au centre des processus.
– **Piloter l'ensemble du projet** par la mise en œuvre d'une démarche d'évaluation formative.

Le modèle théorique

Le fonctionnement du projet d'écriture a été théorisé par le groupe EVA, selon le schéma reproduit à la page suivante.
Ce schéma théorique[7] veut mettre en évidence le **caractère ouvert du modèle**, et les **interactions constantes** qui caractérisent le processus. Si l'axe horizontal schématise les étapes essentielles du parcours d'écriture-réécriture, les éléments en marge mentionnent les activités qui font partie des constructions d'apprentissages (lire des textes, élaborer / utiliser des outils, utiliser des critères) pouvant se situer à tout moment du processus d'ensemble.

---

6. Groupe EVA, *De l'évaluation à la réécriture, Écrire et réécrire, pour quoi faire?* p. 186, Hachette Livre.
7. Ce schéma a déjà été présenté dans le chapitre 7, dans une perspective différente : il s'agissait d'expliciter un modèle didactique d'organisation des activités de français à l'école.

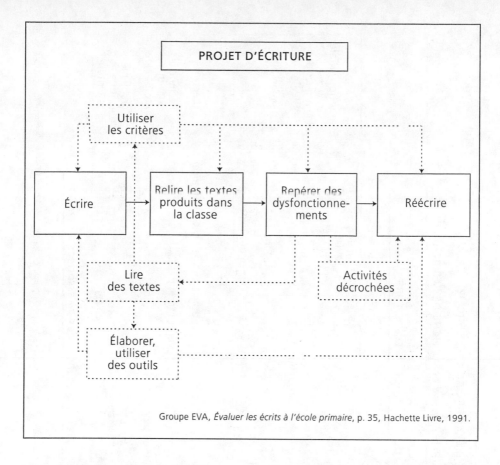

PROJET D'ÉCRITURE

Utiliser les critères

Écrire → Relire les textes produits dans la classe → Repérer des dysfonctionne-ments → Réécrire

Lire des textes

Activités décrochées

Élaborer, utiliser des outils

Groupe EVA, *Évaluer les écrits à l'école primaire*, p. 35, Hachette Livre, 1991.

Les **activités décrochées** constituent un détour parfois nécessaire. Par exemple, dans l'écriture d'un conte, il peut être indispensable pour telle classe de cycle 2 ou 3 de clarifier les emplois respectifs du passé simple et de l'imparfait, au cours d'une séance de travail pouvant déboucher sur la constitution d'un outil permettant de résoudre le problème identifié.

Exemple de projet d'écriture

■ L'organisation d'ensemble du projet

Le projet présenté en page suivante s'est déroulé sur une durée relativement étendue (environ quatre semaines). Le schéma ne fait pas apparaître toutes les séances de travail; il se borne à indiquer les étapes.
Le corps principal est constitué par l'axe sur lequel s'organisent les rectangles du haut; il figure le déroulement d'ensemble du projet, de la négociation à l'évaluation finale. Les rectangles qui apparaissent au-dessous contiennent les activités d'apprentissage intégrées à divers moments, au cours des différentes phases de l'écriture et de la réécriture.

UN PROJET D'ÉCRITURE AU CYCLE 3 (CM2)

Type de texte : PRESCRIPTIF / Type d'écrit : FICHE DE FABRICATION

DÉROULEMENT DU PROJET D'ÉCRITURE

En amont :

Activité de technologie : réalisation d'une clepsydre par les élèves

---

Négociation du projet

Élaboration de la consigne

(collectif)

→

Première écriture

(individuel)

→

Première révision (avant l'envoi)

Évaluation

Réécriture

Envoi des textes

→

Deuxième révision (après le retour)

Élaboration des critères

Réécriture

Envoi des textes

→

Évaluation finale

Remarques des destinataires

Évaluation-bilan

Activités d'apprentissage intégrées ou associées au projet

Rencontre des écrits injonctifs

(cycle 2 et début du cycle 3)

Lecture-écriture recettes, notices, etc.

Inventaire des outils et aides

– fiche sur les textes injonctifs

– écrits de référence déjà rencontrés

Syntaxe du verbe et conjugaison

– valeur des modes

– étude des formes

Infinitifs
Impératif
Indicatif présent

Orthographe

Verbes terminés en [e]

(-ez, -er, -é, etc.)

Noms terminés en [e]

Grammaire

Les types de phrases

Phrases à l'infinitif et à l'impératif (avec ou sans négation)

Lecture

Recherche de textes injonctifs pouvant aider à résoudre des problèmes d'écriture et de réécriture

D'après un travail réalisé dans la classe de Cathy Vich, IMF à Agen.

Notre commentaire ne portera que sur les éléments qui peuvent directement expliquer le fonctionnement d'un projet d'écriture et ses composantes.

Les étapes

• **Négociation du projet :** Elle fait suite à un travail de technologie qui a consisté à réaliser une clepsydre (ou horloge à eau) au moyen de divers matériaux, notamment des bouteilles en matière plastique. Cette négociation définit le but à atteindre : écrire une fiche qui permettra aux correspondants d'un autre CM2 de réaliser une clepsydre semblable. Elle définit également les modalités de travail (écriture individuelle…), les échéances approximatives, l'organisation prévisible des étapes.
Les élèves élaborent la consigne et explicitent quelques règles d'écriture.

• **Première écriture :** Après une brève séance qui permet de réunir des éléments utiles (inventaire des outils et aides) déjà constitués par les élèves au cours de travaux antérieurs du cycle 3, on passe à la première écriture.

• **Première révision :** Les textes écrits vont faire l'objet d'une première révision, organisée de la manière suivante : évaluation par les pairs, détection des dysfonctionnements repérables, apprentissages intégrés permettant de réactiver des savoirs utiles (valeur des modes, orthographe des verbes), réécriture.

• **Deuxième révision :** Après cette première révision, les textes sont envoyés aux destinataires qui essaient en vain de construire une clepsydre à l'aide des fiches reçues. Ils annotent alors les fiches et formulent les remarques qui leur semblent importantes. Les fiches annotées reviennent à leurs auteurs. Commence alors la deuxième révision.

Il faut d'abord analyser et prendre en compte les remarques des lecteurs, souvent très critiques. Pour ce faire, par petits groupes, on cherche à classer ces remarques et à les traduire en critères et en règles de réécriture. Des dysfonctionnements non repérés précédemment sont ainsi explicités. Ils appellent souvent le recours à des apprentissages : par exemple comment rendre lisibles des schémas ? Des activités, souvent fondées sur l'analyse d'écrits de référence (fiches de fabrication déjà existantes), sont organisées. Les fiches de fabrication sont ensuite réécrites, en prenant en compte les critères et les règles explicités.

• **Évaluation finale :** Les fiches sont alors envoyées aux destinataires qui, cette fois, parviennent à construire des horloges à eau. Les lecteurs font part par écrit de leurs remarques aux auteurs. Ces remarques sont intégrées dans l'évaluation finale, qui fait le point sur l'ensemble du projet, sur sa réussite, et aussi sur les savoirs construits ou améliorés en cette occasion.

Consignes et règles d'écriture

La négociation du projet a pour but d'expliciter l'enjeu, le contenu et la forme de l'écrit à produire. Ces éléments essentiels, sans lesquels il ne saurait y avoir pour les élèves de représentation de la tâche, peuvent aboutir à la formulation d'une **consigne**. Dans un travail en projet, la consigne n'est pas uniquement du ressort du maître. Elle est le fruit d'une élaboration collective :

Écrire une fiche de fabrication permettant aux élèves du CM2 de l'école de *** de construire une clepsydre.

La consigne contient les données essentielles : elle résume des critères qui seraient classés dans la case 1 du tableau EVA (texte dans son ensemble et point de vue pragmatique[8]).

Dans un travail en projet, avant de se lancer dans l'écriture du premier jet, il peut être utile d'expliciter de manière plus précise les **critères** du texte à produire. On parle alors de « **règles d'écriture** ». Si la consigne constitue la **commande** passée aux élèves, les règles d'écriture constituent une sorte de **notice de fabrication**, destinée à faciliter leur travail. Ces règles sont utiles si on respecte certaines conditions :
– avoir été élaborées par les élèves, et donc renvoyer à des savoirs construits par eux,
– être en nombre raisonnable (en deçà d'une dizaine).

> Dans notre exemple :
> - décrire les matériaux et les outils nécessaires (liste précise),
> - indiquer dans l'ordre les actions à réaliser (paragraphes numérotés),
> - utiliser des schémas avec légendes,
> - présenter clairement et proprement,
> - respecter l'orthographe, la conjugaison, la ponctuation.

Intégration des activités d'apprentissage

L'exemple de la clepsydre fait apparaître des moments consacrés à la syntaxe du verbe et la conjugaison, à l'orthographe, à la grammaire. Ces moments s'attachent à construire des savoirs nécessaires pour mener à bien l'écriture de ce texte prescriptif. Il s'agit de séances « décrochées » qui constituent des détours par rapport à l'écriture proprement dite. Leur utilité s'enracine dans plusieurs conditions :
– le choix des problèmes abordés résulte de difficultés perçues et détectées par les élèves, qui font l'objet d'un choix prioritaire;
– la démarche consiste non à plaquer des savoirs théoriques, mais à chercher les solutions efficaces : savoirs explicités, construits, rendus opérationnels par la fabrication d'outils;
– ces savoirs sont réinvestis dans la réécriture (les activités « décrochées » sont ainsi « raccrochées »).

Interaction lire-écrire

Dans notre projet, on peut relever des situations variées concernant l'interaction lire-écrire :
– lire afin de sélectionner des corpus de textes de référence utiles (autres fiches de fabrication),
– lire les textes produits par les pairs, afin de détecter les dysfonctionnements,
– sans compter les activités d'apprentissage où le travail s'effectue presque toujours à partir de supports écrits.

Évaluation formative

Nous ne développerons pas ici ce qui a été présenté dans le chapitre précédent. On retrouvera aisément dans l'exemple de la Clepsydre les ingrédients de l'évaluation for-

---

8. Voir chapitre 21.

mative : explicitation des critères, mise en œuvre de procédures, construction et utilisation d'outils. L'ensemble du travail en projet est donc régulé par l'évaluation formative, inscrite dans le choix de la pédagogie appropriative, de l'évaluation à la réécriture.

Rôle du maître

C'est précisément la pédagogie appropriative qui permet de définir le rôle du maître dans la mise en œuvre du travail en projet.

Responsable du déroulement et de la réussite, il aide les élèves à formuler un projet faisable, débouchant sur une réalisation gratifiante, et en même temps un projet permettant d'intégrer des apprentissages, en matière de types d'écrits et aussi en matière de maîtrise de la langue.

Il assure un pilotage explicite et transparent, permettant aux élèves de donner sens à leurs activités d'écriture et de réécriture, ainsi qu'aux activités et exercices d'apprentissage, perçues comme recherche de solutions aux problèmes détectés.

Par la mise en place de l'évaluation formative, il permet la régulation du projet lui-même et l'implication des élèves dans leurs apprentissages.

Le travail en projet n'est donc ni le laisser-faire, ni l'application rigide de règles formelles.

Quelques variantes du projet d'écriture

Les projets d'écriture jouent sur de multiples paramètres; de ce fait, les variantes sont nombreuses et un inventaire exhaustif est quasiment impossible. Sur quoi portent-elles?

• **Choix de l'enjeu :**
– Communication à des destinataires extérieurs à la classe;
– Travail d'apprentissage interne.

• **Types d'écrits :**
– Écrits littéraires (récits de toutes sortes, poèmes…);
– Écrits d'interaction sociale (lettres, fiches diverses, recettes, articles de journaux…);
– Écrits utiles dans le cadre de la vie scolaire (énoncés de problèmes, comptes rendus…).

• **Place de la construction des savoirs :** Selon le projet, il peut être utile de construire des savoirs avant la première écriture (analyser le fonctionnement de tel type d'écrit nouveau ou très mal connu pour expliciter des règles d'écriture), ou au contraire de conduire des apprentissages au cours du travail, ou de les différer. On ne saurait bâtir un schéma type enfermant le déroulement d'un projet dans une activité séquentielle immuable.

• **Possibilité de différencier certaines exigences,** dans le cadre d'un projet défini en commun, afin de permettre une faisabilité pour tous.

Nous ne faisons pas entrer dans ces variantes les dérives parfois observées qui atteignent l'essence du travail en projet. L'une des plus courantes consiste sans aucun doute à ne retenir du projet qu'un déroulement formel qui, certes, aboutit à une construction cohérente satisfaisante pour le maître, mais qui laisse de côté la nécessité de partir de la démarche de l'élève, dans une situation de résolution de problème. Par exemple, un projet préfabriqué prévoyant la consigne, les outils (grilles de critères, règles d'écriture), les apprentissages à intégrer…

A U   C O N C O U R S

■ Les sujets possibles

Synthèse de documents

Le travail en projet met en jeu des choix fondamentaux : représentations de l'acte d'écrire, de l'acte d'apprendre, organisation didactique… Il peut donc figurer dans des dossiers de synthèse, inclus dans des thématiques diverses.

Analyse didactique

En ce qui concerne le **second volet** (analyse de documents pédagogiques), le projet d'écriture peut constituer un support riche pour la réflexion. En effet, il met en jeu des choix de contenus, une organisation articulée et cependant unifiante, des choix pédagogiques et didactiques.
On trouvera ci-dessous un exemple de sujet entrant dans le second volet.

■ Sujet d'analyse didactique

Le document publié en pages suivantes est extrait d'un manuel de B. Schneuwly et F. Revaz : *Expression écrite* (Nathan) destiné au CM1 (1994).

Concours blanc
IUFM d'Aquitaine
1995

1) Analysez le début du document. (« J'écris, tu me lis », « J'observe et je découvre », Première partie : « je reconnais les arguments pour et contre ») en mettant en évidence les aspects intéressants et les aspects plus contestables que vous y percevez.

2) Sur quels choix théoriques et pédagogiques cette proposition didactique s'appuie-t-elle ? S'agit-il d'un travail en projet ?

3) En quoi et dans quelle mesure ce document peut-il être utilisé dans une pédagogie de l'écrit fondée sur une démarche de projet ?

Le pour et le contre

J'écris, tu me lis.

1. Le journal *Tremplin* lance un débat.

DÉBAT

Un animal à la maison ?

Tiphaine nous écrit. Elle nous pose la question suivante : «J'adore les animaux et j'aimerais bien avoir un chat ou un chien. Mais ma mère refuse. Elle dit que les animaux ne sont pas propres, et que pendant la période des vacances, on ne peut les laisser seuls à la maison. Qu'en pensez-vous ?»

Réponds en écrivant un texte.

2. Échange ton texte avec un(e) camarade et lis son texte.
- As-tu compris si ton camarade est pour ou contre les animaux à la maison ?
- Relève la meilleure raison qu'il a donnée (le meilleur argument) pour défendre son opinion.
- Propose un argument auquel il n'a pas pensé.

J'observe et je découvre.

Je reconnais les arguments **pour** et **contre**.

1. Trouve le maximum d'arguments qu'un enfant peut utiliser pour convaincre ses parents de lui offrir un animal.
N'écris pas un texte long mais rédige des notes.
Exemple : «Un animal, c'est indépendant !», «Un animal, c'est mieux que la télé !»

2. Trouve le maximum d'arguments que des parents peuvent utiliser s'ils ne veulent pas d'animal à la maison.
Exemple : «Un animal, ça sent mauvais !»

3. Voici une liste d'arguments pour l'acquisition d'un chien ou d'un chat.
– **Quelles sont les phrases qui ne sont pas vraiment des raisons ?**
Exemple : phrase 5.
– **Quels sont les arguments qui se répètent ?**
Exemple : argument 4 et argument 10.
– **Quels sont les arguments qui parlent de la même chose ?**
Exemple : argument 8 et argument 19.

1. parce qu'ils sont doux.

2. parce qu'ils jouent avec nous.

3. parce qu'ils sont gentils.

4. parce qu'ils nous tiennent compagnie.

5. parce qu'on aime les chats ou les chiens.

6. parce que nous pouvons jouer avec eux.

7. parce qu'ils nous protègent.

8. Je trouve qu'avoir un chat ou un chien, c'est très bien, ça nous tient compagnie et il nous comprend quand on est triste.

9. Un chat ou un chien, c'est très bien car quand on part en promenade, ça reste à la maison tout seul.

10. Un chien, ça tient compagnie.

[...]

4. Voici une liste d'arguments **contre** l'acquisition d'un chien ou d'un chat. Fais le même travail que dans l'exercice précédent.

1. Il fait des crottes.

2. Ça laisse des poils partout.

3. Ils peuvent griffer.

4. Ça se fait les griffes sur les fauteuils.

5. Il faut tous les jours le promener.

6. Ça peut casser des choses.

7. Ça sent mauvais.

8. Il faut le laver.

9. Ça abîme la tapisserie.

[...]

5. Voici une liste d'arguments sur le thème «un chien à la maison». Pour chacun, dis s'il s'agit d'un argument pour ou d'un argument contre.

1. Un chien, c'est un ami à qui on peut confier tous nos secrets.

2. Quand on part en vacances, on ne sait qu'en faire.

3. Et que va faire le chien toute la journée puisque nous sommes tous au travail ou à l'école ? Il va être malheureux.

4. Comme on doit promener le chien tous les jours, cela nous obligera à faire de la marche et c'est un très bon sport !

5. Un chien, on peut jouer avec lui, c'est un copain de jeu formidable.

[...]

Je reconnais l'ordre des arguments.

1. Voici un texte qui comprend une petite introduction, trois arguments et une conclusion. Il est en désordre.
À toi de le reconstituer.
Exemple : (B) = 1 (introduction)

A) ...... Et enfin, il y a plein de colorants dans les bonbons.

B) ...... De nombreux médecins pensent que les bonbons ne sont pas bons pour la santé.

C) ...... Ensuite, ils peuvent aussi faire grossir, toujours à cause du sucre qu'ils contiennent en grande quantité.

D) ...... En conclusion, il vaut mieux éviter de manger des bonbons.

E) ...... D'abord, les bonbons ne sont pas bons pour les dents car on sait que le sucre provoque des caries.

2. Lis le texte suivant (il n'est pas en désordre...).
– À quel paragraphe correspond l'introduction ?
– Combien d'arguments y a-til ?
– À quels paragraphes correspondent-ils ?
– Parmi les conclusions possibles, quelles sont celles qui vont bien avec le texte ?

Le rire est un médicament

A) Des spécialistes du cerveau ont fait des recherches sur le rire et ses effets pour l'homme. Ils ont découvert que le rire a une grande importance dans notre activité musculaire, respiratoire et psychologique.

B) En effet, quand on rit, un grand nombre de muscles se mettent à bouger dans tout le corps. C'est une gymnastique musculaire très agréable !

C) De plus, les poumons reçoivent plus d'oxygène car nous respirons plus profondément.

D) Le rire aide aussi à calmer les nerfs. On se sent plus détendu, plus heureux.

E) Et on peut encore ajouter que le rire embellit le visage.

Conclusions possibles

1. **C'est pourquoi** il est important de rire pour être bien dans sa peau !
2. Il est **donc** important de rire au moins une fois par jour !
3. **En conclusion**, le rire ne sert à rien.
4. Il est **donc** important de rire le moins souvent possible.
5. **Donc,** en riant, vous gardez la forme.

3. Lis les textes *Animal de cauchemar ?* (page 31) et *La chauve-souris, un animal de l'enfer ?* (page 32). Réponds aux questions suivantes.

Animal de cauchemar ?

1. Où se trouve la conclusion ?
2. Un mot montre que la phrase est une conclusion. Lequel ?
3. Pourquoi la chauve-souris a-t-elle mauvaise réputation ?
4. La chauve-souris ne mérite pas sa mauvaise réputation. Donne un argument que tu trouves dans le texte.

TEXTE A Animal de cauchemar ?

1 La chauve-souris a mauvaise réputation !
Pourtant, elle ne s'agrippe pas aux cheveux et
elle ne porte pas malheur ! Si on ne l'oblige pas à
se servir de ses crocs pointus pour se défendre,
5 elle est inoffensive et utile aussi : chacun de ces
animaux dévore des millions de moustiques et de
papillons dans sa vie. La chauve-souris ne mérite
donc vraiment pas sa mauvaise réputation.

TEXTE B La chauve-souris , un animal de l'enfer?

1 Vraiment, non. Rien dans ce sympathique animal qui justifie la réputation
effroyable que, de tout temps, on s'est acharné à lui inventer ! Car enfin,
que n'a-t-on fait courir sur son compte ? Avec les chouettes, les hiboux et,
d'une façon générale, toutes les bêtes nocturnes, elle s'est vue classée pen-
5 dant des siècles parmi les animaux de l'enfer, les envoyées du diable, lequel
d'ailleurs – ce n'est pas un hasard – est couramment représenté avec deux
petites ailes de chauve-souris dans le dos…

Pourtant, la chauve-souris, bien sûr, ne suce pas le sang des bébés et ne
cherche pas le lard dans les caves : elle se contente, platement, de chasser
10 comme une honnête hirondelle les papillons, les mouches et les moustiques. Elle n'annonce pas la mort des braves gens ; elle ne transporte pas la
grippe de Hong Kong ; elle n'est pas plus proche parente de Belzébuth* que
la première mésange en maraude dans le poirier d'en face.

15 **En résumé** : la chauve-souris est un animal comme tous les autres.

*Belzébuth : un des noms du Diable.

d'après *La Hulotte des Ardennes*, n° 16, nov. 1973

La chauve-souris, un animal de l'enfer ?

1. Quelle expression introduit la conclusion ?
2. Dans la première partie du texte, on dit ce qu'on a pensé pendant
   des siècles de la chauve-souris. Donne un exemple.
3. Dans la deuxième partie, on dit ce que fait réellement la chauve-
   souris. Donne un exemple.
4. Quel est le mot qui fait le lien entre la première et la deuxième parties ?

4. Le texte suivant parle de la télévision et des jeunes. Il n'est pas terminé.

La première partie explique les dangers de la télévision.
– Relève les arguments **contre** la télévision.
– Quelle est la conclusion de cette partie ?

Dans la deuxième partie, on va donner les arguments **pour** (elle n'est pas rédigée).
– Quelle est la phrase qui annonce cette deuxième partie ?
– Quelle est le mot important ?

La télévision est-elle une occupation peu intéressante pour les jeunes ?

Beaucoup de parents et d'enseignants trouvent que la télé n'est pas une occupation intéressante pour les enfants.

Il est vrai que la télé est plus facile que la lecture car elle demande moins d'efforts et elle peut alors pousser certains enfants à ne plus lire et même à ne plus réfléchir.

Il est exact aussi que de nombreux films ou dessins animés montrent de trop nombreuses images de violence qui peuvent impressionner les enfants.

On peut ajouter encore que certains enfants deviennent esclaves de la télé et préfèrent rester seuls devant l'écran pendant plusieurs heures.

On peut donc comprendre que la télé inquiète les éducateurs.

Et pourtant, la télé n'a pas que des inconvénients.

D'abord, ...

Ensuite, ...

 J'utilise mes outils pour réécrire.

> **1.** Dans un texte d'opinion, on donne son avis en utilisant des raisons pour et des raisons contre.
>
> **2.** Il est inutile de répéter plusieurs fois les mêmes raisons.
>
> **3.** On regroupe les raisons qui vont ensemble.
>
> **4.** Dans un texte d'opinion, on trouve :
> – une introduction, qui présente le problème et qui donne une opinion ;
> – les arguments, qui justifient cette opinion ;
> – une conclusion, qui rappelle l'opinion.
> La conclusion commence souvent par des mots ou expressions comme : *c'est pourquoi, donc, en conclusion...*
>
> **5.** Si un texte d'opinion donne les deux avis (pour et contre), on regroupe chaque avis dans une partie. On passe d'une partie à l'autre grâce à des mots comme : *pourtant, mais, toutefois, cependant...*

Maintenant, tu peux réécrire ta réponse à Thiphaine.

Commentaires : *Le sujet semble ne porter que partiellement sur la démarche du travail en projet. En réalité, il va être nécessaire, pour répondre aux trois questions, de s'appuyer sur des éléments d'analyse qui se réfèrent au fonctionnement du projet d'écriture. Les trois questions sont posées dans un ordre progressif, qui permet d'aller d'une analyse locale à des conclusions générales, d'aspects concrets à des synthèses théorisées. Nous vous conseillons de ne pas le modifier ; cela facilitera votre recherche.*

1 Analyse du début du document : aspects intéressants et aspects contestables

Question qui ne comporte pas de délimitation précise quant au contenu. Il faut donc chercher à dégager ce qui est pertinent d'un point de vue didactique : situation d'écriture, contenu travaillé, activités proposées aux élèves…

• La situation d'écriture
Elle comporte des aspects positifs :
– Un point de départ intéressant, la lettre de Tiphaine, qui pose un problème approprié à l'ouverture d'un débat argumenté.
– Un débat ouvert : les élèves sont, apparemment, laissés libres de leur opinion *(Qu'en pensez-vous ?)*.
– La lecture croisée des premiers essais qui peut permettre une socialisation des problèmes à résoudre et des propositions.
– L'utilisation de questionnaires qui mettent l'accent sur ce qui est pertinent.

En revanche, on peut critiquer certains choix :
– Une fausse situation d'argumentation qui tourne à vide, si on n'explicite pas le fait qu'il s'agit d'écrits d'apprentissage, sans enjeu direct de communication (on mime une réponse à une fausse lettre). Il aurait fallu poser dans la transparence l'enjeu du travail : non pas écrire à une Tiphaine fictive, mais apprendre à argumenter.
– La liste des arguments **pour** et **contre**, dont le contenu est riche et intéressant, est donnée aux enfants, ce qui court-circuite une part importante du travail sur l'argumentation : la recherche des arguments par les enfants eux-mêmes. Que fait-on du résultat de leurs recherches ?

• La notion d'arguments : convaincre ou justifier ?
Aspects positifs
– La richesse et la variété des exemples proposés, et les problèmes qu'ils permettent de poser (pour ou contre ; vraies et fausses raisons ; redondances).
– La variété des exercices : inventer, trier, comparer…

Aspects critiquables
– On oublie un élément essentiel de la situation argumentative : la position et les raisons invoquées par l'interlocuteur à convaincre (ici, les arguments énoncés par la mère de Tiphaine, dans la fausse lettre).
– On substitue à cette situation (comment répondre aux objections et emporter la décision par des arguments qui peuvent convaincre telle personne) une situation de justification de sa propre opinion.
– De ce fait, une dimension pragmatique du discours argumentatif n'apparaît pas dans cette première partie (prise en compte de la personne à convaincre).

– On glisse donc, sans le dire, vers une confusion : alors que la réponse à Tiphaine nécessite l'écriture d'un texte argumentatif visant à convaincre un interlocuteur rétif, on dérive vers le texte d'opinion qui a pour fonction de justifier sa propre opinion, sans prendre en compte celle de l'adversaire.

• La succession des exercices

Aspects positifs
– Ensemble précis et cohérent, qui évite les redondances.
– Contenu riche et intéressant, susceptible de motiver l'activité des élèves.

Aspects critiquables
– Quelle marge d'initiative reste-t-il au maître ? Comment prend-il en compte les propositions et les difficultés des élèves ?
– Quelle marge d'initiative reste-t-il aux élèves ?
– Peut-on parler de découverte, ou de construction entièrement guidée ?

2 Choix théoriques et pédagogiques

Cette question demande de s'appuyer sur une lecture attentive du document ; elle est dans le prolongement de la première question, qui permet d'amorcer la réponse. Il s'agit de passer à un autre niveau d'analyse : dégager, à partir de la matière concrète du document, les référents théoriques qui l'éclairent. On ne cherchera pas à dire tout ce qu'on sait, mais ce qui, dans ce cas précis, est réellement pertinent pour analyser le fonctionnement didactique du manuel.

Quelques erreurs à ne pas commettre :
– une paraphrase, qui ne dégage pas les choix théoriques, mais qui reprend, sous une autre forme, le document lui-même ;
– le placage de réponses toutes faites (par exemple sur le projet d'écriture).

• Priorité à la grammaire textuelle

Dans cet ensemble didactique relevant de l'expression écrite, priorité est donnée à ce que l'on appelle « **la grammaire textuelle** » (par opposition à la grammaire de la phrase).
Le discours argumentatif fait l'objet d'un travail ordonné, qui postule le choix d'une typologie. On a noté cependant la confusion entre argumentation visant à convaincre et texte d'opinion. Sont pris en compte des éléments de fonctionnement qui relèvent de plusieurs **points de vue :**
– pragmatique : situation, enjeux, effets recherchés sur le lecteur…,
– sémantique : travail sur le contenu des arguments, leur pertinence…,
– morphosyntaxique : utilisation d'organisateurs et de connecteurs.

• Peut-on parler de pédagogie de projet ?

Sur le plan des contenus, on a déjà souligné la richesse et la variété du matériau proposé. On peut parler d'une adaptation pertinente de contenus savants. Par rapport à la complexité des fonctionnements de l'argumentation, des choix ont permis d'élaguer, de simplifier. (Exemple particulièrement démonstratif : le résumé qui termine le module.)

La question qui se pose est celle du modèle pédagogique. Est-on dans une démarche de construction des savoirs par les élèves, ou dans une démarche plus transmissive, qui cherche à enseigner des savoirs selon un itinéraire centré sur les contenus plus que sur les recherches des apprenants ? En d'autres termes, peut-on parler de pédagogie de projet ?
Certes, on observe une articulation très cohérente qui lie les différents moments et leur donne une unité fonctionnelle. Dans la situation d'écriture qui fonde le module, on trouve

comme point de départ un premier essai d'écriture (première réponse à la lettre de Tiphaine). À l'issue du module, il s'agit de réécrire à Tiphaine une réponse désormais définitive, avec une injonction d'un optimisme un peu naïf : *Maintenant, tu peux réécrire la réponse à Tiphaine.*

Mais cette situation d'écriture est construite en trompe-l'œil. D'une part, jamais la lettre ne parviendra à Tiphaine (et pour cause !), et surtout, on ne tient aucun compte des essais des enfants lors de leur première écriture pour détecter les besoins, expliciter les problèmes à résoudre pour parvenir à une réécriture réellement fondée.

On observe la même chose dans la section *J'observe et je découvre*. Les enfants cherchent le maximum d'arguments pour et contre. Mais que fait-on de leurs trouvailles ? On passe trop vite à un travail organisé et systématique sur des listes données par le manuel. L'essentiel du travail n'est pas la résolution de problèmes détectés, formulés, mais une suite d'exercices (au demeurant fort intéressants…) selon un itinéraire tracé par le manuel. Les recherches des élèves apparaissent comme des prétextes qui permettent d'introduire des exercices tout prêts.

Par ailleurs, le résumé « *J'utilise mes outils pour écrire* » n'est pas élaboré avec les élèves. Les écrits de référence (textes d'opinion sur la chauve-souris) sont en nombre limité, et on voit mal comment ils sont analysés, afin d'en induire les traits de fonctionnement du genre. La formulation du résumé, en outre, est celle d'un texte informatif, qui récapitule des savoirs sur le texte d'opinion, et non celle d'un outil, qui définit des règles d'écriture pratiques.

En conclusion : il y a certes construction d'une séquence à forte cohérence interne et aux contenus pertinents, mais on ne trouve pas l'articulation entre la situation de communication et la construction des savoirs qui fonde la démarche appropriative caractéristique du travail en projet.

3 Comment utiliser ce document dans le cadre d'un travail en projet ?

Ce genre de questions invitant le candidat à faire des propositions ne vise pas à demander la préparation complète d'une séquence. Il s'agit de suggérer quelques pistes possibles, en justifiant toujours les décisions didactiques. Question évidemment ouverte, qui n'est pas une question de cours dans laquelle il faudrait réciter la liste des activités apprises… Ici, il faut bien entendu centrer la réponse sur le terme essentiel de la question : « la démarche de projet ».

En fonction de l'analyse conduite à la question précédente, une solution est exclue d'emblée : celle qui consisterait à utiliser purement et simplement le manuel, sans aucune adaptation[9]. On cherchera en revanche à profiter du travail proposé sur les choix des arguments (pour et contre), sur l'ordre des arguments. Il y a là un matériau riche et bien conçu, qu'il s'agit d'intégrer dans le cadre d'un projet.

• Première proposition : projet de lettre argumentative

Dans une situation d'argumentation authentique (problème à résoudre, avec un interlocuteur effectif), on va écrire une lettre qui aura pour but d'être efficace. Après avoir fixé les enjeux, cerné éventuellement quelques caractéristiques du texte à écrire, on procède à un premier jet.

L'analyse des productions fait apparaître les problèmes à résoudre : comment choisir les arguments ? Comment les ordonner ? On peut alors utiliser des éléments proposés par le manuel : classement, analyse des arguments, analyse des textes. Les conclusions sont formulées dans la confection collective d'un outil (qui n'est pas le résumé proposé par le manuel), en vue de la réécriture.

---

9. D'ailleurs, les auteurs ne le conseillent nullement !

• Deuxième proposition : projet d'apprentissage

Au cours d'un premier projet (écriture d'un texte argumentatif) on a pris conscience de la nécessité d'apprendre à écrire ce type de texte. On met alors en place, avec cet enjeu explicite, un projet d'apprentissage, qui peut prendre la forme d'un module. Dans ces conditions, on peut utiliser largement les propositions du manuel. Une situation fictive (pourquoi pas Tiphaine ?) permet de lancer l'activité. On utilisera ensuite les ressources du manuel de la même façon que dans la proposition ci-dessus.

Pistes bibliographiques

Outre les deux ouvrages du Groupe EVA précédemment cités au chapitre 21 qui constituent les éléments bibliographiques de base, nous nous limiterons à quelques ouvrages utiles, dans une production abondante :

◆ Claudine Garcia-Debanc, *Objectif : écrire*, CDDP de la Lozère, Mende, 1986.
(Écrit antérieurement, sur des orientations identiques, un ouvrage qui analyse des exemples concrets de projets et qui reste une référence de base indispensable.)

◆ Josette Jolibert, *Former des enfants producteurs de textes*, Hachette, 1985.

◆ Revue *Pratiques* n° 36, « Travailler en projet », 1982.

23 Le récit à l'école

Qu'est-ce qu'un récit ?

La liste des synonymes et des termes corrélés du mot récit proposée par les dictionnaires est fort longue. Sans prétendre à l'exhaustivité, on peut citer l'anecdote, le
conte, l'histoire ou encore la fable ou la légende. Il faut y ajouter le mythe, la nouvelle.
le roman, l'épopée, la tragédie, le drame, la comédie, le fait divers…

De plus, le récit emprunte des canaux et des supports très divers : le langage articulé
comme l'indique son étymologie même, puisqu'il provient du verbe réciter (le récit
dans la conversation), et le texte écrit bien sûr, mais aussi l'image fixe (le tableau peint,
l'affiche, la bande dessinée…), ou animée (le film) et le geste (la pantomime).

Mais, à cause de son omniprésence et de sa vitalité mêmes, le récit est relativement
malaisé à définir et, pour une approche intuitive du problème, nous vous proposons
l'exercice suivant :

■ Pour poser le problème

Comparez ces trois textes et dégagez-en les points communs et les différences.

TEXTE 1

La Déception du Chat

Le chat noir bondit brusquement. Il croyait avoir aperçu une ombre bouger dans la haie. Il
s'éloigna dignement après avoir compris que ce n'était qu'une illusion furtive.

TEXTE 2

La Déception du Chat

Le chat noir croit voir une ombre bouger dans la haie. Il bondit brusquement. Déception :
il ne s'agit que d'une illusion. Il s'éloigne avec dignité.

TEXTE 3

La Déception du Chat

Ce soir-là (oh, la belle soirée de mai, tiède et parfumée au jasmin !), je savourais pleinement
la chance que j'avais d'être un beau chat noir à l'œil vif et au caractère enjoué. À peine
naissaient en moi quelques réflexions sur l'instabilité des choses de ce monde, vite effacées
par l'espoir où je me trouvais de rencontrer la petite siamoise entrevue les jours précédents.

Tout à coup, la haie près de laquelle je méditais sereinement fut habitée d'une sorte de frisson vivant, comme si un être cherchait à s'y dissimuler. Sans réfléchir longuement (il est des moments où l'instinct du félin surgit, même chez les chats les plus cultivés, familiers de Proust et de Rousseau) je bondis, et me retrouvai dans la haie déserte. Comme un couillon. Rien ni personne. C'était sans doute la brise de mai, associée à la douceur du crépuscule, qui avait ainsi créé cette illusion furtive. Il ne me restait plus qu'à quitter les lieux, avec la plus digne indifférence, en espérant que la jeune chatte attendue n'avait pas été la spectatrice narquoise de ma déconvenue un peu puérile…

■ Premiers éléments de réponse

Les différences

– Les trois textes ne sont pas de même longueur : une ligne et demie pour le plus court, un paragraphe de onze lignes et demie pour le plus long.
– Les textes 1 et 2 semblent se limiter aux faits essentiels tandis que le texte 3 inclut des parenthèses, des réflexions incidentes du personnage et des éléments plutôt descriptifs.
– Ils ne sont pas écrits à la même personne : les textes 1 et 2 le sont à la troisième, l'histoire du chat est racontée par quelqu'un d'autre; le texte 3 est à la première personne et le chat raconte sa propre histoire.
– Ils ne sont pas tous au même temps grammatical : les textes 1 et 3 sont au passé, le texte 2 est au présent.
– Les événements n'apparaissent pas dans le même ordre : dans le texte 1, le chat bondit, se remémore avoir vu une ombre, s'éloigne après avoir compris son erreur; dans les textes 2 et 3, il croit voir une ombre ou un mouvement, bondit, est déçu, comprend son erreur, s'éloigne.

Les ressemblances

– Les trois textes ont un début et une fin distincts.
– Ils permettent de reconstituer la succession des événements.
– Ils racontent bien la même histoire et portent d'ailleurs le même titre.
– Ils paraissent complets, finis et délivrent un sens global.
– Ils présentent tous un personnage central qui, à des degrés divers, offre des similitudes avec les activités ou les pensées des hommes : le chat du texte 3 est ostensiblement et humoristiquement anthropomorphisé, mais les chats des textes 1 et 2 aussi, bien que de manière beaucoup plus discrète. S'ils ressemblent davantage à des personnages animaux, leur sens de la dignité et leur amour-propre témoignent qu'ils vivent des « événements d'intérêt humain ».

En conclusion, ces trois textes apparaissent bien comme des récits[1], par tout ce qui les rapproche :

– **Succession d'événements liés** par un rapport logique de cause à conséquence (si le chat a bondi, c'est parce qu'il a cru apercevoir une ombre bouger dans la haie; s'il s'éloigne, c'est parce qu'il est déçu);

---

1. Pour une présentation complète des critères du récit, voir Adam Jean-Michel, *Le texte narratif*, nouvelle édition revue et augmentée, Nathan-Université, 1994, ou *Les textes : types et prototypes*, Nathan-Université, 1992.

– **Permanence et « humanité » du personnage principal;**
– **Unité de l'action** qui permet de mettre en relation le début et la fin à travers une transformation du personnage et de la situation (le chat qui s'éloigne dignement à la fin n'est plus le même que celui qui a bondi brusquement; il s'est enrichi dans sa mésaventure d'une expérience et d'un savoir);
– **Clôture et complétude;**
– **Délivrance d'un sens global;**
– Et surtout parce que **ces 3 textes possèdent ces critères non pas isolément mais liés entre eux.**

Les trois composantes de la réalité narrative

Alors que les points communs entre les trois textes indiquent quels sont les traits invariants du récit, leurs différences illustrent quelques-unes des multiples variations possibles (longueur ou brièveté, récit en « il » ou en « je », récit au passé ou au présent, ordre infiniment variable de la présentation des événements…) et mettent en évidence le jeu des relations entre trois notions constitutives de la réalité narrative : **l'histoire, le récit, la narration**.

Analysant le récit, comme Saussure le signe linguistique, Gérard Genette[2] propose de voir dans **l'histoire** *le signifié*, c'est-à-dire la face non directement perceptible, le contenu notionnel, le raconté et dans le **récit**, *le signifiant* : l'aspect matériel réalisé, l'énoncé, le discours oral ou écrit qui raconte les événements. La **narration** est *l'acte producteur* lui-même, le fait même de raconter, la prise en charge par le narrateur des faits de l'histoire qui se traduit chaque fois par une visée pragmatique variable : intéresser, amuser, intriguer ou faire réfléchir (aux notions de narratologie par exemple) et par des choix discursifs différents (personne grammaticale, temps, commencer par le début ou non, etc.).

Ainsi les trois textes « La Déception du chat » racontent bien le même ensemble d'événements, la même **histoire**, celle d'un « chat noir » qui « bondit brusquement » en direction d'une haie, apparemment en vain, puis qui s'en éloigne comme s'il ne s'était rien passé, c'est-à-dire qu'ils possèdent le même contenu narratif, le même noyau ou la même trame de faits. Mais cette histoire unique n'est pas racontée de la même manière en fonction des choix particuliers concernant la narration qui aboutissent évidemment à trois productions ou récits bien différenciés.

Analyse de la structure de l'histoire : les différents modèles

Aussi bien dans les activités de lecture que de production d'écrit, manuels et enseignants ont souvent recours à des modèles d'analyse du récit. Ces derniers, à l'instar de ce qu'a apporté la linguistique à l'étude de la phrase, constituent des savoirs sur le récit dont ils permettent d'isoler les constituants ou les unités fonctionnelles qu'ils hiérarchisent en montrant leurs diverses possibilités de combinaison. Leur ambition est de mettre en évidence une « structure » qui serait commune à tous les récits, aussi divers soient-ils.

---

2. Genette Gérard, *Figures III*, coll. Poétique, Le Seuil, 1972.

■ Le modèle quinaire

Le modèle le plus connu, souvent appelé **schéma quinaire** parce qu'il présente un découpage du récit en cinq étapes, est dû à Paul Larivaille[3]. Essentiellement basé sur l'observation de la trame des événements, ce modèle distingue les épisodes qui décrivent un état (normalement d'équilibre mais parfois aussi de déséquilibre) de ceux qui décrivent le passage d'un état à l'autre. Il aboutit à une schématisation en trois moments successifs :
– un « avant », l'état initial caractérisé par sa situation d'équilibre;
– un « pendant » où interviennent plusieurs **transformations** et qui se décompose lui-même en trois phases : *la provocation* ou déclenchement pendant laquelle un élément transformateur vient rompre l'état d'équilibre initial, *l'action*, en fait un enchaînement d'actions provoquées par le déséquilibre introduit et *la sanction* ou la résolution, qui résulte du processus dynamique engagé;
– un « après », l'état final ou nouvel état d'équilibre, proche du premier, sans lui être identique.

Le récit apparaît ainsi comme « **le passage d'un état initial à un état final par le biais d'une ou plusieurs transformations[4]** ».

I	II			III
AVANT	PENDANT Transformation (agie ou subie) Processus dynamique			APRÈS
État initial Équilibre	Provocation (déclencheur)	Action	Sanction (conséquence)	État final Équilibre
1	2	3	4	5

■ Le modèle actantiel[5]

S'appuyant davantage sur les personnages que sur les événements, le **schéma actantiel** de Greimas est également très utilisé dans l'univers scolaire. Ce modèle, beaucoup plus abstrait que celui de Larivaille, met à jour des éléments qui travaillent le texte en profondeur, au niveau du raconté, c'est-à-dire de l'histoire. Reprenant et réorganisant les notions de « fonction » et de « sphère d'action » des personnages que l'on doit à Propp[6], Greimas invente la notion d'**actant** au sens plus large que celle de personnage ou d'acteur trop liée à la notion d'individu.

---

3. Larivaille Paul, « L'analyse (morpho) logique du récit », *Poétique* n°19, 1974.
4. Goldenstein J.-P., *Pour lire un roman*, De Boeck-Duculot, 1980, cité par Chantal Bonne-Dubiline et Jeanne Antide Huynh dans « La fortune des modèles d'analyse du récit dans l'enseignement du français » in Le *Français Aujourd'hui* n°109, *Didactique du français : langue et textes*, mars 1995.
5. Bien que plus rare, on rencontre également la forme « actanciel ».
6. Propp Vladimir, *Morphologie du conte*, première édition 1928, coll. Poétique, Le Seuil, 1965 et 1970. Propp apparaît comme le fondateur de la narratologie. Nous lui devons la mise en évidence des 31 fonctions du conte (éloignement, interdiction, transgression, méfait, appel ou envoi du héros, etc.), regroupées en sept sphères d'action correspondant aux personnages de l'agresseur, du donateur, de la princesse, de l'auxiliaire, du mandateur, du héros et du faux héros.

Son modèle se présente comme une structure syntaxique à six cases dont chaque élément, l'actant, possède une fonction syntaxique particulière :

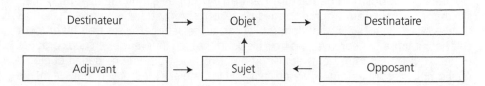

• **Le destinataire,** ainsi nommé parce que l'objet doit lui revenir.

• **Le sujet,** qui doit être distingué du héros, même s'ils se confondent souvent dans les textes narratifs, car il s'agit de deux entités différentes. Le héros n'est pas obligatoirement le sujet. En effet, le sujet n'existe que par rapport à l'objet; c'est son désir de l'objet qui le désigne comme sujet. Ainsi, dans la fable de La Fontaine *Le Corbeau et le Renard,* que l'on considère l'un ou l'autre des deux animaux comme sujet, aucun des deux ne peut être tenu pour un héros.

• **L'objet** qui peut effectivement être un objet matériel ou symbolique (un fromage ou un savoir acquis : *Le corbeau, honteux et confus, /Jura, mais un peu tard, qu'on ne l'y prendrait plus.*), une abstraction (la gloire personnelle ou l'ordre féodal dans les tragédies de Corneille), un personnage (Madame de Rênal et Mathilde de La Môle dans *Le Rouge et le Noir* de Stendhal).

• **L'adjuvant** qui aide le sujet dans son entreprise (les fées du conte merveilleux).

• **L'opposant** qui fait obstacle à l'entreprise du sujet.

• **Le destinateur** qui constitue sans doute le rôle actantiel le plus difficile à saisir. Quelquefois parfaitement identifiable sous un personnage : celui qui désigne l'objet au sujet et qui engage celui-ci à le conquérir, par obligation ou en le lui rendant désirable (Don Diègue désignant à son fils Rodrigue les valeurs féodales d'honneur et de gloire en le pressant de venger l'affront subi dans *Le Cid* de Corneille); il est assez souvent diffus, voire non représenté si ce n'est par les motivations du sujet : son désir d'action, son sens des valeurs…

Ces différents actants entrent dans un jeu complexe de relations :
– à la fois double : destinateur/destinataire, sujet/objet, opposant/adjuvant
– et triple : destinateur/objet/destinataire
dans une relation de communication qui conduit, parfois selon des voies complexes, de l'un à l'autre, ou encore (opposant/sujet/adjuvant) dans une relation de lutte autour du sujet.

Comme exemple, Greimas propose son analyse de *La Quête du Graal* :

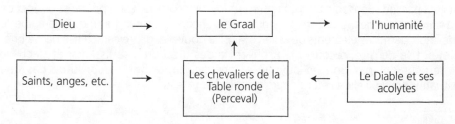

L'actant peut être un objet concret ou symbolique (le Saint Graal), une abstraction (la Grâce, le Devoir…) ou un personnage collectif (les membres d'une communauté).

D'autre part, **la position de l'actant peut être occupée** simultanément ou successivement **par plusieurs personnages différents**. Ainsi dans le conte « Les trois Plumes[7] », où un roi vieillissant doit trouver son successeur parmi ses trois fils et, pour cela, leur impose des épreuves, les trois fils pourtant bien différenciés en deux groupes (« deux qui étaient intelligents et instruits, alors que le troisième ne parlait guère : il était simple d'esprit et tout le monde l'appelait le Simplet ») se trouvent dans la même position actantielle : celle du « sujet ».

Enfin, **un même personnage peut occuper plusieurs positions actantielles :** dans le conte déjà cité, le roi est à la fois « destinateur » puisqu'il envoie ses fils à la recherche de l'objet merveilleux et « destinataire » car cet objet doit lui revenir; les deux fils aînés, d'abord « sujets », se transforment en « opposants » lorsqu'ils tentent par tous les moyens d'annuler le succès de leur cadet.

■ Les limites et dérives de ces modèles

Confusion récit – histoire

Le passage d'un modèle théorique d'analyse des textes à la didactique n'est pas forcément aisé parce que ce qui a été conçu dans un champ du savoir, ici la narratologie, à des fins de recherche, peut perdre une partie de sa pertinence lorsqu'on en fait usage dans un autre domaine. Aussi bien des utilisations de ces outils et notamment du « schéma quinaire » reposent-elles sur un malentendu car, quoique ce modèle soit appelé « schéma quinaire *du récit* », il concerne bien davantage l'*histoire* que le récit, aux sens où nous les avons définis précédemment.

En effet, nombre de récits ne suivent évidemment pas cet ordre immuable : état initial / transformations / état final, qui est celui de la chronologie de l'histoire, et débutent par exemple in *medias res*, en plein milieu de l'action déjà engagée. *La Condition humaine*, dont l'incipit évoque le moment imminent d'un meurtre dont le lecteur ne peut rien savoir, fournit un bon exemple du procédé :

> *Tchen tenterait-il de lever la moustiquaire ? Frapperait-il au travers ? L'angoisse lui tordait l'estomac; il connaissait sa propre fermeté, mais n'était capable en cet instant que d'y songer avec hébétude, fasciné par le tas de mousseline blanche qui tombait du plafond sur un corps moins visible qu'une ombre, et d'où sortait seulement ce pied à demi incliné par le sommeil, vivant quand même – de la chair d'homme.*

(André Malraux, *La Condition humaine*, Gallimard.)

Le récit peut ensuite revenir sur l'enchaînement des faits antérieurs, ou non, car il ne lui est pas indispensable de tout représenter. Non seulement son ordre est distinct de la chronologie des faits dans l'histoire, mais encore conserve-t-il une entière liberté de choix parmi les éléments de celle-ci. Ainsi la nouvelle, genre caractérisé par sa brièveté et sa densité, recourt bien souvent à des raccourcis saisissants, et s'achève fréquemment par une fin ouverte et déconcertante qui ne constitue pas une situation finale, celle-ci étant à reconstituer par le lecteur.

---

7. Grimm, *Les trois plumes*, Flammarion.

Réductionnisme

La tentation est grande d'utiliser ces modèles pour eux-mêmes au lieu de les utiliser pour explorer le sens des textes. Une certaine dérive techniciste peut aboutir à des constructions de schémas qui n'aident en rien la découverte des enjeux des textes et leur application mal réfléchie à tous les textes risque fort, à l'usage, de se révéler réductrice ou inopérante.

Les textes littéraires sont en effet plus complexes que ce qu'une application hâtive de tel ou tel schéma pourrait laisser croire. Ainsi, la situation initiale, quand elle est présente dans le récit, n'est évidemment pas toujours un pur moment d'équilibre et contient très souvent en germe l'élément déclencheur qui résulte souvent lui-même d'un enchaînement de faits et de circonstances.
Le résultat d'une action n'est pas toujours subséquent à cette action et peut même s'en trouver très fortement différé en étant mêlé à des actions secondaires.
La situation finale et ce qui est appelé sanction dans le schéma peuvent être relativement confondues.

En ce qui concerne le modèle actantiel, il paraît également réducteur d'en faire l'application d'une manière fixe et définitive car nous avons vu que les positions actantielles pouvaient se déplacer, et donc qu'un modèle ou un « programme » n'était pas stable tout au long d'une œuvre mais variait selon les moments.

Formalisme

La pratique consistant à détourner ces outils théoriques de leur fonction pour les transformer en contenus d'enseignement est éminemment contestable. Ces « leçons » sur le schéma quinaire ou le schéma actantiel, suivies d'exercices d'applications, figent en vérité incontestable, en règle, des notions qui devraient garder leur valeur exploratoire. Cela aboutit à des applications un peu fétichistes : « tout le schéma quinaire », « tout le schéma actantiel », mal finalisées, portant souvent à faux, et tuant à coup presque sûr le plaisir de la découverte et de l'inattendu.
Une dérive formaliste supplémentaire consiste à ne choisir que les textes prototypiques qui, en raison de leur parfaite adaptation au modèle, risquent de se trouver ainsi relégués au statut d'exemples.

■ Les apports de ces modèles dans la pratique

Pourvu qu'on leur garde leur statut « d'outils », ces modèles, grâce à leur degré de généralisation, peuvent apporter une aide intéressante aux enseignants et aux élèves dans deux secteurs : d'une part pour lire et comprendre des récits, d'autre part et surtout pour produire des récits.
Ils peuvent en effet aider les élèves à acquérir une vue englobante des textes dans leur ensemble; l'un des enjeux de l'apprentissage étant, pour de jeunes élèves, de bien comprendre à la fois ce qui fonde l'unité du texte, ce qui fait écho entre le début et la fin par exemple, et ce en quoi le texte est dynamique, ce qui a changé entre ce début et cette fin.

En ce sens, les notions dégagées, aussi bien dans le modèle quinaire que dans le modèle actantiel, peuvent aider les enseignants à concevoir ou à aménager :
– **des activités de lecture** : comparaisons de situations initiales et de situations finales, tris, appariements de différents moments de récits (situations initiales et situations finales, situations initiales et épisodes, etc.)

– des productions de textes : production de suite ou de fragment de récit, analyse des écrits produits, conception d'outils d'aide à la production (fiche-guide rappelant les principaux actants, par exemple).

Mais ces différentes utilisations nécessitent quelques précautions :

• Adapter le modèle plutôt que le texte
Mais préserver le statut d'outil de ces modèles suppose qu'ils ne soient pas pris absolument tels que leurs concepteurs les ont formalisés à un moment de leur travail de recherche, et qu'ils soient adaptés selon les besoins. Ainsi n'a-t-on sans doute pas besoin dans tous les cas de ces modèles pris *in extenso* et sous leur forme canonique.

Par exemple, le schéma de Larivaille peut avantageusement n'être pris que dans son découpage ternaire : situation initiale / transformations / situation finale, et le schéma de Greimas peut souvent être allégé du couple destinateur / destinataire, parfois d'une très grande abstraction, et ne conserver que les actants dont on a effectivement besoin selon les circonstances.

• L'utiliser plutôt que l'appliquer
Ce sont des outils heuristiques, ce qui signifie, tout d'abord, qu'ils ne sont aucunement exclusifs et que, d'autre part, ils servent davantage à poser des questions qu'à donner des réponses. Il serait évidemment dommage de s'en servir pour réduire les textes à quelques formules passe-partout. Mais cela veut aussi dire que l'outil est lui-même en jeu, qu'il est amendable et éventuellement, dans tel cas particulier, rejetable.
Ainsi le schéma actantiel peut servir à questionner le texte et aider à la recherche du sens. Par exemple, il peut être précieux pour trancher la question essentielle de savoir qui est le personnage central de l'histoire et donc, en fin de compte, de décider du sens le plus probable dans le cas d'ambiguïtés.
Essayons ainsi avec la fable *Le Corbeau et le Renard*, quelquefois prise à contresens : s'il s'agit de l'histoire du renard, celui-ci est le sujet, et alors l'objet, c'est le fromage et l'opposant, le corbeau. Mais le sens de la fable peut-il sérieusement être un éloge de la tromperie ? Cela paraît peu probable. Mais si le sujet est le corbeau, quel est l'objet ? Ce ne peut être que le savoir acquis : « *Apprenez que tout flatteur / Vit aux dépens de celui qui l'écoute* ». Le renard a, dans ce cas, le rôle ambigu de l'adjuvant involontaire, il n'est que le truchement de la leçon, et le sens de la fable apparaît alors comme une critique de la vanité.

Les outils de la narration[8]

▄ Les jeux sur la temporalité

L'analyse de la structure de l'histoire ne rend compte que d'un aspect du phénomène narratif et ne permet pas, à elle seule, d'en appréhender toute la complexité. Dans une perspective pédagogique, il importe encore de savoir comment sont racontées les histoires, c'est-à-dire de mieux comprendre ce qui se passe entre ces trois composantes de la réalité narrative que sont l'histoire, la narration et le récit.

---

8. Toutes les notions développées ci-après proviennent de la présentation qu'en a fait Gérard Genette dans ses ouvrages, notamment : *Figures III* et *Nouveau discours du récit*, coll. Poétique, Le Seuil.

L'histoire, la narration et le récit sont tous les trois inscrits dans le temps : « Tout ce qu'on raconte arrive dans le temps, prend du temps, se déroule temporellement; et ce qui se déroule dans le temps peut être raconté[9] ». Une telle imprégnation par la temporalité constitue un des ressorts de l'efficacité narratrice et fournit l'occasion de multiples jeux entre le temps de la chose racontée et le temps du récit.

La narration peut ainsi jouer avec l'**ordre** des événements, leur **durée** et leur **fréquence**.

L'ordre des événements

L'ordre des événements dans l'histoire peut être repris tel quel dans le récit; on peut alors parler de synchronie entre l'ordre des événements dans l'histoire et l'ordre des événements dans le récit.

Mais la narration n'est pas toujours linéaire et la mise en récit bouleverse souvent cet ordre de l'histoire comme nous avons pu le remarquer à propos du schéma quinaire. Un récit peut ainsi très bien débuter par la fin de l'histoire ou par le milieu (les exemples en sont innombrables), anticiper sur les événements ou au contraire revenir à tout moment sur un événement antérieur de l'histoire par rapport à son développement dans le récit.

À la suite de Gérard Genette, on désigne par **prolepse** les phénomènes d'anticipation et par **analepse** les phénomènes de rétrospection.

La nouvelle de Michel Tournier, *La fin de Robinson Crusoë*, qui débute par la fin de l'histoire et qui, à la suite d'un long récit rétrospectif (analepse), parvient à faire coïncider de manière saisissante le temps de l'histoire et le temps du récit à l'ultime fin de celui-ci, fournit un excellent exemple de ce que permettent ces bouleversements de l'ordre des événements :

> – *Elle était là! Là, vous voyez, au large de La Trinité, à 9° 22' de latitude nord. Y a pas d'erreur possible!*
> *L'ivrogne frappait de son doigt noir sur un lambeau de carte géographique souillé de taches de graisse, et chacune de ses affirmations passionnées soulevait le rire des pêcheurs et des dockers qui entouraient notre table.*
> *On le connaissait. Il jouissait d'un statut à part. Il faisait partie du folklore local. Nous l'avions invité à boire avec nous pour entendre de sa voix éraillée quelques-unes de ses histoires. Quant à son aventure, elle était exemplaire et navrante à la fois, comme c'est souvent le cas.*
> *Quarante ans plus tôt,...*
>
> (Début de la nouvelle qui introduit l'analepse. Le retour à la scène du début s'opérera à la fin du récit grâce à la reprise du discours rapporté initial :
> – *Et pourtant, elle était là! répétait-il une fois de plus ce soir en frappant du doigt sur sa carte.*)

(Michel Tournier, «La fin de Robinson Crusoë», *Sept Contes*, éditions Gallimard.)

La durée

La narration joue non seulement avec l'ordre des faits mais aussi avec leur durée. Elle est plus ou moins rapide et les variations de rythme peuvent même être considérables. Aussi les récits sont-ils plus ou moins longs quelle que soit par ailleurs la durée de l'histoire : des arguments très brefs dans le temps peuvent faire l'objet de très longs récits et inversement.

---

9. Ricoeur Paul, *Du texte à l'action*, Esprit / Le Seuil, 1986. Cité par Adam Jean-Michel dans *Les textes : types et prototypes*.

À propos de la vitesse de la narration, sans aucunement préjuger du temps effectif de la lecture, quatre modalités peuvent être distinguées : la pause, la scène, le sommaire et l'ellipse.

• **Avec la pause,** à une étendue quelconque du récit correspond une durée nulle dans l'histoire. La narration des événements y est, en quelque sorte, suspendue pour faire place à un développement non temporel du type de la description ou de l'explication, chargé d'informer le lecteur. C'est ainsi que de nombreuses descriptions de Balzac ou des commentaires explicatifs de Jules Verne constituent d'authentiques pauses :

> *Montcontour est un ancien manoir situé sur un de ces blonds rochers au bas desquels passe la Loire, non loin de l'endroit où Julie s'était arrêtée en 1814. C'est un de ces petits châteaux de Touraine, blancs, jolis, à tourelles sculptées, brodés comme une dentelle de Malines ; un de ces châteaux mignons, pimpants, qui (…)*

> <div align="right">(Honoré de Balzac, <i>La femme de trente ans</i>.)</div>

> *Ces lithodomes étaient des coquillages oblongs, attachés par grappes et très adhérents aux roches. Ils appartenaient à cette espèce de mollusques perforateurs qui creusent des trous dans les pierres les plus dures, et leur coquille s'arrondissait à ses deux bouts, disposition qui ne se remarque pas dans la moule ordinaire.*

> *(Le jeune Harbert vient de découvrir des coquillages inconnus de ses compagnons, et du lecteur.)*

> <div align="right">(Jules Verne, <i>L'île mystérieuse</i>.)</div>

Cependant toutes les descriptions ne sont pas nécessairement des pauses car elles peuvent être orientées par un personnage et correspondre à son parcours de découverte et à sa perception intime. Elles se réinsèrent alors dans le temps, suivant le mouvement du regard du personnage et la succession de ses émotions. Dans ce cas, la narration des événements ne s'arrête pas complètement et se poursuit en donnant plus de consistance au personnage.

Il existe aussi des décrochements discursifs où la narration s'arrête effectivement complètement, mais pour faire place à un développement digressif, à un commentaire du narrateur tout à fait en décalage par rapport aux événements de l'histoire et sans effet, ni lien direct avec eux. On ne peut dire alors qu'il s'agit d'une pause car le texte change véritablement de nature et sort du genre récit comme dans l'exemple suivant où le narrateur interpelle le lecteur à propos des boucles d'oreilles d'un personnage féminin qui vient d'être présenté :

> *Avec le fric qu'ont dû coûter ses boucles d'oreilles, vous pourriez changer votre R4 contre une Rolls, troquer votre clapier contre un hôtel particulier, envoyer le petit garçon de votre concierge au sanatorium, vous faire livrer le caviar par un Strader Berliet, partir en vacances à Tahiti à bord de votre yacht personnel, engager Sa Sainteté Paul VI comme secrétaire, remplacer la moquette du salon par de la zibeline et même, même, vous acheter des boucles d'oreilles identiques.*

> <div align="right">(San-Antonio, <i>Y'a de l'action</i>, éditions Fleuve Noir, 1967.)</div>

• **Dans la scène,** la durée de l'histoire en temps (secondes, minutes, heures) semble coïncider, de manière conventionnelle, avec la durée du récit (en nombre de lignes et de pages). Cette illusion est souvent créée par l'utilisation de dialogues car les personnages du récit sont alors censés parler exactement comme dans l'histoire. En fait, une scène qui n'occupe que quelques instants dans l'histoire d'un personnage, mais qui compte dans son destin, peut faire l'objet d'une très longue narration et s'étendre sur plusieurs pages dans le récit. La nouvelle de Michel Tournier, déjà citée, *La fin de Robinson Crusoë*, s'achève ainsi par une scène tout à fait pathétique :

> – *Et pourtant, elle était là ! répétait-il une fois de plus ce soir en frappant du doigt sur sa carte.*
> *Alors un vieux timonier se détacha des autres et vint lui toucher l'épaule.*
> – *Veux-tu que je te dise, Robinson ? Ton île déserte, bien sûr qu'elle est toujours là. Et même, je peux t'assurer que tu l'as bel et bien retrouvée !*
> – *Retrouvée ? Robinson suffoquait. Mais puisque je te dis…*
> – *Tu l'as retrouvée ! Tu es passé peut-être dix fois devant. Mais tu ne l'as pas reconnue.*
> – *Pas reconnue ?*
> – *Non, parce qu'elle a fait comme toi, ton île : elle a vieilli ! Eh oui, vois-tu, les fleurs deviennent fruits et les fruits deviennent bois, et le bois vert devient bois mort. Tout va très vite sous les tropiques. Et toi ? Regarde-toi dans une glace, idiot ! Et dis-moi si elle t'a reconnu, ton île, quand tu es passé devant ?*
>
> *Robinson ne s'est pas regardé dans une glace, le conseil était superflu. Il a promené sur tous ces hommes un visage si triste et si hagard que la vague de rires qui repartait de plus belle s'est arrêtée net, et qu'un grand silence s'est fait dans le tripot.*
>
> (Michel Tournier, *op. cité.*)

• **Le sommaire** équivaut à un résumé de l'histoire et le temps y est fortement condensé : des mois, des années, des décades peuvent se trouver évoqués en quelques lignes. Dans le texte narratif, le sommaire se caractérise par sa brièveté et produit un effet d'accélération du temps, comme le passage suivant qui rend compte d'une durée de vingt-deux ans dans l'histoire de Robinson :

> *Unique survivant du naufrage de son bateau, il serait resté seul sur une île peuplée de chèvres et de perroquets, sans ce nègre qu'il avait, disait-il, sauvé d'une horde de cannibales. Enfin une goélette anglaise les avait recueillis, et il était revenu, non sans avoir eu le temps de gagner une petite fortune grâce à des trafics divers assez faciles dans les Caraïbes de cette époque.*
>
> (Michel Tournier, *op. cité.*)

• **Enfin, à l'ellipse** correspond la plus grande vitesse de narration puisque à un segment nul de récit correspond une certaine durée de l'histoire. Le procédé, très utilisé, peut être explicite : « *deux ans plus tard…* » ou implicite, c'est-à-dire que sa présence n'est pas signalée dans le texte et que le lecteur doit alors se livrer à un calcul d'inférence pour reconstituer le déroulement de l'histoire. *Juju Pirate* d'Évelyne Reberg présente ainsi un exemple frappant d'ellipse à la charnière des chapitres 4 et 5 :

Fin du chapitre 4
Soudain, un coup énorme lui enfonça la tête dans le corps. Cette fois, Juju ne respira plus du tout. Il pensa, en un éclair :
– Adieu, Juju pirate !

Début du chapitre 5
Quand il revint à lui, il était ficelé comme un gigot dans une grotte en pleine forêt.
(Évelyne Reberg, *Juju Pirate*, Castor Poche Junior, Flammarion.)

La fréquence des événements dans le récit

L'histoire et le récit possèdent tous les deux la possibilité de se répéter. Un même événement peut arriver plusieurs fois ou se reproduire de façon très régulière. Le récit, de son côté, a le choix entre plusieurs possibilités.

• **Raconter une fois ce qui s'est passé une fois.** C'est le cas le plus fréquent, celui d'une histoire singulière faisant l'objet d'un récit unique. A priori, l'immense majorité des récits littéraires racontent « une fois » une histoire dont l'argument central est original, unique. Genette nomme ces récits **singulatifs**.

• **Raconter plusieurs fois ce qui s'est passé une fois.** En dépit du caractère surprenant de cette option, elle est relativement courante. Les cas de répétition pure sont sans doute fort rares, mais les répétitions qui jouent sur les variations avec un souci esthétique sont déjà plus répandues, et il est enfin tout à fait habituel qu'un même événement donne l'occasion de récits multiples selon les points de vue différents de plusieurs personnages. Ces différents cas constituent le récit **répétitif**.

• **Raconter une seule fois** (ou en une seule fois) **ce qui s'est passé plusieurs fois.** C'est le récit **itératif**. Dans la conversation de tous les jours, les récits itératifs sont nombreux : souvenirs de vacances ou de voyages, rappels de moments de vie, et dans la littérature ils se rencontrent souvent dans les autobiographies, surtout à l'évocation des périodes éloignées comme celle des souvenirs d'enfance. Dès qu'un récit atteint un certain degré de complexité, les fragments itératifs apparaissent :

> *Dans les jours qui suivirent, ils devinrent tous les trois les meilleurs amis.*
>
> *Le serpent inventait des tours et des jeux. Ensemble, ils dévalaient les pentes...et, arrivés en bas, le serpent les relançait en l'air. Et, quand ils avaient faim, il cueillait pour eux les pommes les plus mûres.*
>
> (Léo Lioni, *Au jardin des lapins*, L'École des Loisirs.)

■ Identité, position et perception du narrateur

Qui raconte : l'auteur, le personnage ou le narrateur ?

Trop souvent, les questions « qui écrit ? » et « qui raconte ? » sont confondues et on abuse d'une représentation floue de la notion d'auteur, alors qu'il convient de distinguer l'**auteur**, l'individu de chair et de sang qui écrit l'histoire, du narrateur, « l'être de papier ou de parole » n'existant que dans et par le texte. « Le **narrateur** n'est jamais l'auteur, déjà connu ou encore inconnu, mais un rôle inventé et adopté par l'auteur. »[10]

Quant au **personnage**, constituant majeur du récit, il est celui qui participe à l'histoire. Ainsi, Conan Doyle, individu pourvu d'une biographie singulière, écrivain célèbre, est bien l'auteur de *La Tache écarlate, Le chien des Baskerville*, etc., mais aussi de romans historiques et d'une *Histoire du spiritisme* tandis que le docteur Watson est le personnage-narrateur, celui qui raconte en tant que témoin les aventures du célèbre détective et que Sherlock Holmes est le personnage-héros.

> *M. Sherlock Holmes se levait habituellement fort tard, sauf lorsqu'il ne dormait pas la nuit, ce qui lui arrivait parfois. Ce matin-là, pendant qu'il était assis devant son petit déjeuner, je ramassai la canne que notre visiteur avait oubliée la veille au soir.*
>
> (Conan Doyle, *Le chien de Baskerville*, début du roman)

Cependant le statut du narrateur subit des variations et son repérage dans le texte peut devenir problématique. Il peut se faire discret jusqu'à l'effacement lorsqu'il

---

10. Kayser W., Qui raconte le roman ?, in Barthes et al., *Poétique du récit*, coll. Points, Seuil, 1977.

raconte une histoire dont il est totalement absent en tant que personnage (utilisation de la troisième personne, système d'énonciation du récit).

> *Le jardin des lapins était certainement le plus beau jardin, et les deux petits lapins étaient les lapereaux les plus heureux du monde.*
> *Un jour, le vieux lapin les appela et leur dit d'une voix grave : (…)*
>
> (Léo Lioni, *Au jardin des lapins*, L'École des Loisirs, début de l'histoire.)

Ou au contraire être tellement présent qu'il tend à occulter les autres « composantes de la mise en narration »[11] comme dans le récit autobiographique où l'implication de l'auteur dans le narrateur et le personnage est à son comble (utilisation de la première personne, système d'énonciation du discours) :

> *(…) Je suis né à Genève en 1712, d'Isaac Rousseau, Citoyen, et de Suzanne Bernard. Citoyenne.*
>
> (Jean-Jacques Rousseau, *Les Confessions*.)

La position temporelle du narrateur

En dehors de la question de sa présence ou non dans l'action narrée, il importe aussi de situer la position de cette « voix » par rapport au temps de l'histoire. Elle peut en effet se placer après, pendant ou avant les faits de l'histoire, ou même s'intercaler entre les moments de l'action.

• **La narration ultérieure,** narrateur racontant une histoire après l'occurrence de celle-ci, est de très loin la plus répandue.

• **La narration simultanée,** narrateur se situant dans un présent contemporain de l'action, est représentée à l'oral par le reportage radiophonique ou télévisé, mais elle existe également dans le genre romanesque, comme par exemple lorsqu'un personnage, témoin d'une scène, est amené à la raconter à un autre personnage qui se trouve dans l'impossibilité de voir.

• **La narration antérieure** dans laquelle le narrateur se place avant les faits qu'il raconte est évidemment beaucoup plus rare et concerne essentiellement le récit prédictif (prophétie, oracle…). Les récits d'anticipation et de science-fiction, bien que situés dans un avenir plus ou moins lointain, optent en fait pour la narration ultérieure ou simultanée, en décalant la position du narrateur après les événements racontés.

> *C'est en février que tout a commencé. Plus précisément, le 27 février 2006. Cette date-là, il n'y a pas de danger que je l'oublie.*
>
> (Jean Joubert, *Les enfants de Noé*, L'École des Loisirs.)

• **La narration intercalée** se rencontre surtout dans le genre du roman par lettres ou dans le journal. Le procédé est complexe et résulte d'une sorte de dédoublement du narrateur qui se pose tantôt comme acteur des faits dans un temps contemporain de l'action, tantôt comme analyste ayant pris un certain recul par rapport aux faits évoqués. « Le journal et la confidence épistolaire allient constamment ce que l'on appelle en langage radiophonique le direct et le différé, le quasi-monologue intérieur et le rapport après coup. »[12]

---

11. Pour une présentation détaillée des « composantes de la mise en narration », voir Charaudeau Patrick, *Grammaire du sens et de l'expression,* Hachette Éducation, 1992.
12. Genette Gérard, *Figures III*.

Le point de vue du narrateur

Outre la question de l'identité et de la position du narrateur, la narration dispose encore d'autres moyens pour moduler l'histoire. Elle peut prendre plus ou moins ses distances avec la chose racontée, filtrer les informations, choisir une perspective et s'y tenir, ou l'abandonner. La question qui se pose alors est : « qui sait? », ou « quel est le personnage dont le point de vue oriente la perspective narrative? »

À cette question, Gérard Genette propose trois modalités du récit en utilisant le terme technique de **focalisation** qu'il considère comme une restriction du « champ » perceptif.

• **La focalisation zéro** ou **variable** dans laquelle « le narrateur en sait plus que le personnage ou en *dit* plus que n'en sait aucun des personnages ». La plupart des romans du XIXe et encore du XXe siècle se présentent ainsi. Soit que l'origine du point de vue, le point focal, soit indéterminable et il y a bien focalisation zéro ou absence de focalisation; soit que le point de vue se déplace d'un personnage à l'autre, et la focalisation est alors variable. Quoi qu'il en soit, dans les deux cas, le narrateur en dit plus, et en sait plus qu'aucun des personnages pris séparément, comme dans cet extrait de *Bilbo le hobbit* où le lecteur a également accès à ce que pensent chacun des deux personnages :

> Ss, ss, ss », fit Gollum.
> Il y avait longtemps, très longtemps qu'il était sous terre et il oubliait ce genre de choses.
> Mais juste comme Bilbo commençait à espérer que le misérable serait incapable de répondre,
> Gollum se remémora des souvenirs d'un temps infiniment lointain,…
>
> (J. R. R. Tolkien, *Bilbo le Hobbit*, Le Livre de poche Jeunesse.)

• **La focalisation interne** correspond au point de vue d'un personnage et le narrateur ne dit que ce que sait ce personnage. Elle est aisément repérable, surtout lorsque le récit est à la première personne et qu'il prend la forme du monologue intérieur, mais elle se rencontre aussi avec des personnages présentés à la troisième personne :

> Kino entendait le murmure des courtes vagues sur la grève. Il aimait ce bruit… il ferma les yeux pour mieux en entendre la musique. Peut-être était-il le seul à faire cela, ou bien peut-être tous les siens l'avaient-ils fait.
>
> (John Steinbeck, *La perle*, Gallimard.)

• **La focalisation externe** où « le narrateur en dit moins que n'en sait le personnage ». Dans ce cas, le narrateur ne rapporte que ce qui est objectif, que ce qui peut être observable, visible, et s'interdit toute mention qui relèverait de l'activité psychique du personnage. Cette modalité du récit, en dépit de nombreuses tentatives, est évidemment très difficile à réaliser et rares sont les romans qui y parviennent complètement.

> Ned Beaumont poussa un grognement et les gagnants raflèrent les enjeux.
> Harry Sloss ramassa les dés et les secoua dans sa grande main blanche et poilue.
> – Je vous fais ça en deux coups
> Il laissa tomber sur la table un billet de vingt-cinq dollars et un de cinq.
> Ned Beaumont s'écarta de la table.
>
> (Dashiell Hammett, *La clé de verre*, coll. « Série noire », Gallimard.)

En fait, dans l'immense majorité des romans, les trois focalisations coexistent en alternance et si, à certains moments, une focalisation s'impose, les passages de l'une à l'autre sont très fréquents, si bien que la plupart des romans s'inscrivent dans la focalisation variable. Ainsi, une focalisation interne avec un personnage présenté à la troisième personne peut difficilement être maintenue car elle interdit toute description de ce personnage qui ne peut se voir dans le temps de l'action. Et ce qui correspond à la focalisation externe par rapport à un personnage peut se laisser définir comme focalisation interne pour un autre personnage, par exemple lorsque l'un observe l'autre et ne le comprend pas.

En conclusion

Même si elles n'expliquent pas tout, ces notions de narratologie sont maintenant devenues indispensables pour lire et comprendre des récits et plus encore pour en produire.

Outils conceptuels et langagiers, elles permettent de parler du récit et sur le récit en fournissant un jeu de questions fort utiles : « Qui écrit ? Qui raconte ? Qui voit ? Qui perçoit ? Est-ce que toi, tu es dans l'histoire (en s'adressant à l'élève producteur) ? Est-ce que le personnage sait cela ? Qui le sait alors ? Qui parle ? Est-ce que le narrateur est neutre ou est-ce qu'il porte un jugement sur ce qu'il rapporte ? ».
Les élèves sont ainsi à même de mieux articuler un savoir théorique sur la langue et sur les textes avec des pratiques de lecture et d'écriture, par exemple pour réviser des textes défaillants. Elles aident à construire des concepts essentiels de la culture écrite littéraire notamment ceux de narrateur et de personnage sans lesquels il est bien difficile de progresser.

Cependant, bien que l'emploi de ces outils narratologiques ne présente pas les mêmes écueils que celui des schémas narratifs, il importe, là aussi, de se garder de simplifications et d'usages abusifs, parce que :
– ce sont des outils et que ce n'est qu'en conservant ce statut qu'ils sont utiles ;
– ils ne dispensent aucunement de l'effort d'interprétation, bien au contraire, et ne peuvent se substituer à une lecture effective des textes, ni réduire la production à un simple montage de mécanismes ;
– toutes les questions ne sont pas toujours pertinentes, mais certaines le sont pour certains textes, et encore en des points précis de ces textes, et à des moments de l'apprentissage ;
– certaines questions, sous des airs de simplicité, sont fondamentalement problématiques (par exemple la focalisation) et que la théorie qui les a produites n'y est parvenue qu'à force de distinctions et de précautions qu'il serait dommage d'oublier.

AU CONCOURS

■ Les sujets possibles

Synthèse de documents

Le thème du récit est très présent dans les synthèses de documents mais généralement intégré à des problématiques concernant l'apprentissage de la lecture et de l'écriture :

– nature et rôle du récit dans une didactique de la lecture-écriture,
– place du récit au sein des pratiques culturelles de lecture,
– place et rôle du récit dans la « littérature de jeunesse »,
– genèse du récit chez l'individu et développement de la pensée, apprentissage,
– nature et potentialités du texte littéraire, au sein duquel le récit occupe une place de choix, dans la didactique du français,
– le récit comme exemple privilégié dans une réflexion sur les genres textuels : comment les définir ? à quoi peuvent-ils servir ?
– le personnage comme élément d'une didactique du récit.
Cependant, une synthèse portant exclusivement sur les théories du récit et leurs transpositions didactiques n'est, a priori, pas exclue.

Analyse didactique

Le récit et ses théories sont encore plus présents dans l'épreuve d'analyse d'un document à caractère pédagogique. Il apparaît essentiellement dans trois types de sujets :

• **Analyse de pages de manuels proposant une exploitation d'un texte** ou d'une partie de texte narratif. Ces pages peuvent aussi bien concerner la didactique de la lecture avec notamment l'étude du questionnaire que la didactique de l'écriture lorsque le manuel essaie de proposer une situation de production d'écrit. Les questions portent dans presque tous les cas sur le repérage des objectifs, de la démarche, des conceptions d'apprentissage et des théories sous-jacentes.
Il est bien sûr essentiel que les candidats puissent démêler entre ce qui est proposé par le manuel de manière ostensible et ce qui est induit, qu'ils puissent éclairer, autant que faire se peut, le clivage entre le montré et le réel.

• **Analyse et parfois comparaison de textes d'élèves qui sont des récits** ou des parties de récit (suite, séquence, dialogue, portrait de personnage…). L'étude est soit centrée sur le texte produit dont on demande une analyse assortie d'une réflexion sur les critères d'évaluation, soit centrée sur l'analyse de la situation, du dispositif mis en place par l'enseignant et sur ses interventions : décrire la démarche, retrouver les objectifs et les principes sur lesquels se fonde ce travail…

• **Analyse de textes narratifs d'auteurs** afin de déceler l'intérêt qu'ils peuvent avoir sur le plan didactique.

■ Sujet d'analyse didactique

Document : extrait du manuel « *Les sept clés pour lire et pour écrire/CM1* », par Michèle Varier et Jean-Claude Landier (Hatier).

Bordeaux
1993

1) Quelle conception de la pratique de la lecture et des relations entre lecture et écriture vous semble refléter l'organisation générale de la séance induite par les trois pages reproduites de ce manuel ?

2) Analysez l'enchaînement des activités proposées par la page 12 du manuel : objectifs, principes sous-jacents, activités des élèves.[13]

---

13. Le sujet donné à Bordeaux donnait la précision suivante : « Vous vous fonderez plus particulièrement sur les questions A1, A2, A5, B1, B4, B5 et la totalité de «3. – À toi de jouer».

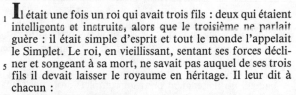

Il était une fois...

Les trois plumes

1. LIRE

Il était une fois un roi qui avait trois fils : deux qui étaient intelligents et instruits, alors que le troisième ne parlait guère : il était simple d'esprit et tout le monde l'appelait le Simplet. Le roi, en vieillissant, sentant ses forces décli-
5 ner et songeant à sa mort, ne savait pas auquel de ses trois fils il devait laisser le royaume en héritage. Il leur dit à chacun :

— Partez, et celui de vous trois qui me rapportera le plus fin tapis, ce sera lui le roi après ma mort.

10 Afin d'éviter toute dispute et toute contestation[1] entre ses fils, il les conduisit lui-même tous les trois devant la porte du château, où il leur dit : « Je vais souffler trois plumes en l'air, une pour chacun de vous, et dans la direction que sa plume aura prise, chacun de vous ira. » La première
15 plume s'envola vers l'Est, la seconde vers l'Ouest, et la troisième resta entre les deux et ne vola pas loin, retombant presque tout de suite par terre. L'un des frères partit donc à droite, l'autre à gauche, non sans se moquer du Simplet qui devait rester où sa plume était retombée, c'est-à-dire
20 tout près.

Le Simplet alla s'asseoir à côté de sa plume, et il se sentait bien triste. Mais voilà tout à coup qu'il s'aperçut de l'existence d'une trappe[2], juste à côté de la plume ; il leva cette trappe, découvrit un escalier et descendit les marches
25 sous la terre. En bas, il arriva devant une seconde porte et frappa. Il entendit une voix à l'intérieur qui criait :

Mademoiselle la rainette,
Petite grenouille verte,
Fille de race grenouillère,
30 *Grenouillante gambette,*
Va vite voir qui est dehors !

La porte s'ouvrit et il vit une grosse grasse grenouille entourée de tout un monde de petites grenouilles sautillantes. La grosse grenouille lui demanda quel était son désir.
35 — J'aimerais bien le plus beau et le plus fin tapis, dit-il.
La grosse appela une petite rainette et lui dit :

Mademoiselle la rainette,
Petite grenouille verte,
Fille de race grenouillère,
40 *Grenouillante gambette,*
Apporte-moi la grosse boîte.

1. *contestation : discussion, désaccord.*

2. *trappe : ouverture dans le plancher.*

10

Les deux frères Grimm, Jacob et Wilhelm sont allemands.
Ils vécurent au XIXᵉ siècle.
Ils ont recueilli les contes qu'on racontait autrefois aux veillées
dans les villages.

La jeunette grenouille alla chercher la boîte, et la grosse mère l'ouvrit pour remettre au Simplet le fin tapis qui s'y trouvait : mais un tapis si merveilleusement fin qu'on n'en 45 pouvait pas tisser un pareil en haut, dans le monde. Il remercia la grenouille et remonta sur terre.

Les deux autres frères étaient convaincus que leur cadet[3], qu'ils tenaient pour un complet idiot, ne trouverait rien de rien et ne pourrait rien apporter. « A quoi bon 50 nous fatiguer à chercher ? » se dirent-ils ; et ils se contentèrent d'enlever à la première bergère qu'ils rencontrèrent

3. cadet :
le plus jeune.

les tissus grossiers[4] qu'elle avait sur le corps pour revenir au château les apporter à leur père. Au même moment le Simplet revenait lui aussi, apportant son superbe tapis. Le 55 roi, en le voyant, fut tout étonné.

— Selon la stricte justice[5], dit-il, le royaume devrait revenir au cadet.

Mais les deux autres ne laissèrent pas de repos à leur père, lui disant qu'il était tout à fait impossible que le Simplet, 60 qui ne comprenait rien à rien, devînt le roi, et qu'il fallait imposer une nouvelle condition. Ils insistèrent tellement que le père y consentit. [...] *(Suite de la lecture p. 13)*

4. grossiers :
de mauvaise qualité.

5. selon la stricte justice :
selon la justice la plus exacte.

11

Les trois plumes (suite)

2. QUESTIONS →	A. **Compréhension du texte**

A. Compréhension du texte

1. Combien le roi a-t-il de fils ?
2. A qui le roi laissera-t-il son royaume en héritage ?
3. Où vivent les grenouilles ?
4. Que rapportent les frères de Simplet ?
5. Simplet a rapporté au roi un tapis très fin. Mais qui a obtenu le royaume ?

B. Pour approfondir un peu

1. Qui est le héros (personnage principal) de cette histoire ?
2. Que doit-il aller chercher ?
3. Qui le lui demande ?
4. Voici une série d'actions. Retrouve pour chacune d'elles le nom du personnage indiqué par le pronom personnel en italique.

   Exemple : a. : *Simplet* ou *le roi* ou *un des frères.*

   a. *Il* vit une grenouille.
   b. En voyant le tapis apporté par Simplet, *il* fut étonné.
   c. *Je* vais souffler trois plumes en l'air.
   d. *Il* leva la trappe.
   e. *Il* alla s'asseoir à côté de sa plume.
   f. *Il* partit vers l'est.
   g. *Il* les conduisit devant la porte du château.
   h. *Il* remercia la grenouille.
   i. *Il* leur dit à chacun...
   j. *Il* devait laisser le royaume en héritage.

5. Retrouve maintenant l'ordre logique de ces dix phrases. Réponds en indiquant seulement les lettres.

   Exemple : e, j, c... ou a, j, i,...

3. A TOI DE JOUER →

A. Pour mieux construire

Complète ces quatre phrases afin de retrouver ce que fit Simplet dans la première partie du conte.

Tout d'abord, Simplet . . . .
En bas, ...
A son retour, ...
Mais . . . .

B. Pour mieux écrire

1. Si le conte se terminait par « fut tout étonné » (ligne 55), quelle fin pourrais-tu imaginer à cette histoire ?
2. Dans ce cas, écris en une phrase ce que deviendraient le roi et les deux frères de Simplet.

12

CORRIGÉ

1 Conception de la lecture et des relations entre lecture et écriture

Commentaires : *La réponse à une telle question prend nécessairement appui sur une observation minutieuse du document, notamment dans ses aspects matériels : organisation générale, choix de mise en page, découpage du texte, nature du paratexte, etc., mais non pour le décrire. Cette observation doit en effet être articulée avec des éléments théoriques afin de caractériser le document.*

La leçon proposée se présente comme une séance de lecture, suivie d'une activité écrite, à partir d'un extrait de conte merveilleux très représentatif du genre du conte à triple épreuve. Le genre du texte à lire est doublement mentionné par un encadré en haut de la page droite reprenant la formule classique d'ouverture du conte : « Il était une fois… » et par la mention, en haut de la page de gauche : « conte merveilleux ». L'origine du texte est précisée par une note explicative sur les frères Grimm.
L'extrait proposé est le premier d'une lecture suivie devant aboutir à la lecture du texte complet. Le texte est donc « découpé » en fonction des impératifs d'une exploitation péda-gogique, mais il n'est ni modifié, ni autrement altéré.

La présentation matérielle est caractéristique de la majorité des manuels : choix de la double page, mise en page plutôt compacte du texte dont les lignes sont numérotées, marges importantes en volume et abondamment utilisées pour les illustrations et les notes de vocabulaire. Celles-ci sont d'ailleurs contestables parce qu'elles esquivent le travail possible sur le contexte : ainsi « **contestation** », dans le groupe « toute dispute et toute contestation », peut aisément s'interpréter comme un synonyme de dispute grâce à la présence de la conjonction de coordination « et » ; « **trappe** » peut se déduire du contex-te sémantique des lignes 23 à 25 ; « **grossier** » associé à « tissus » permet d'éviter la méprise avec « comportement grossier » ; et la focalisation sur « **stricte** » attire l'attention sur un point secondaire par rapport à l'emploi du conditionnel qui est davantage signifi-catif dans cette phrase : « - Selon la stricte justice, dit-il, le royaume *devrait* revenir au cadet. »

L'organisation générale de la séance indiquée par des mentions et des numéros en marge se présente en trois temps : premièrement lire le texte ; deuxièmement répondre à des ques-tions de compréhension ; troisièmement passer à une étape au titre attractif « À toi de jouer » qui est, en fait, un passage à l'écriture.

La présentation matérielle du texte très représentative de l'objet manuel, le conformisme du déroulement en trois temps : lecture/questions/écriture témoignent d'une conception très traditionnelle de l'activité de lecture-écriture. Bien que les deux activités soient ici asso-ciées et que la production se fasse dans la continuité du texte (produire une fin), ce qui dans le principe est positif, l'activité d'écriture est conçue comme un vague « prolonge-ment » sans ambition : on se limite à des productions de phrases, sans objectif bien cer-nable autre que celui de clore la leçon.
L'aspect compréhension est mis en avant dans l'approche de la lecture, mais on s'aperçoit à travers le questionnaire de la page 12 qu'elle peut n'être qu'assez superficielle.

2 Analyse de l'enchaînement des activités de la page 12

Commentaires : *L'indication donnée d'avoir à dégager les objectifs, les principes sous-jacents et les activités des élèves exige à coup sûr une analyse poussée allant au-delà des constats simplistes ou du rappel d'évidences. D'autre part, la nécessité de s'intéresser à chaque item entraîne un risque de répétition qu'il est possible de juguler en organisant la réponse.*

• 1ʳᵉ partie : A. Compréhension du texte / B. Pour approfondir un peu

La double série de questions semble viser un double objectif : d'une part, assurer la compréhension du texte dans ses éléments structurels notamment grâce à l'emploi des catégories de Greimas, d'autre part à travailler des aspects de cohésion et de cohérence textuelles.

La classification de ces questions en deux groupes : « A. Compréhension du texte » et « B. Pour approfondir un peu » paraît plus artificielle que réelle. Les questions B1, B2, B3 appartiennent en effet à la même famille que les questions de la série A, et on comprend mal où et en quoi réside « l'approfondissement ». Il est même surprenant que la question B1 sur l'identité du héros, sujet de cette histoire, apparaisse si tardivement car l'identification précoce de ce personnage est toujours déterminante pour la compréhension d'un récit.

Nombre de ces questions, si elles ne sont développées et exploitées plus avant, c'est-à-dire reliées entre elles et au sens global du texte, risquent d'enfermer l'élève dans une tâche de repérage d'éléments de surface, de faits ponctuels sans grand intérêt. L'élève peut d'ailleurs répondre à la plupart de ces **questions (A1, A2, A4, B1, B2, B3)** par simple extraction d'un mot ou d'un fragment du texte.

Le modèle actantiel de Greimas est surtout intéressant par le jeu de relations et par la dynamique qu'il instaure entre les différents actants, qui nécessitent une explicitation allant au-delà de la simple identification. Notamment la question B1 appelle des justifications complémentaires sur les éléments qui permettent de désigner Simplet comme le sujet-héros de ce conte : le fait qu'il soit le seul à porter un nom, l'étendue de ses aventures dans le texte, le fait qu'il réussisse sa quête, sa « simplicité » qui en fait un être à part,....

D'autres questions sont plus prometteuses : A3, par exemple, qui demande de mettre en relation plusieurs éléments du texte pour définir et se représenter le gîte des grenouilles et surtout **A5**, en dépit de son caractère problématique puisqu'elle exige une réponse négative et provisoire du type « personne pour le moment », car elle demande une lecture attentive de la fin de l'extrait et touche à un élément de la structure particulière de ce genre de conte : le triplement des épreuves. Mais l'aspect intéressant de cette question ne peut émerger que si le maître dépasse ce qui est prévu par le manuel et organise une mise en commun des réponses.

Les questions B4 et B5 exhibent des objectifs ayant trait à la grammaire de texte : reconnaissance et fonctionnement des anaphoriques[14], réduits pour l'occasion à la classe des pronoms personnels, pour B4, et cohérence sémantique pour B5. Il est cependant grand dommage que, disposant d'un texte, on traite finalement ces questions par le truchement de phrases décontextualisées et recomposées comme dans la grammaire de phrase. La question de retrouver les référents de ces mots ne présente plus d'intérêt dans des phrases hors contexte et il s'agit ici davantage d'un exercice de mémoire que d'un travail de compréhension lié à la lecture.

Enfin, la cohésion d'un texte étant liée à la progression thématique, on peut s'étonner que ces phrases soient données en désordre. La réponse à ce mystère est dans la question suivante que l'exercice B4 était censé préparer. Cette question B5 paraît en effet plus de nature à simplement occuper les élèves que liée à un véritable objectif d'apprentissage ou de consolidation des connaissances : 10 phrases, c'est long, et, sans mots de liaison, l'élève ne peut travailler qu'avec sa mémoire. Le résultat ne donne évidemment ni un texte, ni un résumé. Et la consigne de répondre en n'indiquant que des lettres (par crainte de dévoiler le caractère occupationnel de l'activité ?) rend le résultat bien abstrait.

---

14. En linguistique, on désigne comme anaphoriques les termes qui se réfèrent à une réalité nommée précédemment dans le contexte. Pour plus de détails, consulter le chapitre 27 concernant l'emploi des substituts.

• 2ᵉ partie : « À toi de jouer »
Sous l'étiquette ludique se cache le fastidieux travail d'écriture final dont l'objectif est quelquefois bien difficile à trouver.

Pour la partie A, il semble que celui-ci soit plutôt orienté vers la compréhension de la lecture. Les mots de liaison proposés induisent la production d'une sorte de résumé du texte lu. Mais le caractère contraint de l'exercice (compléter les quatre phrases) fait courir le risque de productions très lacunaires, attachées à des éléments de surface et ne constituant pas des textes.

Dans la partie B, l'objectif est plus tourné vers la production avec apparemment un premier travail destiné à la réflexion, qui pourrait être une tentative d'aide à la recherche des idées (question 1) et un deuxième travail de production proprement dite, mais limitée à une seule phrase ! Cette limite drastique ne peut évidemment pas encourager la production ! Il semble qu'on veuille travailler le concept de rebondissement mais la production visée, dans les conditions posées, ne peut être qu'extrêmement stéréotypée et ne présenter que l'intérêt artificiel de motiver la lecture de l'extrait suivant

Pistes bibliographiques

■ Ouvrages de base

◆ Combettes Bernard, Fresson Jacques, Tomassone Roberte, *De la phrase au texte*, classe de troisième, Manuel de l'élève et guide pédagogique, Delagrave, 1980.
(Pour une première mise au point sur le récit. Le livre du maître présente clairement les données théoriques indispensables et le manuel de l'élève fournit un grand nombre de situations de réflexion stimulantes.)

◆ Riffaud Alain, *Le texte narratif, Lire et écrire au collège*, CNDP, 1997.
(Présentation claire et actuelle des notions de narratologie avec un grand nombre d'exemples très éclairants empruntés aussi bien à la littérature qu'à la bande dessinée ou aux travaux d'élèves.)

■ Pour aller plus loin

◆ Adam Jean-Michel, *Le Récit*, coll. Mémoseuil, Le Seuil, 1997.
(Pour une mise en perspective des différentes théories et une présentation des principales notions de narratologie.)

◆ Genette Gérard, *Figures III*, Coll. Poétique, Le Seuil, 1972.
(Ouvrage fondamental pourvu d'un index très pratique si on manque de temps.)

◆ Rodari Gianni, *Grammaire de l'imagination*, éditeur Rue du Monde, 1ʳᵉ éd. 1973, réédité en 1997.
(Gianni Rodari, lui-même auteur de livres pour la jeunesse, propose un grand nombre de jeux d'écriture. L'approche ouvertement ludique et non conventionnelle est très stimulante pour l'imagination.)

Revues :
◆ « Didactique du français : langue et textes », *Le Français Aujourd'hui* n° 109, mars 1995.
(Ce numéro articule une réflexion sur l'état de la discipline de français et la constitution des savoirs scolaires. C'est l'occasion de mettre à la question les notions de narratologie et les modèles d'analyse du récit. Un article est particulièrement intéressant de ce point de vue : « La fortune des modèles d'analyse du récit dans l'enseignement du français », de Chantal Bonne-Dulibine et Jeanne-Antide Huynh, p. 59 à 72.)

◆ « Didactique du récit », *Pratiques* n° 78, juin 1993 et « Écrire des récits », *Pratiques* n° 83, septembre 1994.
(Articles de didactique comportant des analyses et des propositions d'activités pour le collège.)

La poésie à l'école

Qu'est-ce que la poésie ?

■ Pour poser le problème

Voici une série d'affirmations concernant la poésie. Parmi elles, vous choisirez :
– les trois affirmations qui vous conviennent le mieux;
– les trois qui vous semblent les plus irrecevables.

A. La poésie, c'est l'expression de ses sentiments

B. La poésie, c'est un texte clair pour tous

C. La poésie, c'est une fête de l'intelligence

D. La poésie, c'est un travail sur la matière sonore des mots

E. La poésie, c'est une forme artistique déterminée par son époque

F. La poésie, c'est quelque chose qui touche, qui émeut

G. La poésie, c'est un chant

H. La poésie, c'est une perception nouvelle du réel

I. La poésie, c'est un bouleversement complet du langage ordinaire

J. La poésie, c'est un ornement de la pensée

K. La poésie, c'est un jaillissement spontané

L. La poésie, c'est quelque chose qui élève l'âme

M. La poésie, c'est la communion au-delà des mots

N. La poésie, c'est une débauche d'élégance

O. La poésie, c'est des vers avec des rimes

P. La poésie, c'est la recherche d'images suggestives, évocatrices

Q. La poésie, c'est un travail sur le langage

R. La poésie, c'est la découverte d'un univers nouveau

S. La poésie, c'est l'éveil des sensations

T. La poésie, c'est le domaine de l'imagination

U. La poésie, c'est un rythme profond, qui est celui de la vie

V. La poésie, c'est un jeu avec les mots

W. La poésie, c'est un moyen de communiquer avec ses semblables

X. La poésie, c'est un texte qui veut convaincre

Y. La poésie, c'est la mémoire de l'humanité

■ Premiers éléments de réponse

Ce genre de jeu n'est pas un test d'évaluation. Il est destiné à activer vos représentations de la poésie. Il ne saurait y avoir une solution exacte. En revanche, selon les choix, négatifs et positifs, on peut voir se dessiner des conceptions de la poésie; ces conceptions sont à la base de toute réflexion sur la poésie elle-même, sur le rôle qu'elle peut jouer à l'école, sur la ou les manières de l'aborder.

La poésie comme expression spontanée (affirmations K, A...)
Cette conception, un peu naïve, relève d'une croyance : celle du don poétique, qui permet au poète, sans effort, d'exprimer directement ses émotions. Poésie cri du cœur, expression directe. Mais les objections à cette conception sont faciles à formuler : même si la poésie ne saurait être coupée de la sensibilité, la spontanéité et la sincérité ne suffisent pas à produire des poèmes. Il suffirait d'être amoureux pour écrire des poèmes d'amour immortels. Nous savons tous que ce n'est pas le cas.

La poésie comme expression d'un contenu (affirmations A, T, L, X...)
Avec de nombreuses variantes, (sensations, sentiments, imagination, idées, morale...), cette conception est centrée sur le contenu du texte poétique. Il est évident que, si tout texte, fût-il poétique, est constitué de mots et donc de concepts porteurs de sens, la spécificité du texte poétique ne peut être son contenu. Sinon, comment le distinguer des autres écrits ayant pour fonction d'expliquer, de convaincre, de raconter ?

La poésie comme type de communication spécifique (affirmations F, M, S, W)
L'important ici est l'effet produit par la poésie sur le lecteur. On notera que cet effet a quelque chose de mystérieux, un pouvoir qu'on ne reconnaît pas aux textes ordinaires (communication au-delà des mots, éveil des sensations...) mais il reste à définir la nature de cette communication poétique.

La poésie comme respect d'une forme (affirmations J, O, P...)
Conception formelle : il suffirait d'appliquer une technique pour produire un poème. Le poème obéirait à des critères précis (par exemple : versification, rhétorique). Conception étriquée, même si la technique est toujours utile !

La poésie comme travail et jeu sur la langue (affirmations D, G, I, N, P, Q, V)
En apparence proche de la catégorie précédente, mais avec une différence notable : il ne s'agit plus d'appliquer une technique, mais de créer à partir du matériau que constitue le langage, sous ses différents aspects : sons, mots, images. Jeu ou travail, la poésie implique donc que le poète centre sa recherche sur une mise en forme. On rejoint ce que Jakobson appelle la « fonction poétique » (voir ci-après, le paragraphe sur le texte poétique).

La poésie comme moyen de découverte (affirmations H, I, R)
Conception qui est celle de la poésie moderne : non seulement la poésie dit « l'indicible autrement », mais elle est le seul moyen pour pénétrer des vérités essentielles, de l'ordre de la sensation, de l'émotion. Le travail inédit sur le langage qu'elle met en œuvre conduit à découvrir et construire un monde entièrement nouveau, dans lequel les mots usés ont perdu leur aliénation.

La poésie comme engagement de l'être dans sa totalité (affirm. U, G, H, K, S)
Cette rubrique est à l'intersection de bien d'autres. Conception exigeante, qui refuse de considérer que le poète est seulement un artiste maître de son art, mais un homme qui participe totalement à l'aventure de l'écriture. Aventure qui met en jeu le corps, l'esprit, la sensibilité...

La poésie comme patrimoine de l'humanité (affirmations E, Y)
Approche sociologique ou historique, qui vise à insérer la poésie dans l'aventure des hommes : partie intégrante de l'histoire des civilisations, des arts et des valeurs, avec le rôle essentiel de conserver, au-delà du temps, ce que les cultures ont constitué de plus précieux.

En conclusion, s'il est manifeste que certaines affirmations sont réductrices, on ne peut dire qu'elles sont entièrement fausses. Mais, si on ne peut enfermer la poésie dans une définition de type géométrique, il n'est pas pour autant inutile de situer les conceptions, les représentations. Toutes ne sont pas équivalentes : certaines sont appauvrissantes, d'autres tellement floues qu'elles n'offrent que peu d'intérêt...

De la « récitation » à « l'usage poétique de la langue »

A l'école, la poésie a été longtemps confondue avec la récitation. On assignait à cette dernière plusieurs rôles, qui n'avaient pas toujours un rapport direct avec la poésie :
– initiation à un patrimoine essentiellement constitué de valeurs sûres et reconnues (La Fontaine, Victor Hugo...);
– contribution à la formation civique et morale;
– exercice de la mémoire et de la diction...

Pour des générations d'élèves, la récitation a fait partie des rites de l'école primaire. La prise en compte du plaisir poétique, ainsi que de tous les pouvoirs que la langue peut exercer à travers la création verbale, a profondément modifié l'approche de la poésie à l'école.

Les textes officiels[1] utilisent désormais l'expression **« usage poétique de la langue »**.

Au cycle des apprentissages premiers

La poésie n'y fait pas l'objet d'une rubrique ayant sa spécificité. En revanche, les fonctionnements poétiques sont présents en de multiples situations et à travers des activités qui ont pour objet la découverte du langage et de ses pouvoirs. On peut citer ainsi :

• Apprentissage de comptines, de chansons, de poèmes permettant de jouer sur l'intonation, sur le rythme, sur la hauteur de la voix...

• Jeux rythmiques avec le langage sur des comptines, des chansons, des poèmes...

• Jeux de rimes avec le langage : apprendre, découvrir et compléter des suites assonancées, des textes rimés...

• Jeux de langage s'appuyant sur la répétition de structures syntaxiques (chansons ou comptines à refrain, historiettes à poursuivre en utilisant une forme syntaxique fixée)...

---

1. Programmes de l'école Primaire, CNDP, 1995.

• Écoute d'une grande variété de textes appartenant à la tradition orale (chansons, comptines…).

• Discussions sur différents types d'écrits rencontrés, production de textes analogues en situation collective, avec l'aide de l'adulte…

• Relecture fréquente des textes les plus riches de sens pour les enfants…

Au cycle des apprentissages fondamentaux

• Mémorisation et récitation de comptines et de poèmes.

• Jeux poétiques sur les mots, les structures et les images.

• Première constitution d'une anthologie.

• Correspondance avec les autres formes d'expression : la musique, la danse, les arts plastiques, le théâtre…

Au cycle des approfondissements

• Mémorisation et récitation de textes d'auteurs (prose, poèmes, poèmes en prose).

• Créations poétiques, individuelles ou collectives.

• Poursuite de la constitution d'une anthologie.

• Correspondance avec d'autres formes d'expression : la musique, la danse, le théâtre, les arts plastiques…

Les programmes peuvent être utilement éclairées par cet extrait :

Les bonheurs de lire

(…) Sans attendre de jeunes enfants qu'ils se livrent aux exercices difficiles de l'explication littéraire, on peut, dès l'école élémentaire, aller du partage des émotions morales ou esthétiques, vers la prise de conscience que l'écriture est un procédé susceptible de produire des effets puissants, de créer des univers de référence imaginaires, de donner vie à des fictions de langage, de donner sens à des paroles dénuées de toute urgence sociale et de toute utilité fonctionnelle.

Entendre, voir, dire et lire la poésie

La poésie est très certainement le lieu privilégié de ces premières expériences. C'est dans sa pratique assidue, dès l'école maternelle, que l'enfant peut saisir (…) la réalité phonique du langage. Au-delà, ce sont toutes les opérations formelles mises en jeu dans ce type de texte qui peuvent être progressivement découvertes, en premier lieu dans les poèmes appris par cœur.

L'enfant peut très tôt sentir les configurations sonores particulières qui engendrent la poésie : le retour des accents marquant régulièrement un nombre fixe de syllabes dans notre système poétique traditionnel ; les rimes qui marquent la limite du vers et suggèrent les relations à l'intérieur de la strophe ; les rythmes réguliers qui se créent et se rompent dans la poésie moderne ; les homophonies de toutes sortes qui suscitent l'impression de musique. Il est aussi sensible aux graphismes spécifiques du texte poétique : observer le dessin des vers, saisir la surdétermination sémantique que produit un calligramme ne sont pas de véritables difficultés. Au-delà de la découverte de ces matériaux, la notion même de forme poétique (sans qu'aucune, ancienne ou moderne, soit exclue) peut être d'autant plus facilement approchée que l'enfant en connaît déjà des exemples réguliers par les comptines et les chansons (avec leurs refrains) qu'il pratique depuis son plus jeune âge.

Enfin, les jeux proprement stylistiques paraissent aussi très directement accessibles à l'enfant, peut-être de manière plus évidente encore lorsque s'articulent lecture et production de textes poétiques : l'image, la métaphore, découvertes à cette occasion, sont un moyen d'expérimenter la puissance poétique du langage et, à travers quelques-unes de ses thématiques, la richesse de l'imaginaire.

La Maîtrise de la langue à l'école, pp. 159-160, CNDP, 1992.

L'évolution observée dans les textes officiels est également perceptible dans les pratiques des maîtres et les outils dont ils disposent. Ainsi, nombreuses sont les classes où l'approche de la poésie s'opère dans des activités diversifiées (imprégnation, plaisir de lire, d'entendre, de relire, de réentendre, de dire, de redire, de comparer, essais créatifs de toutes sortes allant de jeux en apparence formels et gratuits à des créations déjà maîtrisées…). De même, les poèmes présents à l'école, tant maternelle qu'élémentaire, sont issus de recueils de plus en plus riches, de plus en plus ouverts. Si, sauf exceptions, n'existent pas de manuels de poésie, on trouve dans les livres de français (lecture ou autres « livres uniques ») des pages consacrées à la poésie : présence de textes poétiques de qualité, de jeux verbaux, etc.

En dépit de cette évolution, la poésie, à l'école comme dans la société, occupe toujours une place à part. Son statut culturel est en effet victime d'une contradiction permanente : à la fois traitée comme objet de respect qu'il serait sacrilège de méconnaître, et comme art peu utile à qui on n'accorde que peu de moyens d'existence…

Le texte poétique

La poésie possède-t-elle un « statut textuel » qui puisse clairement se définir ? Existe-t-il des textes poétiques comme il existe des textes narratifs ? Rares sont ceux qui refusent de clarifier cette question jugée par certains abusivement « scientiste » dans un domaine qui doit rester celui de l'intuitif et de l'ineffable ; ceux-là même confondent volontiers la poésie avec un état affectif et esthétique qui, selon les cas, aide à vivre, apporte un supplément d'âme, nourrit la révolte, l'espoir, accompagne la joie, l'amour, la peine, ou tout simplement la nostalgie…

Sans tomber dans les pièges d'une impossible définition, il est cependant extrêmement utile, pour ouvrir des pistes didactiques, de tenter de clarifier les fonctionnements spécifiques, linguistiques et textuels de l'écrit poétique. Les descriptions typologiques ont pu fournir à cet égard quelques outils efficaces. Mais la question reste ouverte : il y a certes, des écrits qui sont des poèmes ; mais il est possible de trouver, dans des écrits de tous types, des caractéristiques qui s'apparentent à la poésie. Le texte poétique n'est pas une catégorie homogène. Et il ne se réduit pas à la somme de traits de fonctionnement, de même qu'en biologie, la vie ne se réduit pas à la somme des fonctions vitales…

■ La fonction poétique

Tout le monde connaît les pages célèbres de Jakobson, maintes fois citées[2]. **La fonction poétique** est à l'œuvre lorsque la communication est centrée sur le message lui-même, « l'accent mis sur le message pour son propre compte ». Certes, il ne s'agit pas de confondre fonction poétique et poésie : « l'étude de la fonction poétique doit outrepasser les limites de la poésie et, d'autre part, l'étude de la poésie ne peut se limiter à la fonction poétique ». Mais il ne saurait y avoir de poésie sans fonction poétique : la première caractéristique du texte poétique est bien l'attention prioritaire accordée au travail sur le langage, considéré non plus comme simple code de communication, mais comme matériau permettant la création d'objets langagiers devenus objets d'art et de plaisir.

■ Comptines, poèmes, chansons...

Les **comptines** présentent des caractéristiques spécifiques, même si, dans certains cas particuliers, il n'est pas facile de les distinguer de poèmes au fonctionnement très proche. On peut relever **comme traits distinctifs** des comptines :

– *l'appartenance à la culture populaire* : les comptines, destinées à compter pour attribuer les rôles de certains jeux enfantins, sont transmises de génération en génération par une *tradition orale*, qui explique les innombrables variantes et l'absence de nom d'auteur;

– un *rythme* très explicite, qui permet de compter les syllabes sans ambiguïté ni contestation;

– une *structure répétitive* souvent fondée sur des séries (nombres, mois, jours de la semaine, noms de villes, de couleurs...);

– la présence de rimes, parfois approximatives;

– *l'importance prioritaire de la forme*, objet de jeux verbaux souvent gratuits;

– corollairement, *un contenu*, souvent fantaisiste mais qui ne prétend transmettre aucun message.

Il n'est parfois pas facile de tracer la frontière entre les comptines et certains **poèmes** dont l'objet est avant tout de jouer avec les mots, pour le plaisir de la jubilation verbale. On peut penser toutefois que le poème, même très simple, vise à créer un univers poétique (sensibilité, imagination, rêve...), au-delà du simple plaisir des mots. Nombreux sont les poètes qui ont écrit des comptines, de Victor Hugo à Desnos qui a inventé les *Chantefables*.

Par définition, les **chansons** sont la mise en mélodie d'un texte qui présente souvent des caractéristiques formelles proches de la poésie : régularités rythmiques, rimes, organisation en couplets et refrains...

Comptines, chansons, poèmes constituent un matériau d'une extrême variété : du naïf au très élaboré, du populaire au savant... A priori, il est impossible d'écarter un genre ou d'établir une progression... C'est face aux choix concrets que pourront se dessiner des critères.

---

2. Roman Jakobson, « Linguistique et poétique », in *Essais de linguistique générale*, éditions de Minuit, 1963.

■ Les voies d'entrée dans un texte poétique

Plutôt que d'énoncer les éléments d'un exposé théorique sur les fonctionnements de la poésie[3], nous préférons partir de l'exemple d'un poème, et en explorer quelques voies d'accès.

> ## Imageries
>
> Le chien charnel et l'oiseau d'agate
> Ne hantent plus l'antre du vautour
> Ni l'antre bleu du mille-pattes
> Où les orties jouent du tambour.
>
> Un chat ouvre ses ailes
> Au sommet d'une tour.
>
> Des tortues se hâtent vers la lune
> A l'orée d'un pré nacré.
>
> Le village tremblait dans la chaleur d'un four.
>
> Les îles de la Seine
> S'éloignent dans la brume.
>
> A l'époque du vol à voile,
> A l'époque de la moisson,
> Ils ont fait naître une étoile
> En chantant une chanson.
>
> Lisez tous cette histoire
> Et, s'ils veulent y croire,
> Vos enfants s'instruiront.
> —C'est en forgeant qu'on devient forgeron.—
> Vos enfants s'instruiront
> — C'est en lisant qu'on devient liseron.
>
> Maurice Fombeure, *À dos d'oiseau*, Gallimard.

La démarche proposée ci-dessous ne vise pas à offrir une « grille » d'analyse ou d'explication d'un poème; elle a pour but de mettre au jour quelques fonctionnements qui constituent les traits caractéristiques de l'écrit poétique. Elle s'appuie sur des données issues de la linguistique : approches du signifiant, du signifié, et de leur interaction.

• **L'organisation spatiale** du poème donne à voir des strophes de différente longueur, des vers en général assez courts. Chaque strophe (sauf la dernière) est formée d'une seule phrase. Est ainsi organisée une juxtaposition de petites unités, mises en valeur par les blancs qui les encadrent. De petites images qui se succèdent en rapport possible avec le titre *Imageries*.

---

3. On peut utilement consulter : Daniel Delas, *Poétique / Pratique*, Cédic, 1977.

• **L'organisation rythmique,** en apparence très libre, fait apparaître des régularités et des récurrences. Des vers assez courts en général, à l'exception d'un alexandrin très classique disposé au cœur du poème. Si l'on regarde de plus près, on se rend compte que chaque strophe possède sa propre régularité (strophe 1 : deux vers de neuf syllabes suivis de deux vers de huit syllabes ; strophe 2 : deux vers de six syllabes…). L'organisation rythmique renforce donc l'autonomie de chaque unité. Chaque strophe est un petit tableau possédant sa propre facture. La dernière strophe apparaît cependant différente des autres.

• **L'étude des sonorités** met en évidence quelques fonctionnements nettement perceptibles. En dépit d'une certaine liberté (les rimes sont parfois réduites à de simples assonances : *ailes-Seine, lune-brume*), les rimes sont un élément organisateur quasi constant. Si au début du texte revient à quatre reprises une rime en -our, la rime en -on figure six fois dans la deuxième moitié avec, pour les quatre derniers vers, la récurrence -ron.

• **L'organisation syntaxique** appelle peu de remarques. D'une manière générale, les phrases sont construites sans recherche particulière ; au contraire, on a l'impression d'une grande simplicité, produite par l'utilisation du modèle syntaxique le plus courant : sujet – verbe – complément. Toutefois, on perçoit un changement dans les deux dernières strophes.

• **Les choix énonciatifs.** Il est indispensable de mettre la syntaxe en rapport avec les choix énonciatifs. Le texte est constitué de deux parties.
Tout le début (avant la dernière strophe) fonctionne à la troisième personne, sans qu'apparaisse la personne du narrateur. Le temps de référence est le présent, sur la valeur duquel on peut s'interroger. Est-il destiné à raconter des faits contemporains du moment d'énonciation ? Ou plutôt, n'a-t-il pas pour fonction de poser des petits tableaux hors de toute temporalité, chacun ayant sa propre référence ? De même les déterminants semblent renvoyer, non à une référence externe, mais aux éléments créés par le poème lui-même. On a l'impression d'une juxtaposition d'instantanés. Un problème : quelle est la référence du pronom *Ils* de l'avant-dernière strophe ? un simple indéfini ? Ce pronom ne peut renvoyer à aucun élément précédemment apparu. Peut-être anticipe-t-il sur la dernière strophe : *ils* désignerait alors *vos enfants*.
La dernière strophe est en rupture avec ce qui précède. Un narrataire pluriel est formellement constitué : on s'adresse à lui à la deuxième personne du pluriel (*lisez – vos enfants*). Si le narrateur n'apparaît pas explicitement, en revanche le couple *Je – vous* établit une interpellation, peut-être une connivence… Les enfants, que concerne directement le conseil final, sont peut-être les destinataires véritables du poème. On peut interpréter que cette histoire, constituée d'une suite d'instantanés imaginaires apparemment fantaisistes, est à la manière d'une fable suivie d'une sorte de moralité.

• **L'homonymie,** et d'une façon générale **les jeux sur les mots et leurs signifiants,** sont assez fréquemment présents. On remarque par exemple le rapprochement *hantent – antre* (qui suggère une réalité mystérieuse et inquiétante), *l'antre bleu* (qui évoque plaisamment le juron *ventrebleu*)… Surtout, la chute du poème est minutieusement calculée sur le rapport de proportionnalité *forgeant / forgeron lisant / liseron*… On peut ne voir là qu'un jeu gratuit ; on peut aussi aller au-delà : en lisant, certes on peut devenir lecteur ; mais on peut aussi transformer complètement sa nature. La lecture est ainsi dotée d'un pouvoir magique, créateur de métamorphose.

• **L'organisation thématique** amène à rechercher dans le poème les **réseaux lexicaux**. On peut ainsi mettre en relation différents mots-thèmes. Apparaît alors un premier thème à forte récurrence, celui de la nature, dans toutes ses dimensions :
– Animaux : *chien, oiseau, vautour, mille-pattes, chat, tortue*
– Végétaux : *orties, pré, moisson, liseron*
– Minéraux : *agate, antre, nacre*
– Cosmos : *lune, étoile.*
À ce thème va se tresser un autre univers, celui des hommes, des signes qui indiquent leur présence et leur civilisation : *tambour, tour, village, four, vol à voile, moisson, chanson, forger, lire…* Se dessine et s'ordonne, comme à travers un kaléidoscope, un univers très vaste, un univers rural, une nature humanisée, marquée par la présence de l'Homme et les traces de son travail.
La combinaison des mots nous lance vers d'autres pistes : celle du réel (qui imprègne fortement le texte) et celle d'un imaginaire fantaisiste (*un chat ouvre ses ailes…*). Présence à la fois rassurante et insolite, quotidienne et lointaine. Une sorte de rêve bâti sur le réel.

• **Les jeux rhétoriques** nous amènent à relever le fonctionnement de nombreuses **images,** essentiellement des **métaphores**. On se contentera d'en aborder une, à titre d'exemple.
L'oiseau d'agate rapproche deux réalités appartenant à deux règnes différents : *l'oiseau*, être vivant, banal; *l'agate*, minéral rare et précieux. Se crée ainsi par la super-position de ces deux mots un être poétique.
Ce procédé est quasi constant. Il peut y avoir certes une lecture « explicative » des métaphores qui aplatit en voulant clarifier : *l'oiseau d'agate = un oiseau dont les plumes brillent comme une pierre précieuse*; mais cette traduction rationnelle tourne délibérément le dos à la poésie, qui n'est en aucune manière une autre façon de dire, mais la création d'un « indicible autrement ».

• **La connaissance d'éléments externes au poème : contexte, intertexte et référents divers.** Dans l'approche du poème, la connaissance d'éléments externes peut être parfois indispensable. S'il ne s'agit pas de vouloir à tout prix expliquer l'œuvre par son auteur, il n'est pas inutile de connaître un peu Maurice Fombeure, de savoir où et quand il a vécu, ce qu'il aimait, ce qu'il a écrit… Le titre du recueil *A dos d'oiseau* suggère un choix d'écriture… La malice fantaisiste qui transparaît dans ce poème, l'ancrage dans une ruralité savoureuse associé à la liberté de l'imagination permettent de faire rebondir la lecture sur d'autres écrits…

Pour conclure, les voies d'entrée explorées ci-dessus, loin d'épuiser le texte, suggèrent des sens pluriels. Car une des caractéristiques du texte poétique est bien cette richesse, qui autorise des constructions multiples, voire des incertitudes. Pour autant, la lecture ne saurait se confondre avec une vague projection de l'affectivité du lecteur : si c'est le rôle de ce dernier de construire une interprétation, cette construction se fait à partir des parcours autorisés par le texte.
Par exemple, ici : une fable aimable qui dit les pouvoirs du monde magique de la lecture; mais aussi le plaisir esthétique de se laisser promener dans un univers mi-réel mi-imaginaire, constitué par des tableaux faits de mots. Le plaisir des mots, le plaisir du sens, des images (*Imageries*)… On peut lire et relire ce poème, et découvrir à chaque lecture des horizons nouveaux. La lecture poétique n'a pas pour fonction de verrouiller la signification par un ancrage définitif, mais au contraire d'ouvrir la porte sur de multiples possibles.

De nouvelles approches de la poésie en classe

■ La poésie, pour quoi faire?

Il n'est pas possible d'envisager la pratique de la poésie à l'école sans avoir clarifié un minimum sa place et son rôle. Pourquoi la poésie, et pour quoi la poésie? Les réponses à ces questions sont en amont de tous les choix didactiques.

Favoriser le plaisir de recevoir et créer

• **D'abord, la poésie elle-même doit être prise pour ce qu'elle est.** Un fonctionnement spécifique du langage, qui n'a pas pour fonction première de dire, d'expliquer, de raconter… mais de proposer un objet langagier de plaisir.

• **L'entrée dans la poésie est** donc, avant tout, entrée dans **une forme particulière de plaisir.** La poésie est faite avec des mots, qui ont une forme visuelle et sonore, qui ont une forme et un sens… Découvrir ce plaisir, c'est un moyen d'être bien ou d'être mieux dans sa langue. D'où l'importance du choix des textes proposés aux enfants; d'où l'importance des démarches leur permettant de découvrir un univers qui n'est pas celui de la communication utilitaire.

• **La découverte du pouvoir des mots** passe inévitablement par le plaisir. Mais elle prolonge ce qui pourrait n'être qu'une rencontre superficielle et sans lendemain. Si on prend bien garde à ne jamais perdre de vue ce plaisir qui fonde la poésie, il est non seulement légitime, mais indispensable d'explorer des fonctionnements qui enrichissent peu à peu l'expérience dans deux directions intimement articulées : **recevoir des poèmes** et y entrer par des voies de plus en plus variées et de plus en plus riches (écouter, lire, dire), **créer** avec le langage des objets qui ouvrent vers des possibles nouveaux.

Quelques dérives à éviter

• **L'infantilisme,** certes en forte régression, altère encore parfois l'image de la poésie à l'école, surtout à l'adresse des très jeunes enfants. Sous prétexte de se mettre « au niveau »[4], on choisit des textes d'une pauvreté affligeante qui n'ont aucun rapport avec la poésie.

• **La routine** est en revanche un ennemi toujours à redouter. La pratique rituelle de la récitation induisait une représentation de la poésie confondue avec une démarche immuable : présentation du texte, « explication », mémorisation par cœur, récitation… Certes, les pratiques se sont largement ouvertes; mais la routine menace aussi dans d'autres secteurs : utilisation de fichiers ou manuels de jeux poétiques pratiqués à date et horaire fixe…

• **Les récupérations** constituent la menace la plus dangereuse. La poésie est prise pour prétexte pour construire des savoirs scolaires, au point que l'on oublie sa

---

4. On ne confondra pas *se mettre au niveau* (qui induit une communication infantile) et *se mettre à portée,* condition indispensable de tout échange qui consiste à prendre en compte de manière positive l'interlocuteur.

spécificité. On citera : morale et éducation civique, exercice de mémoire, exercice d'écriture, travail explicite sur la langue… Certes, il n'est pas illégitime d'inscrire la poésie dans un réseau de fonctionnements riches et divers; mais il y a une différence entre explorer ces réseaux à travers le plaisir poétique et ne faire de la poésie que le point de départ d'activités qui oublient en chemin que l'initiation à la poésie est avant tout l'entrée dans le monde du plaisir du langage.

■ Comment choisir les textes poétiques

Il est impossible d'établir une liste de critères qui donneraient une réponse quasi automatique. Il est nécessaire de tenir compte de plusieurs paramètres : le texte en lui-même, la situation dans laquelle on souhaite le présenter aux enfants (les enfants eux-mêmes, leurs représentations, le projet et ses composantes…).

D'abord des textes susceptibles de procurer un **vrai plaisir poétique**. Impossible de les enfermer ni dans une époque (les contemporains ou la poésie reconnue…), ni dans un genre (poésie de forme classique, versifiée, ou poésie à forme libre…), ni dans des thèmes (poésie en rapport avec les grands thèmes susceptibles de toucher les enfants…), etc. La première règle est donc l'**ouverture la plus large**. On pourra rappeler deux éléments, certes empiriques, mais qui peuvent avoir leur utilité. Un « bon » poème pour les enfants est aussi un « bon » poème pour un lecteur adulte exigeant. Un « bon » poème ne s'épuise pas dès la première lecture; au contraire, il doit supporter, et même exiger des explorations successives. Cela implique donc une **richesse** qui peut prendre des formes diversifiées.

En ce qui concerne la **lisibilité,** il est admis que le texte poétique n'a pas pour fonction première de présenter un message limpide et explicite. Cela ne signifie évidemment pas que l'on va systématiquement privilégier l'hermétisme, mais cela veut clairement dire que ce serait un contresens grave de ne choisir que des poèmes immédiatement compréhensibles (vocabulaire simple, absence de métaphores…). L'expérience a largement montré que les enfants sont prêts à accueillir des textes qui les surprennent ou les intriguent.

■ Comment aborder les poèmes

On ne doit pas perdre de vue l'objectif essentiel : donner accès au plaisir poétique. Par conséquent : ni démarche routinière, ni explication qui vise à tout clarifier, ni maintien des enfants dans une approche spontanée qui leur interdit l'ouverture vers des fonctionnements culturels nouveaux… Les propositions ci-après sont à adapter aux poèmes et à leur spécificité.

• **Donner accès au poème sous ses deux formes : visuelle et sonore.** Dès la maternelle, il est important de donner à voir le poème sur son support. La découverte de son « espace textuel » est essentielle. Quant à la découverte sonore, elle est évidemment à moduler. S'il est utile de proposer aux enfants une diction « expressive », il n'est pas question de confondre diction du poème et mise en scène théâtrale.

• **Présenter plusieurs poèmes au cours de la même séance.** On sait qu'en matière d'éducation du goût (qu'il s'agisse de dégustation poétique ou œnologique), c'est la comparaison qui permet de construire progressivement les références. On peut ainsi jouer sur des contrastes (poèmes très différents, qui réagissent fortement entre eux) ou des nuances (poèmes proches, qui amènent à apprécier des différences plus subtiles). Ne pas multiplier le nombre des poèmes nouveaux.

• **Constituer le corpus de manière diverse** (poèmes sur le même thème, poèmes jouant sur les tonalités – de la mélancolie à la gaieté, poèmes d'écriture différente, d'époques différentes, de forme différente, poèmes d'un même auteur…).

• **Ne pas chercher à épuiser le poème dès la première rencontre.** Au contraire, laisser le temps aux relectures successives, lors de séances ultérieures, de pénétrer progressivement dans des textes qui ne peuvent être immédiatement transparents.

• **Proposer des accès diversifiés** : voir les entrées possibles dans le poème de Fombeure abordé plus haut et le corrigé proposé en fin de chapitre.

■ Comment dire la poésie

Nous n'entrerons pas dans un débat difficile à trancher dans l'absolu, qui sépare les tenants d'une diction très expressive et ceux d'une diction peu chargée, sinon neutre. Les premiers considèrent qu'il est nécessaire de créer un choc affectif qui facilite l'accès des enfants aux textes ; les seconds récusent une interprétation qui ne laisse pas au poème sa liberté de suggestion et qui impose aux enfants un modèle à imiter. Disons simplement notre méfiance à l'égard d'une surcharge expressive à l'usage des enfants, qui tourne souvent au ridicule. Méfiance aussi envers des enregistrements qui imposent un modèle définitif, et qui, bien souvent sont un exercice d'acteur. L'intérêt de tels documents est de pouvoir comparer, en fin de course, avec des manières de dire différentes.

S'il est nécessaire de respecter la forme poétique (par exemple la syntaxe des phrases et le décompte des syllabes…), en revanche l'interprétation doit être l'objet d'un travail ouvert reposant sur un questionnement de ce type : comment a-t-on envie de le dire ? comment peut-on le dire ? y a-t-il plusieurs façons de le dire ? etc.

■ Comment mémoriser et réciter les poèmes

Les textes officiels rappellent l'obligation de mémoriser et réciter des textes poétiques. Ce n'est cependant pas une raison pour retomber dans les ornières de la récitation… Quelques propositions :

• **Dissocier la rencontre avec les poèmes et la nécessité de les apprendre** : ce qui signifie que les poèmes appris seront choisis parmi les poèmes rencontrés. Choix qui peut se négocier, se diversifier (tout le monde n'est pas obligé d'apprendre les mêmes poèmes).

• **Éviter le rabâchage mécanique et mortifère** : si l'entrée dans les poèmes s'est effectuée de manière progressive, au cours de plusieurs séances, au cours de plusieurs lectures et relectures permettant d'explorer progressivement le texte sous des aspects différents, la mémorisation est déjà largement amorcée ; il ne reste plus qu'à effectuer des mises au point.

■ Comment favoriser le jeu avec la poésie

La pratique des jeux poétiques a incontestablement fécondé les moments de poésie à l'école. Elle a permis de donner accès à une activité jusque-là obscurcie par le mystère au point d'être perçue comme une sorte de tabou : créer des textes poétiques. Nous indiquerons dans quel contexte ces jeux peuvent devenir réellement créatifs.

Il ne saurait être question de découper mécaniquement le temps consacré à la poésie en deux parties quasiment indépendantes : rencontre de poèmes / jeux poétiques. Il doit y avoir fécondation de l'un par l'autre.
On rencontre plusieurs termes de sens voisin : jeux de création verbale, jeux poétiques, jeux d'écriture, ateliers de poésie, ateliers d'écriture… Nous ne pouvons entrer ici dans le détail de ces variantes. Nous distinguerons deux catégories :
– **les jeux poétiques,** souvent brefs et de portée limitée, qui invitent à manipuler le matériau langagier de façon ludique; ils ont souvent en eux leur propre fin;
– **les ateliers d'écriture** qui ont, en général, une ampleur plus importante : durée, articulation de phases, possibilité de réécritures… Ils débouchent souvent sur la production d'un texte.

Cette distinction jeux poétiques / ateliers d'écriture est certes sommaire; elle a le mérite de la commodité.

Jeux poétiques

Les jeux poétiques invitent souvent à un travail sur la forme, qui peut se traduire en règles d'écriture précises. Cela donne la possibilité de fabriquer un matériau plus ou moins abondant, dans lequel on va devoir ensuite choisir. La fidélité aux règles est nécessaire, mais elle n'est pas suffisante. C'est l'intuition poétique (la poéticité…) qui permet d'éprouver la qualité et le plaisir du texte créé. Et donc, la première condition est bien la construction lente, progressive, variée, ouverte d'une culture poétique réelle.

Il existe des dizaines de jeux poétiques. La bibliographie s'enrichit constamment. Le principe de ces jeux : la langue, utilisée comme matériau, est l'objet de manipulations diverses, qui ont pour but principal le plaisir, la jubilation. Sont sollicitées l'ingéniosité, la créativité; des règles permettent d'obtenir avec une facilité relative des productions souvent inattendues, qui révèlent un pouvoir nouveau sur le langage.

Etant donné le grand nombre de jeux, et les paramètres qui entrent dans leur description, il n'est pas possible de tenter un inventaire, ni même une typologie. On se bornera à donner quelques directions et quelques exemples :

• **Point de départ « matériel » ou « idéel »** : Si le point de départ est un mot (par exemple : hirondelle), la recherche s'opère dans deux directions. Soit à partir de la matérialité du mot lui-même, les syllabes ou sonorités qu'il contient (ronde, rondeau, rondelle, ironie, iroquois…), soit à partir de ce qu'il évoque (légèreté, automne, orage, voyage, cris aigus…).

Cette recherche a pour but de libérer l'imaginaire; elle fournit un matériau qui peut être ensuite l'objet de constructions diverses. La piste « matérielle » amène à prendre conscience des ressources physiques du langage, matériau sonore ou graphique; la piste « idéelle » amène à des rapprochements, des associations au-delà des champs lexicaux et sémantiques habituels.

• **Inducteurs divers pour l'imaginaire :** Très souvent, un inducteur peut entraîner des trouvailles inattendues. Les inducteurs peuvent être aussi bien des éléments plastiques :
– des taches de couleur, des œuvres picturales, musicales…
que des éléments linguistiques :
– Si j'étais… le vent, un nuage, un arbre, un oiseau…
– des subordonnées relatives : Oiseau qui… (qui entraîne un verbe et ce qui s'ensuit).

• **Rencontres et croisements :**
– Des rencontres de mots dues au hasard (tirer au sort des mots, deux par deux… la rencontre stimule l'imaginaire) aux rencontres organisées (mots-gigognes, mots valises…).
– Des jeux à règles précises mais fondées sur des rencontres inopinées permettent de constituer des phrases ou des textes : jeu du cadavre exquis, avec toutes les variantes qu'il est possible d'inventer…
– Des rencontres voulues : par exemple, on peut croiser deux réservoirs de mots constitués chacun à partir d'un mot-thème différent…

• **Imitations, continuations et pastiches :** On trouve dans cette rubrique aussi bien la fabrication de comptines (continuer une comptine qui existe, en inventer une semblable) que la recherche à partir de poèmes qui sont le point de départ d'un travail plus libre.
Ces jeux demandent une observation précise du fonctionnement du langage (lexique, rythme, rimes, structures syntaxiques, etc.) et activent, outre le plaisir de la création, l'attitude métalinguistique des enfants.

Ateliers d'écriture

Il existe aussi de nombreuses variétés d'ateliers d'écriture. Nous nous bornerons à décrire le fonctionnement de l'un d'entre eux. Cet atelier demande de disposer d'une certaine durée (au moins une heure et demie, voire deux heures). Il s'adresse à de grands élèves (cycle 3 minimum, et au-delà jusqu'à l'Université). On peut opérer des variantes pour le rendre plus accessible.

• **Première phase : rechercher des mots**
On propose le mot *lutéoline* (mot rare, dont on ne précise pas le sens, pour donner plus de champ à l'imagination).
Consigne : individuellement, chacun va constituer un petit réservoir de mots appelés par *lutéoline*. Une douzaine, à partir des deux possibilités :
– mots appelés par la forme ayant une ressemblance avec *lutéoline* (luth, Eole, éolienne, lutin…),
– mots appelés par le sens, connotés par ce mot inconnu, mais qui parle à la sensibilité et l'imaginaire (fragilité, finesse, tremblante, mélancolie…).

• **Deuxième phase : constituer un réservoir collectif**
Chacun choisit, parmi ses mots, cinq mots qu'il a envie d'offrir au groupe et il va les écrire au tableau. Est ainsi constitué un réservoir collectif d'une certaine ampleur.

• **Troisième phase : puiser dans le réservoir collectif**
Chacun choisit, dans le réservoir collectif douze mots, qui lui plaisent. Il a le droit de reprendre, parmi ces douze mots, des mots qu'il a lui-même offerts.

• Quatrième phase : écrire un texte

À partir des douze mots recueillis, écrire un texte. Assez bref : il devra figurer sur un recto A4. Quel texte ? Ce que l'on veut : histoire, article, recette, énoncé de toute sorte. La seule contrainte : que ce texte contienne les douze mots choisis, et qu'il s'agisse bien d'un texte et non d'une suite de phrases indépendantes les unes des autres. On a évidemment le droit de soigner la présentation, de chercher une mise en page, d'ajouter d'autres mots et d'utiliser tous les dictionnaires qu'on souhaite. Travail individuel ou en très petit groupe : deux ou trois au maximum.

• Cinquième phase : afficher et lire les productions

Sans entrer dans une analyse détaillée, on constate que l'intérêt d'un tel atelier est de mobiliser plusieurs formes de pensée créative (imaginaire et pensée divergente, structuration et pensée convergente). La dynamique entre phases individuelles et collectives est importante ; elle féconde la recherche et facilite la socialisation des productions.

Questions qui restent posées, aussi bien pour les jeux poétiques que pour les ateliers d'écriture : A-t-on écrit des poèmes ? A-t-on fait œuvre de création poétique ? Ou a-t-on, plus modestement, mis en place une situation de jeu, invitant à faire des gammes, des exercices permettant d'aboutir à une production ? Question centrale, qui peut être posée (voire opposée) à toute tentative de pédagogie de la création...

Vers la création poétique

Nous voulons insister sur le fait que la démarche de création, articulée dans la durée, suppose que des propositions soient faites aux enfants dans différents secteurs :
– connaissance de nombreux poèmes, observation de fonctionnements,
– récolte de matériaux (par exemple sous forme de réservoirs de mots, d'expressions, d'images…),
– essais (avec des jeux d'écriture, notamment), tri parmi les productions, travail sur des textes…

Il semble impossible de considérer qu'il suffirait au maître d'appliquer efficacement des recettes didactiques sans qu'il ait été lui-même confronté à un travail de création prenant racine dans sa culture personnelle. On retrouve ici les questions inhérentes à toute éducation artistique.

AU CONCOURS

■ Les sujets possibles

Il faut consulter attentivement les annales pour trouver les rares sujets portant sur la poésie ! Au CRPE la poésie occupe aussi une place à part : une toute petite place ! Nous ne nous attarderons pas sur les raisons de ce phénomène. Et nous inviterons les candidats à ne pas conclure imprudemment qu'il est impossible que la poésie « sorte » au concours !

Plutôt que de donner ici l'inventaire des rares sujets déjà proposés, nous préférons envisager, de façon ouverte, quelques questions possibles.

Synthèse de documents

Parmi les thèmes envisageables, susceptibles de donner lieu à maintes problématiques :
– conception de la poésie (écrivains, poètes, théoriciens…),
– la poésie et les autres textes,
– la poésie à l'école : rôle et place,
– la poésie et l'enfant,
– enseigner la poésie.

Analyse didactique

On peut imaginer des questions relevant de deux domaines, complémentaires : **la conception de la poésie, les démarches à l'école.** Voici quelques thèmes envisageables :

• *Dans un corpus proposé, quels textes choisiriez-vous? Quels textes écarteriez-vous? Pour quelles raisons? Précisez vos critères.*

• *Ces productions enfantines méritent-elles, à votre avis, le nom de poésie? Pourrait-on les améliorer?*

• *Comment présenter des poèmes aux enfants? (analyse de démarches et propositions)*

• *Vers la production de textes poétiques. (analyse d'activités, propositions…)*

■ Sujet d'analyse didactique

Inédit

Vous trouverez ci-après un ensemble de six textes :
– **L'abeille** d'O. Aubert, *Nouvelles poésies pour l'enfance*, E. Robert éditeur, Librairie Hatier.

– **Le léopard** de Robert Desnos, *Chantefables et Chantefleurs*, Librairie Gründ.

– **La biche brame** de Maurice Rollinat, *Névroses*.

– **C'est la couleuvre du silence** de Jules Supervielle, *La Fable du monde*, éditions Gallimard.

– **Bibi Lolo**, Comptine (Bretagne, Flandre), *Comptines de langue française*, Seghers.

– **Lion** de Charles Dobzynski, *Table des éléments*, éditions Belfond.

1) Quels textes pourriez-vous choisir (et quels textes écarteriez-vous) pour les présenter à des élèves du cycle 3? Vous donnerez les raisons de votre décision.

2) Après avoir choisi l'un de ces textes (toujours au cycle 3), vous indiquerez :
    a) de quelle manière vous pourriez le présenter aux enfants;
    b) quelles activités de création pourraient être proposées.

L'abeille

Enfant, quand une abeille
Bourdonne à votre oreille
Ne la tourmentez pas
C'est une ménagère
Diligente et légère
Qui prépare un repas.

Dans la fleur elle puise
Une substance exquise
Dont elle fait du miel.
Sachez qu'elle butine
Pour faire une tartine
A l'écolier cruel.

O. Aubert

Le léopard

Si tu vas dans les bois
Prends garde au léopard.
Il miaule à mi-voix
Et vient de nulle part.

Au soir, quand il ronronne,
Un gai rossignol chante,
Et la forêt béante
Les écoute et s'étonne

S'étonne qu'en ses bois
Vienne le léopard
Qui ronronne à mi-voix
Et vient de nulle part

Robert Desnos

La biche brame

La biche brame au clair de lune
Et pleure à se fondre les yeux :
Son petit faon délicieux
A disparu dans la nuit brune.

Pour raconter son infortune
A la forêt de ses aïeux,
La biche brame au clair de lune
Et pleure à se fondre les yeux.

Mais aucune réponse, aucune,
A ses longs appels anxieux !
Et le cou tendu vers les cieux,
Folle d'amour et de rancune,
La biche brame au clair de lune.

Maurice Rollinat

C'est la couleuvre du silence

C'est la couleuvre du silence
Qui vient dans ma chambre et s'allonge
Elle contourne l'encrier
Puis, se glissant jusqu'à mon lit,
S'enroule autour de mon cœur même,
Mon cœur qui ne sait pas crier,
Lui qui du grand bruit de l'espace
Fait naître un silence habité,
Lui qui de ses propres angoisses
Façonne un songe ensanglanté.

Jules Supervielle

Bibi lolo

Bibi Lolo
De Saint-Malo
Qui tue sa femme
A coups de couteau
Qui la console
A coups de casserole,
Qui la guérit
A coups de fusil.

Comptine de Bretagne, Flandre

Lion

Cœur lacustre   Crinière éteinte
           de l'incendie
     Mais je ne dors que de l'œil
           du feu
       Si je m'émerveille
La trombe rouge de l'automne
Creuse son trou dans l'été

Charles Dobzynski

$$\boxed{\text{C O R R I G É}}$$

Commentaires : *Ce sujet comporte trois aspects essentiels des problèmes posés par la poésie à l'école : choix des textes, présentation aux enfants, activités de création. Certes, les questions posées (notamment les questions 2 et 3) vont plus loin que ce qui pourrait être exigible au concours, où on ne demande pas de construire des propositions didactiques aussi précises. On pourra s'en inspirer, même si on se limite à définir des pistes pour des activités poétiques.*

1 Choix de poèmes pour le cycle 3

*Il s'agit de prendre en compte **deux familles de critères.***
***Des critères qui portent sur le texte lui-même,** l'essentiel étant bien celui de la qualité poétique. À travers une nécessaire diversité (forme, thèmes, époque, tonalité, genre...) il est indispensable de ne retenir que des textes qui supportent voire réclament une approche exigeante.*
***Des critères qui dépendent de la situation didactique :** projet du maître, vécu poétique antérieur des élèves.*

• On peut écarter immédiatement « **L'abeille** », quel que soit le niveau des élèves. En effet, ce texte, dont le contenu se limite à une leçon de morale médiocre, ne possède aucune des qualités poétiques requises. Texte pauvre, qui se contente de dire, sans autre mise en forme qu'une versification classique. Une seule métaphore (éculée) : *une ménagère qui prépare un repas...* Les adjectifs alourdissent inutilement la leçon, sans rien apporter qui permette la création d'un univers ayant quelque épaisseur permettant à l'imagination de se déployer : *diligente, légère, exquise, cruel...* Bref, on se trouve devant une rhétorique creuse, soignée et convenue. Aucun intérêt, aucune surprise, aucun relief dans ce texte qui livre dès la première lecture un sens évident et simpliste, et qui se limite à ce simplisme.

En revanche, les cinq autres textes peuvent être retenus, à des titres divers :

• La comptine « **Bibi Lolo** » peut sembler puérile pour des élèves de cycle 3. Mais elle peut constituer un point de départ intéressant pour des activités précises : recherche d'autres comptines, observation de fonctionnements, création... Elle offre l'avantage d'une solide structuration (rythme constitué par des vers de quatre syllabes, structure syntaxique récurrente des six derniers vers, contenu fantaisiste qui permet de jouer sur des associations insolites, voire incongrues proches de la fatrasie...). On peut jouer avec des objets verbaux de ce genre en éprouvant une forme authentique de « plaisir des mots ».
• « **Le léopard** » dépasse ce fonctionnement de pur jeu verbal caractéristique de la comptine. Certes, à première vue, il peut s'agir d'un poème sans grande portée, d'une sorte d'amusement sans grande profondeur. Mais cet animal insolite, mystérieux, qui miaule et ronronne à mi-voix, qui remplit d'étonnement la forêt, est le centre d'un univers imaginaire étrange, créé avec des mots très simples, des reprises qui résonnent comme des échos.
• Le poème « **La biche brame** » pourrait être victime de son caractère rebattu (il figure depuis longtemps dans de nombreux recueils destinés aux écoles) On pourrait lui reprocher en outre une forme de sensiblerie un peu mièvre.
Mais si on le considère de plus près, en essayant de dépasser les préjugés, on s'aperçoit que la forme, très travaillée, est celle d'un rondeau parfaitement régulier, genre poétique à forme fixe très ancien (moins connu que la ballade et à plus forte raison que le sonnet). Certes, ces genres ne sont nullement au programme. Mais, à l'occasion, il est intéressant de comparer les fonctionnements, de s'interroger sur l'intérêt de ce qui constitue la spécificité du rondeau : les reprises de vers qui, à chaque nouvelle occurrence se nuancent d'une charge affective différente. En outre, sans tomber dans une interprétation larmoyante, comment ne pas être sensible au tableau discrètement dessiné par le poète ?

• « **C'est la couleuvre du silence** » est un poème de facture moderne, d'une grande richesse : construit sur une métaphore porteuse, qui s'étire tout au long du texte (comme un reptile). La forme contribue à donner une grande stabilité à cette création : vers réguliers de huit syllabes, jeu de rimes qui s'organise progressivement, à mesure que l'on passe de la couleuvre au cœur. C'est un poème finalement très accessible. On pourrait être tenté de l'écarter en raison de son thème : la couleuvre. Mais le pouvoir de la poésie ne se limite pas aux thèmes traditionnels : la nature, les fleurs, etc. Il est important aussi que l'école puisse élargir les représentations.

• **Quant au « Lion »** de Dobzynski, on peut considérer que c'est un poème trop difficile, parce que trop riche, trop « adulte ». L'extrême densité des métaphores, les rencontres de mots peuvent paraître excessivement énigmatiques. Pourtant, si l'on prend la peine de proposer aux enfants des voies d'accès (et non d'imposer une explication, du reste quasiment impossible), on peut pénétrer dans ce texte par plusieurs entrées : celle des réseaux thématiques (le feu, essentiellement ; mais aussi la violence, le mystère…), celle de la forme (une disposition symétrique, avec un axe vertical qui met en valeur *incendie, feu, rouge, trou*)[5], des métaphores complexes mais fortes, qui superposent les thèmes du lion et du feu (*crinière éteinte de l'incendie – l'œil du feu*), etc.

(Ce poème a été présenté, au cours de plusieurs séances qui ont permis des entrées progressives à des enfants de Grande Section de Maternelle et de CP ; si au premier contact, il leur semblait difficile, mais curieux, il les a sollicités si fortement qu'à la fin de l'année il a été choisi comme poème préféré par la majorité de la classe…)

2 a) Présentation d'un poème aux enfants

Pour la présentation du poème, comme pour la création, il n'existe pas une seule manière de procéder. On trouvera ci-dessous des suggestions qui ne constituent pas, loin de là, une solution obligatoire !

Le poème a été retenu, outre pour sa grande qualité poétique, pour son fonctionnement aisément visible : une métaphore (couleuvre – silence) qui peut être la source de créations à la fois riches et accessibles.

Poème choisi : « **C'est la couleuvre du silence** » de Jules Supervielle

En fonction de ce qui aura été abordé antérieurement, ce poème peut prendre place parmi un **corpus limité** (trois ou quatre textes). Le corpus peut être constitué selon le thème (le silence et le bruit), selon le poète (rapprochement avec d'autres poèmes de Supervielle, si l'occasion en a fait rencontrer antérieurement). Selon le cas, donc, les enfants pourront disposer de quelques éléments de comparaison facilitant la création de réseaux « intertextuels ».

Le poème est offert sous ses **deux formes**, visuelle et sonore.

Il est important que **la forme visuelle** (une affiche) soit visible par tous, afin que les échanges mobilisent l'ensemble des élèves. Il est souhaitable de se regrouper à un endroit permettant une communication facile (coin lecture, ou coin poésie de la BCD…).

En ce qui concerne **la forme sonore**, on peut procéder de plusieurs façons. Le maître propose une lecture du texte : diction très distincte, respect des rythmes (vers de huit syllabes), pas de surcharge expressive. On peut aussi laisser découvrir le texte aux enfants du cycle 3 qui, en principe, maîtrisent correctement la lecture, puis demander à plusieurs d'entre eux de le lire aux autres. Mais c'est peut-être prématuré : on risque d'obtenir des lectures médiocres voire fautives, qu'il faudrait rectifier…

---

5. Des enfants de CP ont vu dans ce poème une espèce de calligramme rappelant vaguement la forme d'une tête de lion : la crinière, l'œil, la gueule rouge…

Ce premier contact avec le texte peut être l'objet d'**échanges ouverts**. Le maître peut solliciter les élèves par des questions très ouvertes, larges puis plus précises :
– Qu'est-ce qui vous a frappés dans ce poème ?
– Qu'avez-vous remarqué ?
– Y a-t-il des mots qui vous ont intrigués ? inquiétés ?
– Y a-t-il des éléments qui vous ont particulièrement plu ?
– Y a-t-il des questions que vous avez envie de poser ?
Il évitera, en revanche, d'induire par un questionnement prématuré une fermeture du poème (par exemple : « Que signifie ce poème ? », qui limiterait l'approche à la recherche du sens).

• **A partir des remarques et des questions des enfants,** il est possible de suivre de façon plus approfondie quelques pistes. On en donne ci-dessous quelques exemples ; mais il ne s'agit pas, évidemment, de toutes les exploiter. Certaines pourront faire l'objet de relectures, au cours de séances ultérieures.
Recherche de réseaux thématiques :
– les mots qui disent la couleuvre : *s'allonge – contourne – se glisse – s'enroule,*
– les mots qui disent le silence : *ne sait pas crier – un silence habité,*
– les mots qui disent l'univers quotidien : *chambre – encrier – lit* (l'univers d'un poète ?),
– des mots qui disent l'inquiétude : *grand bruit de l'espace – angoisses – ensanglanté.*

Repérage d'images : *La couleuvre du silence* (verbes suggérant à la fois mouvement de la couleuvre et silence).

Repérage de la construction du poème : au début, la couleuvre du silence ; à partir du milieu, le cœur devient l'élément central.

Repérage du rythme des vers : des octosyllabes très réguliers ; un début de texte très fluide, sans ponctuation forte. On peut prolonger cette découverte par des essais de diction du début du poème : fluidité, lenteur, silence, mystère inquiétant. On dirait un serpent qui approche en rampant.

Ces remarques sont loin d'épuiser le texte. Elles ne sont pas à imposer, mais à suggérer, à construire à l'occasion de relectures successives.
On ne cherchera pas à imposer une traduction du texte qui prétendrait en expliquer le sens. En revanche, on pourra constater que les remarques convergent vers la fusion de deux réalités : le silence qui angoisse le poète (ou du moins le narrateur, celui qui s'énonce à la première personne) et la couleuvre, présentée comme un animal insidieux…

• **Dire ce poème**
La manière de dire, on l'a vu ci-dessus, peut être abordée à l'occasion de la découverte. Elle peut faire l'objet de travaux plus spécifiques, au cours d'une séance ultérieure, ou dans le prolongement de la découverte. Par exemple, des groupes peuvent travailler simultanément (avec magnétophone, si possible), avec la consigne suivante : « Comment aimeriez-vous dire ce poème ? ».

La comparaison des solutions proposées permet un travail dans deux directions :
– d'une part, apprendre à respecter la versification classique, qui permet aux vers d'avoir leur juste compte de syllabes (impossible d'accepter : *c'est la couleuv' du silence* ou *El'contourn' l'encrier…*),
– d'autre part, chercher à dire le poème en faisant sentir son interprétation personnelle : une couleuvre lente, inquiétante… une émotion en fin de texte qui peut être discrète, ou plus déchirante.
Il n'est pas souhaitable de s'arrêter à une solution unique ; au contraire, la pluralité des propositions peut enrichir la perception du poème que conserveront les enfants.

• Travail de mémorisation

Si ce travail de découverte, d'essais de diction a été conduit, la mémorisation sera presque assurée. Il ne restera que quelques mises au point complémentaires à effectuer si l'on choisit d'inscrire ce poème sur la liste de ceux que l'on va retenir.

Le poème peut ensuite être conservé dans *l'anthologie* personnelle constituée par chaque élève. Il peut être associé à d'autres poèmes sur le thème du silence (et, par opposition, du bruit); il peut aussi donner lieu à la recherche d'autres textes de Supervielle.

b) Activités de création

Le poème de Supervielle est caractérisé par une *métaphore* porteuse (silence – couleuvre) qui se développe longuement. Il peut être l'occasion d'activités de création tournant autour de la métaphore. Un autre thème peut être choisi avec les élèves, par exemple, **la nuit**.

• Recherche de connotations

Une première étape peut être constituée par la recherche de mots : elle a pour fonction d'activer les possibilités du lexique, en choisissant les mots, non plus selon leur usage commun, mais selon les rapports affectifs et imaginaires qu'ils peuvent entretenir entre eux et avec les enfants.

On peut pratiquer de diverses façons. La recherche collective (classe entière) ne permet guère un investissement actif de chaque enfant. On préférera un travail soit en petits groupes, soit individuel. Sur une feuille vierge, écrire au centre *nuit*. Autour de ce mot, les mots que j'ai envie d'écrire quand je pense à la nuit, quand je prononce le mot nuit… (mots connotés). On peut solliciter plus directement la recherche au moyen de structures appelant des verbes : *Nuit qui…*, des adjectifs ou des noms : *Pour moi, la nuit, c'est…* On peut ensuite réunir les trouvailles ainsi obtenues, prendre connaissance des mots trouvés par les autres…

• Vers la métaphore

Pour Supervielle, *si le silence était un animal, ce serait une couleuvre.*

A partir de cette phrase inductrice, on va chercher des métaphores convenant au mot nuit.

Si la nuit était	*un animal*	*ce serait*	………
	un pays	*ce serait*	………
	une plante	*ce serait*	………
	etc.		

On peut procéder par groupes. Chaque groupe propose plusieurs réponses. Le travail préliminaire (recherche des connotations) a été préparé : il ne s'agit pas de trouver des équivalents purement descriptifs portant par exemple sur la couleur, mais des équivalents beaucoup plus personnels.

Les propositions sont mises en commun. Il est normal que, dans la masse de ces propositions, il y ait de nombreuses scories : le choix va faire partie du travail de création. Tâche délicate pour le maître : il s'agit de guider vers des possibilités fécondes, sans pour autant imposer. On peut retenir quelques propositions, qui peuvent alors faire l'objet d'un travail plus approfondi.

• La construction des métaphores

Nous allons prendre un exemple. La proposition suivante a été retenue :

Si la nuit était un animal, ce serait une loutre.

On va alors constituer un « réservoir de mots » à partir de la loutre. Chercher, éventuellement avec l'aide du dictionnaire (et pourquoi pas de documentaires) des mots qui relèvent du champ lexical de la loutre.

la fourrure douce – la nage ondulante – carnassière – douce – humide – nage – paresseuse – silencieuse – etc.

Le travail de métaphorisation va consister à appliquer à la nuit les mots trouvés pour la loutre. On aura ainsi :

La fourrure humide de la nuit
la nage ondulante de la nuit
la nuit carnassière et douce, etc.

Les trouvailles des différents groupes font ensuite l'objet d'une communication collective et d'un choix ; tout n'est pas intéressant (par exemple, des platitudes sans aucun intérêt poétique : *la nuit se nourrit de poissons*, ou *la nuit silencieuse*…). On peut réunir les métaphores retenues sur une affiche collective, les ordonner, voire les lier pour constituer un poème intitulé : *La loutre de la nuit*.

• À la manière de Supervielle

Ce travail de création éclaire le fonctionnement du poème de Supervielle. Il peut être couronné par une création « à la manière de… » L'entrée suivante peut être proposée :

C'est la loutre de la nuit bleue
Qui vient ....
....

Cet inducteur, à la fois ouvert et précis (il suggère un appui thématique et rythmique sur le poème de Supervielle) va permettre une recherche individuelle. Les résultats seront sans doute inégaux, et il ne s'agira pas, pour le maître, de forcer les étapes en exigeant une réécriture hors de portée des enfants. C'est un moment dans un travail de longue haleine, qui a pour but d'entrer dans une démarche de création, non de produire des objets achevés.

Pistes bibliographiques

■ Ouvrages de base

◆ INRP, *Poésie pour tous*, Nathan, 1982.
◆ Balpe Jean-Pierre, *Promenade en poésie*, Magnard, 1986.
(Un manuel qui contient de nombreux textes et des exemples d'activités.)

Consulter les chapitres consacrés à l'écriture et la réécriture poétiques dans :
◆ Groupe EVA INRP, *Évaluer les écrits à l'école primaire*, pp. 43-48, Hachette, 1992.
◆ Groupe EVA INRP, *De l'évaluation à la réécriture*, pp. 29-52, Hachette, 1996.

■ Pour aller plus loin

◆ GFEN, *Le pouvoir de la poésie*, Casterman, 1978.
◆ Duchesne Alain, Leguay Thierry, *Petite fabrique de littérature*, Magnard, 1984.
(Ce premier titre a été suivi de deux autres ouvrages, chez le même éditeur.)

◆ Revue *Pratiques* n° 61, « Ateliers d'écriture », 1989.

25 | La grammaire de phrase

Qu'est-ce que la grammaire ? À quoi sert-elle ?

■ Pour poser le problème

Même si l'on limite la grammaire à la phrase, comme ce sera le cas dans ce chapitre, le terme même de grammaire renvoie à de multiples sens. L'objet et même l'utilité de son enseignement font l'objet d'un débat. Nous vous soumettons donc une série d'affirmations parmi lesquelles vous allez choisir celles que vous feriez volontiers vôtres. Vous pourrez ainsi savoir, en vue notamment de la synthèse et de l'analyse de documents didactiques, quelles questions se posent à propos de la grammaire et de son enseignement et repérer les représentations que vous en avez parmi les jugements contrastés qu'elle suscite.

1.	Apprendre dans un livre, aux écoliers français, leur langue natale, est quelque chose de monstrueux quand on y pense.
2.	La grammaire n'a de véritable sens que dans les textes et doit donc être étudiée à travers la lecture et la production de textes.
3.	On ne connaît pas véritablement le français si l'on ne sait pas analyser les phrases.
4.	La phrase est le seul niveau où l'on puisse se placer pour mettre en évidence les règles de fonctionnement d'une langue.
5.	Chaque année paraissent de nouvelles grammaires et il est difficile de s'y retrouver.
6.	La grammaire est l'art de lever les difficultés d'une langue, mais il ne faut pas que le levier soit plus lourd que le fardeau.
7.	Enseignée intelligemment, la grammaire forme l'esprit critique et habitue à raisonner.
8.	Une grammaire est un « modèle » destiné à fournir une représentation de la structure et des règles de fonctionnement d'une langue.
9.	Au contraire de la grammaire, la linguistique permet une approche véritablement scientifique de la langue par l'observation de son fonctionnement réel.

10.	L'enseignement de la grammaire ne se justifie que s'il concourt à faire progresser l'enfant dans son expression tant orale qu'écrite.
11.	On ne peut écrire correctement le français si l'on n'a pas fait de grammaire.
12.	Le temps consacré à la grammaire pourrait être plus efficacement employé à la lecture ou à la production d'écrits.
13.	Il est prématuré d'enseigner la grammaire à l'école élémentaire car elle est trop abstraite.
14.	Il est impossible de maîtriser les règles d'orthographe si l'on ne maîtrise pas la grammaire.
15.	On ne peut plus parler de la grammaire mais des grammaires, la preuve en est que les grammairiens n'arrivent pas à se mettre d'accord !
16.	La grammaire, ça n'intéresse que les spécialistes.
17.	Apprendre la grammaire, ça sert à savoir la grammaire et rien de plus.
18.	Chacun possède au moins une grammaire sans l'avoir étudiée… celle de sa langue maternelle.

■ Premiers éléments de réponse

La grammaire, une discipline scolaire

Pour beaucoup, la grammaire est d'abord une discipline scolaire enseignée de fait à l'école et au collège et abandonnée au lycée : cette constatation sous-tend nombre d'affirmations mais elle ne fait guère avancer le débat ! Il nous faut donc pousser plus avant et envisager les divers sens du mot qui ne s'excluent d'ailleurs pas mais dépendent du point de vue où l'on se place.

• **La grammaire, c'est tout d'abord l'ensemble des règles qui permettent de combiner les unités linguistiques d'une langue donnée pour former des phrases qui composent des énoncés.** De ce point de vue toutes les langues, sans exception, possèdent leur grammaire faite de règles qui peuvent varier ou être semblables d'une langue à l'autre. La maîtrise de ces règles, intériorisées par l'usager et qui peuvent demeurer implicites, constitue l'essentiel de sa compétence linguistique.

Vous avez retenu ce sens du mot grammaire si vous avez choisi au moins **une des affirmations 1 ou 18.**

• **La grammaire est aussi une description, une modélisation, une théorisation de la structure, du fonctionnement d'une langue donnée.** Certaines des nombreuses langues parlées sur notre planète n'ont pas été étudiées et n'ont donc pas de représentation grammaticale. D'autres, et le français est de celles-là, ont suscité, au cours des siècles, de nombreuses grammaires souvent concurrentes. C'est en ce sens que l'on parle de **grammaire traditionnelle** ou de **grammaire structurale** et que certains auteurs accolent au mot grammaire des adjectifs tels que moderne, fonctionnelle voire naturelle !

Cette diversité n'est pas, nous le verrons, sans poser problème à l'enseignant de français. Les grammaires récentes relèvent de la linguistique qui se veut aussi objective que possible; on parlera dans ce dernier cas d'une conception **descriptive** de la grammaire.

Vous avez retenu ce sens du mot grammaire si vous avez choisi au moins **une des affirmations 8, 9 ou 15.**

• À quel niveau doit se situer cette étude? La phrase 4 ou le texte 2? Nous verrons que les deux approches sont complémentaires.

• La grammaire est également un ensemble de règles garantissant la correction, la conformité aux normes de la langue orale ou écrite en vertu de l'usage ou des préceptes de théoriciens. C'est en ce sens que l'on parle de « fautes » de grammaire considérées comme des entorses au bon usage. C'est ce sens du mot grammaire que privilégient les puristes. On parlera dans ce cas d'une conception **normative** de la grammaire…

Vous avez retenu ce sens du mot grammaire si vous avez choisi au moins **une des affirmations 3, 11.**

• Enfin, pour les enfants, la grammaire, c'est le livre, le manuel dans lequel sont consignées les règles de grammaire, que celle-ci soit descriptive ou normative. C'est en ce sens que peut être prise l'**affirmation 5** car il est bien évident que chaque année ne voit pas éclore de nouvelles théories grammaticales.

À quoi sert la grammaire et faut-il l'enseigner?

Ces deux questions sont bien entendu liées. La seconde peut paraître incongrue. Depuis le temps que la grammaire est enseignée dans les classes, elle n'a, semble-t-il, plus à faire la preuve de sa légitimité. Pourtant, même si l'apprentissage de ce que l'on semble savoir déjà est moins paradoxal qu'il n'y paraît, l'enseignement de la grammaire à l'école ne va pas complètement de soi.

Contre l'enseignement de la grammaire à l'école

Certains pensent que l'enseignement de la grammaire est en fait inutile car il n'aiderait en rien l'expression. Le pédagogue novateur qu'était Célestin Freinet l'a souvent dit et de façon véhémente :

> Voyez vos élèves et, autour de vous, les adultes qui ont manifestement oublié les règles de grammaire que vous leur avez méthodiquement enseignées. Si la connaissance de ces règles était préalablement indispensable, ces élèves et ces adultes seraient inévitablement incapables d'écrire un français correct. Or, cela n'est pas. **Il n'y a aucune relation entre la connaissance des règles de grammaire et la pratique correcte de la langue.** Comme il n'y a aucune relation entre la connaissance des règles de la mécanique et la maîtrise de l'équilibre en vélo.
>
> Vous concluriez alors comme nous : **On peut écrire un français très correct, vivant et élégant, sans connaître aucune règle de grammaire : on peut écrire un texte sans faute, sans connaître aucune règle d'orthographe.**
>
> Célestin Freinet, *Les méthodes naturelles dans la pédagogie moderne*, p, éditions Bourrelier, 1956
> (souligné en gras par l'auteur).

Il est facile de reconnaître là l'opinion soutenue par **l'affirmation 1** qui, notons-le au passage, était une citation d'Anatole France, grand stylicien s'il en fut ! Quoique moins catégoriques, **les affirmations 12, 16, 17** témoignent aussi d'une réticence certaine pour la grammaire et rendent compte des fréquentes critiques adressées à son enseignement dont la nécessité ou du moins l'importance sont souvent remises en cause.

André Chervel est à peine moins sévère que C. Freinet, il estime que l'enseignement de la grammaire est presque une exclusivité française qu'il explique par l'importance de l'orthographe dans l'enseignement et la société. Une réforme de l'orthographe aurait selon lui entre autres effets celui de ramener l'enseignement de la grammaire à des proportions plus raisonnables.

> Il fallut donc apprendre l'orthographe à tous les petits Français… Pour cette tâche on créa l'institution scolaire. Pour cette tâche, l'institution scolaire se dota d'un instrument théorique, d'une conception globale de la langue qu'elle présenta arbitrairement comme la justification de l'orthographe. C'est la première, et peut-être la seule « théorie » qui soit enseignée à l'école. Les cinquante millions de Français d'aujourd'hui ont appris à réfléchir sur leur langue dans les termes et avec les analyses qu'elle leur a imposés. On a peine, en France, à imaginer que dans bien des pays, Angleterre, États-Unis, Italie ou Brésil, on puisse apprendre à écrire la langue nationale sans un important bagage grammatical.
>
> Car la grammaire scolaire fonctionne exactement comme une idéologie. Elle masque son objectif fondamental, sa « visée orthographique », et pratique l'autojustification. Elle se donne comme une vérité absolue et les concepts qu'elle met en place, du complément d'objet direct à la subordonnée circonstancielle de conséquence sont censés représenter des réalités objectives de la langue. Enseignée dès les premières années de l'école, elle constitue un véritable catéchisme linguistique auquel l'esprit de l'enfant n'est évidemment pas préparé à résister.
>
> André Chervel, *Histoire de la grammaire scolaire*,
> p. 27, Payot, 1981.

Pour l'enseignement de la grammaire

Malgré ces pavés dans la mare, la grammaire semble avoir de beaux jours devant elle en France. Elle fait partie de la tradition scolaire et beaucoup lui prêtent des vertus éminentes :

• **Pour beaucoup savoir faire fonctionner la langue** – on parle parfois de grammaire implicite – **ne suffit pas**, il faut aussi savoir comment elle fonctionne et passer à la grammaire « explicite ». Cette idée sous-tend **les affirmations 3, 8, et 9** et va à l'encontre de **l'affirmation 13**.

• **Beaucoup pensent** également, comme André Chervel, **que la connaissance de l'orthographe passe par celle de la grammaire** qui sert par exemple à identifier les noms ou les adjectifs, à repérer le sujet pour accorder le verbe, etc.. Quiconque souhaite longue vie aux règles d'accord des participes passés avec leurs cas particuliers est par là même attaché à la survie du complément d'objet direct et fera sienne **l'affirmation 14**.

• Certains vont même jusqu'à considérer **la grammaire comme une gymnastique intellectuelle** car ils voient dans la langue le reflet de la pensée et ils en concluent que, pour bien penser, il faut apprendre à bien parler en respectant les règles de grammaire qu'il convient dès lors d'enseigner, ce qui motive des appréciations dont rend compte **l'affirmation 7**.

• **La position la plus fréquente**… est celle des instructions officielles: la grammaire (au même titre que le vocabulaire et l'orthographe) y est légitimée comme **un des « moyens de mieux parler, de mieux lire, de mieux écrire et d'accéder ainsi progressivement à la maîtrise de la langue »**[1] (affirmation 10).

Cette conception est explicitée dans les textes officiels :

> Il convient en effet de rappeler que **l'apprentissage de la grammaire ne peut être considéré comme une fin en soi**. Une liaison étroite doit s'établir entre l'observation du système de la langue et les activités de production et de compréhension des textes. Qu'il s'agisse de l'écrit ou de l'oral, **l'attitude réflexive est au service de l'amélioration de l'expression**. Quant au contenu de l'enseignement grammatical, il est en relation directe avec les difficultés rencontrées par les élèves dans leur cheminement vers la maîtrise du langage.
>
> *La Maîtrise de la langue à l'école*, pp. 74-75.

• Reste donc **l'affirmation 6** due à Rivarol qui résume assez bien ce que l'on peut attendre de l'enseignement de la grammaire bien conduit et ce que l'on peut craindre de son usage abusif.[2]

Quelle grammaire de phrase : traditionnelle ou structurale ?

Voici deux extraits de manuels récents qui traitent d'un même point de grammaire. Ils vont nous permettre de mettre en évidence les deux théories grammaticales que l'on peut rencontrer dans les classes.

Nous allons voir pour chacun d'entre eux :
– Selon quels critères, et de quel ordre, est identifié le complément d'objet direct.
– Quelle définition en est donnée.

Le complément d'objet direct (COD) est un mot ou un groupe de mots qui désigne la personne, l'animal ou la chose sur lequel s'exerce l'action exprimée par le verbe.

Ex.   Le chat capture une souris.

sujet :   COD :
fait l'action   subit l'action

On peut identifier le COD du verbe en posant la question « qui ? » ou « quoi ? » après le verbe.
Ex.   Je n'ai pas compris ce problème.
             Je n'ai pas compris (quoi ?) ce problème.

Doc. A — *Grammaire et expression, 555 exercices,* niveau CM, p. 65, Hachette, 1996.

---

1 *Programmes de l'école primaire*, p. 47, 1995.
2. Est-il bien raisonnable, par exemple, de proposer 10 leçons et 60 exercices sur le seul adverbe, quelque amour que l'on porte à la langue française.

■ Certains verbes (transitifs) **ont un complément obligatoire** : le complément d'objet.

Ce complément ne peut être ni déplacé ni supprimé.

– Les compléments d'objet directs (**c.o.d.**) sont reliés directement au verbe.

– Les compléments d'objet indirects (**c.o.i.**) sont reliés au verbe par une préposition.

Je quittai \ la maison. /   Je songe à la maison. /
         c.o.d.   c.o.i.

⚠ D'autres verbes (intransitifs) n'ont pas de complément obligatoire : *Il grogne.*

■ Dans toutes les phrases il peut y avoir **des compléments facultatifs** :
les compléments circonstanciels. Ils peuvent être supprimés ou déplacés :
En cette période, les familles accueillaient les élèves. → Les familles accueillaient les élèves en cette période. → Les familles accueillaient les élèves.

Doc. B — *La Courte échelle, Français,* cycle 3 CM2, p. 102, Hatier, 1996.

Le complément d'objet direct se définit différemment suivant le document :
– dans le document A, il se définit du point de vue du **sens** (« personne, animal ou chose ») et **par rapport au verbe** (« sur lequel s'exerce l'action exprimée par le verbe »);
– dans le document B, il se définit du point de vue de la **forme** en recourant à des **manipulations,** la suppression et le déplacement.

Le document A relève de la grammaire généralement qualifiée de « **traditionnelle** » ou « **scolaire** »; le document B, par le recours à des critères formels, relève davantage de la **linguistique** et s'inscrit parmi les grammaires dites « **structurales** ».
Nous verrons cependant que, dans le document A, le recours à la notion de **groupe de mots** montre une évolution par rapport à la stricte grammaire traditionnelle tandis que, dans le document B, la notion de complément circonstanciel n'est pas d'ordre structural. Le document B reflète en fait assez bien l'état actuel de la question après deux décennies qui ont vu les grammaires structurales influencer d'abord de plus en plus les instructions officielles et donc les manuels, et perdre ensuite de leur influence à chaque parution de nouveaux programmes.

Comment en est-on arrivé là? Il nous faut donc maintenant voir de plus près les principes fondateurs des deux types de grammaire de la phrase présents à l'école.

L'analyse de la phrase

Soit une phrase simple : *L'épicier ouvre son magasin à sept heures.*

Nous allons l'analyser selon les règles de la grammaire traditionnelle stricte, puis de la grammaire structurale et nous lui appliquerons enfin le type d'analyse scolaire le plus couramment pratiqué aujourd'hui, conformément aux directives ministérielles.

■ La grammaire traditionnelle

La grammaire scolaire traditionnelle est un dispositif mis en place au cours du XIXe siècle, fixé vers 1920 puis demeuré relativement stable jusqu'aux années soixante et à l'introduction de la grammaire dite structurale. Dans cette conception, la grammaire s'identifie à l'**analyse**. Il existe deux types d'analyse : l'analyse **grammaticale** et l'analyse **logique** que nous allons envisager successivement.

L'analyse grammaticale

Elle s'applique à la proposition ou à la phrase dite simple.

L'	article défini élidé, masculin singulier, se rapporte au nom *épicier*
épicier	nom commun, masculin singulier, sujet du verbe *ouvre*
ouvre	verbe ouvrir, 3e groupe, voix active, 3e personne du singulier du présent de l'indicatif
sa	adjectif possessif, 3e personne, féminin singulier, se rapporte au nom *boutique*
boutique	nom commun féminin singulier, complément d'objet direct du verbe *ouvre*
à	préposition
sept	adjectif numéral cardinal invariable, se rapporte au nom *heures*
heures	nom commun, féminin pluriel, complément circonstanciel de temps du verbe *ouvre*

Pour chaque mot, il s'agira de donner :

• **Sa nature** qui définit son appartenance à l'une des 9 catégories appelées « parties du discours » (héritées des Grecs et des Latins) :
- nom (appelé aussi substantif),
- adjectif
- verbe
- adverbe
- pronom
- article
- conjonction
- préposition
- interjection

• **Ses modalités :**
- genre : masculin / féminin
- nombre : singulier / pluriel
- personne : 1e, 2e, 3^e
- temps
- mode
- voix: actif, passif, pronominal
- aspect: accompli / inaccompli…

• **Sa fonction,** soit les relations qu'il entretient avec d'autres termes de la phrase:
- sujet
- complément
- épithète…

Dans la phrase *le cheval broute l'herbe,* pourquoi peut-on dire que *le cheval* est le sujet? Parce qu'il répond à la question « **qui?** ». Et l'**herbe** complément? Parce qu'elle répond à la question « **quoi?** ». On notera la bizarrerie de certains énoncés qui ne faisaient pourtant sourciller personne : « *le cheval* » répond à la question « qui? ».

C'est une conception mentaliste et sémantique de la grammaire, définissant les fonctions d'après le sens. Cela donne, notamment, lieu à une kyrielle de compléments circonstanciels répertoriés par M. Grevisse dans son ouvrage fameux, *Le Bon usage,* qu'il n'est bien sûr pas question d'apprendre par cœur !

Les circonstances marquées par ce complément sont extrêmement variées. Les principales sont :	

La cause : *Agir* **par jalousie**.

Le temps (époque) : *Nous partirons* **dans trois jours**.

Le temps (durée) : *Travailler* **toute sa vie** – *Il resta là* **trois mois**.

Le lieu (situation) : *Restez* **chez vous**.

Le lieu (direction) : *Je vais* **aux champs**.

Le lieu (point de départ) : *Je viens* **de la ville**.

Le lieu (passage) : *Il s'est introduit* **par le soupirail**.

La manière : *Il marche* **à pas pressés**.

Le but : *Il fait cela* **pour notre édification**.

L'instrument, le moyen : *Il le perça* **de sa lance** – *Réussir* **par la ruse**.

L'extraction : *Issu* **de Jupiter**.

L'échange : *Rendre le bien* **pour le mal**.

La destination : *Il travaille* **pour ses enfants**. *Mettre un terrain* **en vente**.

Le prix : *Ce bijou coûte* **mille francs**.

La distance : *Il recula* **de trois pas**.

Le poids : *Ce colis pèse* **cinq kilos**.

La partie : *Il le prend* **par la main**.

La matière : *Carreler* **avec de la brique**.

La mesure : *Allonger une robe* **de deux centimètres**.

Le point de vue : *Égaler quelqu'un* **en courage**.

L'opposition : *Nager* **contre le courant**. *Agir* **contre sa conscience**.

La concession : *Je te reconnais* **malgré l'obscurité**.

Le propos : *Discourir* **d'une affaire**.

L'accompagnement : *Il part* **avec un guide**.

La fréquence : *Il revient* **tous les huit jours**.

La privation : *Vivre* **sans pain**.

La proximité, l'éloignement : *Suivre* **de près, de loin**, *le voleur*.

La conséquence : *Cela m'ennuie* **à la mort**.

La supposition : **En cas de besoin**, *appelez-moi*.

La relativité : **Pour un savant**, *il a fait une étrange erreur*.

Le changement : *Se transformer* **en papillon**. *Changer l'eau* **en vin**.

La séparation : *Distinguer le vrai* **du faux**, *l'ami* **d'avec le flatteur**.

Maurice Grevisse, *Le Bon usage*, § 200, p. 143, éditions Duculot, 1964.

L'analyse logique

Elle s'applique à la phrase dite **complexe** dans laquelle elle distingue des propositions dont il faut aussi donner la **nature** et la **fonction**. Est dite complexe toute phrase comportant plus d'un verbe conjugué.

1ᵉʳ exemple : *Tant que le lad le laisse tranquille, le cheval broute l'herbe dans la prairie.*

tant que le lad le laisse tranquille : proposition subordonnée circonstancielle, complément de temps du verbe de la principale (broute), répond à la question « quand ? ».

le cheval broute l'herbe dans la prairie : proposition principale.

2ᵉ exemple : *J'espère qu'il ne pleuvra pas.*

j'espère : proposition principale.

qu'il ne pleuvra pas : proposition subordonnée conjonctive introduite par que, complément d'objet direct du verbe de la principale (*espère*), répond à la question « quoi ? ».

L'extrait suivant de la préface d'un manuel autrefois très utilisé aidera à comprendre la « philosophie » de ce type d'exercice :

> I. Ce livre a pour but de donner les bases essentielles d'un enseignement de la grammaire orienté vers l'analyse. On voit trop souvent en effet des élèves pourtant doués, intelligents, trébucher au seuil des études secondaires, faute d'avoir fait assez d'analyse. Et ceux qui n'ont d'autre ambition que le certificat d'études primaires doivent, eux aussi, pour connaître suffisamment le français, avoir pris l'habitude « de disséquer une phrase dans ce qui en constitue la charpente et le soutien ».
>
> II. Que nos collègues veuillent bien nous excuser, en ce qui concerne l'analyse grammaticale, d'avoir laissé dans l'ombre tel chapitre et de nous être bornés pour d'autres à de simples conseils ou à des remarques.
> Nous avons voulu aller à l'essentiel, et mettre en relief les fonctions les plus importantes. S'il est nécessaire, en effet, que l'élève sache reconnaître les formes, il est d'un intérêt capital qu'il soit familiarisé avec les fonctions : il doit comprendre le rôle que chaque mot joue dans la proposition, et celui que chaque proposition joue dans la phrase, en un mot il doit voir clairement les liens profonds et vivants qui unissent les termes du langage et concourent à l'expression de la pensée.
>
> E. Grammont et A. Hamon, *Analyse grammaticale et logique*, Hachette, 1963 (droits réservés).

■ Les grammaires dites « structurales »

L'analyse de type structural

Reprenons la phrase qui nous a déjà servi : *L'épicier ouvre son magasin à sept heures.*

Nous allons encore en faire l'analyse mais elle sera, cette fois-ci, de type structural et dite « en constituants immédiats » – en abrégé ACI. Nous allons partir de la phrase et procéder par niveaux successifs jusqu'à retrouver les mots (nous ne pousserons pas plus loin et ne décomposerons pas les mots en unités plus petites et néanmoins porteuses de sens, les monèmes ou morphèmes).

• **Cette phrase se décompose en 3 groupes,** appelés «syntagmes» par les linguistes, d'un mot grec signifiant «chose rangée, mise en ordre», résultat de la « syntaxe » (mais le terme de « groupe » est celui que l'on utilise dans les manuels, les classes et les instructions officielles).

l'épicier du village	*ouvre sa boutique*	*à sept heures*
groupe nominal	groupe verbal	groupe prépositionnel

• **Chacun de ces groupes peut, à son tour être décomposé :**

l'	*épicier*	*ouvre*	*sa boutique*	*à*	*sept heures*
déterminant	nom	verbe	groupe nominal	préposition	groupe nominal

• **Les derniers groupes nominaux peuvent enfin être analysés à leur tour :**

sa	*boutique*	*sept*	*heures*
déterminant	nom	déterminant	nom

Pour rendre lisible la structure de la phrase avec ses différents niveaux, diverses représentations sont possibles (encadrements, « boîtes », parenthèses emboîtées…); la plus utilisée dans les classes et les manuels est l'arbre.

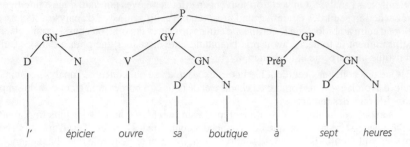

Cette représentation, très « lisible » pour une phrase simple composée de deux ou trois groupes, peut devenir extraordinairement touffue et pratiquement inutilisable dans les classes si la phrase ainsi représentée s'allonge ou se complique quelque peu. Les arbres présentent l'intérêt de rendre visibles les différences de structure majeures, notamment pour des phrases en apparence identiques. Il existe, par exemple, deux représentations possibles de la phrase : *Le touriste mange une glace au café.*

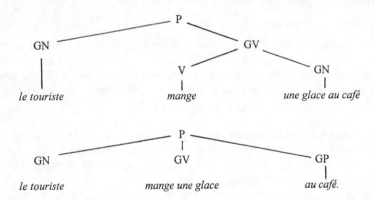

Ces deux arbres montrent que nous avons en fait affaire à **deux phrases** :
Dans la première le groupe au *café* est complément du nom et indique le parfum de la glace (on pourrait le remplacer par *à la vanille*); dans la seconde le groupe *au café* est complément circonstanciel de lieu (on pourrait le remplacer par *à la terrasse*).
Dans la seconde phrase, nous pourrions déplacer le groupe prépositionnel en tête de phrase ou le remplacer par le pronom *y* en recourant à des manipulations.

Un apport essentiel de la grammaire structurale : les manipulations syntaxiques

Le recours à la grammaire structurale a fait entrer dans l'usage un certain nombre de manipulations appliquées aux groupes et à la phrase qui permettent, généralement, aux élèves de faire eux-mêmes certaines constatations en s'appuyant sur leur compétence linguistique.

Soit la phrase suivante à laquelle nous allons appliquer successivement les manipulations usuelles : *La petite fille aux yeux bleus chante une chanson mélancolique à la fenêtre.*

• Commutation (ou substitution ou remplacement) :

La grand-mère du Petit Chaperon rouge chante une chanson mélancolique à la fenêtre.

• Effacement :

La petite fille [...] chante une chanson mélancolique à la fenêtre.
La petite fille aux yeux bleus chante [...] à la fenêtre.

• Expansion :

*La petite fille **triste** aux yeux bleus chante une chanson mélancolique à la fenêtre*
de sa chambre.

• Déplacement :

À la fenêtre, la petite fille aux yeux bleus chante une chanson mélancolique.

• Encadrement :

*C'est la petite fille aux yeux bleus **qui** chante une chanson mélancolique à la fenêtre.*
*C'est une chanson mélancolique **que** la petite fille aux yeux bleus chante à la fenêtre.*
*C'est à la fenêtre **que** la petite fille aux yeux bleus chante une chanson mélancolique.*

*La petite fille aux yeux bleus **ne** chante **pas** une chanson mélancolique à la fenêtre.*

• Pronominalisation :

Elle chante une chanson mélancolique à la fenêtre.

• Transformation passive :
Notre sentiment linguistique nous indique qu'elle donne un résultat peu acceptable appliquée à la phrase initiale :

*Une chanson mélancolique est chantée par la petite fille aux yeux bleus à la fenêtre.[3]

Sur la phrase suivante la transformation passive donnerait au contraire un résultat tout à fait acceptable :

Les coccinelles mangent les pucerons ↦ Les pucerons sont mangés par les coccinelles.

• Permutation :
Nous devons ici aussi recourir à une phrase différente :

La petite fille et le mendiant chantent une chanson mélancolique sous la fenêtre.

*↦ **Le mendiant et la petite fille** chantent une chanson mélancolique sous la fenêtre.*

Commentaires :
1) Plusieurs manipulations peuvent se combiner.

2) Quelle que soit la manipulation effectuée sur une phrase, il faut considérer :
– l'acceptabilité et la correction du résultat produit,
– l'incidence sur le sens.

Dans la phrase *Pierre et Paul viendront.*, la permutation donne un résultat grammaticalement acceptable peu différent du point de vue du sens : *Paul et Pierre viendront.* Opérer la même permutation dans *Les gendarmes poursuivent les voleurs* ne serait acceptable que grammaticalement !
Ces manipulations doivent rester un outil, faute de quoi la grammaire sombrerait dans un nouveau formalisme aussi inutile que le précédent !

---

3. Rappelons que pour le linguiste, l'astérisque* signale une forme inacceptable.

■ Le modèle scolaire actuel

Comme nous l'avons déjà vu plus haut en comparant deux manuels, les livres de grammaire actuels se rattachent aux deux courants dans des proportions variables. Ils peuvent parfois se référer à l'une et l'autre approche pour les opposer ou au contraire pour jouer de leur complémentarité. Cela ne facilite pas la tâche des maîtres et des parents qui doivent s'accommoder de modèles contradictoires comme on peut le voir dans l'extrait suivant qui témoigne assez bien de la complexité de la situation actuelle.

On apprend traditionnellement que le complément d'objet direct désigne l'objet sur lequel porte l'action exprimée par le verbe, et qu'on le trouve en posant la question : « Quoi ? ». (Mais la même question permet de trouver l'attribut dans *Ils sont bouchers...*) Il est plus important que votre enfant s'entraîne à appliquer des critères et raisonne sur le fonctionnement de la langue. **Le C.O.D. est non déplaçable** et **difficilement supprimable** *[Marie pose la question → la question. Marie pose ... (?)]*. Il **permet la transformation passive** : *la question est posée par Marie*. On peut **le remplacer par un pronom** : *Marie la pose*. Enfin, le groupe nominal (C.O.D.) ne comporte jamais de préposition *(à, de)*.

Comprendre

Le chien vole les saucisses.
– Si on supprime le groupe *les saucisses*, la phrase est moins précise ou change de sens : *Le chien vole (?).*
– Si on déplace le groupe *les saucisses*, la phrase devient incohérente :
Les saucisses le chien vole (?).
– On peut mettre la phrase à la forme passive :
Les saucisses sont volées par le chien.
– On peut remplacer le groupe *les saucisses* par un pronom : *Le chien les vole.*
– Enfin, ce groupe ne comporte pas de préposition. C'est le complément d'objet direct du verbe *vole*.

Vérifier

Applique les critères aux groupes compléments. Lesquels sont C.O.D. ?

a) La chatte a attrapé la souris.
b) L'avion se pose sur la piste.
c) Le vent emporte les feuilles.
d) Julie envoie une lettre à Paul.

● RÉPONSE : ·(ɔ ·(ɐ

Retenir

Le complément d'objet direct fait partie du groupe verbal. Il est directement relié au verbe, sans préposition. On ne peut pas le déplacer et on le supprime difficilement. On peut toujours le remplacer par un pronom personnel C.O.D. et, enfin, **il permet la transformation passive.**
Le C.O.D. peut être :
– Un groupe nominal : *Il mange le pain.*
– Un pronom : *Il le mange.*
– Une proposition : *Il pense qu'il viendra.*

Obadia, Rausch, *Les efficaces, français* CM, p. 72, Nathan, 1996.

Grammaire traditionnelle ou grammaire structurale ? Bien souvent le choix est difficile dès que l'on s'adresse à un public non spécialiste. Ainsi Joëlle Gardes-Tamine dans l'introduction d'un ouvrage s'adressant pourtant aux étudiants en lettres et futurs professeurs :

> Ce précis de grammaire se présente comme une grammaire descriptive et non comme une grammaire prescriptive du bon usage impliquant ce qui doit se dire ou s'écrire. Il est largement inspiré par la réflexion linguistique, car il ne paraît plus possible aujourd'hui de s'en tenir aux notions et méthodes de la grammaire traditionnelle. On n'a pas cherché néanmoins à rompre avec cette grammaire pour plusieurs raisons.
>
> En premier lieu, nul n'a suffisamment de recul par rapport aux différentes écoles linguistiques pour être sûr que celle à laquelle il serait tenté d'adhérer est un instrument efficace et destiné à durer, alors que la grammaire a fait ses preuves, bonnes et mauvaises.
>
> En second lieu, l'enseignement vit encore avec les notions de la grammaire et il n'est pas opportun de les changer ni surtout de modifier une terminologie largement répandue. De façon résolument éclectique, ce précis essaie donc de réconcilier grammaire et linguistique et d'améliorer dans la mesure du possible les perspectives de la première par les méthodes de la seconde.

Joëlle Gardes-Tamine, *La Grammaire*,
t. 1 : Phonologie, morphologie, lexicologie, Armand Colin, 1998, 3ᵉ éd.

Pourquoi ce compromis entre les deux grammaires ?

À bien y réfléchir, compte tenu du poids des habitudes mais aussi de la nécessité d'identifier certaines fonctions (sujet, attribut, complément d'objet direct) à des fins orthographiques, la grammaire scolaire ne pouvait être strictement structurale. Certes la définition sémantique du sujet, comme l'auteur de l'action ou la personne, l'animal, la chose qui se trouvent dans telle ou telle situation, pose des problèmes souvent évoqués mais l'analyse structurale n'est pas non plus la panacée.

Ainsi dans la phrase *Le petit chien des voisins passe dans la rue*, isoler le groupe nominal *le petit chien des voisins*, en l'encadrant par « c'est... qui » ne suffit pas à identifier le sujet proprement dit et à justifier l'accord du verbe au singulier face à la tentation de le mettre au pluriel comme le nom qui le précède immédiatement.

Comment s'enseigne la grammaire ?

La démarche traditionnelle normative

C'est, directement inspirée de la conception normative, l'application à la grammaire de la démarche bien connue qui consiste à énoncer d'abord une règle – précédée ou suivie d'une ou deux phrases qui l'illustrent –, à l'assortir de remarques précisant les exceptions, les cas particuliers et à demander aux élèves de l'appliquer dans d'autres phrases choisies ou composées pour cela.

La construction par l'élève d'un savoir grammatical

Cette démarche est détaillée dans un texte officiel de 1985 qui garde sa valeur auquel vous pouvez vous reporter. En voici un extrait significatif.

MINISTÈRE DE L'ÉDUCATION NATIONALE DIRECTION DES ÉCOLES	ÉCOLE ÉLÉMENTAIRE COMPLÉMENTS AUX PROGRAMMES ET INSTRUCTIONS DU 15 MAI 1985

ENSEIGNER LA GRAMMAIRE

[...] l'enseignement grammatical est une discipline réflexive et sa démarche devrait consister, non pas à imposer aux enfants des connaissances grammaticales abstraites dont la signification leur échapperait largement, et qui ne leur donneraient pas une plus grande maîtrise de leur langue, mais beaucoup plus à les aider à prendre conscience de la façon dont fonctionne effectivement cette langue qu'ils manient sans cesse, pour que cette **appropriation** active leur donne plus de sûreté et plus de liberté dans l'usage de celle-ci.

Cette démarche d'appropriation associe :

• **Un certain nombre d'attitudes** à l'égard de la langue :
– **Observer** des productions linguistiques, orales ou écrites, comme des objets que l'on peut décrire, et dont on peut définir les caractéristiques (de forme par exemple en ce qui concerne les phrases ou les mots, ou d'organisation sonore ou graphique, etc.).
– **Chercher** dans ces productions (qui auront été triées par le maître à cette fin pédagogique) certains détails ou certaines caractéristiques précises (un son par exemple, ou une graphie, ou un élément grammatical), et **repérer** les positions ou les contextes dans lesquels on les trouve.
– **Comparer** enfin, c'est-à-dire observer les uns par rapport aux autres, des éléments linguistiques divers (phrases, ou mots, ou sons, ou graphies, etc.) pour en dégager de façon précise les ressemblances et les différences.

• **Des techniques d'exploration :**
– **Classer** (des phrases, ou des mots, ou des graphies, etc., que les enfants pourront avoir d'abord recherchés et repérés) ce qui suppose :
– que soient définis des critères de classement (qui varieront selon ce qui est à classer, et qui pourront être, selon les cas, sonores ou graphiques, syntaxiques ou sémantiques, etc.);
– que ces critères soient ensuite utilisés de façon rigoureuse;
– enfin, que l'on s'interroge sur le résultat du classement effectué (c'est-à-dire les classes qui s'en dégagent, et les éléments dont elles sont constituées).

– **Manipuler** les unités linguistiques (du mot à la phrase), c'est-à-dire savoir effectuer certaines **opérations** (de suppression, de déplacement, de remplacement par exemple) d'où apparaîtront des ressemblances et des différences entre les objets étudiés (ainsi le remplacement de **je** par **vous** entraînera une modification sonore et graphique de la forme verbale qui suit le pronom, mais celui de je par ils pourra dans certains cas n'entraîner qu'une modification graphique, etc.), et savoir réemployer ces unités dans les écrits produits.

Ces attitudes et ces techniques doivent être apprises aux enfants qui y seront entraînés. Les maîtres ne craindront pas d'y passer du temps, tout en se rappelant que ces techniques ne constituent pas une fin en soi et ne doivent être enseignées qu'en tant qu'elles constituent une méthode. Les enfants seront ensuite invités à se servir de cette méthode pour réfléchir sur le fonctionnement de leur langue, et se constituer à son propos, sous la direction du maître, un savoir organisé et disponible.

La démarche « guidée »

Dans la pratique, certains manuels offrent souvent une démarche intermédiaire dans laquelle l'élève est amené à faire des constatations prévisibles suivant un déroulement forcément prédéterminé qui tient à l'existence même du manuel (cf. doc. ci-dessous).

Le nom et le groupe nominal

Voici un extrait d'un poème de Jacques Prévert :

Inventaire

Une pierre
Deux maisons
Trois ruines
Quatre fossoyeurs
Un jardin
Des fleurs

Un raton laveur
Une douzaine d'huîtres un citron un pain
Un rayon de soleil
Une lame de fond
Six musiciens
Une porte avec un paillasson
Un monsieur décoré de la légion d'honneur
Un autre raton laveur
...

(JACQUES PRÉVERT, *Paroles*, Gallimard)

Inutile de chercher des phrases complètes dans ce poème, il n'y en a pas. Il est écrit avec des groupes du nom.

Qu'est-ce qu'un groupe nominal ?

● On désigne par **nom** une **classe de mots** qui servent à nommer les êtres, les animaux, les choses, les idées.

> avocat, institutrice, chat, serpent, table, courage, etc.

sont des **noms.**

Mais vous ne rencontrerez jamais des phrases comme :

> *Avocat a pris parole.*
> *Institutrice explique leçon.*
> *Chat m'a griffé.*
> *Serpents rampent.*
> *Table est cassée.*

≫ Trouvez ce qui manque à chaque phrase pour être acceptable.

● Les mots que vous avez ajoutés s'appellent **les déterminants du nom.**
Ils seront étudiés en détail dans les leçons suivantes.
Vous constatez qu'ils se placent toujours à gauche du nom.

Roux P., Couturier A., *Entraînement à la grammaire CM2*,
extraits des pp. 56 et 57, Classiques Hachette, 1980.

Le poème, judicieusement choisi, suscite une question dont la réponse est fournie d'avance par une formule révélatrice : « Inutile de chercher… ». La formulation coupe court aux recherches éventuelles : « Mais vous ne rencontrerez jamais… Vous constatez… ». Le maître peut en fait utiliser ce manuel en suscitant ou au contraire en ignorant la construction du savoir par les élèves.

AU CONCOURS

■ Les sujets possibles

Synthèse de documents

La grammaire a déjà donné lieu à de nombreuses synthèses. Elle offre en effet matière à des problématiques combinant des questions variées que nous avons abordées en tête de ce chapitre :
– Qu'est-ce qu'une grammaire ?
– À quoi sert la grammaire et faut-il l'enseigner ?
– Sur quoi doit porter l'enseignement de la grammaire ?
– Comment doit-on et peut-on enseigner la grammaire ?

Analyse didactique

L'analyse de documents didactiques est fréquente au concours et présente souvent l'analyse comparée de deux leçons de manuels; la variété des théories grammaticales jointe à la diversité des démarches didactiques offre en effet matière à de multiples mises en parallèle.
On peut aussi proposer aux candidats d'analyser une démarche construite par un maître qui ne suit pas un manuel de grammaire.
On peut enfin, comme nous allons le voir ci-dessous, comparer sur un point précis deux démarches fondamentalement opposées, avec et sans manuel. Il faudra alors mettre en évidence le changement de perspective radical que cela entraîne[4].

■ Sujet d'analyse didactique

Document A: *Leçon de grammaire tirée d'un manuel.*

Document B: *Présentation succincte d'un projet d'écriture.*

Inédit

Vous ferez une analyse comparée des deux documents suivants; cette analyse portera sur :
1. Les objectifs
2. L'activité demandée à l'élève
3. Le rôle du maître
4. Le type de pédagogie que vous paraît refléter chacun d'eux

---

4. La lecture préalable des chapitres 7 et 22 vous sera d'une grande utilité pour traiter ce sujet.

GRAMMAIRE

Les compléments circonstanciels

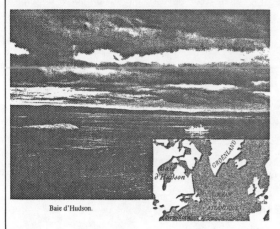

Baie d'Hudson.

À la rencontre des phoques (1)

À la fin du mois de mars, les jours commencèrent à se faire plus longs et le froid moins vif : la température dépassait maintenant 0 degré durant cinq ou six heures.

L'instituteur décida alors de faire une sortie de classe sur la Baie, ce qui permettrait aux enfants de voir des phoques dans leur milieu naturel. En outre, ce serait l'occasion de parler de la chasse aux phoques qui était la principale activité d'Inoucdjouac* quelque cinquante ans auparavant.

*Inoucdjouac : localité dans la baie d'Hudson, au Canada.

1. Lis la première phrase en supprimant les passages soulignés. A-t-elle encore du sens ? Quelle sorte d'information a-t-on perdue ?
2. Essaie de déplacer les éléments soulignés.

■ Dans une phrase, les compléments qui peuvent être supprimés ou déplacés sont des constituants facultatifs. Ils ne font pas partie du GV. Ce sont **des compléments circonstanciels**.
Les enfants voyaient des phoques dans leur milieu naturel.
Dans leur milieu naturel, les enfants voyaient des phoques.

■ Les compléments circonstanciels sont le plus souvent introduits par une préposition :
durant cinq ou six heures - sur la Baie - dans leur milieu naturel.

■ Les compléments circonstanciels peuvent être :
– compléments de temps : *À la fin du mois de mars, les jours allongèrent.*
– compléments de lieu : *L'instituteur décida de faire une sortie de classe sur la Baie.*

1* Change de place les compléments circonstanciels.

L'ours blanc vit au pôle Nord. Après le repas, il s'allonge sur la banquise. Il chasse le phoque en été. Il peut nager dans l'eau glacée. Parfois, il lui arrive de s'endormir dans l'eau.

2* Supprime les compléments circonstanciels.

Un matin, le chien sauta, alla trouver le cheval qui paissait dans le pré et lui dit d'appeler les autres animaux. Le cheval s'installa dans la cour et se mit à jouer des claquettes. Quelques instants plus tard, accoururent de toutes parts les poules, les vaches, les bœufs, les oies, etc. qui se rangèrent devant la maison. Le chien se posta à la fenêtre et expliqua aux animaux ce qu'on attendait d'eux.

D'après Marcel Aymé, *les Contes du Chat Perché.*

3** Dans les phrases suivantes, souligne :
– en bleu, les compléments d'objet direct
– en vert, les compléments circonstanciels.

Ce matin, une grande agitation règne au village. Un violent orage a éclaté pendant la nuit. Le vent a arraché plusieurs toitures. De gros engins déblaient déjà les gravats. Des familles ont été logées dans la salle des fêtes. Des experts évaluent les dégâts avec précision.

4** À quelle question répond chaque complément circonstanciel en italique ?

● *Pendant la leçon d'éducation physique,* les élèves grimpent *sur le cheval d'arçon.* ● *Chaque semaine, le mercredi après-midi,* le professeur d'éducation physique conduit les enfants *à la piscine.* ● *Au coup de sifflet,* les élèves s'alignent *dans la cour.*

PÉRIODE 4

Les compléments circonstanciels, La courte échelle Français, cycle 3, CM1, p. 144, Hatier, 1996.

Une école d'un chef-lieu du Sud-Ouest dispose désormais d'une BCD rénovée en ordre de marche. Il est prévu de l'inaugurer officiellement. Les élèves du CM1 sont chargés de rédiger les invitations à adresser aux parents et aux diverses « autorités ».

Les élèves ont travaillé par groupes de deux et proposé une première version de l'invitation. Le maître a pu constater que ces « premiers jets » étaient plus ou moins conformes aux caractéristiques habituelles de ce type d'écrit. Celui de deux élèves lui a paru comporter un oubli important.

Auch, le 12 janvier 1997

Chers parents
Nous allons inaugurer notre BCD samedi prochain. Vous êtes tous invités.
Vous verrez tous nos livres.
Venez nombreux.

Bruno et Aurélie

Le maître remet alors aux élèves, regroupés par quatre, plusieurs cartons d'invitation (dont 2 ont été reproduits ici) en leur demandant de rédiger une fiche-guide donnant les caractéristiques diverses du type d'écrit à produire.

L'inauguration de notre BCD aura lieu à l'école de Marsolan le **samedi 23 novembre 1996 à 17 h 00**, et sera suivie d'un vin d'honneur.

Nous espérons vous compter parmi nous à cette occasion.

Les enseignantes
et
les élèves des écoles de Blaziert, Marsolan et Castelnau sur l'Auvignon.

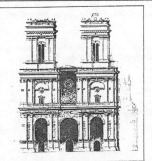

Monsieur Claude Desbons
Maire de la Ville d'Auch

a le plaisir de vous convier au vernissage de l'exposition
Sur les chemins de Saint-Jacques
le mardi 10 septembre à 18 heures au Musée

Exposition organisée par l'association Amis de Saint-Jacques de Compostelle dans le Gers et par l'association Patrimoine Découvert

Exposition ouverte du 10 au 20 septembre 1996 de 10h à 12h et de 14h à 18h, tous les jours sauf le lundi.
Musée d'Auch (ancien couvent des jacobins) 4, place Louis Blanc - 32000 Auch - Tél. 62 05 74 79

CORRIGÉ

1 Objectifs

Document A. Les objectifs de cette page de manuel relèvent uniquement de l'apprentissage de la grammaire en tant que discipline autonome ; nous pouvons les déduire de l'énoncé des deux règles et des compétences nécessaires aux élèves pour faire les exercices :
– Reconnaître les compléments circonstanciels en les effaçant ou en les déplaçant ;
– Distinguer un complément circonstanciel d'un complément d'objet direct ;
– Reconnaître les compléments circonstanciels de lieu et de temps.

Document B. Les objectifs majeurs de l'activité proposée par le document B relèvent de la production d'écrits :
– Connaître la visée et l'enjeu d'un écrit social normé (ici l'invitation) ;
– Rédiger une fiche-guide récapitulant les caractéristiques de ce type d'écrit (et notamment le lieu, la date et l'heure de la manifestation) ;
– Rédiger un écrit social en réinvestissant les connaissances acquises par la lecture d'écrits de ce type.

Remarques : dans ce type d'écrit, il est relativement facile de distinguer la visée (informer) de l'enjeu[5] (si l'invitation ne répond pas à certaines normes, les invités ne voudront ou ne pourront pas venir).
Il s'agit donc de reconnaître, en particulier, le caractère **indispensable** des marques de temps et de lieu faute desquelles les invités ne pourraient répondre à l'invitation. Nous sommes là devant une contradiction qui amène à revoir l'articulation entre la grammaire de phrase et la production d'écrits.
Il est vrai qu'il existe souvent, dans les phrases, des groupes qui peuvent être supprimés ou déplacés au prix d'une perte de sens mais sans que la phrase en devienne incorrecte ou agrammaticale. Il est vrai aussi que ces groupes dits facultatifs sont des compléments circonstanciels. Il n'en demeure pas moins que dans un écrit social tel que l'invitation la suppression de certains compléments circonstanciels de temps et de lieu rend l'écrit inopérant et absurde.

2 Activité demandée à l'élève

Document A. Si l'on s'en tient au livre de l'élève et à la leçon proposée ici, la règle doit être immédiatement induite d'une seule manipulation : l'effacement et le déplacement de deux groupes prépositionnels soulignés, et donc délimités, dans une seule phrase, la première du texte.
Cette manipulation ne pose en fait aucun problème et le résultat est traduit immédiatement dans le manuel sous forme d'une règle que l'élève ne peut que faire sienne.

Cette règle, au demeurant, pose problème car elle suppose que tous les compléments circonstanciels (notion de grammaire traditionnelle) sont des compléments facultatifs (notion de grammaire structurale), ce qui n'est pas le cas. Ainsi le complément circonstanciel de lieu *sur la Baie*, donné comme exemple dans la deuxième règle, n'est pas déplaçable.
Viennent ensuite des exercices qui consistent à appliquer la règle ainsi formulée sur des phrases ou des textes fabriqués ou adaptés (ici d'après Marcel Aymé) pour que la règle s'y applique sans problème.

---

5. Voir Groupe de recherche d'Ecouen, *Former des enfants producteurs de textes*, p. 14, Hachette Écoles, 1988.

Document B. À ce stade du projet d'écriture, les élèves doivent comparer des écrits pour en relever les variables et les invariants et en dégager ainsi les caractéristiques.

Ils doivent notamment relever que l'invitation doit obligatoirement comporter des mentions précises de lieu et de temps (non seulement la date mais l'heure, du type le jeudi 19 février à 18 heures, à l'école Jean Jaurès, 20 avenue de la Marne, etc.).

Cela se fait d'abord en groupe puis dans la discussion générale. La notion d'enjeu intervient pour juger du caractère obligatoire ou facultatif de certains renseignements, leur statut grammatical devient alors secondaire.

3 Rôle du maître

Document A. Avec la leçon fournie par le manuel, le maître doit s'assurer que les élèves savent faire ce qui leur est demandé par la consigne et qu'ils en tirent les bonnes conclusions.

Il y a là matière à une discussion éventuelle que le maître pourra conduire. Il aura intérêt à proposer aux élèves d'autres textes qui leur permettraient de réellement construire la règle en la laissant ouverte ce qui pose en définitive la question de la pertinence de la leçon ainsi conçue. On peut estimer qu'un corpus de textes choisis à cette fin permettrait de construire une règle moins générale mais plus proche des usages réels.

Il peut ensuite vérifier que les élèves ont correctement appliqué les règles dans les exercices qui leur étaient proposés.

Document B. Il renvoie à une pratique pédagogique dans laquelle le maître propose à ses élèves des projets d'écriture en profitant parfois des circonstances locales comme dans l'exemple présenté. Il est donc amené à choisir ou fabriquer son propre matériel d'enseignement sur lequel travailleront les élèves (ici les cartons d'invitation) et à concevoir l'emploi du temps en fonction du projet.

4 Type de pédagogie

Document A. Cette page de manuel est représentative – bien qu'on ne puisse préjuger complètement de la façon dont certains maîtres la transposeraient effectivement – d'une **pédagogie traditionnelle**[6]. L'objectif est, on l'a vu, de savoir identifier et nommer le complément circonstanciel ; le même travail est mené selon le même processus pour la grammaire, l'orthographe, la conjugaison, le vocabulaire mentionnés dans les références de l'ouvrage. Les connaissances ainsi acquises pourront être mises à contribution pour l'expression écrite mentionnée ensuite.

Le document B relève de la **pédagogie du projet** illustrée dans un **projet d'écriture**[7]. Même si la rédaction d'une invitation requiert d'utiliser des compléments circonstanciels de temps et de lieu, il n'est pas nécessaire de les identifier en tant que tels. Le recours à la terminologie – dans la mesure où la notion a été déjà étudiée – peut permettre, à l'occasion d'une activité décrochée sur un corpus constitué à cette fin, d'approfondir ces notions et de voir que les dits compléments doivent être considérés différemment à l'échelle de la phrase, du texte ou de l'écrit.

---

6. Voir le schéma p. 114 du chapitre 7.
7. Voir le schéma p. 118 du chapitre 7.

Pistes bibliographiques

■ Ouvrages de base

◆ Arrivé M., Gadet F., Galmiche M., *La grammaire d'aujourd'hui, guide alphabétique de linguistique française*, Flammarion, 1986.

(Un ouvrage de synthèse, de consultation commode par sa présentation alphabétique, et qui ne s'en tient pas à une seule théorie grammaticale.)

◆ Genouvrier E., Gruwez C., *Grammaire pour enseigner le français à l'école élémentaire*, Larousse, 1987.

(L'ouvrage le plus achevé sur la grammaire structurale à l'école élémentaire. Vaut tant par la pertinence grammaticale que par la mise en forme didactique.)

◆ Gardes-Tamine J., *La Grammaire, tome 2 : Syntaxe*, Armand Colin, 1990.

(L'essentiel de ce qu'il faut savoir en grammaire de phrase.)

■ Pour aller plus loin

◆ Charaudeau P., *Grammaire du sens et de l'expression*, Hachette Éducation, 1992.

(Une approche renouvelée qui déborde largement la grammaire.)

26 De la grammaire de phrase à la grammaire de texte

Comment juger de la cohérence d'un texte?

■ Pour poser le problème

Voici deux textes très courts : il s'agit de *Nouvelles en trois lignes* de Félix Fénéon parues dans le journal *Le Matin*, en 1906[1].

Texte 1 : Ayant terrassé l'afficheur Achille, ils le tirèrent sur toute la longueur de la passerelle d'Alfortville, puis le précipitèrent.

Texte 2 : Entre Deuil et Épinay on a volé 1 840 mètres de fils téléphoniques. À Carrières-sur-Seine, M. Bresnu s'est pendu à un fil de fer.

Ces deux textes vous paraissent-ils cohérents?

■ Premiers éléments de réponse

• **Dans le texte 1,** on peut certes retrouver une séquence d'actions qui suit un déroulement chronologique, mais il est en revanche totalement impossible d'identifier clairement à qui réfère le pronom « ils ». En effet, on attendrait que ce pronom personnel habituellement employé comme substitut (on parlera alors de valeur anaphorique) reprenne des noms de personnes ou de personnages antérieurement mentionnés. Faute de quoi, le texte laisse une impression de bizarrerie, voulue par l'auteur, bien entendu. Un autre emploi possible du pronom (emploi plus rare, dit « cataphorique ») est d'annoncer le référent qui est alors mentionné à la suite du pronom. L'énonciateur cherche alors à créer un effet de surprise (introduction de personnages dans un roman, slogans publicitaires…). Mais ce n'est pas non plus le cas dans ce texte.

---

1. Ces textes ont été cités par J.-M. Adam lors d'une interview dans un colloque : Enjeux didactiques des théories du texte dans l'enseignement du français et des langues étrangères», IUFM de Toulouse, 1997.

• **Dans le texte 2,** le problème vient du fait que l'auteur du texte ne reprend dans la deuxième phrase aucune des informations mentionnées dans la première. Il est difficile en effet d'imaginer un lien quelconque entre un fil téléphonique et un fil de fer. Lorsque dans un texte, le lecteur ne peut établir aucune relation entre les informations données, faute de reprise de ces informations, il juge le texte incohérent.

Les 4 règles de cohérence d'un texte

À partir des années 80, les travaux des linguistes sur le fonctionnement des textes se multiplient [2], mettant tout particulièrement en évidence les règles qui régissent la **cohérence** textuelle, à laquelle il a été fait allusion précédemment.

C'est à M. Charolles que revient d'avoir précisé, dans un article de la revue *Langue Française*, n° 38, parue en mai 1978, les quatre règles essentielles qui assurent la cohérence d'un texte :

• **La règle dite de « répétition » :** Il faut que les informations données soient reprises littéralement ou à l'aide de substituts.

• **La règle de « progression » :** Il faut que l'information se renouvelle de façon continue, au fil du texte.

• **La règle de « non-contradiction » :** Il faut qu'aucune information ne soit en contradiction avec une autre. Même dans un texte surréaliste ou fantastique, l'auteur se doit d'assurer la crédibilité d'un univers imaginaire.

• **La règle de « congruence » :** Il faut que le lecteur puisse toujours mettre en relation les informations données, soit que ces relations soient clairement établies à l'aide de connecteurs, soit que les inférences logiques puissent fonctionner, sans recours explicite à ces outils linguistiques.

Les 2 domaines distincts de la grammaire

Dès lors, la discipline « grammaire » recouvre deux domaines distincts mais complémentaires :

• **La « grammaire de phrase »** qui traite de notions relevant du cadre phrastique comme on a pu le constater au chapitre précédent : types et formes de phrases, nature et propriétés des constituants de la phrase, phénomènes de coordination et de subordination…

• **La « grammaire de texte »** qui prend comme unité d'analyse le cadre du texte et s'intéresse aux faits de langue qui entrent en jeu dans la cohérence et la cohésion du texte [3].

---

2. On ne saurait, bien sûr, les citer tous ! Nous nous contenterons de mentionner ceux auxquels nous empruntons le plus souvent : B. Combettes, M. Charolles, J.-M. Adam, J.-P. Bronckart et B. Schneuwly…

3. On réserve plus spécifiquement le terme de "cohésion" à tout ce qui résulte de l'enchaînement des propositions, de la linéarité du texte (emploi des connecteurs, des organisateurs textuels, des phénomènes de reprise…). Toutefois la terminologie est loin d'être fixée. On consultera avec profit l'ouvrage de D. Maingueneau, *Les termes clés de l'analyse du discours*, Mémo Seuil, 1996, pour une information plus approfondie sur cette question.

Toutefois, on peut déjà remarquer qu'une même notion peut être travaillée selon les deux approches. On peut étudier le fonctionnement morpho-syntaxique du pronom personnel, par exemple, à l'intérieur d'un corpus de phrases, mais le repérage des différents pronoms substituts d'un personnage à l'intérieur d'un récit relève clairement de la « grammaire de texte ». On a pu voir, au chapitre précédent, que l'étude du complément circonstanciel pouvait être menée sur un double plan.

Il est à remarquer que si les *Instructions officielles pour l'école élémentaire* détaillent les contenus à enseigner pour la « grammaire de phrase », il n'en est pas de même pour la « grammaire de texte ». Le terme même n'apparaît pas. En revanche, la distinction est clairement établie dans la brochure sur *la Maîtrise de la langue à l'école* :

> Il est possible de distinguer **deux grands ensembles de phénomènes** qui doivent particulièrement retenir l'attention des maîtres :
> – **les faits de langue qui entrent en jeu dans la cohérence et la cohésion du texte** (par exemple, les anaphores, les connecteurs, les marques d'énonciation, les indices temporels…);
> – **les faits de langue qui donnent à la phrase sa grammaticalité** (par exemple, les phénomènes d'accord, la construction des compléments…).
>
> *La Maîtrise de la langue à l'école*, p. 75.

Si on s'intéresse maintenant aux finalités assignées à l'enseignement de cette discipline, on voit qu'elles ont évolué d'une grammaire à l'autre.

Le texte officiel du 1er décembre 1985, « Enseigner la grammaire », reproduit au chapitre 25, mettait l'accent sur le développement d'un comportement réflexif chez de jeunes élèves afin qu'ils puissent découvrir les règles de fonctionnement de leur langue maternelle. D'où l'importance de les doter d'un certain nombre d'attitudes et de techniques d'exploration comme les comparaisons d'énoncés aboutissant à des classements et diverses manipulations à effectuer (déplacements, substitutions, transformations).

Si ce travail d'observation est poursuivi sur les textes, le rôle désormais assigné à l'enseignement de la grammaire est de fournir à l'élève des **outils qui vont l'aider à améliorer ses compétences en compréhension et surtout en production de textes.**

Cet objectif est à nouveau très clairement défini toujours dans la brochure sur *la Maîtrise de la langue* :

> Il convient, en effet, de rappeler que **l'apprentissage de la grammaire ne peut être considéré comme une fin en soi**. Une liaison étroite doit s'établir entre l'observation du système de la langue et les activités de production et de compréhension des textes. Qu'il s'agisse de l'écrit ou de l'oral, **l'attitude réflexive est au service de l'amélioration de l'expression**.
>
> *La Maîtrise de la langue à l'école*, pp. 74-75.

Ainsi la question de C. Freinet, relayée par de nombreux praticiens, « Et si la grammaire était inutile ? », risque-t-elle de trouver une réponse différente quarante ans plus tard, grâce, il faut bien le dire, au renouvellement des contenus de l'enseignement de la grammaire ou quelquefois à un regard renouvelé sur des contenus anciens.

Quels contenus pour cette grammaire ?

La délimitation des contenus concernant « la grammaire de texte » est plus difficile à établir de façon stricte que ceux de « la grammaire de phrase ». Pour certains, la « grammaire de texte » intègre la structure d'ensemble des séquences textuelles en plus des faits linguistiques qui s'y rapportent. C'est le cas de J.-M. Adam qui parle plutôt d'éléments de linguistique textuelle, si l'on se réfère au titre d'un de ses ouvrages.

Pour notre part, nous nous appuierons plus particulièrement sur les travaux de B. Combettes pour inventorier les différentes notions qui peuvent être rangées dans la catégorie « grammaire de texte ». Certaines de ces notions, compte tenu de leur importance et de leur complexité, nous ont paru mériter un traitement plus développé dans les chapitres suivants.

■ Le domaine énonciatif

Tout énoncé est forcément produit par un énonciateur, adressé à un destinataire dans une situation de communication particulière. Ce sont les marques linguistiques qui traduisent les différents paramètres que nous venons de citer (relations de l'énonciateur à son énoncé, relation au destinataire, changement d'énonciateur dans un même texte…) qui relèvent du phénomène de l'énonciation.

À la suite du linguiste E. Benveniste [4], on considère qu'il existe deux grands types d'énonciation.

Une énonciation « à distance »

• **Les informations données par l'énonciateur** sont envisagées en dehors de ses relations avec le moment d'énonciation : emploi de la troisième personne (**il** ou **elle**).

• **Emploi de certains temps verbaux** (alternance **imparfait/passé-simple**) à l'exclusion de certains autres (comme le **futur**).

• **Emploi de certaines marques spatio-temporelles** qui ne peuvent être comprises que par référence à des repères donnés de façon explicite dans le texte : **le lendemain, trois jours plus tard, la veille, à cet endroit-là…**

E. Benveniste parle alors d'énonciation de type récit. En voici un exemple :

> *Il était* une fois un mandarin qui *possédait* un chat qu'*il aimait* beaucoup. *Il* en *était* fier et *trouvait* l'animal si extraordinaire qu'*il décida* de le nommer « Ciel ».

> (Extrait d'un conte vietnamien,
> Riffaud M., *Le chat si extraordinaire*, La Farandole.)

Une énonciation « impliquée »

• **L'énonciateur du texte se désigne en tant que tel** sous la forme du pronom **je** s'adressant souvent à un interlocuteur (marqué dans le texte par la présence de **tu** ou **vous**).

• **Les trois temps de base** sont alors **présent/passé-composé/futur**, en relation avec l'actualité du locuteur.

---

4. *Problèmes de linguistique générale*, NRF-Bibliothèque des sciences humaines, Gallimard, 1996.

• **Les indicateurs spatio-temporels** se situent également par rapport au lieu et au moment de l'énonciation et se réfèrent explicitement aux catégories de **l'ici et maintenant**. On trouve ainsi des adverbes comme **hier** ou **demain**, des expressions comme **il y a x semaines, l'année dernière, l'année prochaine** pour exprimer des notions temporelles; des adverbes ou expressions comme **ici, là-bas, à droite, à gauche** pour exprimer des notions spatiales.

On voit bien que tous ces éléments ne peuvent être compris que par rapport à la situation de l'énonciateur. Ce type d'énonciation est appelé par Benveniste : discours. Cette terminologie ne va pas sans poser problème, compte tenu des multiples acceptions de ce terme en linguistique et même dans l'usage quotidien.

En voici un exemple :

> C'est dans *ma* neuvième année que *j'ai appris* le hollandais. A cette époque-là, j'avais un papa, un chic type dans *mon* genre qui voulait que ses enfants réussissent dans la vie; lui n'avait pas beaucoup travaillé à l'école; ce qui ne l'empêchait pas, tous les étés, de *nous* acheter à *ma* sœur et à *moi* des « cahiers de vacances ».
>
> (M.-Aude Murail, *Le hollandais sans peine*, L'École des Loisirs.)

À votre tour, exercez-vous !

Voici trois extraits de textes. Précisez de quel type d'énonciation ils relèvent, en justifiant votre réponse.

Texte 1

Le Renard et le Bouc.

> Capitaine Renard allait de compagnie
> Avec son ami Bouc des plus haut encornés :
> Celui-ci ne voyait pas plus loin que son nez;
> L'autre était passé maître en fait de tromperie.
> La soif les obligea de descendre en un puits :
> Là chacun d'eux se désaltère.
> Après qu'abondamment tous deux en eurent pris
> Le Renard dit au Bouc : « Que ferons-nous, compère
> Ce n'est pas tout de boire, il faut sortir d'ici.
> Lève tes pieds et tes cornes aussi… »
>
> La Fontaine, *Fable 5 (1re partie), Livre troisième.*

Texte 2

Tous les jours, je guette le passage du facteur. Il lui arrive parfois de s'arrêter chez les voisins mais jamais devant ma porte.
Voilà des années qu'il n'a rien pour moi. Ma boîte reste vide. Pas un pli, rien !
Alors, j'ai décidé de m'écrire une lettre pour connaître, moi aussi, la joie de recevoir du courrier. Par malchance, elle s'est perdue.
C'est d'autant plus regrettable que je m'annonçais de bonnes nouvelles.

C. Bourgeyx, *Le fil à retordre*, Nathan.

Texte 3

Le jeudi était un jour de grande toilette, et ma mère prenait ces choses-là très au sérieux. Je commençai par m'habiller des pieds à la tête, puis je fis semblant de me laver à grande eau : c'est-à-dire que vingt ans avant les bruiteurs de la radio diffusion, je composai la symphonie des bruits que suggère une toilette.

J'ouvris d'abord le robinet du lavabo, et je le mis adroitement dans une certaine position qui faisait ronfler les tuyaux : ainsi mes parents seraient informés du début de l'opération. Pendant que le jet d'eau bouillonnait bruyamment dans la cuvette, je regardais à bonne distance.

M. Pagnol, La gloire de mon père, éd. De Fallois.

Éléments de corrigé

• **La fable de La Fontaine** *Le Renard et le Bouc* fait alterner, comme c'est très souvent le cas dans les récits, des séquences proprement narratives qui relèvent d'une énonciation de type **récit** et des séquences dialoguées qui relèvent de l'énonciation de type **discours**, pour reprendre la terminologie de Benveniste.

En effet, dans la première séquence qui est ici la plus longue — du début à « le Renard dit au Bouc » — on peut noter :
– l'emploi de la troisième personne pour présenter les personnages;
– l'alternance de l'imparfait et du passé simple ainsi que des temps marquant l'antériorité par rapport à ces deux temps fondamentaux, à savoir le plus-que-parfait « était passé » et le passé antérieur « eurent pris »;
– le présent de narration « se désaltère », exact équivalent du passé simple.

Dans le début de la seconde séquence de type **discours**, on peut relever :
– l'utilisation des temps habituels dans ce type d'énonciation;
– le temps fondamental qui est le présent de l'indicatif : « est », « faut »;
– le présent de l'impératif : « Lève »;
– le futur de l'indicatif : « ferons ».

• **Le texte 2** relève très clairement d'une énonciation de type **discours**. On peut y relever :
– l'emploi de « je », « moi » et des adjectifs possessifs renvoyant à 1ère personne;
– l'emploi du passé composé pour raconter les événements passés : « j'ai décidé », « elle s'est perdue »;
– l'emploi du présent de l'indicatif en relation avec l'actualité du narrateur : « je guette », « il lui arrive », « il n'a », « reste vide », « C'est… »;
– l'emploi de l'imparfait pour commenter les faits : « je m'annonçais de bonnes nouvelles ».

• **Le texte 3** est plus complexe dans la mesure où il associe la première personne « je » avec le passé simple normalement utilisé ici pour raconter la succession des événements et l'imparfait pour marquer des actions habituelles (cf. imparfaits de la première phrase) ou des actions simultanées (imparfaits de la dernière phrase). On remarquera aussi l'emploi du conditionnel (à la forme passive) pour marquer un futur par rapport à un passé (« seraient informés ») et l'emploi d'un présent de l'indicatif à valeur générale (« suggère »).

Il s'agit d'un récit autobiographique bien connu dans lequel M. Pagnol raconte son enfance. Peut-être peut-on risquer l'hypothèse que le « je » narrateur adulte a choisi un type d'énonciation à distance pour parler du « je » enfant dont il se sent un peu loin au moment où il écrit (distance dans le temps, distance psychologique qui permet à l'écrivain de jouer en permanence de tous les effets permis par l'humour).

■ L'opposition des plans

Les informations données dans un texte ne sont pas toutes mises sur le même plan. Un certain nombre de moyens linguistiques permet de les organiser, en les hiérarchisant. Un bon exemple est fourni par le récit classique dans lequel la succession des actions qui assure l'avancée de l'intrigue est donnée au passé simple et constitue « le premier plan » alors que des informations plus secondaires, mais étroitement articulées à l'action (telles que descriptions, explications, commentaires évaluatifs), constituent « le second plan ».

Dans ce même ordre d'idées, on peut s'interroger dans un texte sur la nature des informations données dans les propositions principales par comparaison avec celles données dans des subordonnées, sur l'emploi de certaines formes emphatiques, sur l'effet produit par les changements dans l'ordre habituel des mots (cf. le poème d'Apollinaire : « Vienne la nuit, sonne l'heure, passent les jours, passent les semaines… »), sur le recours à la forme passive pour occulter l'agent…

Les derniers exemples cités sembleraient plutôt relever d'une grammaire phrastique. On voit bien pourtant qu'il est difficile d'en rendre compte sans passer par l'unité supérieure que constitue le texte et souvent même par le recours à la situation de communication. Ce sont bien là les éléments qui peuvent expliquer les choix opérés en langue.

Sur ce point, on se reportera aux exercices proposés dans le chapitre 27 sur la valeur des temps.

■ Les faits de reprise

Pour que l'on puisse parler de texte, il faut que l'auteur assure le suivi des informations déjà données. Celles-ci peuvent être réitérées en utilisant la simple répétition, mais on observe que la langue dispose de multiples moyens (pronoms, groupes nominaux plus ou moins expansés, déterminants) pour renvoyer au même référent. On s'aperçoit également que loin de n'assurer que la permanence de l'information, ces divers procédés — en particulier les reprises lexicales — permettent de donner des informations nouvelles, fondamentales pour le lecteur et qui justifieraient pleinement qu'on les mentionne aussi dans le paragraphe suivant.

Michel Tournier présente ainsi Pierrot, le personnage d'un de ses romans :

> *Pourquoi Colombine évitait-elle Pierrot ? Parce que <u>son ancien ami</u> évoquait pour elle toutes sortes de choses déplaisantes. Colombine n'aimait que le soleil, les oiseaux et les fleurs. Elle ne s'épanouissait qu'en été, à la chaleur. Or le <u>mitron</u>, nous l'avons dit, vivait surtout la nuit.*

> (Michel Tournier, *Pierrot ou les secrets de la nuit*, éditions Gallimard.)

Dans les textes scientifiques, les reprises assurent souvent la reformulation simplifiée de termes spécialisés.

> *Les papillons de nuit ont de grands ocelles sur les ailes arrière. <u>Ces taches rondes</u> ressemblent à des yeux.*

> (Exemple pris dans un documentaire pour enfants.)

Compte tenu des nombreux travaux effectués ces dernières années sur cette question et surtout des nombreux problèmes rencontrés par les élèves dans la maîtrise de ces faits de langue, il nous a paru important de consacrer un chapitre entier à ce domaine. Pour les exercices concernant ce sujet, vous vous reporterez au chapitre 29 sur l'emploi des substituts.

■ La progression de l'information

C'est B. Combettes qui, à la suite des travaux tchèques du Cercle de Prague, a introduit en France les données sur la progression de l'information dans un texte, dans son ouvrage *Pour une grammaire textuelle* (De Boeck Duculot, 1983).

Comme nous l'avons vu précédemment, pour qu'un texte puisse être jugé cohérent, il faut qu'il assure le suivi de l'information. B. Combettes désigne ce type d'informations sous l'appellation de « thèmes ». Mais il faut également que l'information soit renouvelée, faute de quoi le texte va paraître répétitif, inutilement redondant... Les informations nouvelles sont alors appelées « rhèmes ».

B. Combettes met en évidence **trois types de progressions possibles,** combinables entre elles et repérables à l'intérieur d'un même texte.

La progression « à thème constant »

Le même thème apparaît dans des phrases successives, alors que les rhèmes sont chaque fois renouvelés. Il est souvent utilisé dans les récits dans la mesure où il permet de se focaliser sur la succession des actions effectuées par un personnage.

• Exemple 1

Le défi relevé.

Il était une fois un jeune garçon beau et riche qui avait décidé de se marier. Mais il était très exigeant... Un jour, en passant près d'une fontaine, il vit une jeune fille qui puisait de l'eau. Il s'approcha, parla avec elle et comme elle lui plaisait beaucoup, il revint le lendemain... (...)

(Conte italien anonyme.)

La première phrase présente les données initiales du conte : présentation du héros et de son but. Mais à partir de la seconde, on est bien dans l'enchaînement thème-rhème. Comment s'opère-t-il ?

Phrase 2 : *Mais*	T1 (il) --------- R1 (*était très exigeant*)
Phrase 3 : *Un jour, en passant près d'une fontaine,*	T1 (il) -------- R2 (*vit une jeune fille qui puisait de l'eau*)
Phrase 4 :	T1 (il) --------- R3 (*s'approcha*)
	--------- R4 (*parla avec elle*)
et comme elle lui plaisait beaucoup,	T1 (il) -------- R5 (*revint le lendemain*)

La progression « à thème linéaire »

Dans la progression à thème linéaire, le thème d'une phrase est repris du rhème de la phrase précédente. Cette reprise peut être seulement partielle. Ce type de progression est intéressant à utiliser dans la description, dans la mesure où il permet à la fois de préciser et de renouveler l'information qui va, selon B. Combettes, « vers des réalités de plus en plus restreintes ».

• **Exemple 2**

> *Autour de l'appartement étaient rangés des escabeaux d'ébène. Derrière chacun d'eux, un tigre en bronze pesant sur trois griffes supportait un flambeau. Toutes ces lumières se reflétaient dans les losanges de nacre qui pavaient la salle. Elle était si haute que (...)»*

(Extrait de *Salammbô* de Flaubert, cité par B. Combettes, *op. cité*.)

Phrase 1 : T1 (*Autour de l'appartement*) ------ R1 (*étaient rangés des escabeaux*)

Phrase 2 : T2 (*Derrière chacun d'eux*) --------- R2 (*un tigre… un flambeau*)

Phrase 3 : T3 (*Toutes ces lumières*) ------------ R3 (*se reflétaient… qui pavaient la salle*)

La progression « à thèmes dérivés » ou « éclatés »

• **Exemple 3**

> *De leur côté, tous les grands de la littérature française ont été attirés par l'Italie et pratiquement, tous y ont séjourné : Rabelais a passé un an à Rome, du Bellay y a vécu pendant près de trois ans, et Montaigne, au cours de son long périple hors de France, a séjourné plusieurs mois en Toscane puis à Rome.*

(H. Walter, *L'aventure des mots français*, Robert Laffont.)

Dans ce type de progression, les thèmes développés sont issus d'un « hyperthème » qui peut se trouver explicitement mentionné comme c'est le cas ici : *tous les grands de la littérature française* ou à inférer, comme on le verra dans l'exemple 4. Les thèmes spécifiques, quelquefois appelés « sous-thèmes », viennent ensuite préciser ou exemplifier (c'est le cas dans l'exemple 3 : *Rabelais, du Bellay, Montaigne*) le thème générique. Cette structure est souvent représentée par une schématisation en étoile.

T (hyperthème : *tous les grands de la littérature française*)

| *Rabelais a passé un an à Rome* | *Du Bellay y a vécu pendant près de trois ans.* | *Montaigne, au cours de… en Toscane puis à Rome.* |

• **Exemple 4**

> *La lumière insupportable se rallume. Il faut se déplier dans le coton, et s'ébrouer vers la sortie en somnambule. Surtout ne pas laisser tomber tout de suite les mots qui vont casser, juger, noter. Sur la moquette vertigineuse, attendre patiemment que le géant au journal soit passé devant. Cosmonaute pataud, garder quelque temps cette étrange apesanteur.*

(P. Delerm, « Fin d'une séance de cinéma », *La première gorgée de bière et autres plaisirs minuscules*, L'Arpenteur, 1997.)

Ici, pas d'hyperthème explicite. Mais le lecteur peut facilement suppléer à cette absence : autant de conseils sur la conduite à tenir au sortir d'une séance de cinéma.

Pouvez-vous déterminer les types de progression utilisés dans les quatre textes suivants ?

Texte 1

(...) Pierrot grimpe sur une planche, puis sur une autre. Il s'avance vers la fenêtre allumée. Il y jette un coup d'œil. Qu'a-t-il vu ? Nous ne le saurons jamais ! Il fait un bond en arrière. Il a oublié qu'il était perché à trois mètres du sol sur un échafaudage. Il tombe. Quelle chute ! Est-il mort ? Non. Il se relève péniblement. En boitant, il rentre dans la boulangerie. Il allume une chandelle, il trempe sa grande plume dans l'encrier.

M. Tournier, *Pierrot ou les secrets de la nuit*, éditions Gallimard.

Texte 2

(Marcovaldo s'est endormi sur un banc par une chaude nuit d'été. Il est réveillé au matin par un tuyau d'arrosage.)

(...) Et tout autour de lui, piaffaient les trams, les camions des marchés, les voitures à bras, les fourgonnettes. Les ouvriers fonçaient vers les usines sur leurs vélomoteurs ; les rideaux de fer des boutiques remontaient à toute vitesse ; les fenêtres des maisons ouvraient leurs persiennes ; les vitres étincelaient. La bouche pâteuse, les yeux ensommeillés, l'air hagard, le dos douloureux, une hanche à demi démise, Marcovaldo courait à son travail.

Italo Calvino, *Marcovaldo ou les saisons en ville*, éditions Julliard.

Texte 3

J'avais une vache
elle est au salon

j'avais une rose
elle est en chemise
et en pantalon

j'avais un cheval
il cuit dans la soupe
dans le court-bouillon

j'avais une lampe
le ciel me l'a prise
pour les nuits sans lune

j'avais un soleil
il n'a plus de feu
je n'y vois plus goutte
je cherche ma route
comme un malheureux.

Jean Tardieu, «Comptine» in «Monsieur Monsieur»,
Le Fleuve caché, éditions Gallimard.

Texte 4

(...) Ma mère, ça la prend tout à coup, vers la fin de l'après-midi, surtout à la saison sèche, elle fait laver la maison de fond en comble, pour nettoyer elle dit, pour assainir, pour rafraîchir. La maison est bâtie sur un terre-plein qui l'isole du jardin, des serpents, des scorpions, des fourmis rouges, des inondations du Mékong, de celles qui suivent les grandes tornades de la mousson. Cette élévation de la maison sur le sol permet de la laver à grands seaux d'eau, de la baigner tout entière comme un jardin. Toutes les chaises sont sur les tables, toute la maison ruisselle, le piano du petit salon a les pieds dans l'eau. L'eau descend par les perrons, envahit le préau vers les cuisines.

Marguerite Duras, *L'Amant*, Les éditions de Minuit.

Éléments de corrigé

• **Texte 1 :** Il est construit pour l'essentiel en adoptant une progression à thème constant. La focalisation est faite sur Pierrot, héros de l'histoire repris en tête de phrase dans la majorité des cas par le pronom « il ». Ce procédé est toutefois interrompu en deux occasions : le narrateur intervient alors directement pour poser des questions sur le sort du héros et y répondre immédiatement avant de reprendre le cours de la narration.

• **Texte 2 :** C'est une bonne illustration de la progression à thèmes dérivés. L'hyperthème est à dégager par le lecteur dans la mesure où il est à reconstruire à partir des éléments de la description, donnés dans le texte. Il s'agit du réveil d'une ville, au petit matin. On peut en revanche relever les sous-thèmes qui s'y rapportent, à savoir « les trams, les camions des marchés, les voitures à bras, les fourgonnettes », « les ouvriers », « les rideaux de fer », « les fenêtres des maisons », « les vitres ». Le texte se termine sur la reprise de la focalisation sur le héros : « Marcovaldo retournait à son travail ».

• **Texte 3 :** Le poème de Jean Tardieu est une bonne illustration de la progression à thème linéaire. Chaque strophe est bâtie sur ce modèle :

> *J'avais un ou une* ------- (thème)

> *Il ou elle est* -------- (rhème)

à l'exception de la quatrième, qui offre une variante :

> *j'avais une lampe*
> *Le ciel me l'a prise...*

et de la dernière qui se termine en reprenant le thème initial de la première personne, dans les derniers vers. On peut alors parler d'un retour de la progression à thème constant.

• **Texte 4 :** Le texte de M. Duras fonctionne aussi essentiellement sur la progression à thème linéaire. En effet, le rhème de la première phrase « maison » est repris comme thème de la deuxième phrase. Le rhème de la deuxième phrase « bâtie sur un terre-plein qui l'isole... » est repris comme thème dans la phrase suivante avec la nominalisation : « cette élévation de la maison sur le sol ». La phrase suivante interrompt ce type de progression puisqu'on revient à l'entité « maison », mais le terme « eau » qui termine cette même phrase se retrouve à l'initiale de la phrase suivante.

■ Les connecteurs

Une des règles fondamentales de la cohérence textuelle est que les informations puissent être mises en relation par le lecteur. Dans certains cas, la simple juxtaposition des informations est suffisante pour que des liens logiques puissent s'opérer.

> *Un important tremblement de terre a eu lieu, cette nuit, au centre de l'Italie. De très nombreux monuments ont été endommagés.*
> (lien de cause à conséquence)

Le plus souvent, cette mise en relation est assurée par des mots ou expressions qu'on appelle « connecteurs ». Cette nouvelle terminologie a le mérite de rapprocher des unités de la langue que la grammaire traditionnelle classait dans des catégories tout à fait différentes, à savoir :
– **les conjonctions de coordination** : mais, ou, et, donc, or, ni, car ;
– **les conjonctions et locutions dites de subordination** : parce que, puisque, comme, quand, quoique… ;
– **les adverbes et locutions adverbiales :** d'abord, ensuite, puis, enfin ; ainsi, autrement dit, au contraire, au demeurant, en fait, bref, cependant, d'ailleurs, de fait, décidément, de toute façon, effectivement, toutefois, par ailleurs, néanmoins, pourtant, quand même… ;
– **certaines expressions :** il est vrai que, toujours est-il que, la réalité est que…

On peut certes définir les connecteurs comme des mots de liaison qui articulent les informations entre elles mais cette définition est insuffisante. Les connecteurs ont surtout pour fonction d'orienter l'interprétation que le lecteur doit faire des énoncés dans la mesure où, selon C. Plantin, « **ils mettent les informations contenues dans un texte au service d'une intention argumentative globale** ».
De nombreux linguistes se sont efforcés d'éclairer les différentes nuances apportées par ces connecteurs. Le plus connu d'entre eux est Oswald Ducrot qui a montré les différents sens que pouvait avoir, par exemple, la conjonction « mais ».

Les différents sens de la conjonction « mais »

• Si l'on dit « *Ce restaurant est bon mais il est cher* » ou « *Ce restaurant est cher mais il est bon* », il est clair que l'interlocuteur ne tirera pas les mêmes conclusions de ces deux énoncés, bien qu'apparemment les informations données soient identiques : dans les deux cas, « mais » articule bien deux arguments anti-orientés. Toutefois, le second est plus fort pour la conclusion qu'il sert que ne l'est le premier. Dans ces conditions, le discours jouera énormément de l'ordre des arguments et des valeurs implicites de référence :

> *Cette route est en Aveyron, mais elle est droite.*
>
> *Femme indépendante mais féminine.*

• Tous les emplois de « mais » ne sont pas pour autant argumentatifs. Ainsi, on peut souhaiter rectifier un propos précédent, affirmer une idée en niant une autre :

> *Rodrigue n'est pas français mais espagnol.*
>
> *« Indochine » n'est pas un film de guerre mais un mélodrame.*

Le propos peut certes être plus nuancé : *pas à proprement parler mais plutôt….*

• Le linguiste J.-Michel Adam a montré par ailleurs que « mais » n'articulait pas forcément deux arguments anti-orientés. Dans la locution **non seulement... mais encore**, déjà présente dans la rhétorique classique (*Non solum... sed etiam*), l'argument donné à droite de « mais » vient renforcer celui qui est donné à gauche.

Va voir ce film non seulement pour l'humour mais aussi pour le jeu des acteurs..

À votre tour, exercez-vous !

Voici une liste de 7 phrases. Les informations articulées par les connecteurs vont-elles dans le même sens (on parle alors de « co-orientation ») ou dans un sens contraire (on parle alors d'« anti-orientation »)?

1. Il pleut. Je suis enrhumé. Donc je resterai à la maison.
2. La Grèce est un pays idéal pour les vacances. Il y fait beau. Toutefois, la chaleur y est parfois insupportable.
3. Il fait beau. Mais je suis fatigué. Alors je ne sors pas.
4. C'est midi. Pourtant le facteur n'est pas encore passé.
5. Je ne veux pas acheter cette robe : elle est trop voyante et d'ailleurs elle n'est pas très bon marché.
6. Aujourd'hui, j'ai dû payer mes impôts. En plus, j'ai reçu une contredanse salée. Décidément, la journée a été catastrophique.
7. Aujourd'hui, j'ai dû payer mes impôts, mais j'ai reçu mon treizième mois. Finalement, la journée n'a pas été si mauvaise.

Éléments de corrigé

1. La valeur de « donc » est ici une **valeur déductive.** L'information se situe dans le droit fil de ce qui précède. On peut dire que les informations sont co-orientées.

2. Les deux premières phrases vont dans le même sens : celui d'une argumentation en faveur de la Grèce. La dernière phrase introduite par le connecteur « toutefois » marque une restriction. On peut dire que, dans ce cas, les arguments présentés sont anti-orientés.

3. La première proposition « il fait beau » laisse supposer une sortie possible. Mais le connecteur « mais » introduit une idée qui va en sens contraire de la première conclusion attendue. Ici les informations sont anti-orientées. Le « alors » qui suit enchaîne dans le même sens que la phrase 2, « je suis fatigué » entraînant la suite logique « je ne sors pas ».

4. Le connecteur « Pourtant » marque une opposition entre les deux propositions. D'habitude, à midi, le facteur a effectué sa tournée.

5. Le connecteur « d'ailleurs » permet d'introduire un argument supplémentaire co-orienté, présenté comme annexe. C'est bien le cas ici, l'argument le plus fort semble bien être le caractère trop voyant de la robe, mais il s'y ajoute l'argument du prix. O. Ducrot emploie dans ce cas la métaphore du camelot qui, pour « faire bon poids », ajoute un lot de mouchoirs pour emporter l'adhésion de l'acheteur.

6. Toutes les informations sont ici co-orientées. Le connecteur *décidément* vient renforcer la conclusion que l'on attendait normalement après les deux informations précédentes.

7. Le connecteur *mais* introduit une information qui va dans le sens contraire de la conclusion que l'on pourrait tirer après la lecture de la première proposition. Il s'agit bien d'arguments anti-orientés. Le connecteur *finalement* introduit un argument qui est co-orienté par rapport à la proposition introduite par *mais* et anti-orienté par rapport à la première proposition : *Aujourd'hui, j'ai dû payer mes impôts*.

Comment articuler les activités de grammaire et les activités sur les textes ?

Comme nous l'avons vu avec le Q-Sort du chapitre précédent, une des critiques les plus importantes adressées à l'enseignement de la grammaire, c'est son caractère autonome par rapport à l'ensemble des activités de français et son manque d'efficacité dans la mesure où les élèves réinvestissent peu dans leurs productions les compétences manifestées dans la réalisation des exercices effectués lors des séances de grammaire.

Avec la grammaire de texte d'une part et la prise en compte de la typologie des écrits et des séquences textuelles d'autre part, apparaissent de **nouveaux modèles d'organisation de la discipline** qui s'efforcent d'articuler l'approche des textes (activités de lecture et de production) et les activités d'observation et d'analyse de faits linguistiques (cf. le chapitre sur les différentes formes d'organisation du travail).

■ Les faits de langue travaillés dans le texte explicatif

Travailler les termes d'introduction des mots spécialisés

Ainsi un module de travail programmé sur le texte explicatif en liaison avec des activités scientifiques va-t-il permettre de travailler en langue sur les phénomènes de reformulation des termes de spécialité et les termes qui permettent de les introduire, comme : *autrement dit, ainsi appelé, c'est-à-dire…*

Travailler les connecteurs logiques

Par ailleurs, une des spécificités du texte explicatif, c'est qu'il oblige l'énonciateur à produire un raisonnement logique mettant en relation des données pertinentes pour résoudre un problème précis. C'est donc le type de texte par excellence qui va permettre de travailler les connecteurs logiques, en particulier ceux qui traduisent les relations de cause, de conséquence ou de but. C'est donc l'occasion d'effectuer des repérages de listes de formulations possibles. Au CM2, il sera possible de commencer à distinguer les différentes catégories à laquelle appartiennent ces termes :
– conjonctions de coordination, adverbes : *alors, en effet*;
– prépositions ou locutions prépositives : *à cause de, en raison de, grâce à*;
– conjonctions ou locutions conjonctives de subordination : *parce que, puisque, afin que, pour que, de telle sorte que…*

(Signalons, au passage, que les évaluations nationales du début de la 6e ne demandent quasiment pas de connaissances en termes de métalangage grammatical.)

Raisonner par analogie

Afin de lever les obstacles à la compréhension, celui qui rédige un texte explicatif s'efforce de rapprocher l'inconnu du connu. Un bon moyen d'atteindre cet objectif est de manier le raisonnement par analogie et d'avoir recours à des comparaisons. On peut ainsi relever les procédés qui permettent d'introduire des comparaisons.

Travailler sur le « présent gnomique »

Le texte explicatif peut être aussi l'occasion de travailler sur une autre valeur du présent que le présent de discours : il s'agit du présent à valeur générale, très employé en sciences et répondant au joli nom de « présent gnomique ». On peut s'intéresser aussi à la nature des groupes sujets, le plus souvent à la troisième personne.

■ Les notions linguistiques travaillées à partir de différents types d'écrits

Certains outils pédagogiques aujourd'hui disponibles sur le marché proposent des programmations qui établissent un lien entre les différents types d'écrits travaillés sur une année ou sur un cycle et les notions linguistiques qu'il est souhaitable de travailler à partir des textes. C'est le cas, par exemple, du coffret *En partant des écrits* publié par le CRDP de Franche-Comté. À titre d'exemple, nous reproduisons en pages suivantes un tableau élaboré par un groupe d'enseignants du primaire lors d'un stage de formation continue. Ils se sont inspirés de la progammation du cycle 3 sur les différents types d'écrits proposée par l'équipe de B. Schneuwly dans les manuels *Expression écrite* (Nathan), et se sont efforcés de préciser les notions linguistiques spécifiques à travailler dans ces écrits.

Rappelons que ces repérages métalinguistiques interviennent pour les élèves dans deux types de situations privilégiées :

• **Les situations où il s'agit de relever les caractéristiques des différents types de textes et de les matérialiser sur des fiches-outils.** On peut trouver des exemples de ce genre de fiches dans l'ouvrage de J. Jolibert : *Former des enfants producteurs de textes* (Hachette éducation) et des comptes-rendus de séances sur ce type de travail dans *Évaluer les écrits à l'école élémentaire*, Groupe EVA-INRP (Hachette éducation). Ces fiches servent de guide pour l'écriture et/ou la relecture des premiers jets et prennent en compte aussi bien les caractéristiques se rapportant à la structure d'ensemble des textes que les caractéristiques qui relèvent de la grammaire de texte ou de phrase.

• **Les situations dites d'« activités décrochées »** (cf. chapitre 7 sur les différents modes d'organisation de l'enseignement du français), dans lesquelles l'enseignant programme des séances ciblées sur une notion particulière (emploi des temps dans le récit, changement de système énonciatif à l'intérieur d'un récit...). Le choix des notions à traiter tient compte des faits de langue spécifiques aux types de textes, en privilégiant ceux dont la maîtrise pose le plus de problèmes aux élèves. Ces séances constituent alors une aide (non exclusive, bien sûr) à l'amélioration des premiers jets.

	CE2	CM1	CM2
Échanger	**Lettre de présentation :** • Types et formes de phrases • Emploi des pronoms : je-tu • Emploi des déictiques spatio-temporels: adverbes, GN **Questionnaire :** • Phrases interrogatives • Indicatif présent, passé-composé, futur 1 et 2	**Invitation :** • Approche du c. circonstanciel (lieu et temps) • Futur 1 et 2	**Lettre de demande :** • Modalisation dans l'expression de la volonté : conditionnel • Emploi de connecteurs argumentatifs
Convaincre	**Texte d'opinion** **(pour défendre son point de vue) :** • Phrase affirmative/négative	**Argumentation en** **pour et contre** (ex : pour ou contre la télé, un animal domestique à la maison…) : • Connecteurs logiques • Subordonnées circonstancielles de cause	**L'article critique :** (autour d'un livre, d'un film) • Connecteurs logiques • Distinction entre faits et opinions, arguments et exemples
Expliquer	**Dire comment c'est** **fait, comment cela** **se passe** (ex pour les phénomènes naturels : le cycle de l'eau, la fabrication du miel…) : • Emploi des connecteurs de temps (*d'abord, ensuite, puis, enfin*) pour marquer la succession des étapes et logiques (*alors, mais…*)	**Le fonctionnement** **d'un objet :** • Procédés de reprise dans la progression linéaire (reformulation de termes savants) • Nominalisations illustrant les schémas • Phrases passives éventuelles • Connecteurs logiques	**Pourquoi ça arrive** (explication par exemple d'un phénomène mystérieux : pourquoi les baleines s'échouent sur les côtes ?; pourquoi les bateaux flottent-ils ?..): • Connecteurs et vocabulaire de la cause et de la conséquence…
Raconter	**Récit d'expérience** **vécue:** • Temps du discours (présent, passé composé, futur) • Pronoms de la 1ère personne • Déictiques spatio-temporels **Conte :** • 1e approche des temps du récit • Types et formes de phrases • Les procédés de reprise (de l'indéfini au défini : un, le…; les pronoms personnels…) • Ponctuation spécifique au dialogue	**Le récit d'aventures :** • Reprise des faits de langue spécifiques de l'énonciation : récit/discours (temps, personnes, indicateurs spatio-temporels) • Approfondissement des procédés de reprise : extension aux pronoms démonstratifs, possessifs, relatifs… et différents types de GN (simples et expansés) • Verbes introducteurs de dialogue, notion de proposition incise • Les compléments circonstanciels de temps et de lieu	**Nouvelles, sciences-** **fiction, policier :** • Narration en « je », en « il » • Transposition des paroles rapportées : discours direct, indirect, indirect libre • Approfondissement concernant l'emploi et la morphologie des temps (passé simple, plus-que-parfait) • Systématisation de l'étude des procédés de reprise --- chaîne référentielle (avec variation de point de vue ou jugement de valeur) • Progression thématique dans le récit ou le dialogue --- thématisation et place des constituants de la phrase

	CE2	CM1	
Jouer avec la langue	Jeux littéraires sur des structures de phrases données : • le cadavre exquis	Jeux littéraires et poétiques imitant des structures syntaxiques données : • Le soleil, c'est comme… • Pourquoi…? parce que… • Si + conditionnel… alors… • Pour… il faut que…	Production d'un poème entier faisant jouer différents niveaux de complexité de la langue
Dire comment faire	Recette : • Impératif/infinitif/indicatif présent • Pronominalisation	Notice de fabrication (ex : masques, instruments de musique, jeux…) : • Impératif, infinitif (a renforcer) • Pronominalisation (a renforcer)	Règle du jeu : • Emploi des temps : antériorité présent/passé composé • Approche possible de la forme passive : « Celui qui a été attrapé… » • Subordonnées circonstancielles de temps et de condition : « Dès que la balle touche un joueur… », « Si un joueur…, alors… »
Décrire	Devinette : • Notion de GN expansé avec adjectif(s) qualificatif(s) ou GN prépositionnel • Emploi de structures de phrases du type : *Il est…* ou *Il a…* • Phrase interrogative finale	Le portrait : • Toutes les formes d'expansion du GN, donc travail sur l'emploi des relatifs • Les différentes fonctions de l'adjectif qualificatif • Les procédés de comparaison	La description d'un intérieur ou d'un paysage : • Les organisateurs de la description : adverbes, GN prépositionnels ou pas • Être et avoir remplacés par des verbes précis • Progression thématique linéaire ou éclatée

Peut-on et doit-on traiter toutes les notions grammaticales en relation avec les textes ?

Cette question mérite d'être posée. En consultant les documents existants, on se rend compte qu'elle reçoit des réponses diverses. La tentation de traiter toutes les notions grammaticales à partir des textes se fait jour dans bon nombre de documents pédagogiques actuellement disponibles sur le marché.

Pour notre part, nous adopterons une position un peu différente. Même si certaines notions de grammaire de phrase sont abordées dans les textes, comme par exemple la phrase attributive dans le texte descriptif ou la notion de groupe nominal grâce au repérage des personnages dans un récit, il nous semble que des notions qui relèvent clairement de la grammaire de phrase (par exemple, nature et fonction des constituants) sont à traiter dans des « séances décrochées » sur des corpus de phrases.

Pour reprendre l'exemple précédent concernant la phrase attributive, il vaut mieux travailler cette notion de manière contrastive, en observant un corpus de phrases qui comportera à la fois des phrases du type : GN + Vê + Qualifiant   et des phrases du type GN + Vê + GN2. L'objectif de la séance sera alors de dégager avec les élèves les différences de fonctionnement des éléments à la droite du verbe (accord ou non avec le sujet, type de verbe dans la phrase, formes de pronominalisation…).

AU CONCOURS

■ Sujet 1 : analyse de productions d'élèves

Voici **six textes ou extraits de textes d'enfants** dont l'orthographe a été corrigée (y compris la ponctuation). Ces textes comportent tous des dysfonctionnements relevant de la « grammaire de texte » (système énonciatif, substituts, connecteurs…)[5].

Inédit

Relevez et analysez les différents exemples de dysfonctionnement.

Texte 1

Autrefois vivait un petit bonhomme qui s'appelait Jean de la lune. Il aurait aimé visiter la lune, mais ses parents l'en empêchaient. Un soir de pleine lune, il se leva, prit la très grande échelle de papa et sortit. Il mit l'échelle devant la lune et monta. Arrivé en haut de la lune, il ne vit personne, puis il regarda et vit des yeux, une bouche et un nez. Tout à coup la lune bougea et fit tomber la très très grande échelle. Jean pleura mais une fusée arriva. Jean lui demanda de l'emmener sur terre. L'astronaute dit « oui » de la tête et redescendit sur terre. Il faisait déjà jour, plein de personnes l'attendaient. Et c'est pour ça que je m'appelle Jean de la lune.

Texte narratif écrit par des élèves de CE2
après la lecture de l'album de T. Ungerer, *Jean de la lune*, l'École des loisirs.

Texte 2

Les vers de terre s'enfoncent dans la terre en l'avalant par la bouche et en la recrachant par derrière car ils n'en ont pas besoin. Mais il garde tout ce qu'il lui faut pour son corps. Conclusion : Le vers de terre s'enfonce dans la terre pour y chercher sa nourriture.

Extrait d'un texte informatif rédigé par des CM1.

Texte 3

Les jumeaux arrivent de l'autre côté de la rive. Quand vint le tour de la fille, c'est une véritable catastrophe. Une pierre glissa de la roche. Elle tomba. En bas, il y avait une cascade avec de gros tourbillons qui grondaient.

Extrait d'un texte narratif (CM2).

Texte 4

En voiture, ça va vite mais il y a des risques d'embouteillages ou de bouchons, puis pour les voyages en famille ce n'est pas pratique parce qu'il n'y a pas assez de place. En plus, il y a des péages. Mais heureusement, l'homme a trouvé ce qu'il faut : le train. Pas de risque d'embouteillage ou de bouchon. Il y a assez de place pour les voyages en famille et le train va aussi vite que la voiture. Il n'y a pas de péage mais on doit payer un ticket.

Texte argumentatif en faveur des voyages en train (CM2).

---

5 Au concours, vous n'aurez pas autant de textes à analyser. Mais il est important que vous puissiez vous entraîner…

Texte 5

Sortie à la dune.

Nous sommes partis de l'école à bicyclette pour aller à la côte découvrir la dune. L'euphorbe est une plante toxique, elle fait gonfler la langue et étouffe. Les plantes les plus répandues sont l'oyat et le chiendent. Les plus vieilles dunes ont plus de cinq mille ans. La criste marine est une plante comestible. Madame l'inspectrice accompagnait M. Berger. Nous avons continué la visite avec eux. Puis nous sommes rentrés à l'école.

Compte- rendu d'une sortie en CM1,
cité dans la brochure *Écrire et réécrire*, CRDP de Rennes.

Texte 6

Et la cigale se mettait à danser et à danser et elle perda l'équilibre. La cigale fait une chute après. En regardant dehors, l'autre se moquait de la cigale encore. Elle lui disa : « Qu'est-ce qui vous fait rire ? — Votre chute évidemment. » La cigale s'en alla. Elle est pas contente. Quelle peste, la fourmi !

Suite de la fable de La Fontaine *La cigale et la fourmi*, CM1.

C O R R I G É

• **Texte 1 :** Le plus gros problème posé par ce texte réside dans la confusion de deux systèmes énonciatifs : le système du **récit** avec présentation d'un personnage à la troisième personne à l'imparfait, *Jean de la lune*, et le système du **discours** qui intervient dans la dernière phrase avec l'emploi de la première personne et du présent de l'indicatif. En fait, la confusion intervient plus tôt dans le texte avec l'emploi du mot « papa » là où on attendrait, dans une énonciation de type **récit**, l'emploi de « son père ».

Un second problème plus local réside dans l'emploi du pronom « lui » utilisé avant le référent « astronaute ». Sans doute le pronom est-il issu de l'emploi du mot « fusée », mais le caractère inanimé du mot « fusée » ne permet pas l'utilisation du pronom « lui » après le verbe « demanda ».

• **Texte 2 :** Le problème vient ici du mauvais emploi du pronom personnel « il » au singulier dans la deuxième phrase pour reprendre le groupe nominal au pluriel « les vers de terre ». Une explication possible pour rendre compte de la forme utilisée réside peut-être dans le fait qu'il s'agit d'un texte documentaire sur des animaux. En effet, dans ce type de texte, on peut utiliser soit le singulier qui a alors une valeur générique pour désigner l'espèce, soit le pluriel qui renvoie à la pluralité des membres de l'espèce. Mais il faut choisir entre les deux ! L'utilisation dans la dernière phrase du singulier à valeur générique « le vers de terre » semblerait plaider en faveur de cette hypothèse. La marque de pluriel, trace de l'hésitation entre les deux possibilités, renforce encore l'interprétation précédente.

• **Texte 3 :** Ici, on peut noter un double problème : à nouveau, un problème de substitut dans la mesure où le pronom personnel « elle » peut renvoyer à deux référents : « la fille » ou « la pierre ». On peut penser que la suite du texte permettra au lecteur de choisir la bonne interprétation. Toutefois, ce genre d'ambiguïté est à signaler aux enfants…

Un autre problème vient de l'utilisation des temps puisqu'on trouve dans le même texte, voire dans la même phrase, l'utilisation du présent et du passé simple. Ce changement s'explique sans doute par la difficulté qu'éprouvent beaucoup d'enfants à adopter une position énonciative stable : ils passent volontiers du statut de celui qui raconte et qui est donc le maître d'œuvre d'une fiction à celui qui participe à l'action comme ils sont amenés à le faire dans leur vie quotidienne[6].

• **Texte 4 :** Le problème essentiel de ce texte réside dans l'emploi du dernier « mais ». L'enfant semble avoir perdu de vue que la conclusion attendue à la fin de la lecture du texte doit être : « Prenez le train » Le dernier « mais » articule simplement deux faits en opposition : certes, il n'y a pas de péage, mais il faut quand même payer puisqu'on prend un ticket.

• **Texte 5 :** L'écrit de type compte-rendu est souvent hybride. Il a recours à plusieurs systèmes énonciatifs selon qu'il raconte les événements d'une journée avec la chronologie qui s'impose (emploi des temps du passé : ici, passé composé + 1re personne du pluriel) ou qu'il est plutôt du côté du documentaire (écrit de type informatif avec présent à valeur générale et emploi de la 3e personne). Ici, il suffirait de séparer plus nettement les deux types de séquences et de travailler davantage les caractéristiques du texte informatif pour que l'ensemble soit cohérent.

• **Texte 6 :** Ici, c'est à nouveau l'emploi des temps qui pose problème. Certains des présents utilisés en dehors de la séquence dialoguée ne sont pas acceptables, étant donné le système énonciatif choisi de type **récit**. À la rigueur, on pourrait accepter le présent « la cigale fait » comme présent de narration. On sait que La Fontaine n'hésite pas à l'utiliser, mais cette explication semble peu vraisemblable compte tenu des autres emplois « fautifs » dans l'emploi des formes verbales. La forme « elle est pas contente » devrait être à l'imparfait dans la mesure où elle apporte des informations de second plan, à la fois descriptives et explicatives, par rapport à l'action « s'en alla » donnée au passé simple.

Autre emploi inacceptable : la coordination dans la première phrase d'un imparfait et d'un passé simple. En revanche, on ne relèvera pas les formes « perda » et « disa » qui relèvent de la morphologie verbale et non des valeurs d'emploi liées au dispositif énonciatif.

■ Sujet 2 : synthèse de documents

La synthèse choisie traite de l'évolution de la conception de l'enseignement grammatical depuis une quarantaine d'années. Elle a donc recours à des connaissances développées autant dans le chapitre précédent que dans le chapitre présent.

Toulouse
1992

Vous rédigerez une note de synthèse à partir des quatre documents ci-joints (trois pages maximum).

Texte 1 : Extrait de la présentation par Emile Genouvrier et Claudine Gruwez de leur ouvrage de grammaire : *Grammaire pour enseigner le français dans le guide pédagogique CE/CM*, Librairie Larousse, 1987.

---

6. On trouvera des analyses intéressantes sur cette question dans l'ouvrage du sociologue Bernard Lahire, *Culture écrite – Inégalités scolaires* (chapitre sur l'architecture des textes), PUL, 1993. Il y développe l'idée que ce n'est que lorsque l'auteur adopte une position d'extériorité par rapport à son texte qu'il peut « introduire et conclure, organiser les actions dans un ordre chronologique, éviter les répétitions et éviter surtout certains implicites (propres à ceux qui participent à l'événement) concernant notamment les personnages, les lieux et les moments des différentes actions ».

Texte 2 : Extrait de l'avant-propos à *Grammaire du français classique et moderne*, Wagner et Pinchon, 1962.

Texte 3 : Extrait de *Compléments aux programmes et instructions du 15 mai 1985 sur l'enseignement grammatical à l'école élémentaire.*

Texte 4 : Extrait des « Propositions de la commission de réflexion sur l'enseignement du français », paru dans le n° 86 de la revue *Le Français aujourd'hui*, 1989.

TEXTE **1**

Une grammaire pour enseigner le français

De la théorie à la pratique

La rupture à l'école, entre grammaire traditionnelle et grammaire « moderne rénovée » nous paraît en effet moins de contenu que d'abord de cible et de méthode[1] ; plus exactement, c'est parce qu'on lui donne une autre fonction que quelque chose peut changer à travers elle : aurait-elle le plus savant contenu que sa fonction métalinguistique pourrait bien demeurer inchangée. Pour faire vite, disons qu'un arbre ne donne pas forcément les fruits escomptés.

Changer de cible : c'est-à-dire aller tout droit à la pratique de la langue, et cueillir en route quelques fleurs métalinguistiques ; pratiquer mille fois la variation sujet-verbe, et en chemin mettre en place l'identification du sujet du verbe. Au lieu, comme hier, de rassembler les quatre exemples nécessaires à une définition, dont on s'efforce de vérifier la justesse à travers une vingtaine d'autres, on redistribue complètement le jeu des exemples et des connaissances pour que la grammaire enseignée serve constamment la grammaire du français : c'est-à-dire le judicieux **usage** de la phrase dans notre langue.

• La classe de grammaire est un atelier linguistique

Si bien que la classe de grammaire devient un atelier d'exercice de la langue, un lieu de parole et d'écriture, de lecture parfois (secondairement), et ne demeure pas un lieu de constatation, si active fut-elle. Parce que l'urgence est, pour de jeunes élèves, de pratiquer au mieux la langue française que l'école a pour fonction de leur apprendre.

La *grammaire traditionnelle* ne pouvait y faire face, puisqu'elle avait été construite pour aller du latin au français d'une part, pour gloser les textes littéraires d'autre part, pour apprendre l'orthographe enfin – et c'était sa seule partie pragmatiquement pertinente après 1965. **C'est pour cela qu'il fallait la changer**, et non par conformité moderniste.

Les *grammaires structurales*, puis *transformationnelles* ne le pouvaient pas non plus **directement** : mais les premières étaient trop liées aux problèmes didactiques[10] pour ne pas y être utiles ; les secondes devaient aider à puiser dans la dynamique profonde de la langue pour l'enseigner.

De façon **médiate**, contenus et méthodes rejoignaient le constat d'échec de l'enseignement du français qui déclencha en 1965 un grand mouvement de rénovation : **tout devait dorénavant concourir à une meilleure pratique de la langue française orale et écrite pour des élèves inégalement favorisés et destinés à une scolarité plus longue, situés dans une société plus complexe aux activités verbales considérablement développées.**

---

1. L'un ne va pas sans l'autre, bien sûr !
2. Le distributionnalisme américain sera, dès 1950, à la base de nouvelles méthodes d'enseignement des langues étrangères.

• Des connaissances à acquérir

Comme hier, une telle grammaire apporte à l'école des connaissances. Et l'on peut se réjouir qu'elles soient mieux affinées : ce n'est pas en vain que s'est constitué l'énorme travail linguistique de ce siècle. Et l'on peut se réjouir que l'école veuille les enseigner : car ce qu'un élève a sans doute de plus précieux, sa propre langue, mérite autant réflexion que la géographie, après tout ; il est bien vrai qu'en un certain sens, il y a à acquérir une culture grammaticale, plus largement une culture linguistique, dont l'école élémentaire gère les « éléments »[3].

Mais elle innove sur deux point centraux et complémentaires : par ses outils de travail, par ses manipulations. Inutile de développer : ce livre voudrait en être la constante illustration.

E. Genouvrier et C. Gruwez

---

3. La grammaire d'hier ne remplissait d'ailleurs guère cette mission, si l'on en juge par l'inculture linguistique générale des Français. Demandez donc autour de vous combien il y a de langues dans le monde ; ou qui à l'étranger a le français pour langue maternelle, pour langue nationale : vous serez surpris des réponses…

Grammaire du français classique et moderne

Normative, la grammaire du bon usage codifie les règles d'une langue correcte. Vaugelas, en 1647, a dit précisément tout ce qu'il convient de savoir sur ces conventions ; on pourrait, en 1961, réimprimer l'admirable préface des *Remarques sur la langue française* sans en changer un mot. La correction du langage s'harmonise naturellement avec celle de la tenue. L'une et l'autre sont de ces valeurs conventionnelles qu'on observe avec d'autant plus de soin qu'on se fait une idée plus haute de la politesse. Elles ornent l'homme partout où des gens de goût s'efforcent de donner un « style » à la vie en société. Ce style change d'ailleurs avec les époques et les milieux. Les conventions du bon usage sont peut-être moins durables que celles de la bonne tenue ; mais, sous toutes les formes que la mode leur a successivement fait prendre, on les respecte sous peine de déchoir.

L'enfant fait l'apprentissage de ces règles dans sa famille ou à l'école ; il le poursuit au lycée et plus tard encore, si l'homme qu'il est devenu se surveille parlant ou écrivant. D'où il s'avère, comme les usages changent, qu'on aura toujours besoin de livres qui les suivent ; livres d'autant plus utiles qu'à certaines époques (la nôtre en est une…) parents et maîtres n'accomplissent pas toujours leur devoir de censeurs.

L'enseignement de la grammaire normative tient donc de droit une grande place dans les classes. De par sa fin il ressortit plus à l'éducation qu'à l'instruction. Il doit créer chez l'enfant des réflexes, instaurer en lui des habitudes. Il meuble la mémoire, mais par le fait il n'enrichit pas beaucoup l'esprit. Cela vient de ce qu'une norme ne se justifie pas toujours en histoire ou en logique. Elle est de la même nature que les règles d'un jeu ; on les apprend, on les observe afin de gagner, si possible, et afin de ne pas se déclasser en jouant. Mais le plus habile joueur de bridge ou d'échecs n'a pas forcément à connaître l'histoire des conventions auxquelles il se plie. L'éducation vise à placer l'enfant en face d'un état de fait : dire ceci ou cela, agir comme ceci ou comme cela en telle circonstance. En ce qui concerne le langage, un enfant, élevé dans les meilleures conditions, devrait s'exprimer comme il faut, bien avant l'époque où son esprit devient capable de saisir ce qu'est une valeur conventionnelle.

R. L. Wagner et J. Pinchon

L'enseignement grammatical à l'école élémentaire

La langue peut être un objet d'étude comme le sont la matière pour la physique ou l'être vivant pour la biologie ; on ne saurait toutefois oublier qu'à l'école primaire, il importe de donner à tous les enfants une maîtrise effective de leur langue écrite, mais aussi de leur langue orale dans la mesure où l'usage oral de la langue ne saurait être limité aux seuls échanges familiers de la vie quotidienne. (…)

(…) Pour le plus grand nombre des enfants, le français est langue maternelle, c'est-à-dire la langue qu'ils entendent depuis leur naissance et qu'ils utilisent quotidiennement. Il ne s'agit donc pas de leur « apprendre » quelque chose dont ils n'auraient aucune expérience (très tôt, les enfants savent spontanément employer le féminin d'un adjectif ou le pluriel d'un nom, par exemple), mais beaucoup plus de leur donner les moyens de mieux comprendre tout ce qu'ils liront ou entendront, et de mieux utiliser les possibilités de leur langue en fonction des situations dans lesquelles ils se trouveront, notamment à l'écrit, qui a toujours un rôle social primordial.

Dans cette mesure, l'enseignement grammatical est une discipline réflexive et sa démarche devrait consister, non pas a imposer aux enfants des connaissances grammaticales abstraites dont la signification leur échapperait largement, et qui ne leur donneraient pas une plus grande maîtrise de leur langue, mais beaucoup plus à les aider à prendre conscience de la façon dont fonctionne effectivement cette langue qu'ils manient sans cesse, pour que cette **appropriation** active leur donne plus de sûreté et plus de liberté dans l'usage de celle-ci.

Cette démarche d'appropriation associe :

• Un certain nombre d'attitudes à l'égard de la langue :
– **Observer** des productions linguistiques, orales ou écrites, comme des objets que l'on peut décrire, et dont on peut définir les caractéristiques (de forme par exemple, en ce qui concerne les phrases ou les mots, ou d'organisation sonore ou graphique, etc.).
– **Chercher** dans ces productions (qui auront été triées par le maître à cette fin pédagogique) certains détails ou certaines caractéristiques précises (un son par exemple, ou une graphie, ou un élément grammatical), et **repérer** les positions ou les contextes dans lesquels on les trouve.
– **Comparer** enfin, c'est-à-dire observer les uns par rapport aux autres des éléments linguistiques divers (phrases, ou mots, ou sons, ou graphies, etc.) pour en dégager de façon précise les ressemblances et les différences.

• Des techniques d'exploration :
– **Classer** (des phrases, ou des mots, ou des graphies, etc., que les enfants pourront avoir d'abord recherchés et repérés) ce qui suppose :
   – que soient définis des critères de classement (qui varieront selon ce qui est à classer, et qui pourront être sonores ou graphiques, syntaxiques ou sémantiques…) ;
   – que ces critères soient ensuite utilisés de façon rigoureuse ;
   – enfin, que l'on s'interroge sur le résultat du classement effectué (c'est-à-dire les classes qui s'en dégagent, et les éléments dont elles sont constituées).
– **Manipuler** les unités linguistiques (du mot à la phrase), c'est-à-dire savoir effectuer certaines **opérations** (de suppression, de déplacement, de remplacement par exemple) d'où apparaîtront des ressemblances et des différences entre les objets étudiés (ainsi le remplacement de **je** par **vous** entraînera une modification sonore et graphique de la forme verbale qui suit le pronom, mais celui de **je** par **ils** pourra dans certains cas n'entraîner qu'une modification graphique, etc.), et savoir réemployer ces unités dans les écrits produits.

Programme sur l'enseignement grammatical à l'école.

Grammaire de phrase / grammaire de texte

Les travaux – de plus en plus nombreux – qui portent sur la « linguistique textuelle » s'il insistent sur la spécificité du texte comme unité (à partir de concepts tels que cohérence, compétence/performance textuelles) possédant ses règles de fonctionnement propres, montrent aussi qu'il est souvent difficile d'opérer une division nette et précise entre grammaire de phrase et grammaire de texte : il paraît préférable de considérer des interactions – plus ou moins grandes – entre les deux domaines; ceci déjà au plan théorique; à plus forte raison, au plan pédagogique, où il semble nécessaire d'éviter la coupure qui s'établit fréquemment entre les activités «textuelles» (rédaction, lecture…) et les activités « grammaticales ».

Dans cette interaction texte/grammaire, trois cas différents semblent se présenter :

– De nombreux faits linguistiques ne se laissent correctement appréhender que dans une perspective textuelle, leur rôle fondamental étant d'assurer les règles de cohérence; qu'il s'agisse par exemple des moyens d'établir la récurrence des unités (pronominalisations, définitivisations, présuppositions…) ou la progression thématique (détachements, tours emphatiques…), qu'il s'agisse de l'utilisation des « temps » verbaux… l'approche mise en œuvre doit, dépasser le cadre strict de la phrase et prendre en compte un contexte linguistique large.

– Dans d'autres cas, il peut sembler suffisant, à première vue, de s'en tenir à une grammaire de phrase : le choix de tel ou tel pronom relatif, de tel ou tel suffixe dans une nominalisation, le fonctionnement morphosyntaxique de la phrase passive, peuvent être analysés sans qu'il soit fait appel au texte; reste toutefois à montrer le « pourquoi » d'une relativisation, d'une nominalisation, du passif, « pourquoi » qui ne peut être décelé que par une étude du contexte; et, même s'il s'agit du contexte de situation, le passage ne peut se faire de la phrase isolée au contexte extralinguistique : l'intermédiaire du texte comme lieu des stratégies discursives est, ici encore, indispensable.

– Certains phénomènes enfin n'exigent aucune « justification » par le contexte : le type de construction d'un verbe (directe ou indirecte), l'accord verbe/sujet par exemple, n'ont guère besoin, pour être analysés, d'un autre cadre que celui de la phrase, mais la mise en contexte demeure nécessaire, pour des raisons non plus théoriques mais pédagogiques : sous peine de retrouver – à la place de « l'analyse pour l'analyse », si souvent critiquée – « la manipulation pour la manipulation » (cf. les critiques adressées aux exercices structuraux), il convient de ne pas perdre de vue l'unité textuelle qui correspond à la situation « naturelle » de production et de compréhension, dans laquelle les diverses unités linguistiques trouvent leur justification. (…)

On remarquera qu'il importe aussi, dans une démarche inverser, pourrait-on dire, de prendre conscience des « répercussions » de la dimension textuelle sur le niveau phrastique : il est difficile de concevoir la structure de la langue comme un tout isolé qui, dans son fonctionnement même, serait indépendant des unités textuelles; il suffit de considérer la plupart des opérations de transformation pour voir le rôle important qu'y jouent des phénomènes tels que la définitivisation, la thématisation, etc., autant de faits liés au contexte linguistique, et il paraît nécessaire de prendre en compte cette dimension dans l'élaboration, la recherche, des règles de fonctionnement.

Commission de réflexion sur l'enseignement du français.

Synthèse rédigée

Les quatre textes proposés traitent tous de l'enseignement de la grammaire et permettent de mesurer les évolutions importantes qui ont marqué l'histoire de cette discipline, ces trois dernières décennies.

Si l'avant-propos à une *Grammaire du français classique et moderne* de Wagner et Pinchon, de loin le texte le plus ancien, définit la grammaire surtout par rapport au respect d'une norme imposée, la présentation qu'E. Genouvrier et C. Gruwez font de leur *Grammaire pour enseigner le français à l'école élémentaire* et les *Compléments aux Instructions Officielles de 1985* donnent à cette discipline un véritable statut de science capable de décrire le fonctionnement d'une langue. Quant aux propositions émanant d'une commission de spécialistes et publiées dans la revue *Le Français aujourd'hui*, en 1989, elles mettent l'accent sur le renouvellement des contenus de la discipline qui dépasse le cadre de la phrase pour s'appliquer au texte.

Quelles sont les différences essentielles qui séparent ces diverses conceptions, tant sur le plan des objectifs poursuivis que sur celui des démarches adoptées et des contenus sélectionnés? Tels sont les trois domaines dans lesquels il semble important d'affiner l'analyse…

En ce qui concerne les objectifs de la grammaire traditionnelle, appelée « normative » dans le texte de Wagner et Pinchon, ils sont essentiellement centrés sur l'apprentissage et le respect de règles qui doivent permettre aux élèves d'utiliser une langue correcte, conforme au bon usage et ce, à des fins de distinction sociale. Dans la mesure où ces règles relèvent autant du savoir-vivre que du savoir proprement dit, la grammaire est affaire d'éducation autant que d'instruction et les familles ont un rôle aussi important à jouer que l'école dans l'inculcation de cette norme. Par ailleurs, E. Genouvrier et C. Gruwez rappellent que la grammaire « traditionnelle » poursuit d'autres objectifs comme l'aide à l'apprentissage de l'orthographe et du latin.

Si le souci d'une meilleure maîtrise de la langue est également présent dans les textes 1 et 3, cette dernière est surtout définie par rapport à la diversité des situations de communication, à l'écrit comme à l'oral. La notion de « judicieux usage » se substitue à celle du « bon usage » de la grammaire normative.

Pour les tenants de cette conception, la grammaire acquiert un statut de discipline scientifique, à rapprocher de la biologie et de la physique : elle prend la langue comme objet d'étude et les élèves guidés par l'enseignant découvrent les règles de fonctionnement d'une langue qu'ils utilisent depuis leur plus jeune âge (textes 1 et 3).

Cet objectif de mise en évidence de règles de fonctionnement est également rappelé dans le texte 4. Mais on voit ici que la préoccupation des auteurs est différente : il s'agit surtout de faire apparaître la cohérence de la discipline «français» en montrant les liens entre l'enseignement de la grammaire et l'approche des textes, en lecture et en production.

Sur le plan des méthodes, les différences entre les différentes conceptions sont également importantes.

Comme l'indique clairement le texte 2, la « grammaire traditionnelle » fait essentiellement confiance à la mémoire : il s'agit pour les élèves d'apprendre des règles, des définitions assorties de quelques exemples (texte 3) dans des livres spécialisés. La réflexion semble inutile et doit céder le pas au réflexe, à l'habitude.

À l'inverse, les textes 1 et 3 mettent l'accent sur une approche dans laquelle l'activité réflexive des élèves est très sollicitée, même si cette réflexion sur le fonctionnement de la langue passe par des opérations très concrètes comme l'observation, la comparaison, le classement et les manipulations d'énoncés (cf. texte 1). E. Genouvrier en comparant la classe de grammaire à un atelier insiste sur la nécessité du recours à de multiples exercices pour développer les pratiques langagières des élèves et leur réflexion métalinguistique.

Les auteurs du texte 4 préconisent quant à eux une analyse des faits de langue qui prenne toujours en compte le contexte spécifique dans lequel ils sont employés, en remontant jusqu'à la dimension textuelle.

Sur le plan des contenus, E. Genouvrier et C. Gruwez rappellent bien que les différences essentielles entre « grammaire classique » et « grammaire rénovée » ont davantage porté sur les méthodes que sur les contenus proprement dits. En même temps, ils font référence aux apports de connaissance renouvelés par les grammaires structurales et distributionnelles et d'une façon générale par tout le travail de recherche linguistique du vingtième siècle.

Toutefois, l'unité privilégiée aussi bien en « grammaire traditionnelle » qu'en « grammaire rénovée », c'est la phrase (textes 1, 2 et 3). C'est le texte 4 qui apporte des éléments nouveaux sur le choix des contenus. L'unité sur laquelle travailler, c'est le texte ou plus exactement l'interaction phrase/texte, même si certains faits de langue ne relèvent que du cadre de la phrase.

Les raisons avancées sont de plusieurs ordres : théorique dans la mesure où de nombreux phénomènes linguistiques ne peuvent être appréhendés de façon pertinente que dans le suivi d'un texte(reprises pronominales, emploi des temps verbaux…) ; pédagogique car les diverses unités de la langue ne prennent leur sens que reliées au contexte de production, c'est-à-dire au texte.

Au cours des trente dernières années, l'enseignement de la grammaire a beaucoup évolué : on est passé d'une discipline autonome, centrée sur la phrase à une discipline intégrée à l'ensemble de l'enseignement du français, privilégiant la dimension textuelle pour la compréhension des faits de langue. Il reste encore beaucoup de travail à faire pour que la richesse de la réflexion se traduise dans les activités quotidiennes de la classe de français.

Pistes bibliographiques

■ Ouvrages de base

◆ Combettes Bernard, *Quelques jalons pour une pratique textuelle de l'écrit*, CRDP de Clermont- Ferrand, 1989.
(Ouvrage collectif à destination des enseignants qui propose, en même temps qu'un certain nombre de clarifications théoriques, des activités à mettre en œuvre dans les classes.)

◆ Combettes Bernard, *Pour une grammaire textuelle - La progression thématique*, De Boeck-Duculot, 1983.
(L'ouvrage ne traite que de la progression thématique, mais le fait avec beaucoup de clarté.)

■ Pour aller plus loin
(outils directement utilisables pour la classe)

◆ Accès (Association pour la création et les communications entre enseignants), *Projet : écrire* (coffret de 23 dossiers), 1991.
(Chacun des dossiers a trait à un type d'écrit différent (portrait, compte-rendu, petite annonce, récit…). Il mentionne le travail possible sur des faits de langue spécifiques et propose au dos de chaque dossier une fiche d'évaluation qui intègre des notions de grammaire de texte et de grammaire de phrase.)

◆ Tomasone R. et Leu C., *Grammaire pour lire et pour écrire*, Simon-Delagrave, 1997.
(C'est un des premiers ouvrages, à l'école primaire, qui propose de partir des situations de communication pour aborder le texte, puis les faits de langue qui relèvent de l'interphrastique, et enfin les éléments classiques qui constituent la grammaire de phrase.)

L'emploi
des substituts

Qu'est-ce qu'un substitut ?

■ Pour poser le problème

1. Essayez de mettre à leur place dans le texte encadré ci-après les mots ou expressions qui suivent :

les robots japonais / leur / les robots (*deux fois*) / les plus petits / ils (*deux fois*) / eux-mêmes / les Espagnols de l'université de Girona / ceux de petite taille / les «athlètes» / eux / les tricolores / la classe «moyenne» / les massives boîtes noires nipponnes / ces dernières / les petits buggys américains / les robots footballeurs.

Remarque : lorsque le déterminant est un article contracté (ex : des, aux), les deux éléments qui le composent sont dissociés : la préposition (de, à) se trouvant dans le texte et l'article (le, les) dans la liste ci-dessus.

2. Qu'est-ce que ces mots et expressions ont de commun ?

3. Quels indices morphosyntaxiques, sémantiques et pragmatiques vous ont guidés dans vos réponses ? (Pour une définition de ces notions, cf. chap. 12)

**Les robots footballeurs ont disputé
leur première Coupe du monde**

Carnegie Mellon : 3, Paris : 1. Le premier match de l'équipe française, dans la poule «robot de petite taille», s'est soldé par un échec de **(1)** . Cette rencontre du troisième type a eu lieu au cours de la première Coupe du monde de **(2)** , RobotCup-97, qui s'est terminée, vendredi 29 août, à Nagoya, au Japon.

Des joutes sans merci y ont opposé une quarantaine d'équipes venues des meilleures universités japonaises, américaines, australiennes et européennes. **(3)** ressemblent souvent à des jouets inspirés de véhicules tout-terrain, bardés de capteurs et surmontés d'une caméra. **(4)** mesurent 15 centimètres de haut, contre 50 centimètres pour **(5)** . **(6)** s'affrontent sur des terrains spécialement construits pour **(7)** . Les règles de la compétition excluent les systèmes télécommandés : une fois programmés, **(8)** sont livrés à **(9)** . **(10)** s'y

---

disputent une balle de golf, qu' **(11)** doivent propulser dans des buts de 50 centimètres de large sur une surface de la taille d'une table de ping-pong. Les organisateurs envisagent de rajouter deux catégories lors des futures Coupes du monde : les robots à plus de trois jambes et les humanoïdes. L'événement peut prêter à sourire. Il est, en fait, on ne peut plus sérieux : cette compétition accompagnait la quinzième Conférence internationale sur l'intelligence artificielle, qui rassemble le gotha de la recherche mondiale en robotique.

Le choix du football comme épreuve unique apporte à la fois une composante ludique et une forte stimulation pour les chercheurs, qui peuvent ainsi comparer l'état d'avancement de leurs travaux. Au premier jour de la conférence, lundi 25 août, l'université de Carnegie Mellon (États-Unis) s'est illustrée en infligeant un cuisant 5-0 à l'Institut de science et technologie de Nara (Japon). **(12)** se sont mis à parcourir des cercles vrombissants autour de **(13)**, perturbant **(14)**. Mais **(15)** ont retrouvé **(16)** sang-froid en arrachant une victoire par 1-0 face à **(17)**. Chaque rencontre, qui oppose deux équipes de cinq minirobots chacune, se tient en deux mi-temps de dix minutes séparées par une pause de même durée nécessaire pour recharger les batteries de **(18)**.

Michel Alberganti, Le Monde du 31 août/1er septembre 1997.

■ Premiers éléments de réponse

Question 1

Dans le texte original l'ordre des mots et des expressions était le suivant :

(1) des tricolores / **(2)** des robots footballeurs / **(3)** Les robots / **(4)** Les plus petits / **(5)** la classe « moyenne » / **(6)** Ils / **(7)** eux / **(8)** les robots / **(9)** eux-mêmes / **(10)** Ceux de petite taille / **(11)** ils / **(12)** Les petits buggys américains / **(13)** des massives boîtes noires nipponnes / **(14)** ces dernières / **(15)** les robots japonais / **(16)** leur / **(17)** aux Espagnols de l'université de Girona / **(18)** des « athlètes ».

La seule alternative possible concerne « les athlètes » (18) et les robots (3 ou 8) qui peuvent éventuellement échanger leurs places.

Question 2

Ces mots et ces expressions, pourtant très différents du point de vue de la classe grammaticale, ont tous en commun de représenter à des degrés divers l'expression « robots footballeurs » qui se trouve dans le titre.

Question 3

Les indices se répartissent effectivement en trois catégories . morphosyntaxe, sémantique, pragmatique.

Sur le plan de la morphosyntaxe, la cohésion du texte doit être garantie et les indices portent sur :

• **Les marques de genre et de nombre** : Aux emplacements numérotés 3, 4, 6, 8, 10, 11, 12, 15, le verbe au pluriel réclame un sujet pluriel; ce qui exclut le groupe singulier *la classe moyenne*, d'autant plus qu'en 8 le participe passé est aussi au masculin.

• **Les marques morphologiques des fonctions :**
– *La position de sujet* rend impossible l'emploi de mots ne pouvant exercer cette fonction comme *leur* qu'il soit déterminant ou pronom.
La nature même du pronom sujet *ils* lui impose d'une part de prendre une place à proximité d'un verbe et d'autre part de se trouver placé plutôt après un nom ou un groupe nominal qu'il doit reprendre sans ambiguïté. Ce qui rend son emploi impossible en 3, 8, 12, 15.

– *La fonction de complément de détermination* (ou de nom) annoncée par la préposition *de* en 1, 2, 18 exclut aussi un certain nombre de mots : *ils*, *eux*, *eux-mêmes*, *leur*.

– *Les prépositions* comme *pour* devant 7 et *à* devant 9 éliminent encore le pronom-sujet *ils*.

• **La règle de non-répétition** rend difficile la succession du même mot *les robots*.

Sur le plan sémantique, il faut préserver la cohérence et lorsque plusieurs mots ou expressions présentent les mêmes garanties de compatibilité morphosyntaxique avec le texte, c'est le contexte sémantique qui guide :
– match joué par l'équipe de France et probablement perdu par elle, puisque aucune autre équipe n'est présentée en 1 ;
– réflexion sur la taille des objets en 4 et 5 assortie d'une comparaison entre deux termes ou deux catégories d'objets ;
– match opposant les E.U. au Japon pour 12, 13, 14 ;
– revanche de l'équipe du Japon face à une nouvelle équipe en 15, 16, 17.

Enfin, des indices pragmatiques peuvent aussi jouer un rôle important dans la décision. Ainsi, le groupe nominal *les tricolores* trouve sa place en 1 comme substitut couramment employé en sport pour désigner les sportifs français dès lors qu'ils se mesurent à des étrangers. D'autre part, une formulation générique, globale, aussi claire et complète que possible s'impose au début du texte en 2 et la nécessité de conclure par un effet de style fort, lié aux intentions de pastiche de compte rendu sportif, plaide en faveur de l'expression des «*athlètes*» à l'extrême fin du texte.

Rôle et emploi des substituts

■ Quelques définitions

Les substituts (notés en gras dans les exemples de ce chapitre) appartiennent à la catégorie des **anaphores**[1] qui sont des mots ou des suites de mots rappelant une expression présente ailleurs dans le texte ou le discours et qui ne peuvent se comprendre qu'en étant mis en relation avec elle. Ainsi dans l'exemple suivant, le pronom *il* ne se comprend pleinement que s'il est relié au mot *loup* auquel il se substitue :

> *Debout devant l'enclos du loup, le garçon ne bouge pas. Le loup va et vient.* **Il marche** *de long en large et ne s'arrête jamais.*

(Daniel Pennac, *L'œil du loup*, Nathan, début du chapitre 1.)

---

1. Les anaphores sont quelquefois appelées «anaphoriques» par simplification de «mots anaphoriques».

Si le mot anaphorique précède et annonce cette expression, on parle alors de **cataphore** :

> *Il marche de long en large et ne s'arrête jamais, le loup.*

Afin d'éviter toute confusion, il convient de bien distinguer l'anaphore au sens linguistique qu'on vient de lui donner, de l'anaphore comme figure de rhétorique reposant sur la répétition du même mot ou de la même formule en tête d'une structure (groupe de mots, proposition, phrase, vers, paragraphe…) :

> *Rome*, *l'unique objet de mon ressentiment !*
> *Rome*, *à qui vient ton bras d'immoler mon amant !*
> *Rome*, *qui t'a vu naître, et que ton cœur adore !*
>
> (Corneille, *Horace*.)

À l'intérieur de la catégorie des anaphores linguistiques, deux grands types coexistent : celles qui utilisent des raccourcis dans l'expression (les ellipses) et celles qui utilisent les procédés de substitution (les substituts et les reprises) :

• **Les ellipses** reposent sur le principe de l'effacement; un élément employé une première fois est supprimé au lieu d'être répété. Ainsi dans la phrase :

> *Pierre préfère les hyperboles, Paul les euphémismes.*

la répétition de *préfère* est évitée, il y a ellipse du verbe.

• **Les substituts et les reprises** «sont des moyens de **se référer à un individu, un objet, un fait ou une idée déjà évoqués** dans le texte ou le discours. La cohésion n'est plus d'ordre syntaxique comme dans le cas des ellipses, mais renvoie cette fois au **domaine d'expérience** que le texte exprime. C'est celui-ci – les spécialistes le dénomment le "référent" du discours – qui constitue l'élément fédérateur des énoncés successifs.»[2] C'est pourquoi l'ensemble des mots et expressions qui renvoient à un référent identique, comme dans notre situation de départ avec les robots footballeurs, constitue la **chaîne référentielle** (ou coréférentielle).

■ Que remplacent les substituts ?

Ils servent bien sûr à remplacer les noms propres et à représenter les personnages mais ils peuvent également prendre la place de noms communs ou de groupes nominaux désignant n'importe quelle réalité du monde : des objets, des actions, des groupes de mots à valeur abstraite. Ainsi, deux catégories de substituts selon qu'ils sont pronominaux ou lexicaux peuvent prendre la place de diverses classes de mots : noms, verbes, adverbes, adjectifs, voire d'une phrase ou d'une partie entière de texte.

Les substituts pronominaux (ou grammaticaux)

Les pronoms, que leur étymologie voue théoriquement à «prendre la place d'un nom», sont évidemment tout désignés pour référer à ce qui a déjà été évoqué. Dans ce rôle de substitut pronominal on rencontre aussi bien :

Des pronoms personnels, sujets ou compléments :

> *Le sécateur du vigneron est bien affûté quand **il lui** permet de couper tous les sarments qu'**il** doit éliminer lors de la taille annuelle.*

---

2. *La Maîtrise de la langue à l'école*, p. 86.

Des pronoms relatifs :

> *Je décroche le téléphone **qui** se trouve sur le bureau.*

Des pronoms démonstratifs :

> *Dans les classes il y a quelquefois des animaux domestiques. **Ceux-ci** sont générale-ment très appréciés des enfants.*

Des pronoms possessifs :

> *Il dispose de livres personnels et de livres empruntés. **Les siens** sont toujours bien rangés.*

Des pronoms indéfinis :

> *Les espèces de champignons sont très nombreuses. **Certaines** sont plus comestibles que d'**autres**. **Quelques-unes** enfin sont vénéneuses, voire mortelles.*

Cependant il importe de ne pas confondre les deux notions – pronoms et substituts – car elles ne coïncident pas.

• **D'une part tous les pronoms ne sont pas des substituts**. Ainsi les pronoms personnels de la première et de la deuxième personne renvoient à la situation de communication pour désigner soit l'émetteur soit le récepteur du message. Leur référent n'est donc pas à chercher dans le texte puisqu'il est immédiatement fourni par le contexte. Ces pronoms sont, nous l'avons vu dans le chapitre 25, des embrayeurs du discours, c'est-à-dire qu'ils renvoient à la situation de production de l'énoncé et qu'ils ne peuvent être interprétés que par rapport à elle.

Certains pronoms ne réfèrent pas à un nom ou à un groupe nominal déjà présenté parce qu'ils contiennent en eux-mêmes la référence :

> ***Quelqu'un** m'a dit que… ou **Qui** dort dîne.*

Enfin, et ce n'est pas pour simplifier les choses, certains pronoms sont tantôt déic-tiques, tantôt anaphoriques. Ainsi un locuteur qui montre une fenêtre en disant: *Fermez **celle-ci*** emploie *celle-ci* comme déictique (ce n'est pas un substitut); tandis que dans la phrase suivante : *Le garnement jeta une pierre dans la vitre. **Celle-ci** se brisa instantanément,* celle-ci est anaphorique (c'est un substitut).

• **D'autre part, tous les substituts ne sont pas des pronoms** et d'autres classes de mots peuvent jouer ce rôle :
– adverbes : *ainsi, là-bas…* ;
– adjectifs : *Son intervention a été remarquable. Je ne m'attendais pas à une **telle** intervention de sa part.* [3] (*Telle* reprend *remarquable*);
– verbes ou groupe verbaux : *J'ai rentré ma voiture au garage comme **je le fais** chaque soir.* [3] (*Je le fais* est la reprise de *je rentre ma voiture au garage.*)

Cette variété fait que l'on rencontre parfois l'appellation de **substitut grammatical**.

---

3. Exemples cités par Tomassone Roberte dans *Pour enseigner la grammaire*, op. cité dans la bibliographie à la fin de ce chapitre.

Les substituts lexicaux

Lorsque le substitut est constitué d'un groupe nominal organisé autour d'un nom commun, il s'agit d'un **substitut lexical**. Ce groupe nominal est par ailleurs susceptible d'accepter les expansions habituelles du nom : adjectif qualificatif, complément de nom, proposition relative. Les substituts lexicaux apportent une information supplémentaire sur le référent et le caractérisent plus précisément. Pour la formation de ceux-ci on peut distinguer les procédés suivants :

Reprise du même terme avec un passage de l'indéfini au défini :

*une maison... **la maison***

Le déterminant défini *la* acquiert une valeur anaphorique.

Reprise du même terme avec un passage de l'indéfini ou du défini à la détermination par un démonstratif :

*une maison, la maison... **cette maison***

Comme précédemment pour l'article défini, le déterminant démonstratif a ici une valeur anaphorique.

Ces substituts sont parfois confondus avec la répétition [4] qui consiste dans une reprise terme à terme comme dans ce passage du début de *L'œil du loup*

> *Debout devant l'enclos du loup, le garçon ne bouge pas. **Le loup** va et vient. Il marche de long en large et ne s'arrête jamais.*
> *"M'agace celui-là..."*
> *Voilà ce que pense **le loup**. Cela fait bien deux heures que le garçon est là, debout devant ce grillage, immobile comme un arbre gelé, à regarder **le loup** marcher.*
> *"Qu'est-ce qu'il me veut ?"*
> *C'est la question que se pose **le loup**. Ce garçon l'intrigue. Il ne l'inquiète pas (**le loup** n'a peur de rien), il l'intrigue.*

> (Daniel Pennac, *L'œil du loup*, Pocket junior, Nathan.)

Reprise par un hyperonyme, c'est-à-dire un mot générique :

*Un lion s'est échappé d'une ménagerie... **le fauve (ou le félin)**...*

Les hyperonymes jouent un rôle particulièrement importants dans la production des substituts car ce sont les reprises les plus fiables, celles que l'on peut faire dans tous les cas. Ils peuvent être éventuellement accompagnés d'une expansion :

*La cigale chante tout l'été... **Cet insecte familier en Provence**...*

Reprise par un synonyme ou un quasi synonyme :

*Qui a vu la bête qui terrorise les Deux-Sèvres ? **L'animal** a été aperçu...*

Comme l'hyperonyme, le synonyme peut avoir une expansion : *L'animal mystérieux*...

Reprise par une périphrase (le plus souvent pour les noms propres) :

*Ils arrivèrent à Avignon. Ils tombèrent aussitôt sous le charme de **la cité des Papes**.*

---

4. Pour plus de précisions sur la répétition, cf. chap. 32.

■ Les contraintes à respecter pour l'emploi des substituts

Plusieurs contraintes fortes pèsent sur les substituts et conditionnent leur emploi dans les textes. Chaque fois que celles-ci ne peuvent être respectées, la répétition est préférable. Ces contraintes touchent aux aspects morphosyntaxiques, sémantiques et pragmatiques des textes.

Du point de vue morphosyntaxique

La reprise par un substitut doit assurer la cohésion du texte et éviter l'équivoque. Il est bien sûr impossible de ne pas respecter les indications de genre et de nombre, mais il y a aussi certaines règles de succession dans l'ordre des mots qui font qu'un substitut ne peut avoir plusieurs référents à la fois.
Ainsi dans la phrase :

> *Pauline a enfin fait la connaissance de sa cousine, **elle** l'a immédiatement détestée.*

le pronom substitut pronominal *elle* réfère obligatoirement au sujet *Pauline* et *l'* à *sa cousine*.

Du point de vue sémantique

La reprise doit rendre compte du référent avec exactitude. Il est vrai que, renvoyant au domaine d'expérience, les substituts mettent en jeu des connaissances encyclopédiques et culturelles sur le monde et qu'*a priori* ils ne peuvent contrarier les vérités admises. Il est ainsi impossible, à moins d'apporter des informations nouvelles, de proposer *le célèbre auteur de «Guerre et Paix»* comme substitut de Victor Hugo. Ils s'appuient donc sur les relations sémantiques que les mots entretiennent entre eux et sont parfois difficiles à interpréter lorsqu'ils s'écartent des rapports de synonymie ou d'hyperonymie / hyponymie. C'est le cas quand le substitut condense l'élément repris :

> *Nous avions perdu notre chat, nous avons longtemps cherché avant de le retrouver. **L'aventure** s'est bien terminée.*[5]

Il en est de même lorsque le lien avec le référent est indirect et nécessite de faire des inférences. Par exemple dans l'enchaînement :

> *Le portrait de Daniel est raté. **Les yeux** sont beaucoup trop sombres,*

il faut évidemment savoir qu'un portrait comporte une description des yeux.

Il y a encore les reprises sur énonciation qui ne renvoient pas au contenu de l'énoncé mais à sa forme :

> *Pourquoi la cathédrale de Chartres, que plusieurs autres ont précédée, s'élève-t-elle à l'endroit où nous la voyons? **La question** pourrait se poser pour beaucoup de nos vieilles églises...*

> (Mâle Emile, *Notre-Dame de Chartres*, Champs Flammarion, 1994.)

---

5. Exemple emprunté à l'article "Anaphore" d'Arrivé M., Gadet F., Galmiche M. dans *La grammaire d'aujourd'hui*, Flammarion, 1986.

Du point de vue pragmatique

Le choix des substituts doit correspondre à l'enjeu du texte et au destinataire. Ainsi, l'emploi d'un terme argotique qui semblerait inadapté dans une lettre à caractère officiel trouverait tout à fait sa place dans un roman policier.

■ Les possibilités d'expression offertes par les substituts

Au-delà de ces contraintes, les substituts constituent une ressource pour les textes car ils offrent des possibilités d'expression et permettent des effets de style.

Construction du référent

C'est en effet par le biais des reprises et des substituts que se construit le référent. Ils apportent des informations supplémentaires qui complètent la chaîne référentielle. Dans les textes informatifs où la progression thématique s'appuie souvent sur un thème faisant référence à une connaissance partagée (ou supposée telle), les substituts prennent quelquefois une ampleur particulière, justement en apportant les informations nécessaires à la bonne compréhension de ce qui suit. Il en est ainsi de ces substituts d'un article sur Jeanne d'Arc :

> *Jeanne d'Arc qui, grâce à la documentation d'une exceptionnelle richesse constituée par les dossiers de ses deux procès* (condamnation en 1431, réhabilitation en 1456), *est l'un des personnages les mieux connus... Paysanne qui ne sait ni lire ni écrire, dont tout le bagage savant se limite à la récitation du Pater, de l'Ave et du Credo et aux échos de sermons et de conversations entendus, elle est portée...*

> (Introduction de l'article sur "Jeanne d'Arc", *Encyclopædia Universalis*)

Dans les récits, la construction des personnages et la compréhension de leur évolution dans l'action se fait en partie au travers des substituts qui les caractérisent ou qui présentent l'action. Ceux-ci, outre les caractéristiques des personnages, indiquent souvent les relations qui existent entre ceux-ci : relations de parenté (*son oncle*), relations hiérarchiques ou sociales (*son cuisinier vénitien Chichibio*), relations créées par le contexte (*ce traître*)…

Variation du point de vue

Les substituts permettent également de faire varier le point de vue. Par exemple, dans *Le Lapin loucheur* de Claude Boujon (École des loisirs), la présentation des *deux frères du lapin loucheur* qui n'existent d'abord que par rapport à celui-ci comme le signale ce substitut, évolue au cours du récit. Ils acquièrent de l'autonomie (*les deux lapins*), puis des caractéristiques correspondant à l'évolution de leur rôle dans les péripéties du récit (*les deux étourdis*), avant de mériter la sympathie du narrateur, et du lecteur (*les deux pauvres lapins*).

Orientation argumentative

De même dans les textes argumentatifs, l'orientation argumentative se perçoit notamment au travers des substituts employés. Par exemple, il paraît assez évident qu'un texte qui présente la didactique en employant des substituts tels que *une nouvelle conception de la pédagogie de la langue*, *cette démarche*, *cette démarche nouvelle*, *la didactique contemporaine*[6] plaide en faveur de cette discipline.

---

6. Exemples empruntés à l'article "Didactique" de Bronckart J.-P. dans l'*Encyclopædia Universalis*.

Effets de style

Enfin, les substituts sont l'occasion d'effets de style comme nous l'avons vu dans la première partie de ce chapitre avec l'emploi de l'expression *des athlètes* qui renforce la dimension humoristique et parodique du texte.

Le tableau ci-dessous présente sous forme condensée l'ensemble des contraintes mais aussi des possibilités attachées à l'emploi des substituts.

	Point de vue morphosyntaxique	Point de vue sémantique	Point de vue pragmatique
La reprise doit d'abord	– assurer la cohésion textuelle – éviter l'équivoque	– rendre compte exactement du référent	– correspondre à l'enjeu du texte, au destinataire.
La reprise peut aussi		– construire la référence – traduire un point de vue	– exprimer un jugement de valeur (orientation argumentative)
La reprise peut enfin			– produire un effet stylistique, esthétique

Pierson C., *De l'évaluation à la réécriture*,
chap. 7, Groupe EVA, Hachette Éducation, 1996.

Les substituts à l'école

La compréhension du fonctionnement des anaphores et des substituts pose beaucoup de problèmes aux élèves et suscite de la part des enseignants et des didacticiens une attention particulière. Le livret *La Maîtrise de la langue à l'école* en rappelle d'ailleurs l'importance à plusieurs reprises, particulièrement dans la partie relative au travail d'écriture dans le cycle 3 :

> L'étude des mots de liaison, comme celle des marques temporelles ou, plus généralement, des anaphores, ne saurait se réduire à leur étiquetage grammatical. Il convient d'attirer l'attention des enfants sur leur fonctionnement, de reprendre des emplois fautifs ou maladroits, d'aider à enrichir le répertoire de ceux qui seront spontanément utilisés dans la production de textes. Au fur et à mesure que les élèves sont amenés à écrire des textes de plus en plus longs et élaborés, les problèmes posés par la cohésion sont mis en évidence et, autant que possible, correctement résolus.

> *La Maîtrise de la langue à l'école*, p. 87-88.

Au-delà d'un simple savoir grammatical (l'étiquetage), c'est une compréhension en profondeur qui est visée, une attention au fonctionnement du système anaphorique. Comme pour les autres savoirs concernant la langue, celui-ci s'acquiert en adoptant une attitude réflexive à partir des difficultés rencontrées à l'oral et en lecture / écriture.

La difficulté pour les élèves est liée à un double problème :

• D'une part, un même référent peut être représenté par des mots différents. Cf. notre exemple au début de ce chapitre où :

les massives boîtes noires nipponnes, les robots japonais, ces dernières, leur (sang froid) représentent bien la même chose.

• D'autre part, un même mot peut être utilisé pour des référents différents. Dans l'exemple suivant :

*Et cet automne-là Rosealee vint à l'école et se lia d'amitié avec Arlice. Elle était souvent à la maison. Je la laissais monter mon cheval et maman lui donnait les vêtements qui étaient devenus trop petits pour les autres filles et même, **elle** lui cousait parfois des robes parce qu'**elle** n'avait pas grand chose à se mettre et maman préten- dait que c'étaient de vieilles robes.*

(Jim Harrison, *Nord-Michigan*, coll. 10/18, UGE, 1991.)

Le pronom *elle* représente *maman* la première fois et *Rosealee* la deuxième fois.

Ce double problème rend évidemment la construction de la chaîne référentielle délicate. Or, si celle-ci ne se fait pas, la compréhension des textes en lecture est gravement compromise : absence de perception de la progression thématique, mauvaise identification des personnages… En ce qui concerne la production d'écrit, il s'agit de la capacité de produire un véritable texte, c'est-à-dire un texte qui soit autre chose qu'une accumulation de phrases.

AU CONCOURS

■ Les sujets possibles

Synthèse de documents

A priori, les substituts ne constituent pas un thème assez large pour jouer une part décisive dans une problématique de synthèse. Ils peuvent cependant intervenir à des degrés divers dans des sujets incluant une réflexion sur la didactique de la langue ou la lecture/écriture. Ils font en effet naturellement partie du décor lorsqu'on aborde les questions liées à la grammaire de phrase et à la cohésion des textes.
Cependant, si on élargit la notion à l'ensemble des phénomènes de reprise lexicale (anaphores et cataphores) et de reformulation, les substituts interviennent de façon importante à deux moments clés de l'épreuve de synthèse : la lecture des textes-sources et la rédaction par le candidat de son propre texte.

Lecture des textes-sources

Certains textes-sources, très argumentatifs, sont particulièrement riches en exemples de reprises lexicales et de reformulations. Leur repérage et leur correcte appréciation sont évidemment essentiels à la bonne compréhension des notions présentées : l'apport d'informations dans ce genre de textes s'effectue bien souvent au travers d'un jeu parfois complexe de reformulations (cf. exercice d'entraînement ci-après).

Rédaction de la synthèse

Rappelons que la synthèse est en elle-même une reformulation des textes-sources. C'est précisément par la qualité de ces reformulations que se manifeste **la justesse et la finesse de la compréhension des textes-sources**. Le candidat doit en effet s'affranchir de l'écueil de la répétition ou de la plate paraphrase et, lorsqu'il reprend le texte-source, c'est souvent pour le traduire en concepts et précisément pour *synthétiser* l'information qui y est contenue.

D'autre part, la synthèse emprunte à **différents documents qu'il faut référencier et situer** en fonction d'une nouvelle visée argumentative. Ainsi, dans les présentations successives que le candidat doit faire des documents-sources, l'emploi exclusif de termes neutres tels que « texte » ou « document » finit par faire suspecter un manque d'appréciation de la visée et de l'enjeu de ces documents. Il importe donc de situer avec précision leurs différents développements à l'aide, notamment, de substituts caractérisant l'acte d'énonciation : constat, analyse, réfutation, critique, plaidoyer, propositions, etc.

Enfin, l'emploi bien réglé des reprises et des reformulations au sein même de la synthèse en assure **la progression et la cohésion**. Comme dans n'importe quel texte de type argumentatif, la synthèse doit parfois expliciter ce qui vient d'être dit ou annoncé et le rédacteur peut recourir à l'ensemble des procédés observés dans les textes-sources (l'utilisation de marqueurs de reformulation facilite alors la lisibilité). Au fil du développement, les substituts permettent efficacement de réintroduire une notion déjà évoquée en indiquant clairement la visée argumentative selon laquelle elle sera présentée ou discutée. C'est en grande partie grâce à ces divers procédés de reprise et de reformulation que le texte progresse et que se tisse le fil conducteur qui permet au correcteur de suivre aisément.

Analyse de productions d'enfants

C'est bien sûr dans cette partie de l'épreuve que l'on s'attend le plus volontiers à rencontrer la question des substituts. Elle peut d'ailleurs se trouver élargie à l'ensemble des phénomènes de reprise référentielle et englober les répétitions et les ellipses. D'autres aspects de la grammaire textuelle peuvent également y être liés, notamment la progression thématique.

Cette question peut être abordée de manière directe avec des formules du type :

- *Parmi les procédés de reprise employés dans ce texte, citez ceux qui posent problème et proposez une reformulation.*

- *Vous relèverez les différents termes utilisés par cet élève pour désigner les personnages de son récit et vous en apprécierez l'emploi.*

La question des substituts peut aussi être sollicitée dans le cadre plus large de questions sur le système anaphorique :

- *Analysez le système anaphorique du texte.*

- *Rendez compte de la cohésion de ce passage.*

Elle peut encore être abordée de façon encore plus indirecte par des questions engageant à évaluer la qualité d'un récit qui peut présenter, parmi d'autres, des défaillances du point de vue de l'emploi des substituts :

• *Expliquez ce qui peut faire obstacle à la compréhension de ce récit.*

Analyse didactique

On peut difficilement envisager les substituts comme éléments centraux d'une analyse didactique, mais ils sont évidemment impliqués dans toute analyse de documents pédagogiques mettant en jeu des textes d'enfants. Ils peuvent aussi faire partie des propositions pédagogiques dans une perspective de grammaire de texte.
On peut également penser aux substituts lorsqu'il faut produire des pistes d'activités dans une séquence pédagogique en demandant aux élèves de repérer dans un texte les différents termes qui désignent les personnages et en proposant une réflexion sur leur emploi. Le bon repérage des personnages constitue dans l'apprentissage de la lecture l'une des clefs de la compréhension des textes narratifs et, en ce qui concerne la production de texte, il permet d'appréhender les phénomènes liés à la cohésion des textes.

■ Exercice d'entraînement à la synthèse

Pour parfaire votre entraînement, nous vous proposons un exercice de lecture sur le texte suivant qui faisait partie d'une synthèse de textes donnée à Poitiers en 1994. Ce texte où abondent reprises et reformulations ne peut être parfaitement compris que si celles-ci sont bien identifiées.

Retrouvez la partie de texte correspondant à chaque expression ou mot souligné.

Conditions d'une bonne approche pédagogique

Cette option fondamentale admise – l'élève ne subit pas telle ou telle norme, il s'interroge sur le phénomène pour, progressivement, en voir les différents aspects – il est nécessaire de définir les conditions premières de réussite de la procédure.

Il faut parler d'abord des conditions dans lesquelles doit être abordée la langue objet d'observation. Le respect du **principe de synchronie** paraît évident; comme paraît évident le respect du **principe qui veut qu'on distingue l'oral de l'écrit** – aussi bien lorsqu'on observe que lorsqu'on prescrit. Cela, non pas pour imposer une hiérarchie – l'oral serait moins exigeant que l'écrit – mais pour tenir compte du fait que les deux syntaxes ne coïncident pas obligatoirement, puisque la situation de l'écrit impose des développements inutiles en langue orale.

Mais il y a plus. Il est indispensable de faire une autre distinction. Reconnaître, d'une part, l'existence d'une **langue pratiquée quotidiennement**, à l'oral et à l'écrit, la langue de la famille, du bureau, de l'école, du jeu, la langue de la télévision, de la radio, du journal, de la correspondance, du manuel, du livre – autant parler de plusieurs langues, qui ne sauraient de ce point de vue, être ramenées à une langue moyenne – et la tâche de l'école serait de mettre l'élève en condition de les pratiquer toutes. Reconnaître, d'autre part, l'existence d'une **langue standard**, objet idéal, objet de travail, support obligé de l'étude, pour l'écolier comme pour le linguiste. Avec le postulat suivant : que la réflexion faite sur la seconde profite à la première – aux premières.

On imagine les difficultés que rencontrerait celui qui prétendrait réfléchir sur sa langue en abordant d'emblée, par exemple, la diversité des énoncés spontanés. Un recul, une distance sont nécessaires à qui veut accéder à une vraie compréhension. [...] La langue est une affaire trop sérieuse pour qu'on l'aborde sans méthode. À cet égard, la prise en compte d'une langue standard est un point de méthode.

Pour ce qui nous intéresse ici, nous estimons que l'élève comprendra mieux la relativité de la norme, découvrira mieux ses composants, en travaillant d'abord sur du **trié**. Plus généralement, d'ailleurs, maîtriser la langue française, c'est être capable de passer, à l'oral et à l'écrit, d'un ton à un autre, d'un discours à un autre, chacun de ces discours étant plus ou moins rattaché à ce qu'on peut appeler la langue standard. Notons encore que <u>cette option</u> ne doit pas laisser croire à l'existence d'<u>une alternative dont les termes seraient contradictoires</u> : partir des productions de l'élève ou travailler sur un corpus choisi. Opposer <u>ces deux procédures</u>, c'est faire abstraction de <u>ce qui se passe réellement en classe</u>, dans les meilleurs cas, il est vrai, à savoir que si la réflexion se développe à partir de ce que les élèves ont produit, en prise directe avec l'activité dominante, l'intérêt pour la langue naît et s'affirme de façon telle qu'il "exige" des moments d'abstraction – on s'abstrait de l'activité cadre – des parenthèses d'isolement où la langue puisse être prise comme objet, des moments, par exemple, où les phénomènes de norme sont strictement désignés et étudiés pour eux-mêmes. On peut parler alors d'un **relais de motivation**.

<u>Cela</u> précisé, <u>une autre condition</u> intervient dans la réussite de ce type d'approche, une condition qui concerne le maître seul et lui fournit le moyen – et c'est primordial – de dédramatiser la question.

Sous la plume du sociologue ou du sociolinguiste, les exemples de contrainte normative sont autant de cas douloureux. Il reste, heureusement, au maître d'école de pouvoir faire régner la sérénité dans le domaine en se préparant à une approche objective et cela, d'une part, en situant la norme dans sa perspective historique, puis en réfléchissant, pour son propre compte, sérieusement, aux solutions proposées ou suggérées par les linguistes et les pédagogues et, d'autre part – et peut-être surtout – en acquérant une pratique personnelle la plus large possible, dans des registres variés, de sa langue, tant à l'oral qu'à l'écrit. S'il fait <u>cet effort</u>, le problème de la norme lui paraîtra moins théorique ; ni plus, ni moins important que d'autres.

M.-J. Besson, B. Lipp, R. Nussbaum, "La norme une appropriation",
La Langue française est-elle gouvernable ?, p. 181, Delachaux-Niestlé, 1988.

1. *"l'élève ne subit pas telle ou telle norme, il s'interroge sur le phénomène pour, progressivement, en voir les différents aspects"* reprend et précise <u>cette option fondamentale</u> qui, placée devant, est une cataphore. Les tirets jouent un rôle de marqueurs de reformulation.

2. *"comme paraît évident le respect du principe qui veut qu'on distingue l'oral de l'écrit – aussi bien lorsqu'on observe que lorsqu'on prescrit"* est repris par le substitut grammatical <u>cela</u>. La délimitation du segment reformulé par <u>cela</u> peut s'envisager simplement à partir de : *"le respect du principe..."*

3. *"l'oral serait moins exigeant que l'écrit"* reprend et nuance par l'emploi du conditionnel indiquant son caractère illusoire <u>une hiérarchie</u>. Les tirets, là aussi, servent de marqueurs de reformulation.

4. *"Reconnaître, d'une part, l'existence d'une langue pratiquée quotidiennement, à l'oral et à l'écrit,* **"** et **"** *Reconnaître, d'autre part, l'existence d'une langue standard"* reprennent et explicitent <u>une autre distinction</u>. La reformulation se repère pragmatiquement et sémantiquement par la recherche de la distinction annoncée. Ce paragraphe peut d'ailleurs être pris presque dans son ensemble pour la reformulation recherchée car les termes de *"langue pratiquée quotidiennement, à l'oral et à l'écrit,"* et de *"langue standard"* sont eux-mêmes reformulés et glosés.

5. *"que la réflexion faite sur la seconde profite à la première – aux premières"* reformule et précise le <u>postulat suivant</u>. Ici, l'adjectif qualificatif *"suivant"* ainsi que les deux points jouent le rôle de marqueurs de reformulation.

6. *"en travaillant d'abord sur du trié"* est repris de manière synthétique par le substitut *cette option*.

7. *"partir des productions de l'élève ou travailler sur un corpus choisi"* reprend <u>une alternative dont les termes seraient contradictoires</u>. Les deux points jouent leur rôle d'indicateurs de reformulation et la conjonction *ou* signale l'alternative annoncée.

8. *"partir des productions de l'élève ou travailler sur un corpus choisi"* est de nouveau repris par le substitut <u>ces deux procédures</u>.

9. <u>ce qui se passe réellement en classe</u> est reformulé à partir de *"à savoir…"* jusqu'à la fin de la phrase *"étudiés pour eux-mêmes".*

10. Dans *"cela précisé",* <u>cela</u> renvoie d'une façon très générale à tout ce qui précède.

11. <u>une autre condition</u> est d'abord paraphrasé par *"une condition qui concerne le maître seul et lui fournit le moyen – et c'est primordial – de dédramatiser la question",* puis repris par *"Il reste, heureusement, au maître d'école de pouvoir faire régner la sérénité dans le domaine en se préparant à une approche objective".* La délimitation de la reprise n'est pas très évidente du fait de l'absence de marqueur de reformulation et de l'explicitation de celle-ci à partir d'un nouveau substitut *"cela",* qui transforme la quasi-totalité du paragraphe en reformulation de <u>une autre condition</u>.

12. *"d'une part, en situant la norme dans sa perspective historique, puis en réfléchissant, pour son propre compte, sérieusement, aux solutions proposées ou suggérées par les linguistes et les pédagogues et, d'autre part – et peut-être surtout – en acquérant une pratique personnelle la plus large possible, dans des registres variés, de sa langue, tant à l'oral qu'à l'écrit"* est repris et caractérisé par <u>cet effort</u>. Il est possible, là encore, de discuter sur la délimitation du fragment reformulé ; le sens semble plaider pour considérer que cet effort est à prendre dans un sens global et qu'il concerne l'ensemble des moyens que se donne l'enseignant dans son approche pédagogique de la norme.

■ Sujet d'analyse de production d'élève

1. *Relevez dans le texte ci-dessous toutes les expressions par lesquelles sont mentionnés les deux animaux du titre et classez-les.* (1 point)
2. *Commentez et analysez l'emploi de ces expressions (réussites et erreurs).* (3 points)

Inédit

Un chat qui parlé au chien

Un jour un chat qui promené, autour de la maison de quelqu'un.
Mais dans la maison, il y avait un chien.
Un soir, le chat est rentré dans la maison. Dans la maison, il y avait une vieille mamoiselle dans cette maison. Alors, la vieille mamoiselle a vu le chat rentré. Oh ! quelle est mignon ce chat noir, et le chien est jalou de cet chat noir. La vieille moiselle a donner au chat du lait frais. Le lendemain le chat était dans le lit de mamoiselle. Est la vieille moiselle était levé de bonne heure. Le chat a parlé au chien noir et le chien a répondu vatan de cette maison. Ci tu vait réseté il vo que tu sois jenti avec moi oui. Alors le chat et le chien son eureux avec la moiselle.

Laetitia, 8 ans.

 C O R R I G É

1 Soulignement et classement des expressions sur les animaux

Commentaires : *Dans les questions d'étude de la langue, les relevés doivent être exhaustifs. Les oublis ou les erreurs sont généralement fortement pénalisés.*

Un chat qui parlé au chien

Un jour, <u>un chat qui promené, autour de la maison de quelqu'un</u>.
Mais dans la maison, il y avait <u>un chien</u>.
Un soir, <u>le chat</u> est rentré dans la maison. Dans la maison, il y avait une vieille mamoiselle dans cette maison. Alors, la vieille mamoiselle a vu <u>le chat</u> rentré. Oh ! <u>quelle</u> est mignon <u>ce chat noir</u>, et <u>le chien</u> est jalou de <u>cet chat noir</u>. La vieille moiselle a donner <u>au chat</u> du lait frais. Le lendemain <u>le chat</u> était dans le lit de mamoiselle. Est la vieille moiselle était levé de bonne heure. <u>Le chat</u> a parlé <u>au chien noir</u> et <u>le chien</u> a répondu vatan de cette maison. Ci tu vait réseté il vo que tu sois jenti avec moi oui. Alors <u>le chat</u> et <u>le chien</u> son eureux avec la moiselle.

On rencontre essentiellement des substituts lexicaux et deux substituts pronominaux : *elle* (à la place de *il*) et le pronom relatif *qui* intégré dans un groupe nominal constitué d'un nom et d'une proposition relative (*un chat qui promené, autour de la maison de quelqu'un*).

À l'intérieur du groupe des substituts lexicaux, il est possible de distinguer ceux formés simplement par un groupe nominal (*le chien, le chat*) et ceux formés par un groupe nominal et une expansion du nom, soit un adjectif qualificatif (*le chat noir*), soit une proposition relative (*un chat qui promené autour de la maison de quelqu'un*).

Enfin on peut également distinguer :
– les groupes nominaux à la détermination indéfinie par un article indéfini : "un";
– les groupes nominaux à la détermination définie par un article défini : "le" ou "au";
– les groupes nominaux à la détermination définie par un démonstratif : "ce" ou "cet".

2 Commentaires et analyse de l'emploi de ces expressions (réussites et erreurs)

Cette question est plus importante que la précédente. Elle porte sur l'emploi des substituts et ne pose pas de problème particulier, si ce n'est la nécessité d'avoir à traiter à la fois des réussites et des erreurs.

Du côté des réussites

• Les reprises par des substituts sont claires et non ambiguës. Les deux personnages ne se confondent pas.

• Bonne utilisation de l'alternance entre article indéfini, pour la première apparition des personnages dans le récit, et article défini ou démonstratif lors des emplois suivants du même mot : "un chat qui promené autour de la maison… le chat… ce chat", "il y avait un chien… le chien". Le titre possède un fonctionnement autonome qui autorise l'article indéfini aussi bien que l'article défini.

• Des substituts lexicaux qui essayent de caractériser les personnages par des expansions du nom (adjectif qualificatif, proposition relative) : *ce chat noir, au chien noir, un chat qui promené autour de la maison.*

Du côté des erreurs ou des insuffisances

• Les substituts pronominaux pourraient avantageusement relayer les substituts nominaux pour éviter les répétitions trop rapprochées :
– *et le chien est jalou de <u>cet chat noir</u>*… : "<u>en</u> est jaloux" ou "<u>celui-ci</u>","<u>ce dernier</u>"…
– *le chat a parlé au chien noir et le chien a répondu*… : "<u>qui</u> a répondu" ou "et <u>celui-ci</u> a répondu"…

• Emploi exclusif du substitut correspondant à l'espèce : "chat", "chien". Des reformulations pourraient mieux tenir compte des rôles des personnages dans l'action ou essayer de traduire le point de vue : par exemple, "l'intrus" ou "le nouveau venu" pour le chat.
Il serait également possible d'utiliser des périphrases :
– soit à partir du mot chat : "le chat malin",
– soit à partir de l'hyperonyme "animal" : "l'animal astucieux".

• Une erreur mineure concernant la forme *cet* erronée devant *chat* qui commence par une consonne.

Pistes bibliographiques

■ Ouvrages de base

◆ Tomassone Roberte, chap. 9 «La substitution», *Pour enseigner la grammaire*, pp. 98-110, Delagrave Pédagogie, 1997.

◆ Pierson Claude, «Mener une activité décrochée : la répétition», in *De l'évaluation à la réécriture, les écrits à l'école primaire*, Groupe EVA, Hachette Éducation, 1996.

■ Pour aller plus loin

◆ Combette Bernard, Tomassone Roberte, «Aspects linguistiques», *Le texte informatif*, De Bœck, 1988.

◆ *Revue Pratiques* : «Écriture et langue», n° 77; «Cohésion textuelle», n° 85.

28 | L'emploi des temps verbaux

Quel système de temps verbaux utiliser ?

■ Pour poser le problème

Voici deux textes d'élèves de CM1, dont l'orthographe a été rectifiée, qui racontent une même sortie scolaire.

Dans lequel de ces deux textes l'emploi de temps verbaux vous paraît-il le plus pertinent ? Pourquoi ?

À la suite d'un voyage scolaire de fin d'année à Toulouse, le maître d'une classe unique d'un petit village a demandé à chaque élève de raconter cette sortie.

Texte A
Nous prîmes la micheline et nous arrivâmes à la gare de Toulouse. Nous allâmes visiter une péniche appelée « Le haricot noir », deux heures plus tard, nous allâmes manger au Jardin des Plantes. Après manger on s'amusa aux jeux et nous partîmes visiter deux trains et nous rentrâmes.

Texte B
Trois élèves étaient dans la voiture de notre maîtresse et le reste de la classe dans une autre et on est arrivé à Auch pour prendre une péniche appelée « Le haricot noir ».
On a passé six ou sept écluses et on a pris le car, en direction de la gare de Toulouse, où un train nous attendait.
Puis, une fois arrivés à Toulouse, un autre car nous a amenés au Jardin des Plantes et on a dîné. Nous avons visité ce magnifique jardin avec des cygnes, des pigeons, un paon, des oiseaux, des arbres, des lapins et des moineaux. Avant il y avait un zoo mais maintenant il reste des cages vides. Nous avons beaucoup roulé puis, pour finir, nous sommes arrivés à une autre gare où il y avait un train appelé « La Micheline ». Puis nous sommes revenus devant la cour de l'école.

■ Premiers éléments de réponse

Les deux enfants ont choisi de raconter à la première personne du pluriel un événement qu'ils viennent de vivre, en faisant alterner *nous* et l'indéfini *on*. L'auteur du texte A utilise de façon constante le passé simple, tandis que l'auteur du texte B emploie des imparfaits et des passés composés.

Incontestablement, c'est le texte B qui apparaît le plus « naturel ».

Les passés simples donnent au texte A un aspect grandiloquent qui s'accorde mal avec le caractère anodin des événements rapportés. Le texte rapporte une suite d'événements. De plus, l'emploi du passé simple présente les événements racontés comme coupés du moment où ils sont rapportés, ce qui ne convient pas lorsqu'il s'agit, comme ici, d'un événement proche.

L'emploi des passés composés dans le texte B permet de mettre en évidence la proximité des événements rapportés. L'alternance des imparfaits et des passés composés met en évidence la présence, dans le texte B, de passages descriptifs qui sont totalement absents du texte A.

On peut raconter une même histoire en utilisant le passé simple ou le passé composé. Tout dépend de l'effet que l'on veut produire sur le lecteur. Le choix du système de temps verbaux concerne le texte dans son ensemble, d'un point de vue morpho-syntaxique : il s'inscrit dans la case 3 du tableau des critères pour l'évaluation des écrits EVA présenté au chapitre 21. Certains élèves ont parfois des difficultés à maintenir homogène le système de temps verbaux choisi tout au long de leurs textes ; les erreurs s'inscriront alors dans la case 6 du tableau EVA.

La valeur des temps verbaux

Comme les substituts, l'emploi des temps verbaux relève essentiellement de la **grammaire textuelle** (cf. chap. 26).

■ Quelques généralités : temps et aspect

Les verbes peuvent exprimer une action, un état ou toute autre notion. On emploie le terme de procès pour caractériser le sémantisme propre au verbe.

Les formes verbales en français donnent des indications sur le temps et sur l'aspect.

Le temps

Le temps permet de situer le procès chronologiquement selon une division en trois périodes : **passé / présent / avenir**.

L'aspect

L'aspect exprime la manière dont le procès est envisagé. Ici encore, trois oppositions fonctionnent :

• accompli / non accompli :

– Les formes composées présentent le procès comme arrivé à son terme (accompli);
– Les formes simples, à l'exception du passé simple, marquent que le procès est considéré dans son déroulement (non accompli) :

> *Il a mangé* (accompli) / *Il mange* (non accompli)

• vision bornée / vision non bornée :

– Le procès peut être présenté comme enfermé dans des limites et situé de façon globale. On parle dans ce cas de vision bornée ou non sécante. Le **passé simple** marque une vision bornée :

> *Durant l'été 97, il écrivit son roman.*

La durée du procès est incluse dans l'été 97   l'auteur a commencé son roman et l'a terminé durant l'été.

– Le procès peut être présenté comme ouvert et sans limite. **L'imparfait** marque une vision non bornée :

> *Durant l'été 97, il écrivait son roman.*

Le procès (écriture du roman) pouvait être déjà en cours et a pu se prolonger au-delà de la période mentionnée.

Attention : **L'emploi du passé simple n'a rien à voir avec la durée objective de l'événement.** Contrairement à ce qu'affirmait la grammaire scolaire, le passé simple n'est pas réservé à des actions brèves. Les procès exprimés au passé simple sont présentés comme bornés :

> *Louis XIV régna 72 ans.*

• perfectif / imperfectif : certains verbes (perfectifs) comme *s'endormir*, *entrer*, *sortir*… expriment l'action et son résultat comme étant nouveaux; en revanche, les verbes imperfectifs ne marquent pas le terme du procès : *dormir*, *aller*, *vivre*…

■ La concordance des temps

La concordance des temps est la relation qui s'établit, dans le système constitué par une principale et une subordonnée, entre le temps du verbe de la principale et celui du verbe de la subordonnée.

> *Il **dit** qu'il **trouve** le temps long.*   *Il **dit** qu'il **a été retardé.***
> *Il **a dit** qu'il **trouvait** le temps long.*   *Il **a dit** qu'il **avait été retardé.***

> *Il **pense** qu'il **viendra** demain.*
> *Il **pensait** qu'il **viendrait** demain.*

C'est dans ce cas exclusivement que l'on parle de concordance des temps.

Attention : **Réservez le terme de concordance des temps aux contraintes régissant l'usage des temps verbaux dans une phrase complexe.** N'employez pas le terme de concordance des temps pour parler du choix des temps verbaux.

Système du discours / système du récit
(ou plan embrayé / plan non-embrayé)

Exercice 1

Voici les premières lignes d'un conte merveilleux, originaire des Asturies : « Les trois oranges d'amour ».

Relevez et classez les temps verbaux employés, selon qu'ils se trouvent :
– dans les paroles rapportées.
– dans la présentation par le narrateur.
Que remarquez-vous ?

Les trois oranges d'amour

Il était une fois un prince qui ne riait jamais. Mais un jour, une femme dit :

– Moi, je le ferai rire ce prince, rire et pleurer.

Et la femme revêtit des haillons cousus avec de la ficelle, répandit ses cheveux sur ses épaules et au son d'un tambourin alla danser devant le prince qui se tenait accoudé au balcon de son palais.

Elle fit tant et tant en dansant fougueusement que soudain la ficelle qui retenait ses vêtements se rompit et elle se retrouva toute nue au milieu de la rue. La voyant, le prince se mit à rire aux éclats.

La femme n'avait pas pensé qu'elle pourrait perdre son costume. Quand elle vit que le prince riait d'elle, elle lui dit :

– Plaise à Dieu que vous ne riiez jamais plus avant de trouver les trois oranges d'amour.

Dès cet instant, le prince se sentit bien triste. Un jour, il décida :

– Je veux m'amuser et rire. J'irai chercher les trois oranges d'amour, où qu'elles soient.

Et il partit à leur recherche, marchant de village en village. Un matin, il rencontra la femme qui lui avait jeté la malédiction mais il ne la reconnut pas.

– Où allez-vous ?, lui demanda-t-elle.

– Je cherche les trois oranges d'amour.

– Elle sont très loin d'ici : trois chiens les gardent au fond d'une grotte. Allez vers le nord et vous la trouverez nichée au creux d'un amas de rochers.

Le prince acheta trois pains et se remit en route. À la fin, il arriva aux rochers qui abritaient la grotte. Au moment où il allait y pénétrer, un chien grognant apparut à l'entrée. Le prince lui jeta un pain et poursuivit son chemin.

À quelques pas de là, il vit, planté devant lui, un autre chien ; il lui jeta le deuxième pain et put avancer.

Plus loin encore, se tenait le troisième chien. Le prince le régala lui aussi, avec le troisième pain, et continua son exploration. Tandis que les chiens mangeaient les pains, il déboucha dans une salle où il y avait une table en or garnie de trois boîtes. Il les saisit et s'enfuit. Chacune d'elles contenait un orange d'amour.

Après avoir marché plusieurs heures, il s'assit sous un frêne et dit :

– Je vais ouvrir une boîte.
Il l'ouvrit et l'orange se mit à parler :
– De l'eau ! De l'eau ! Sinon, je vais mourir. De l'eau, je me meurs !
Mais le prince n'avait pas d'eau et l'orange mourut.

Bravo-Villasante C., *Contes d'Espagne*,
traduit par M. Duprat-Debenne, Castor Poche Flammarion, 1987.

Éléments de corrigé

1 Personnes et temps verbaux utilisés dans les paroles rapportées

• **Indicatif présent :**

– 1re personne : *je veux, je cherche, je me meurs*
– 2e personne du pluriel : *allez-vous*
– 3e personne du pluriel : *elles sont,* (*trois chiens les*) *gardent*

• **Indicatif futur :**

– 1re personne : *je ferai, j'irai*
ou sous la forme périphrastique (appelée parfois futur 2) : *je vais ouvrir, je vais mourir*
– 2e personne du pluriel : *vous trouverez*

• **Impératif présent :** *allez*

• **Subjonctif présent :**

– 2e personne du pluriel : *plaise à Dieu que vous riiez*
– 3e personne du pluriel : *où qu'elles soient*

On constate une domination des 1e et 2e personnes du singulier et du pluriel, ainsi que l'utilisation du présent et du futur de l'indicatif. Le repérage s'opère par rapport au moment de l'énonciation. Depuis les travaux d'Emile Benveniste (cf. chap. 26, De la grammaire de phrase à la grammaire de texte), on dit que ces temps et personnes verbales constituent les **temps du discours**, ou encore le **plan embrayé**. Les personnes et les temps verbaux ne sont interprétables que par rapport au moment de l'énonciation, le moment où est proféré le discours.

2 Personnes et temps verbaux utilisés dans la narration

On relève, dans le texte du narrateur, exclusivement des formes verbales de troisième personne. Alternent ainsi :

• **Des imparfaits :** *il était une fois, riait, se tenait, retenait, riait ;* ou des **plus-que-parfaits :** *avait pensé, avait jeté ;*

• **Des passés simples :** *dit, revêtit, répandit, alla, fit, se rompit, se retrouva, vit, se sentit, décida, partit, rencontra, reconnut…*

Le texte, comme c'est souvent le cas pour un conte, est présenté comme coupé du moment de l'énonciation. On parle, dans ce cas, depuis les travaux de Benveniste, d'**énonciation historique** ou de système de temps du récit ou encore, plus récemment, de plan non-embrayé (Maingueneau).

■ Choisir entre le passé composé et le passé simple

Chacun des systèmes de temps verbaux s'organise autour **d'un temps du passé dominant**, respectivement le **passé composé** pour les temps du discours et le **passé simple** pour les temps du récit. L'imparfait peut être utilisé dans les deux systèmes. Le narrateur choisit entre ces deux systèmes. Il ne peut les mêler, sauf s'il insère des discours rapportés dans la narration ou s'il vise certains effets stylistiques.

Exercice 2

Voici trois débuts de romans de littérature de jeunesse.

Lesquels sont rédigés en système du discours?

Lesquels adoptent une énonciation historique?

Justifiez votre réponse en relevant des indices dans ces textes.

Texte A

Le fugitif

L'enfant descendait les rues de la petite ville. Il était seul. Il était harassé. Cela se voyait à la façon dont il traînait ses sandales, fatiguées elles aussi. Il était blanc de poussière du haut en bas de ses habits fripés.

Tout blanc.

Comme une bête des grands chemins.

Mais il devait avoir le cœur empli de courage et de volonté.

La faim le tenaillait, et la soif. Il avait comme un trou dans la poitrine, la tête lui faisait mal. De temps en temps, il avalait sa salive et poussait un soupir douloureux.

L'heure sonna à une horloge : huit coups martelés sur la cloche vibrante. L'enfant regarda autour de lui, aperçut l'entrée d'une haute maison construite en blocs de granite. C'est froid, la pierre. Malgré cela, il lui trouva quelque chose d'accueillant, comme un air d'hospitalité.

Des passants passaient, s'entrecroisaient.

Leurs visages étaient sans couleur, leurs yeux sans pensée. Ils passaient, les passants, ils passaient sans regarder, sans voir. Pas même leurs montagnes familières s'envolant au-dessus de la lande : la dentelure des Pyrénées qui se profile, en toile de fond, aux frontières du Comminges et de la Bigorre. Avec, à l'avant-scène, la crête ciselée, rabotée, arrondie, jour après jour, par quelque sculpteur géant, depuis les premiers matins du monde.

Les passants qui passaient n'y portaient plus attention.

Jean Cazalbou, Fabrice et Berger, Castor Poche, Flammarion, 1991.

Texte B

C'est moi le plus rigolo de la classe. Tout le monde est d'accord là-dessus et, d'ailleurs, le maître l'a écrit dans mon cahier du jour : « François ne pense qu'à amuser ses camarades. Il semple plus doué pour le cirque que pour l'école ». À mon avis, je suis doué pour les deux mais, moi, je travaille en rigolant tandis que les autres, ils travaillent en

---

transpirant. Bombana, par exemple, quand il fait un problème, il devient rouge comme un gratte-cul, et son gros ventre, sous le maillot, il tremble comme un flan dans une assiette, tellement il fait d'efforts pour courir après la solution! (Bombana, pas le ventre tout seul!)

Nicole Ciravegna, *Chichois de la rue des Mauvestis*, Bordas, 1979.

Texte C

Histoire de Simon

Je m'appelle Simon.

Je fus un enfant heureux, trop heureux peut-être. Je me souviens des vergers en fleurs, du soleil sur la lande, des feuilles emportées par les vents d'octobre, des hautes neiges sous la lune. Tout pour moi alors était merveille. Je jouais avec l'eau, les pierres, les sapins. J'apprenais les mots : ombelle, horloge, libellule. Ils étaient doux comme le pain, comme les yeux de ma mère. Mais d'autres mots me faisaient peur : araignée, serpent, couteau, serrure. Mon père disait : « Sois brave, Simon. Serre les dents. Porte un bâton. Je te veux libre et fort ! » Il avait une barbe blonde, de grandes mains, des gestes lents. Charpentier, il bâtissait des granges, des églises comme des navires qui voguaient au vent de Dieu. Les soirs d'été, il chantait sur la terrasse. Sa voix était limpide et frêle pour un corps si vaste, comme une source qui sort d'une montagne. Assis près de lui dans la pénombre, je demandais : « Qu'est-ce que c'est, l'amour ? »

Jean Joubert, *Histoire de la forêt profonde*, Médium poche, L'École des Loisirs, 1984.

Éléments de corrigé

• **Le texte A** est rédigé en **énonciation historique** : il fait alterner des imparfaits et des passés simples. Tous les verbes sont à la troisième personne. Les imparfaits correspondent aux passages descriptifs ou aux fragments qui rendent compte des pensées du personnage. Les passés simples sont réservés aux actions de premier plan : « l'heure sonna », « l'enfant regarda… aperçut… il lui trouva… » Le présent (*C'est froid, la pierre*) permet de présenter des commentaires généraux.

• **Le texte B** est écrit en **système du discours**. Les temps verbaux sont le présent et le passé composé. La personne verbale la plus fréquente est la première personne du singulier. Les exclamations signalent les commentaires personnels du narrateur. Le registre de langue utilisé est familier, comme pourrait être le langage d'un enfant. Celui qui raconte l'histoire, dont nous apprenons qu'il s'appelle François, doit être distingué de l'auteur du livre, Nicole Ciravegna.

• **Le texte C** est également écrit à la première personne. La première phrase (*Je m'appelle Simon.*) relève du système du discours : on constate une coïncidence entre l'énoncé et le moment de l'énonciation. De même pour la 3ᵉ phase : *je me souviens*. La suite du texte est également écrite à la première personne, mais, cette fois, les temps verbaux dominants sont le passé simple et l'imparfait. C'est l'**énonciation historique** qui **domine**. Le narrateur évoque son **passé, qu'il présente comme coupé du moment présent** (*Je fus un enfant heureux*). Les nombreux imparfaits du texte (*je jouais, j'apprenais, disait…*) correspondent à des actions qui se répètent : on parle de valeur itérative de l'imparfait.

Les valeurs du passé simple et de l'imparfait
(avant-plan et arrière-plan)

• **Le passé simple est utilisé pour** la trame événementielle des événements de premier plan, **la succession des épisodes clés de l'histoire**. La succession des passés simples correspond à la succession chronologique des faits relatés. Cet effet de signification est lié à la vision bornée que le passé simple donne au procès. Dans l'énoncé :

> *L'agent siffla, leva son bâton, s'approcha du conducteur.*

la suite de passés simples correspond à l'enchaînement des actions.

• **L'imparfait est réservé aux commentaires, descriptions ou paroles intérieures d'un personnage.**

Ce n'est en aucun cas la durée des actions qui motive l'emploi de l'imparfait ou du passé simple, mais l'angle sous lequel on les considère. Si l'on compare les phrases (1) et (2) :

> *(1) Pierre sortait quand Paul entra.*
> *(2) Pierre sortit quand Paul entrait.*

Pierre ou Paul ne mettent pas plus de temps à entrer ou à sortir dans (1) que dans (2). Dans (1), l'entrée de Paul est présentée comme une action de premier plan, la sortie de Pierre étant située par rapport à l'entrée de Paul. Inversement, c'est la sortie de Paul qui est mise au premier plan dans l'énoncé (2).

Afin que vous perceviez mieux encore les valeurs respectives de l'imparfait et du passé simple dans un texte écrit en énonciation historique, nous vous proposons à nouveau un exercice.

Exercice 3

Voici les premières lignes du roman de Flaubert, *Bouvard et Pécuchet*. Les formes verbales ont été remplacées par un infinitif.

Rétablissez les imparfaits et les passés simples à l'endroit adéquat.

Comme il (**faire**) une chaleur de trente-trois degrés, le boulevard Bourdon (**se trouver**) absolument désert.

Plus bas, le canal Saint-Martin, fermé par les deux écluses, (**étaler**) en ligne droite son eau couleur d'encre. Il y (**avoir**) au milieu un bateau plein de bois, et sur la berge deux rangs de barriques.

Au-delà du canal, entre les maisons que (**séparer**) des chantiers, le grand ciel pur (**se découper**) en plaques d'outremer, et sous la réverbération du soleil, les façades blanches, les toits d'ardoises, les quais de granit (**éblouir**).

Une rumeur confuse (**monter**) au loin dans l'atmosphère tiède ; et tout (**sembler**) engourdi par le désœuvrement du dimanche et la tristesse des jours d'été.

Deux hommes (**paraître**).

L'un (**venir**) de la Bastille, l'autre du Jardin des Plantes. Le plus grand, vêtu de toile, (**marcher**) le chapeau en arrière, le gilet déboutonné et sa cravate à la main. Le plus petit, dont le corps (**disparaître**) dans une redingote marron, (**baisser**) la tête sous une casquette à visière pointue.

Quand ils (**arriver**) au milieu du boulevard, ils (**s'asseoir**), à la même minute, sur le même banc.

Pour s'essuyer le front, ils (**retirer**) leurs coiffures, que chacun (**poser**) près de soi ; et le petit homme (**apercevoir**), écrit sur le chapeau de son voisin : Bouvard ; pendant que celui-ci (**distinguer**) aisément dans la casquette du particulier en redingote le mot : Pécuchet.

« Tiens, dit-il, nous (**avoir**) la même idée, celle d'inscrire notre nom dans nos couvre-chefs.

– Mon Dieu, oui, on pourrait prendre le mien à mon bureau !

– C'est comme moi, je (**être**) employé. »

Alors, ils (**se considérer**).

L'aspect aimable de Bouvard (**charmer**) de suite Pécuchet.

Ses yeux bleuâtres, toujours entre-clos, (**sourire**) dans son visage coloré. Un pantalon à grand pont, qui (**goder**) par le bas sur des souliers de castor, (**mouler**) son ventre, (**faire**) bouffer sa chemise à la ceinture ; et ses cheveux blonds, frisés d'eux-mêmes en boucles légères, lui (**donner**) quelque chose d'enfantin.

Il (**pousser**) du bout des lèvres un espèce de sifflement continu.

L'air sérieux de Pécuchet (**frapper**) Bouvard.

On (**dire**) qu'il (**porter**) une perruque, tant les mèches garnissant son crâne élevé (**être**) plates et noires. Sa figure (**sembler**) tout en profil, à cause du nez qui (**descendre**) très bas. Ses jambes prises dans des tuyaux de lasting (**manquer**) de proportion avec la longueur du buste ; et il (**avoir**) une voix forte, caverneuse.

Cette exclamation lui (**échapper**) : « Comme on serait bien à la campagne ! »

Mais la banlieue, selon Bouvard, (**être**) assommante par le tapage des guinguettes. Pécuchet (**penser**) de même. Il (**commencer**) néanmoins à se sentir fatigué de la capitale, Bouvard aussi.

Gustave Flaubert, Bouvard et Pecuchet.

Éléments de corrigé

1 Le texte original de Flaubert

Comme il **faisait** une chaleur de trente-trois degrés, le boulevard Bourdon **se trouvait** absolument désert.

Plus bas, le canal Saint-Martin, fermé par les deux écluses, **étalait** en ligne droite son eau couleur d'encre. Il y **avait** au milieu un bateau plein de bois, et sur la berge deux rangs de barriques. Au-delà du canal, entre les maisons que **séparent** des chantiers, le grand ciel pur **se découpait** en plaques d'outremer, et sous la réverbération du soleil, les façades blanches, les toits d'ardoises, les quais de granit **éblouissaient**. Une rumeur confuse **montait** au loin dans l'atmosphère tiède ; et tout **semblait** engourdi par le désœuvrement du dimanche et la tristesse des jours d'été.

Deux hommes **parurent**.

L'un **venait** de la Bastille, l'autre du Jardin des Plantes. Le plus grand, vêtu de toile, **marchait** le chapeau en arrière, le gilet déboutonné et sa cravate à la main. Le plus petit, dont le corps **disparaissait** dans une redingote marron, **baissait** la tête sous une casquette à visière pointue.

Quand ils **furent arrivés** au milieu du boulevard, ils **s'assirent**, à la même minute, sur le même banc.

Pour s'essuyer le front, ils **retirèrent** leurs coiffures, que chacun **posa** près de soi; et le petit homme **aperçut**, écrit sur le chapeau de son voisin : Bouvard; pendant que celui-ci **distinguait** aisément dans la casquette du particulier en redingote le mot : Pécuchet.

« Tiens, dit-il, nous **avons eu** la même idée, celle d'inscrire notre nom dans nos couvre-chefs.

– Mon Dieu, oui, on pourrait prendre le mien à mon bureau!

– C'est comme moi, je **suis** employé. »

Alors, ils **se considérèrent**.

L'aspect aimable de Bouvard **charma** de suite Pécuchet.

Ses yeux bleuâtres, toujours entre-clos, **souriaient** dans son visage coloré. Un pantalon à grand pont, qui **godait** par le bas sur des souliers de castor, **moulait** son ventre, **faisait** bouffer sa chemise à la ceinture; et ses cheveux blonds, frisés d'eux-mêmes en boucles légères, lui **donnaient** quelque chose d'enfantin.

Il **poussait** du bout des lèvres un espèce de sifflement continu.

L'air sérieux de Pécuchet **frappa** Bouvard.

On **aurait dit** qu'il **portait** une perruque, tant les mèches garnissant son crâne élevé **étaient** plates et noires. Sa figure **semblait** tout en profil, à cause du nez qui **descendait** très bas. Ses jambes prises dans des tuyaux de lasting **manquaient** de proportion avec la longueur du buste; et il **avait** une voix forte, caverneuse.

Cette exclamation lui **échappa** : « Comme on serait bien à la campagne! »

Mais la banlieue, selon Bouvard, **était** assommante par le tapage des guinguettes. Pécuchet **pensait** de même. Il **commençait** néanmoins à se sentir fatigué de la capitale, Bouvard aussi.

Vous constatez probablement peu de différences entre vos réponses et le texte de Flaubert. Les intuitions relatives à l'emploi des temps verbaux sont bien partagées.

2 Commentaire sur l'emploi des temps verbaux [1]

Le texte est rédigé en système de temps du récit ou énonciation historique :

• **Les passés simples** sont réservés **aux événements mis au premier plan :**
*Deux hommes **parurent**. Quand ils furent arrivés au milieu du boulevard, ils **s'assirent**, à la même minute, sur le même banc. Ils **retirèrent** leurs coiffures, que chacun **posa** près de soi et le petit homme **aperçut**… Alors, ils se **considérèrent**. L'aspect aimable de Bouvard **charma** de suite Pécuchet. L'air sérieux de Pécuchet **frappa** Bouvard…*
Ils rythment les étapes essentielles de la rencontre. Le passé simple présente ces procès comme saisis dans leur entier déroulement, circonscrits et successifs. Le lecteur a l'impression d'un film muet en accéléré.

– Le passé simple figure également dans les introductions de discours : *dit-il*; *cette exclamation lui **échappa**.*

– L'emploi du passé antérieur (*ils furent arrivés*) signale l'antériorité par rapport au passé simple de la proposition principale (*ils s'assirent*) : il s'agit ici de concordance des temps. De la même manière, l'imparfait de la phrase *On **aurait dit** qu'il **portait** une perruque* est dépendant du temps du verbe principal, ici le conditionnel passé. Si le verbe de la principale était au conditionnel présent, on aurait *On **dirait** qu'il **porte***… C'est un autre cas de concordance des temps.

---

1. Ce commentaire s'inspire de celui que propose Jacques Popin dans son *Précis de grammaire fonctionnelle du français*, Nathan Université.

• **Les imparfaits sont dominants dans l'ensemble de l'extrait.**
Ils sont présents en particulier dans tous les **passages descriptifs**. Les nombreux emplois (*comme il faisait… étalait… il y avait… se découpait…*) dans les trois premiers paragraphes permettent de situer la scène. Ils créent une tension et l'attente d'un événement concomitant : l'apparition des deux hommes. Le seul présent utilisé dans ce passage, *sépare*, permet d'affirmer la permanence d'un élément du décor, les *chantiers* désignant à cette époque des entrepôts permanents.

– Les imparfaits permettent, dans la suite du texte, d'insérer des descriptions au sein de la narration, que ces descriptions soient le fait du narrateur (*l'un venait… le plus grand… marchait… le plus petit disparaissait…*) ou soient justifiées par les regards des personnages (*Ses yeux bleuâtres… souriaient… Sa figure semblait…*).

– L'imparfait permet également d'indiquer la concomitance d'une **action placée au second plan** (*et le petit homme aperçut, écrit dans le chapeau de son voisin : Bouvard ; **pendant que** celui-ci distinguait aisément dans la casquette du particulier en redingote le mot : Pécuchet*) ; l'emploi de *pendant que* conduit à employer l'imparfait, l'action rapportée étant présentée comme secondaire, en arrière-plan, malgré la symétrie parfaite des actions.

– Les derniers imparfaits du passage (*Mais la banlieue, selon Bouvard, **était** assommante par le tapage des guinguettes. Pécuchet **pensait** de même. Il **commençait** néanmoins à se sentir fatigué de la capitale, Bouvard aussi*) relèvent du **discours indirect libre**. *Selon Bouvard* ouvre un passage en discours indirect libre où sont rapportées les paroles des personnages. *Pécuchet dit :* « *Je pense de même. Je commence néanmoins à me sentir fatigué de la capitale* ». Le discours indirect serait : *Pécuchet disait qu'il pensait de même et qu'il commençait néanmoins à se sentir fatigué de la capitale*. Dans le texte de Flaubert, les verbes introducteurs du discours rapporté ont été effacés ; seul l'imparfait témoigne du caractère discursif de ce fragment.

• **Dans les passages en discours direct, sont employés les temps du discours :** impératif présent (*tiens*), indicatif présent (*je suis*), passé composé (*nous avons eu*), conditionnel présent (*on pourrait, on serait*). Les paroles sont alors rapportées telles qu'elles ont été prononcées, avec les marques du présent de l'énonciation et celles des personnes de l'interlocution.

• **Pour certaines formes, une hésitation est possible.** On peut ainsi écrire : *il poussa du bout des lèvres* ou *il poussait du bout des lèvres*, mais on pourra noter la nuance de sens occasionnée par l'emploi de chacun de ces temps verbaux. Le passé simple accorde à cet élément le statut d'une action de premier plan constituant un épisode de la rencontre, alors que l'imparfait en fait un élément de description du personnage, une de ses caractéristiques permanentes.

AU CONCOURS

▧ Les sujets possibles

L'étude de l'emploi des temps verbaux apparaît essentiellement dans la deuxième question du premier volet de l'épreuve. Elle en constitue un sujet privilégié. Dans les sujets de concours, les questions de l'emploi des temps verbaux et de la morphologie verbale – que nous avons dissociées dans cet ouvrage sous la forme de deux chapitres séparés – se trouvent souvent associées. Il est évidemment essentiel que les candidats distinguent bien les deux dimensions dans leurs réponses.

D'autre part, une lecture attentive du libellé du sujet est capitale, notamment parce que, dans certains cas, il est demandé une analyse de l'ensemble des formes verbales (erreurs et réussites) et que, dans d'autres cas, on ne demande de traiter que des erreurs.

■ Analyse de production d'élève

Examinez l'emploi qui est fait, dans ce récit, du système des temps.

Orléans-Tours
1996

> Son cœur battait très fort. Guillaume était sertain d'avoir vu le bouton de la porte tourné. Guillaume se lève de son lit apeuré et il ouvre la porte tout tremblant. Devant lui un homme avec une hache se dresse. Affolé, il court vers la cuisine et prend un couteau. Il alla vers l'homme et le blessa au bras, il lacha sa hache puis la repris furieux. L'homme courrut dans toute la maison pour chercher son butin. Guillaume crilla dans la nuit. Il se réveilla en sueur.
>
> Texte original de Claire, élève de CM2.

Claire utilise successivement trois temps verbaux : l'imparfait, le présent et le passé simple.

Les **imparfaits** figurant dans les deux premières phrases laissent penser que le narrateur a choisi le système du récit. Ils permettent de décrire l'état initial et de rendre compte des réflexions du personnage ; ils sont bien employés.

Suivent une série de **présents** de l'indicatif *(se lève, ouvre, se dresse, court, prend)* correspondant à l'élément modificateur du récit et au début des péripéties. Ces présents ont une valeur de présent historique : ils rendent le lecteur témoin direct de l'événement.

On peut toutefois se demander si cette valeur stylistique du présent est connue d'un élève de CM2. Il est à noter que l'emploi du présent neutralise les oppositions entre avant-plan et arrière-plan : si l'on était en système d'énonciation historique, on écrirait :

Guillaume se leva de son lit et ouvrit la porte tout tremblant. Devant lui, un homme avec une hache se dressait. Affolé, il courut vers la cuisine et prit un couteau.

La suite des péripéties, la résolution et l'état final sont présentés au **passé simple**. La suite de ces passés simples *(alla, blessa, lâcha, reprit, courut, cria, se réveilla)* correspond à l'enchaînement des actions. Ces emplois sont pertinents. Leur emploi correspond au choix du système des temps du récit (ou énonciation historique).

Le récit de ce cauchemar pouvait être fait aussi bien dans le système de l'énonciation historique que dans le système du discours. Claire n'a pas choisi un système d'énonciation homogène, ce qui crée une **rupture énonciative** importante à l'intérieur de son texte entre le fragment écrit au présent et celui écrit au passé simple.

Par ailleurs, elle semble utiliser convenablement les valeurs relatives de l'imparfait et du passé simple pour distinguer les actions mises en relief à l'avant-plan (au passé simple) et les éléments d'arrière-plan (à l'imparfait).

Pistes bibliographiques

■ Ouvrage de base

◆ Maingueneau Dominique, *Les termes clés de l'analyse du discours*, Articles *Énonciation, Embrayé (Plan-) vs non embrayé*, coll. Mémo, Le Seuil, 1996.

◆ Tomassone Roberte, *Pour enseigner la grammaire* (plus particulièrement pp. 49-57 et pp. 287-308), Delagrave Pédagogie, 1996.

■ Pour aller plus loin

◆ Confais Jean-Paul, *Temps, mode, aspect*, Toulouse, Presses universitaires du Mirail, 1995.

◆ Touratier Christian, *Le système verbal français*, Armand Colin, 1996.

◆ Vetters Carl (Ed), *Le temps, de la phrase au texte*, Presses Universitaires de Lille, 1993.

◆ Weinrich Harald, *Le temps*, Le Seuil, 1973.

29 Les formes du verbe La conjugaison

Des erreurs à classer

■ Pour poser le problème

Voici une liste de formes erronées relevées dans des productions écrites d'élèves de cycle 3.

Essayez de classer ces erreurs en fonction de leur gravité et en précisant leur origine.

---

1 – L'enfant **prena** alors son panier.

2 – Les enfants **étaits** si contents que les autres enfants **était** ravis.

3 – Il faut que je **viens**.

4 – Elle **s'analat**.

5 – Tu **surveillera** la tarte.

6 – Je **ve** que tu me **fase**.

7 – Ils **chante**.

8 – Tu **peu** le **gardé**.

9 – Vous **disez** la vérité.

10 – Elles **chantes**.

11 – Le petit ourson ne les **connais** pas.

12 – Il **vat**.

13 – Ji **vai**.

14 – **Prener** un bout de papier.

15 – Le petit chevreau est **partit**.

■ Premiers éléments de réponse

Les erreurs repérables à l'oral sont peu nombreuses.

• **Passé simple** (1 : *prena* au lieu de *prit*), **présent de l'indicatif irrégulier** (10 : *vous disez* au lieu de *vous dites*), **subjonctif présent** (3 : *viens* au lieu de *vienne*).
Le faible nombre de ce genre d'erreurs montre que, pour l'essentiel, les jeunes enfants francophones maîtrisent à peu près le système verbal à l'oral. En effet, dès quatre ans, en situation de jeu, des enfants peuvent utiliser le conditionnel pour dire : *tu serais la maman, et moi je serais le petit enfant*.

• **Les deux formes inexistantes dans le système, *prena* et *disez***, s'expliquent facilement : *Prena* est aligné sur les formes du passé simple du premier groupe. *Disez* ne tient pas compte de l'exception attachée au verbe *dire*, et que l'on ne trouve d'ailleurs pas dans certains de ses composés : *vous médisez, vous contredisez*.

• De même, pour *viens*, comme les verbes du premier groupe ont la même forme à **l'indicatif et au subjonctif**, l'élève a cru qu'il en était de même pour les verbes du troisième groupe : sur le modèle *je chante / il faut que je chante*, l'élève a écrit *je viens / il faut que je viens*.

Ces erreurs s'expliquent par des analogies avec d'autres formes verbales existantes. Elles témoignent d'une recherche de régularités et d'une réflexion sur la langue.

La plupart des erreurs sont d'ordre orthographique.

Il importe de distinguer :

• **Des confusions entre marques du verbe et marques du nom** : comme dans 2 (*étais* au lieu de *étaient*); 10 (*elles chantes* au lieu de *elles chantent*). L'enfant utilise la marque morphologique de pluriel du nom ou de l'adjectif, le *s*, pour indiquer le pluriel d'un verbe.

• **Des confusions entre deux morphogrammes** : en 14, quand il écrit *prener*, l'élève écrit un -*er* d'infinitif du premier groupe au lieu de la désinence -*ez* de la deuxième personne de l'impératif.

• **L'absence à l'écrit du morphogramme indiquant la personne verbale** : comme dans 5 (*tu surveillera* au lieu de *surveilleras*), 6 (*je ve* au lieu de *je veux*; *tu fase* au lieu de *tu fasses*), 7 (*ils chante* au lieu de *ils chantent*), 8 (*tu peu* au lieu de *tu peux*), 13 (*vai* pour *vais*).

L'écrit se caractérise par la redondance des marques.

Considérons la phrase suivante : *Les petits enfants jouent*.
À l'oral, on entend seulement deux marques de pluriel : *les*, la liaison entre *petits* et *enfants*. À l'écrit en revanche, chaque mot porte une marque de pluriel, de sorte qu'on peut repérer quatre marques de pluriel : **les**, petit**s**, enfant**s**, jou**ent** (cf. chap. 10).

Ces erreurs se caractérisent par :

• **Des analogies**, même si elles sont **aberrantes dans le système** : c'est parce qu'en finale de troisième personne, on met souvent un *t* muet que l'enfant a écrit *s'analat* (4) ou *il vat* (12), même si, précisément, après *a*, il n'y a jamais de lettre muette, ni au futur (*il mangera*), ni au passé simple (*il joua*), ni au présent du verbe *aller* (*il va*).

Ce n'est qu'au subjonctif imparfait (*j'aurais voulu qu'il jouât*) qu'on trouve un *t* muet après le â, mais cette forme verbale peu usuelle n'est pas à maîtriser à l'école primaire.

• **Des confusions entre des formes verbales existantes :** infinitif *garder* et participe passé *gardé* (8); passé composé *est parti* et passé simple *partit* (15). Quant à l'erreur 11, *le petit ourson ne les connais pas*, on ne peut pas savoir si elle est due au voisinage de *les* et de *connais* ou si elle résulte d'une mauvaise analyse des formes verbales, et donc d'une confusion entre 2e et 3e personnes. On ne peut que constater que la forme *connais* existe en français.

Les erreurs des élèves ne sont pas absurdes. Elles témoignent au contraire d'un savoir en train de se construire sur le repérage des régularités dans le système des formes verbales.

Le système des formes verbales

Le verbe peut être défini comme « un mot ou une unité grammaticale qui se conjugue, c'est-à-dire qui présente un ensemble de variations formelles par lesquelles sont exprimés principalement la personne, le temps et le mode »[1]. Le verbe est en effet le seul mot à être affecté par un ensemble de catégories morphologiques, tels que la personne, le nombre, le temps et l'aspect, le mode, la voix, de sorte qu'à chaque verbe correspondent 189 formes différentes, contre 2 pour un nom et 4 pour un adjectif, si bien que certains enfants croient qu'un verbe n'est pas un mot, parce qu'il change beaucoup. Conjuguer un verbe, c'est énumérer l'ensemble des formes différentes qui manifestent ces catégories.

Traditionnellement, les grammaires admettent que le verbe français connaît :

• **Trois groupes :** 1er groupe (type *chanter*), 2e groupe (type *finir*), 3e groupe (tous les autres verbes).

• **Trois voix (ou formes) :** l'actif, le passif et la voix pronominale.

• **Deux fois trois personnes** au singulier et au pluriel.

• **Quatre modes personnels :** l'indicatif, le subjonctif, l'impératif, le conditionnel. Toutefois, certaines grammaires considèrent aujourd'hui le conditionnel comme un temps plutôt que comme un mode.

• **Trois séries de temps :**
– les temps simples : présent, imparfait, futur simple, passé simple, conditionnel présent.
– les temps composés : passé composé, plus-que-parfait, futur antérieur, passé antérieur, conditionnel passé première forme et deuxième forme.
– les temps surcomposés tels que le passé surcomposé (*j'ai eu chanté*) ou le futur antérieur surcomposé (*j'aurai eu chanté*), qui servent à marquer l'antériorité par rapport à un temps composé. Ces temps verbaux sont d'un emploi rare, ne figurent

---

1. Touratier Christian, *Le système verbal français*, p. 5, Armand Colin, 1996.

pas toujours dans les tables de conjugaison et ne sont pas pris en compte dans les programmes de l'école primaire.

Les tables de conjugaison que l'on trouve dans les dictionnaires, les utilitaires (comme le *Bescherelle*) ou les manuels scolaires proposent une vision synoptique de la liste des formes verbales.

La conjugaison d'un verbe est constituée de 191 formes

• **90 formes personnelles actives :** 60 formes d'indicatif correspondant aux 6 personnes verbales aux 10 temps de l'indicatif (5 temps simples et 5 temps composés, le conditionnel étant considéré comme un temps), 24 pour le subjonctif (qui a 4 temps), 6 d'impératif (1 simple et 1 composé).

• **6 formes des modes impersonnels :** 2 formes d'infinitif (1 simple et 1 composé), 3 formes de participe (présent, passé forme simple et forme composée), 1 forme de gérondif.

• **95 formes passives** pour les verbes qui ont un passif.

Sachant qu'il existe environ 10 000 verbes usuels en français, il ne s'agit pas de faire mémoriser aux élèves l'ensemble des formes verbales de la langue.

Exercice 1

L'analyse des erreurs des enfants suppose une maîtrise sûre de l'identification des formes verbales. Pour vous entraîner à les identifier, prenons en exemple une des fables de La Fontaine.

Relevez les formes verbales conjuguées et identifiez chacune d'entre elles (temps, mode, personne).
Vérifiez vos réponses à l'aide d'une table de conjugaison.

Le renard et le bouc

Capitaine renard allait de compagnie
Avec son ami bouc des plus haut encornés :
Celui-ci ne voyait pas plus loin que son nez ;
L'autre était passé maître en fait de tromperie.
La soif les obligea de descendre en un puits :   5
    Là chacun d'eux se désaltère.
Après qu'abondamment tous deux en eurent pris,
Le renard dit au bouc : « Que ferons-nous, compère ?
Ce n'est pas tout de boire, il faut sortir d'ici.
Lève tes pieds en haut, et tes cornes aussi ;   10
Met-les contre le mur : le long de ton échine
    Je grimperai premièrement ;
    Puis sur tes cornes m'élevant,
    A l'aide de cette machine,

De ce lieu-ci je sortirai,   15
Après quoi je t'en tirerai.
– Par ma barbe, dit l'autre, il est bon ; et je loue
Les gens bien sensés comme toi.
Je n'aurais jamais, quant à moi,
Trouvé ce secret, je l'avoue. »   20
Le renard sort du puits, laisse son compagnon,
Et vous lui fait un beau sermon
Pour l'exhorter à patience.
« Si le ciel t'eût, dit-il, donné par excellence
Autant de jugement que de barbe au menton,   25
Tu n'aurais pas, à la légère,
Descendu dans ce puits. Or adieu : j'en suis hors ;
Tâche de t'en tirer, et fais tous tes efforts ;
Car, pour moi, j'ai certaine affaire
Qui ne me permet pas d'arrêter en chemin. »   30

En toute chose il faut considérer la fin.

La Fontaine, *Fables*.

Éléments de corrigé

– **allait** (v. 1), **voyait** (v. 3) : imparfait de l'indicatif, 3ᵉ personne du singulier.
– **était passé** (v. 4) : plus-que-parfait de l'indicatif, 3ᵉ personne du singulier.
– **obligea** (v. 5) : passé simple de l'indicatif, 3ᵉ personne du singulier.
– **se désaltère** (v. 6) : présent de l'indicatif, 3ᵉ personne du singulier.
– **eurent pris** (v. 7) : passé antérieur de l'indicatif (temps composé correspondant au passé simple), 3ᵉ personne du pluriel.
– **dit** (v. 8) : passé simple de l'indicatif, 3ᵉ personne du singulier (*dit* est à la fois la forme de 3ᵉ personne du singulier du présent de l'indicatif et du passé simple. Étant donné le contexte, et en particulier l'emploi du passé antérieur *eurent pris* dans la subordonnée, il s'agit ici d'un passé simple).
– **ferons** (v. 8) : futur de l'indicatif, 3ᵉ personne du pluriel.
– **est**, **faut** (v. 9) : présent de l'indicatif, 1ʳᵉ personne du singulier.
– **lève** (v. 10), **mets** (v. 11) : impératif présent, 2ᵉ personne du singulier.
– **grimperai** (v. 12), **sortirai** (v. 15), **tirerai** (v. 16) : futur de l'indicatif, 1ʳᵉ personne du singulier.
– **dit** (v. 17) : passé simple, 3ᵉ personne du singulier. La forme pourrait être un présent. Le verbe du vers 8 étant au passé simple, on a sans doute ici aussi un passé simple, le présent de narration commençant au vers 21.
– **est** (v. 17) : présent de l'indicatif, 3ᵉ personne du singulier.
– **loue** (v. 17) : présent de l'indicatif, 1ʳᵉ personne du singulier.
– **aurais trouvé** (v. 19) : conditionnel passé, 1ʳᵉ personne du singulier.
– **avoue** (v. 20) : présent de l'indicatif, 1ʳᵉ personne du singulier.
– **sort** (v. 21), **laisse** (v. 21), **fait** (v. 21-22) : présent de l'indicatif, 3ᵉ personne du singulier.
– **eût donné** (v. 24) : plus-que-parfait du subjonctif, 3ᵉ personne du singulier.
– **aurais descendu** (v. 26-27) : conditionnel passé, 2ᵉ personne du singulier. (On peut remarquer qu'au XVIIᵉ siècle *descendre* se conjugue avec l'auxiliaire *avoir* et non avec l'auxiliaire *être* comme aujourd'hui.)

– **suis** (v. 27) : présent de l'indicatif, 1ʳᵉ personne du singulier.
– **tâche**, **fais** (v. 28) : impératif présent, 2ᵉ personne du singulier.
– **ai** (v. 29) : présent de l'indicatif, 1ʳᵉ personne du singulier.
– **permet** (v. 30) : présent de l'indicatif, 3ᵉ personne du singulier.
– **faut** (v. 31) : présent de l'indicatif, 3ᵉ personne du singulier.

On ne relèvera pas les formes verbales non conjuguées telles que le participe présent *m'élevant* (v. 13) ou les infinitifs présents *exhorter* (v. 23), *tirer* (v. 28), *arrêter* (v. 30), *considérer* (v. 31).

Quelques notions utiles pour comprendre le système du verbe français

■ Le radical (ou base)

On appelle **radical verbal** l'élément commun à toutes les formes verbales qui appartiennent à la conjugaison d'un verbe, élément qui est le support de la signification commune à toutes ces formes verbales et qui fait dire précisément qu'elles relèvent d'un même verbe, d'une même entrée dans le dictionnaire. Ainsi *chant-* ou [ʃɑ̃t] est le radical que l'on retrouve dans toutes les formes qui constituent la conjugaison du verbe *chanter*, c'est-à-dire dans *tu chantais*, *il a chanté*, *il chantera*, *chantant*…

On parle, dans certains cas de **bases**, pour désigner les formes différentes que peut prendre un radical. Ainsi, la conjugaison du verbe *finir* voit alterner deux bases : *fini-* et *finiss-* à partir desquelles les diverses formes verbales sont fabriquées.
Les verbes du premier et du deuxième groupes présentent une grande régularité dans leurs formes mais on constate une grande diversité des verbes traditionnellement regroupés dans le troisième groupe.

Jean Dubois a ainsi proposé de substituer à la répartition en trois groupes une classification des verbes français en 7 catégories :

– le verbe *être*, le plus irrégulier, a 8 bases différentes : [sɥi], [ɛ], [sɔ̃], [sɔm], [ɛt] au présent et à l'imparfait; [swa], [s(ə)] au subjonctif et au futur; [fɥ] au passé simple et au subjonctif imparfait;

– les verbes *faire* et *aller* ont six bases : [vɛ], [va], [vɔ̃] au présent, [al] à l'imparfait et au passé simple, [aj] au subjonctif, [i] au futur; [fɛ], [fɔ̃] au présent, [fəz] au présent et à l'imparfait, [fas] au subjonctif, [f(ə)ʀ] au futur, [fɛt] à la 2ᵉ personne du pluriel du présent, [fi] au passé simple et au subjonctif imparfait;

– les verbes *avoir*, *vouloir* et *pouvoir* ont cinq bases;

– les verbes *savoir*, *venir*, *tenir*, *prendre*, *apprendre*, *valoir*, *comprendre* ont quatre bases;

– les verbes *devoir*, *recevoir*, *boire*, *connaître*, *paraître*, *voir*… ont trois bases,

– les verbes *finir*, *dire*, *écrire*, *nettoyer*, *partir*… et beaucoup d'autres ont deux bases;

– les verbes du premier groupe mais aussi les verbes *ouvrir* ou *cueillir* ont une seule base.[2]

Il ne s'agit pas pour vous de chercher à mémoriser ces classifications, mais seulement de prendre conscience de la complexité du système, au-delà des classifications grammaticales traditionnelles en groupes. Les verbes les plus fréquents sont souvent les plus irréguliers.

■ Les désinences

Les désinences ou terminaisons accompagnent le radical et donnent les indications grammaticales sur les temps et les modes. Ce sont des **morphèmes grammaticaux**. On distingue trois classes de morphèmes qui peuvent se combiner :

– **12 morphèmes de la personne et du nombre** : *-e*, *-es*, *-s*, *-x*, *-t*, *-ent*; *-ons*, *-ont*; *-ez*; *-as*, *-a*; *-ai* qui correspondent à seulement cinq morphèmes différents à l'oral;

– **le morphème -(e)r-** caractérise les formes de **futur** et de **conditionnel**;

– **les morphèmes -ai -ou -i** caractérisent l'imparfait (*je chantais*, *nous chantions*), le conditionnel (*je chanterais*, *nous chanterions*) et certaines personnes du subjonctif présent (*que nous chantions*, *que vous chantiez*; *que nous criions*, *que vous criiez*).

Ces morphèmes peuvent se combiner après le radical. Ainsi, dans la forme *il jouerait*, troisième personne du singulier du conditionnel présent, se combinent une base *jou-* et 3 morphèmes *-er*, *-ai*, *-t*; le premier (*-er*) indique qu'il s'agit d'un futur ou d'un conditionnel; le second (*-ai*) choisit le conditionnel par rapport au futur; le troisième (*-t*) indique la personne verbale.

L'enseignement de la conjugaison

Dans un essai passionné intitulé *Pour le plaisir d'écrire à l'école élémentaire*, Alex Clérino (Éditions de l'École, 1989) dénonce le temps excessif consacré à l'apprentissage de la conjugaison (mémorisation systématique de toutes les formes). Il propose de tenir compte de la liste de fréquences des verbes établie par l'inventaire du Français Fondamental et des régularités des terminaisons verbales aux diverses personnes pour concentrer plus efficacement cet enseignement.

■ La conjugaison dans les programmes

Dans les programmes actuels, les contenus et les compétences se rapportant à l'enseignement de la conjugaison ne font pas l'objet d'une section séparée comme dans les précédents programmes. Ils figurent au chapitre des compétences nécessaires à la maîtrise de la langue orale, de la lecture et de l'expression écrite, sous la rubrique « Grammaire et orthographe grammaticale ». Les contenus à maîtriser ont été réduits par rapport aux programmes antérieurs.

---

2. Touratier C., *op. cité*, p. 22.

Au cycle 2

Au nombre des éléments qui font l'objet d'un apprentissage progressivement structuré puis systématisé, figurent :

– l'accord sujet/verbe dans les cas simples (lorsque le sujet est un nom, un groupe nominal ou un pronom personnel),
– les conjugaisons des verbes les plus usuels (indicatif présent, passé composé, futur) : un verbe en *er* (type chanter), être, avoir, aller.

En termes de compétences, l'élève doit pouvoir :

– repérer les accords du verbe avec le sujet (…),
– reconnaître et utiliser l'indicatif (présent, passé composé, futur), notamment dans les cas suivants :
- verbes en *er* (du type chanter),
- verbes aller, être, avoir.

Les Programmes, p. 47 et p. 102.

Au cycle 3

L'élève doit pouvoir :

– maîtriser les règles d'accord (sujet-verbe…) ; l'accord du participe passé employé avec les auxiliaires être et avoir est en cours d'acquisition ;
– savoir utiliser efficacement un fichier, un dictionnaire, des tableaux de conjugaison pour vérifier l'orthographe et se corriger ;
– identifier et utiliser à bon escient les modes et les temps usuels des auxiliaires avoir et être, des verbes en *er* (du type chanter et les particularités des verbes en *ger* et *cer*), des verbes en *ir* (du type finir) et des verbes faire, pouvoir, aller, venir, voir, prendre.
Conditionnel présent et subjonctif présent sont en cours d'acquisition à l'issue du cycle.

Il est également précisé sous le titre « La conjugaison » :

Il s'agira, pour l'élève, moins d'enregistrer mécaniquement la morphologie des conjugaisons que de s'initier à l'usage des temps et des modes et d'en appréhender progressivement la signification :
– indicatif présent, passé composé, futur, passé simple, imparfait ; impératif présent ;
– conditionnel présent, subjonctif présent (en cours d'acquisition à l'issue du cycle).

Les Programmes, pp. 101-102 et p. 61.

L'enseignement de la conjugaison à l'école primaire ne prétend pas être exhaustif. Il vise au contraire à mettre en place les éléments les plus réguliers et les plus fréquents du système et à doter l'élève d'une méthodologie efficace pour la vérification de l'orthographe des formes verbales. On notera la différence d'exigence entre la mention « des modes et des temps usuels » figurant dans les programmes actuels et la formulation des contenus exigés dans les Instructions et Programmes précédents : connaissance des « différents types et différents modes ». Ainsi la maîtrise de certains temps composés (plus-que-parfait, futur antérieur, passé antérieur) ne semble plus exigée à la fin de l'école primaire.

Les connaissances dont la maîtrise est vérifiée dans **les épreuves d'évaluation 6ᵉ** sont en nombre limité. L'élève doit, par exemple dans les épreuves de 1998, identifier dans un texte un verbe à l'imparfait, un verbe au passé composé et un verbe au passé simple et analyser trois formes verbales à ces mêmes temps.

■ Quelques grands principes pour enseigner la conjugaison

Comprendre le système plutôt que vouloir faire mémoriser la liste de toutes les formes

C'est ce que fait naturellement un jeune enfant lorsqu'il construit progressivement le système verbal. Il procède par analogies et généralisations à partir de formes déjà connues : à partir de *j'ai vendu* et *j'ai rendu*, il va ainsi fabriquer la forme : *j'ai prendu*, bien qu'il ne l'ait jamais entendue. Même s'il ne formule pas la règle selon laquelle les verbes en -*dre* ont un participe passé en -*du*, c'est bien cette règle qu'il a mise en action en concevant cette forme verbale aberrante mais régulière.

Analyser les besoins des élèves à travers les erreurs relevées dans leurs productions écrites

Comme nous l'avons indiqué plus haut, les élèves francophones maîtrisent correctement un certain nombre de formes verbales à l'oral, y compris le subjonctif ou le conditionnel. Avant d'engager l'apprentissage de tout nouveau temps verbal, il importe d'observer l'état des connaissances des élèves et l'emploi qu'ils font spontanément de ces formes verbales dans leurs productions orales et écrites. L'apprentissage systématique de la morphologie du passé simple au cycle 3 est particulièrement justifiée lorsque les élèves emploient dans leurs récits des formes morphologiquement non recevables du type *il coura, il buva, il vut, il prendit*… De même, avant une leçon sur le conditionnel, il est utile de regarder si les enfants l'emploient correctement, orthographient convenablement ses formes, connaissent la répartition des temps dans les structures conditionnelles (si + imparfait, conditionnel dans la principale)… Cette analyse permettra de mieux cibler le travail d'apprentissage à partir des besoins constatés.

Partir des acquis des élèves, en particulier des formes bien maîtrisées à l'oral, pour centrer l'attention sur les marques écrites

L'essentiel des difficultés réside dans l'écriture des formes verbales. Pour les verbes du premier groupe, les formes de première, deuxième et troisième personnes du singulier et troisième personne du pluriel se prononcent de la même façon, alors qu'elles s'écrivent de trois manières différentes : *je chante / il chante, tu chantes, ils chantent*. Afin de faire comprendre à des élèves de CE1 ce qu'est un paradigme verbal, c'est-à-dire l'ensemble des formes d'un verbe, il vaut mieux travailler sur un verbe très irrégulier comme *être* ou *avoir* que sur un verbe comme *chanter*. En effet, au présent de l'indicatif, *être* et *avoir* ont cinq formes différentes à l'oral pour six formes différentes à l'écrit, tandis qu'un verbe comme *chanter* a seulement trois formes différentes à l'oral contre cinq formes différentes à l'écrit. Une comparaison systématique entre formes orales et formes écrites permettra de constater les orthographes différentes pour une même forme orale : [ʃɑ̃t] peut s'écrire *chante, chantes ou chantent*.

Réfléchir à l'utilité de la notion : emploi, rentabilité orthographique

Tous les temps et toutes les formes verbales n'ont pas la même fréquence d'utilisation : on a tout de même plus de chance d'utiliser des passés composés que des subjonctifs imparfaits! Le temps et l'énergie consacrés à chaque type de forme verbale doivent être, dans la mesure du possible, proportionnels à la fréquence d'emploi des formes étudiées et à la rentabilité orthographique escomptée. La probabilité d'emploi du passé antérieur n'est tout de même pas énorme. De même, au passé simple, on a toutes les chances de rencontrer des troisièmes personnes du singulier ou du pluriel, éventuellement la première personne du singulier mais bien peu d'avoir à écrire *vous chantâtes*! Pourquoi alors ne pas hiérarchiser les exigences? C'est ce que suggère le Programme en parlant de « temps et modes les plus usuels ».

Des listes de fréquence peuvent aider à dégager des priorités

Dans la liste de fréquence établie dans le cadre de *l'Élaboration du Français Fondamental*, 219 verbes figurent parmi les 1 063 mots les plus fréquents. 221 verbes totalisent 57 177 occurrences sur les 312 135, soit 18,31 % des occurrences. Ainsi :
– *être* correspond à 14 083 occurrences, soit 24, 63 % des occurrences verbales;
– *avoir* compte 11 552 emplois soit 20,20 %;
– *les verbes du premier groupe :* 11 101 emplois, soit 19,41 % des verbes;
– *les verbes du deuxième groupe :* 234, soit 0,4 %;
– *les verbes du troisième groupe :* 20 207, c'est-à-dire 35,34 %.

Les 10 verbes les plus fréquents, tous groupes confondus	Fréquence
1. Faire	3 174
2. Dire	2 391
3. Aller	1 876
4. Voir	1 439
5. Savoir	1 432
6. Pouvoir	1 131
7. Falloir	1 001
8. Vouloir	881
9. Venir	613
10. Prendre	608

On constate ici encore que les verbes les plus fréquents sont des verbes irréguliers. La connaissance de ces faits guide efficacement l'élaboration d'une progression. Mieux vaut commencer par des verbes irréguliers et fréquents comme *être* et *avoir* qui, de plus, permettent aux enfants de prendre conscience de la variation des formes d'un verbe à l'oral.

Présenter les formes verbales en système

Lorsqu'on introduit un nouveau temps verbal, il est utile de procéder par comparaison avec des temps et des modes déjà connus des élèves. Ainsi le conditionnel présent combine les terminaisons de l'imparfait avec les désinences du futur. Le conditionnel présent *je jouerais* ressemble à la fois au futur *je jouerai*, dont il se distingue par la seule lettre finale, et à l'imparfait *je jouais*. La compréhension des analogies et des différences dans le système favorise la mémorisation des formes.
De même, à chaque temps simple correspond un temps composé, permettant d'exprimer l'aspect accompli (cf. chap. 28) :

Formes simples (aspect non accompli)	Formes composées (aspect accompli)
Présent	Passé composé
Imparfait	Plus-que-parfait
Passé simple	Passé antérieur
Futur simple	Futur antérieur
Conditionnel présent	Conditionnel passé

Consacrer des séances différentes à la morphologie verbale et aux emplois des temps verbaux

L'enseignement traditionnel est trop exclusivement consacré à l'apprentissage des formes verbales hors de leurs situations d'utilisation. Même si ce chapitre est exclusivement consacré aux formes verbales, il importe de consacrer un temps important aux emplois des temps verbaux (cf. chap. 28). Sinon, on court le risque d'obtenir des textes du genre de celui qui figure au début du chapitre précédent, dans lequel les formes du passé simple sont parfaitement construites et orthographiées mais mal appropriées à la situation de communication.

Apprendre à consulter les outils de référence commercialisés : dictionnaires, tables de conjugaison, utilitaires...

On ne peut exiger des élèves qu'ils connaissent toutes les formes verbales. Combien de fois aura-t-on l'usage du passé simple du verbe *moudre*? En revanche, l'expert sait utiliser les outils de référence : tables de conjugaison figurant dans les dictionnaires ou utilitaires. Il en connaît l'existence, il sait où les trouver, il sait chercher par lecture sélective et comparaison avec des verbes types. Ce type de compétence est à développer également chez les élèves.

Les étapes d'une démarche de travail en conjugaison

Faire observer, relever et classer les formes verbales

Si l'on considère que l'apprentissage de la conjugaison n'est pas une mémorisation mécanique mais une construction progressive d'un système, l'apprentissage s'opère par observations, relevés et classements de formes verbales, à partir d'un problème d'orthographe que peuvent rencontrer les enfants. Par exemple, quelles lettres muettes peut-on trouver en troisième personne du singulier, à tous les temps et à tous les modes? Comment s'écrit [e] ou [ɛ] en finale verbale? Ou encore comment se forment les passés simples?

Inutile de faire inventer les formes verbales à travers des exercices à trous. Il importe tout d'abord de faire observer les formes correctes. Ces observations s'appuient soit sur des formes verbales relevées dans des textes, soit, si elles sont plus rarement utilisées, à partir de tableaux récapitulatifs figurant dans des tables de conjugaison. La connaissance de la liste des 50 verbes les plus fréquents de la langue française est à ce titre particulièrement intéressante pour travailler sur la formation des passés simples.

Liste des 50 verbes les plus fréquents en français

1. être	18. trouver	35. perdre
2. avoir	19. donner	36. finir
3. faire	20. comprendre	37. descendre
4. dire	21. connaître	38. apprendre
5. aller	22. partir	39. sentir
6. voir	23. demander	40. essayer
7. savoir	24. tenir	41. écrire
8. pouvoir	25. aimer	42. vivre
9. vouloir	26. penser	43. valoir
10. venir	27. sortir	44. conduire
11. prendre	28. entendre	45. plaire
12. arriver	29. rendre	46. répondre
13. croire	30. revenir	47. recevoir
14. mettre	31. lire	48. dormir
15. passer	32. payer	49. boire
16. devoir	33. paraître	50. ouvrir
17. parler	34. attendre	

Faire formuler des régularités et construire des outils de référence analogiques

Les observations donnent lieu à la formulation de régularités, comme par exemple, en troisième personne du singulier du présent, on voit le plus souvent une lettre muette, qui peut être *t* (le plus souvent : *il finit, il lit, il fait*), *e* pour les verbes du premier groupe (*il joue*), *d* parfois (*il prend, il rend*...). De même, pour les différents temps, en 3e personne du singulier, il y a le plus souvent une lettre muette, sauf lorsqu'on entend *a* : au futur (*il finira*), au passé simple (*il joua*) ou au présent (*il a*).

Les observations peuvent également être stockées sous la forme de répertoires de formes qui pourront être consultés : on parle dans ce cas d'outils de référence analogiques. Plutôt que d'indiquer les formes d'impératif 2e personne du singulier qui ont ou pas un *s*, on peut inventorier ces formes en les regroupant en ensembles et en énonçant les constantes que l'on peut en dégager.

AU CONCOURS

■ Les sujets possibles

L'étude des formes verbales est en tête des thèmes possibles pour l'analyse de productions d'élèves : à la session de 1997, sept académies ont demandé d'analyser les formes verbales et neuf les formes et les emplois.

On peut aussi imaginer des sujets d'analyses de documents didactiques portant sur l'enseignement de la conjugaison : préparation d'enseignant, extraits de manuels…

Des activités se rapportant à la maîtrise des formes verbales peuvent également constituer une des composantes d'une situation de production d'écrits à analyser.

■ Sujet 1 : analyse de production d'élève

Le texte ci-dessous est une production d'un élève en début de CE2. La ponctuation et l'orthographe de son texte sont reproduites à l'identique.

Étudiez la morphologie des verbes soulignés.

Vos observations seront faites en référence aux objectifs et aux contenus de l'enseignement de la langue à l'école primaire.

Aix-Marseille
1996

Le petit chat

Il était une fois un petit chat qui se <u>promené</u> au bord de l'eau. Il <u>s'appelé</u> Malou. Malou <u>avé</u> beaucoup dami : des chiens, des chats, des souris… Ils <u>samusent</u> à fère peur aux gans. Un jour un garçon leur <u>jeté</u> des pierres. Ils se son dit il faut le punir. Malou lui <u>lança</u> des pierres, et il est jamé revenu. Puis un jour Malou trouva une famille.

Élève de CE2.

CORRIGÉ

Quatre des six formes soulignées *(promené, s'appelé, avé, jeté)* présentent la même erreur sur la désinence verbale de la troisième personne du singulier de l'imparfait. L'élève opère ainsi une confusion entre participe passé (du moins pour les formes *promené, appelé, jeté*) et imparfait. Choisir entre les diverses graphies possibles quand on entend [e] à la fin d'un verbe est d'ailleurs un problème difficile pour les élèves.

L'erreur de segmentation oubliée pour la forme *samusent* (au lieu de *s'amusent*) provient peut-être du fait que l'élève n'a pas identifié la voix pronominale, alors qu'il l'a fait correctement pour *s'appelé*.

Quant à l'erreur sur la forme verbale *lanca* (au lieu de *lança*), elle relève essentiellement d'une méconnaissance des valeurs de position de la lettre *c*, qui se prononce différemment selon qu'elle est placée devant un *e* ou un *i* ou devant un *a* ou un *o*. Il est vrai que la conjugaison du verbe *lancer* fait alterner les deux valeurs du *c* : *il lance, il lancera, il a lancé* mais *il lançait, il lança*, pour ne citer que les troisièmes personnes de l'indicatif.

On notera que, d'après les programmes, la maîtrise de l'imparfait n'est pas exigible à la fin du cycle 2, donc en début de CE2.

■ Sujet 2 : analyse de production d'élève

Voici un texte d'un élève de CM1.

Analysez les formes verbales erronées en faisant apparaître entre parenthèses les formes correctes.

Nice
1996

Les gateaux quel bon goûter

Un jour pascal va se promener et que vois t-il une imence pâtisserie « hum que sa doit être bon je vais m'en acheter quelque s'un » il réfléchissa il hésita et enfin il se décida.

il rentra dans le magasin est il pris des religieuses, des chausssons, des éclairs, des tartes, ect… et tous content il ressortie avec une imence boite il se régale d'avance. Puis il se dirige vers un petit parc. Il les déguste du premier à la derniere miette « laaa je meux suix bien regaler ».

Mais son sourir ne va pas rester très longtenps naintenant il commence à avoir mal au cœur, il se sent barbouillé. Vite vite il se dépêche de rantrer a la maison pour se mêtre au lit, il a de la fievre sons visage commence a devenir pâle le medecin vien il examine et lui prescirt les médicament. Pascal promet de ne plus mangé trop de patisserie a l'avenir

Élève de CM1.

CORRIGÉ

Il faut d'abord remarquer que beaucoup de formes verbales sont correctement orthographiées. Si l'on s'en tient aux erreurs relevant de la seule morphologie verbale, nous constatons six erreurs pour une vingtaine de formes correctes.

• Forme erronée à l'oral

– *il réfléchissa* (réfléchit) : passé simple forgé sur le radical de réfléchir par analogie avec des formes du premier groupe comme *il passa*.

• **Absence de désinence**

– *vien* (vient)

• **Confusion dans la désinence verbale**

– dans *il vois* (voit) et *il pris* (prit) l'enfant utilise la désinence verbale de la 1re et 2e personne à la place de celle la troisième ; pour la première de ces formes on notera qu'il prend en compte à l'écrit le -*t* final prononcé du fait de l'inversion du sujet mais de manière erronée (*que vois t-il*) ;

– dans il *ressortie* (ressortit), on peut penser à une confusion avec le participe passé.

– une forme verbale comporte une triple erreur : *je meux suix bien régaler* (je me suis bien régalé) : on peut penser que le pronom *me* n'a pas été reconnu comme tel et porte une marque verbale (comme je veux ou je peux), la forme *suix* dénote aussi une confusion de désinence qui doit être très rare ; l'emploi de l'infinitif au lieu du participe passé est au contraire une erreur fréquente au passé composé du premier groupe.

– pour les formes verbales non conjuguées, on notera une erreur de morphogramme dans *mangé* (manger), erreur identique à la précédente mais avec emploi du participe passé là où il faudrait l'infinitif présent.

• **Erreurs orthographiques portant sur le radical du verbe**

Elles ne relèvent pas directement des erreurs de conjugaison mais il est prudent de les signaler avec la remarque qui précède :

– *rantrer* (rentrer) : le verbe a été correctement orthographié plus haut (*rentra*) ;

– *mêtre* (mettre) ; *prescirt* (prescrit) : inversion de deux lettres mais la désinence est correcte.

Éléments bibliographiques

■ Ouvrage de base

◆ Genouvrier Émile, Gruwez Claudine, *Grammaire pour enseigner le français à l'école élémentaire*, Larousse, 1987.
(Lire tous les chapitres qui se rapportent au « domaine du verbe ».)

■ Pour aller plus loin

◆ Arrivé Michel, Gadet Françoise, Galmiche Michel, *La grammaire d'aujourd'hui*, Guide alphabétique de linguistique française, article *Conjugaison* pp. 142-179, Flammarion, 1986.

◆ Combettes Bernard, Demarolle Pierre, Kelle Michel, *Les classes « Verbe ». Le système verbal : formes et emplois*, CRDP de Lorraine, 1993.

◆ Touratier Christian, *Le système verbal français*, Armand Colin, 1996.

Vraies questions et faux problèmes

■ Pour poser le problème

Dans la planche de BD page suivante, parue dans *Le Nouvel Observateur*, Claire Bretecher nous montre un petit garçon, Biron, frère d'Agrippine, aux prises avec les subtilités de l'orthographe française. Si l'on vous demandait ce que vous inspire cette histoire, quelles seraient, parmi les 13 affirmations suivantes, celles avec lesquelles vous vous sentiriez le plus d'accord?

1. Biron ne maîtrise pas encore la correspondance phonographique ; il confond deux graphèmes du phonème [f].

2. Biron ne maîtrise pas l'orthographe lexicale.

3. L'orthographe du français comporte des complications, voire des aberrations qu'il faudrait réformer au plus vite.

4. On voit bien que le niveau baisse : jamais un enfant n'aurait confondu le *f* de *girafe* et le *ph* d'*éléphant*, il y a une dizaine d'années (variante : une vingtaine… une cinquantaine… selon l'âge du locuteur).

5. C'est normal que Biron se trompe, on ne fait plus d'orthographe à l'école !

6. Il va falloir faire copier à Biron des listes de mots comportant *f* / *ff* / *ph* et les lui faire réciter jusqu'à ce qu'il les sache par cœur.

7. Pour que Biron maîtrise la graphie du son [f], il faut qu'il les relève et les classe lui-même dans les mots où il l'entend.

8. Écrire *éléphant* ou *éléfant* ça ne change rien, on comprend la même chose.

9. L'orthographe étant un des outils de la domination culturelle de la bourgeoisie, il ne faut rien faire qui la perpétue.

10. Je comprends ce pauvre Biron, je me demande moi-même s'il faut écrire *éléphand* ou *éléfand* !

11. Il faut que Biron apprenne et retienne par cœur la règle d'orthographe qui explique comment écrire *éléphant*.

12. Si Biron était mon fils, il ferait une dictée matin et soir pendant les vacances.

13. Si on comptait chaque faute dans les copies, les élèves feraient plus attention !

■ Premiers éléments de réponse

Un préalable évident

Vous n'avez sûrement pas répondu 10! Un(e) candidat(e) au concours de professeur des écoles se doit d'avoir une orthographe au-dessus de tout soupçon : gardez-vous donc de commettre des erreurs mais rassurez-vous cependant, les correcteurs sauront faire la part de la hâte et de l'émotion dues au concours si quelque coquille vous échappe.

Les faux problèmes ou les fausses solutions

La baisse du niveau (4, 5)
C'est un lieu commun que de dire que le niveau scolaire baisse et tout particulièrement en orthographe. Les quelques études menées, en particulier l'expérience rapportée par André Chervel et Danièle Manesse, relativisent ce jugement hasardeux. Quand on a fait faire à des élèves de 1987 une dictée qu'avaient faite leurs prédécesseurs de 1873, on n'a pas observé le fossé que l'on a trop vite tendance à supposer[1]. Il est aussi faux de dire que l'on ne travaille plus l'orthographe à l'école, on l'apprend différemment.

Le serpent de mer de la réforme (3, 9)
Il faut d'emblée noter que les quelques bribes de réforme qualifiées officiellement de « tolérances orthographiques » et entérinées par des arrêtés ne sont généralement pas connues et ne font d'ailleurs pas l'objet d'un enseignement. On ne se rappelle leur existence qu'à l'occasion des examens et concours pour ne pas pénaliser les candidats (soyez cependant vigilants : bien qu'officiellement tolérées, certaines formes ne font pas très bon effet dans une copie).
L'orthographe figure toujours parmi les programmes de l'école élémentaire et à ce titre elle fait l'objet d'un enseignement. Cela ne suppose pas, heureusement, que l'on confronte trop tôt les enfants à des difficultés qui excèdent leurs possibilités. Les programmes officiels sont très révélateurs sur ce point et leur lecture met en garde contre la tentation de trop exiger des élèves. Ainsi à l'issue du cycle 3 :

> L'élève doit pouvoir :
>
> – Copier en un temps déterminé et sans erreur un texte bref, en prose ou en vers ;
>
> – Orthographier correctement :
> - les mots d'usage courant donnés, notamment, par les échelles de fréquence,
> - les formes usuelles des verbes mentionnés dans les programmes : *avoir* et *être*, quelques verbes en *er* (du type chanter et particularités des verbes en *ger* et *cer*), quelques verbes en *ir* (du type finir) et les verbes *faire, pouvoir, aller, venir, voir, prendre*,
> - les principaux homonymes grammaticaux ;
>
> – Maîtriser les règles d'accord (sujet-verbe, nom-adjectif…). L'accord du participe passé employé avec être et avoir est en cours d'acquisition (cf. programmes de 1995) ;
>
> – Savoir utiliser efficacement un fichier, un dictionnaire, des tableaux de conjugaison pour vérifier l'orthographe et se corriger.
>
> *Programmes de l'école primaire*, 1995.

---

1. André Chervel, Danielle Manesse, *La Dictée*, INRP/Calmann-Lévy, 1989.

Quelques vraies questions

Comment fonctionne l'orthographe du français? (1, 8)

Elle est, nul n'en disconviendra, très complexe mais il y a des raisons à cela et une orthographe dite « phonétique » ne serait pas adaptée à notre langue.

Faut-il sanctionner les «fautes» ou utiliser les erreurs en vue de faire progresser les élèves? (13)

La réponse ne fait guère de doute aujourd'hui : l'orthographe ne saurait constituer un domaine échappant aux principes pédagogiques ou didactiques prévalant partout ailleurs dans l'enseignement du français. Aussi, sauf exception, ne parlerons-nous plus désormais que d'erreurs.

Comment classer et évaluer les erreurs d'orthographe? (1, 2)

La distinction traditionnelle entre erreurs d'usage (même rebaptisées lexicales en 2) et erreurs imputables à la grammaire apparaît aujourd'hui simpliste. Nous disposons de typologies des erreurs plus élaborées; si vous avez opté pour l'affirmation 1, vous êtes au fait de ce classement encore peu répandu et que nous allons étudier plus loin. Le risque serait même – nous le verrons – d'utiliser tels quels les outils complexes des chercheurs.

Comment enseigner l'orthographe? (6, 7, 11, 12)

Tout le monde s'accorde pour ne pas assimiler l'orthographe à la dictée; cet exercice traditionnel n'est pas le seul moyen d'évaluation ni a fortiori d'apprentissage de l'orthographe. Elle ne requiert pas non plus que l'on sacrifie pour elle les principes pédagogiques que l'on estime fondés dans les autres disciplines, d'autant que savoir les "règles" d'orthographe ne garantit pas pour autant que l'on saura orthographier lorsqu'on voudra ou devra produire un texte.

La phonétique impossible

Même s'il ne se réduit pas à cela – nous le verrons plus loin – **l'écrit sert à transcrire les sons de l'oral**. Le français, nous l'avons vu au chapitre 9, possède 36 phonèmes (16 voyelles, 17 consonnes, 3 semi-voyelles). Pour permettre une relation que les mathématiciens qualifieraient de « bi-univoque », il faudrait donc que l'alphabet possède un même nombre de lettres et de phonèmes également répartis permettant ainsi à chaque phonème d'être toujours traduit à l'écrit par la même lettre et vice versa.

Or, on le sait, notre alphabet ne compte que 26 lettres (20 consonnes et 6 voyelles *a, e, i, o, u, y*) auxquelles s'ajoutent 5 signes dits « diacritiques » : les 3 accents aigu, grave, circonflexe, le tréma sur les voyelles et la cédille sous le c.
Le point sur le *i* ou sur le *j* ne constitue pas un signe diacritique puisqu'il y figure obligatoirement (ne l'oubliez donc pas!) et n'a pas la fonction distinctive et l'incidence sur la prononciation que le tréma possède au contraire.
Ainsi, dans le mot *maïs*, le remplacement du point par le tréma change à la fois la prononciation ([mɛ] → [mais]) et le sens.

A un même phonème peuvent donc correspondre plusieurs graphies; aucun n'a d'ailleurs une graphie unique. Par exemple, le phonème [ɛ] – le e dit « ouvert » –

a diverses réalisations graphiques et correspond à une voyelle graphique (éventuellement pourvue d'un accent ou du tréma) ou à deux dans les mots suivants : *veste*, *mère*, *fête*, *reine*, *vaine*, *Noël* et même *crémerie* (on parle fréquemment, dans les classes, des divers « costumes » d'un même son).

À l'inverse, **une lettre unique,** le x, **peut correspondre à deux phonèmes** : elle se prononce [ks] dans *fax, taxe* et [gz] dans *exercice, examen*.

Si notre alphabet est ainsi relativement inadapté, c'est qu'il nous vient du latin. Il transcrivait très bien, semble-t-il, les phonèmes de cette langue mais il n'a pas évolué parallèlement à la langue parlée et l'orthographe a dû être considérablement aménagée pour de nouveaux phonèmes qui n'existaient pas en latin, comme par exemple les quatre voyelles nasales : [ã], [ɛ̃], [ɔ̃], [œ̃].

L'alphabet traditionnel ne peut donc pas être défini par rapport au système de la langue; ses lettres ne peuvent, à la différence des phonèmes pour l'oral, être considérées comme des «unités pertinentes et fonctionnelles».

Le plurisystème orthographique du français

■ La théorie de Nina Catach

Pour expliquer le fonctionnement de l'orthographe du français, la théorie la plus couramment partagée est celle, développée par Nina Catach, du plurisystème, ainsi nommé « parce qu'il se compose de plusieurs parties, comme les rouages imbriqués d'une machine, mais sans en avoir la rigidité ».[2] En voici l'essentiel :

> Si nous considérons le verbe à l'infinitif POURCHASSER nous constatons qu'il correspond à sept phonèmes [puʀʃase] et qu'il s'écrit avec onze lettres P-O-U-R-C-H-A-S-S-E-R. Cependant, si nous mettons en relation l'oral et l'écrit, ce découpage en lettres n'est pas pertinent : les paires de lettres *ou, ch, ss* correspondent chacune à un seul phonème, respectivement [u], [ʃ], [s], et ne peuvent être scindées.
>
> Nina Catach propose donc de distinguer huit unités soit :
>
> P- OU - R - CH - A - SS - E - R
>
> pour lesquelles elle a proposé l'appellation, aujourd'hui généralisée, de **graphème**.
>
> Parmi les graphèmes de "POURCHASSER", le premier -R- est la transcription d'un phonème correspondant – celui que l'on trouve à l'initiale de *roc* et à la fin de *cor* – tandis que le second -R est la marque grammaticale de l'infinitif. En outre, sans être lui-même prononcé, il a un effet sur la prononciation du -E- qui le précède comme on peut le constater si l'on efface ce -R final.

2. Nina Catach, *L'orthographe en débat*, p. 15, Nathan Université, 1991.

On voit donc apparaître ici un principe fondamental de l'orthographe du français : **un graphème peut traduire du son et/ou du sens**, comme en rend compte sa définition :

> (Un graphème est) la plus petite unité distinctive et/ou significative de la chaîne écrite composée d'une lettre, d'un groupe de lettres (digramme - trigramme), d'une lettre accentuée ou pourvue d'un signe auxiliaire, ayant une référence phonique et/ou sémique dans la chaîne parlée.
>
> Nina Catach, *L'orthographe française*, p. 16, coll. Fac, Nathan Université, 1995.

■ Les zones du plurisystème

Les phonogrammes

La zone « centrale », la plus importante, se compose de graphèmes correspondant directement aux phonèmes et donc chargés de transcrire du son et que l'on appelle donc **phonogrammes**. Ils sont classés en fonction de critères dont le plus important est la **fréquence**.

• Parmi les quelque 130 phonogrammes proprement français (sans compter les graphèmes étrangers, souvent anglo-saxons comme par exemple *oo* pour [u] dans *football* ou *ea* pour [ɛ] dans *break*), un premier tri aboutit à environ **72 graphèmes** (36 voyelles, 30 voyelles, 6 semi-voyelles).

• Un tri plus poussé aboutit à **45 graphèmes de base** suffisants pour couvrir les besoins de communication immédiats d'un scripteur français débutant (code de communication minimal).

• Une ultime sélection nous donne les **33 archigraphèmes** : ce sont 33 unités **théoriques** mais qui constituent le noyau graphémique du français.

Les phonogrammes constituent la zone centrale du système **puisque la langue française est largement phonographique** (entre 80 et 85 % dont plus des 4/5 d'archigraphèmes). Rappelons qu'il s'agit là, nous l'avons vu, d'une donnée à prendre en compte pour la lecture et son apprentissage.

Tableau des archigraphèmes						
A	E	I	O	U	EU	OU
AN		IN	ON	UN		
		ILL				
		Y				
			OI			
			OIN			
P. B - T. D - C. G - F. V - S. Z - X - CH. J - L. R - M. N - GN						

Pour être un peu plus complet dans cet inventaire des phonogrammes, il faut aussi prendre en compte les variantes dites positionnelles, c'est-à-dire les formes et valeurs diverses que peuvent prendre les graphèmes dans diverses positions, en fonction d'autres lettres qui les précèdent ou les suivent. Les règles qui président à ce système sont certes complexes mais elles existent.

Cet aspect de l'orthographe du français a été plus particulièrement étudié par A. Chervel et C. Blanche-Benveniste[3] qui distinguent **5 valeurs possibles pour chaque lettre de l'alphabet :**

• **Valeur de base** correspondant à la prononciation la plus fréquente du graphème : ainsi dans le mot *lavabo*, *l* correspond à [l], *a* à [a]; *v* à [v], etc.

• **Valeur de position** correspondant à une prononciation différente liée à la place du graphème : ainsi dans *geai*, la prononciation [g] du *g* parce que ce dernier est placé immédiatement devant un *e*.

• **Valeur auxiliaire** lorsqu'un graphème n'est pas prononcé mais modifie la prononciation d'un autre graphème : ainsi dans *geai*, le *e* a une valeur auxiliaire car sa présence, après le *g*, ôte à celui-ci sa valeur de base et sélectionne la prononciation [ʒ].

• **Valeur zéro** lorsqu'un graphème n'est pas prononcé et n'influe pas non plus sur la prononciation d'un autre graphème.

• **Digramme, trigramme :** amalgame de deux ou trois graphèmes qui perdent leur valeur de base pour transcrire un phonème différent (ou deux dans le cas de *oi*, *oin*).

	valeur de base	valeur de position	valeur auxiliaire	valeur zéro	digramme trigramme
c	*c*anard [k]	*ci*gare [s] *ce*rise	ex*c*ès	ban*c*	*ch*at [ʃ] s*ch*éma
e	b*e*lette [ə] *é*dr*e*don	gu*e*rre [ɛ] poul*e*t	g*e*ai vert*e*	b*e*au	p*e*u [φ] r*ei*n [ɛ̃]

Les morphogrammes

Les morphogrammes sont des graphèmes de morphèmes et comptent pour environ 5 %. Les morphèmes (ou monèmes) étant les plus petites unités significatives de la chaîne orale (exemple : *pour-chass-er*, dans pourchasser), les morphogrammes traduisent du sens grammatical ou lexical (parfois en plus de leur valeur phonique).

Ils indiquent :

• les marques grammaticales :
 – de genre : *petit**e***, *curieu**se***,
 – de nombre : *vache**s***, *chev**aux***,
 – de flexion verbale : *tu cri**es**, tu pe**ux**, ils ser**ai/ent**, vous pouv**i/ez***

• les marques lexicales de dérivation : *galo**p*** (→ galoper), *mai**n*** (→ manuel).

Ils ont été maintenus dans la graphie, qu'ils soient prononcés ou non, qu'ils donnent lieu à une liaison ou non parce qu'ils constituaient des marques de série ou de sens.

---

3. A. Chervel et C. Blanche-Benveniste, *L'orthographe*, Maspéro, 1979.

Les logogrammes

Les logogrammes, ou figures de mots, comptent eux aussi pour environ 5 %. Ce sont, en gros, les homonymes grammaticaux ou lexicaux – le plus souvent monosyllabiques – nombreux en français. Ainsi par exemple :

a - à / ces - ses / la - là / on - ont / ou - où /
ancre - encre / car - quart / champ - chant / compte - conte /
cou - coup - coût / faim - fin / foi - foie...

Les lettres étymologiques et historiques

Elles représentent environ 12 % des graphèmes :

- étymologies latines : *vin**g**t, doi**g**t, **h**omme, a**dh**érer*
- étymologies grecques :
  - *c**h**œur* → *choriste* (valeur distinctive par rapport à *cœur*)
  - *t**h**éâtre, r**h**ésus* (valeur uniquement étymologique signalant un mot savant)
- fausses étymologies :
  - *poi**d**s* (que l'on fait remonter par erreur au latin *pondus*)
  - *le**g**s* (que l'on rattache à *léguer* alors qu'il est de la famille de *laisser*)
  - *dom**p**ter* auquel on ajoute un *p* par analogie avec *compter* alors que le latin *domitare* n'en comportait pas

L'origine grecque de beaucoup de mots savants amène même des erreurs dues à la peur d'oublier des lettres étymologiques. On trouvera de la sorte **éthymologie, *dystique, *techtonique, *cyrrhose* et même **diachritique*… dans un article sur l'orthographe !

Des outils pour enseigner

■ Les typologies

Les recherches de Nina Catach et du groupe HESO ont abouti à une typologie extrêmement fouillée des erreurs orthographiques possibles (cf. les 6 tableaux pages suivantes tirés de l'ouvrage de Michel Gey, *Didactique de l'orthographe française*, pp. 125-129, Nathan, 1985).

Cette typologie est très longue et passablement compliquée mais vous n'avez pas à la retenir in extenso : vous constaterez – et la numérotation vous y aide – qu'elle peut être lue à des niveaux différents. Vous devrez connaître pour l'essentiel les six têtes de chapitres et les distinctions apportées par la colonne de gauche, pour le reste tout ce que vous aurez retenu en plus vous sera utile. N'oubliez pas cependant qu'un excès de minutie dans la classification pourrait vous coûter un temps précieux !

Telle quelle, cette typologie complète est un exemple caractéristique d'outil à destination du maître, inapplicable en l'état par les élèves. Mieux vaut, bien entendu, une typologie moins complexe mais que les élèves ont faite leur parce qu'ils l'ont progressivement construite avec le maître à l'image de celle qui vous est proposée en p. 277 (Mes erreurs en orthographe).

1. Erreurs à dominante phonétique			
10 Omission ou Adjonction	100 Lettre 101 Syllabe		maitenant arbrustre manman bienteur
11 Confusion	110 Sourde/sonore	1100 p/b 1101 f/v 1102 t/d 1103 c/g 1104 autres	puplier valfe tortoir craver
	111 Liquide		car ≠ cal
	112 Nasale		nimer opignon
	113 Semi-voyelle	1130 ki ≠ kui 1131 1132	quiller ≠ cuiller
	114 Voyelle		défint ≠ défunt
12 Déplacement	120 Lettre		erxcusion

2. Erreurs à dominante phonogrammique					
		Voyelle Digramme vocalique Accent	Semi-voyelle	Consonne Digramme consonantique Cédille	Consonne simple ou double
20 Altérant la valeur phonique	200 Omission ou Adjonction	2000 boef merite cheuveu suité	2001 briler piaille/paille	2002 exès sçore gérir recu exciste	2003 enui asis sossie
	201 Confusion	2010 oisis nè (né)	2011 paille (paye)	2012 escursion	2013 serai/serrai
	202 Inversion	2020 idoit (idiot) éléve	2021 vielle (vieille)	2022 danmé ceuillir	2023
21 N'altérant pas la valeur phonique	210 Omission ou Adjonction	2100 sin (sein) abime éteau il ut oeuil fûmer 21000 binètte	2101 joailler criller pingoin	2102 tiket guorille réçit	2103 méchament 21030 pensser enffermer
	211 Confusion	2110 licée blème invantère	2111 noiller	2112 pharmatie	2113
	212 Inversion	2120 ciclyste	2121	2121	2123

3. Erreurs à dominante morphogrammique				
30	300	3000 nom et pronom déterminant		les gens, il... la routes
		3001 nom + complément adj.		un sac de bille pleine de truite
		3002 adj. et nom	30020 juxtaposés 30021 non juxtaposés	aucun hommes deux nez absolument pareille
		3003 sujet et verbe	30030 juxtaposés 30031 inversés 30032 non juxtaposés	je fait tombent la neige je les voient
		3004 participe passé et nom (ou pronom)	30040 sans auxiliaire 30041 avec être 30042 avec avoir sans cod. 30043 avec avoir cod. après 30044 avec avoir cod. avant 30045 vb. pronominal	(cf. 3002) ils sont venu elle a chantée j'ai entendus des cris tu les as battu elles se sont lavé
	301	3010 forme du pluriel		chevaus verroux
		3011 catégorie		des ombrent passes
		3012 mode	30120 inf./part. 30121 inf./ind. 30122 ind./cond. 30123 autres	ils vont joué elles vont noircirent viendrai/viendrais tu mangé
		3013 groupe verbal/dési-nence		il crit il geind
		3014 temps		criai/criais
31	310	non-reconnaissance des mots		bien veillance un névier
	311	ignorance de la famille lexicale		inabité
	312	ignorance des pré-/suffixes		anterrement
	313	ignorance du maintien ou non du radical		nous vogons
	314	ignorance des lettres finales justifiables d'un enseignement		heureus

(Colonne de gauche, de haut en bas : « Les morphèmes grammaticaux » — « Relation mal établie entre » / « Confusion » ; « Les morphèmes lexicaux »)

Remarque : Parmi les morphogrammes grammaticaux on peut coder la relation syntagmatique de la façon suivante : Genre : *un travail manuelle*. Nombre : *aucun hommes*. Genre et nombre : ELLES SONT VENU.

4. Erreurs concernant les homophones		
40. Homophones de discours		larme/l'arme encore sage/en corsage
41. Homophones lexicaux	410 base lexicale	chant/champ voix/voie vain/vin
	411 base paronymique	exruption (excursion)
42. Homophones grammaticaux	420	a/à
	421	et/est
	422	ce/se
	423	ces/ses
	424	ou/où
	425	on/ont
	426	son/sont
	427	ni/n'y
	428	autres
	429 base paronymique	si/s'il

5. Erreurs concernant les idéogrammes			
50 Omission ou Adjonction	500 majuscule	5000 nom propre/ nom commun	pierre/Pierre
		5001 en début de phrase	
	501 apostrophe		1 autre
	502 trait d'union		
	503 ponctuation	5030 le point 5031 la virgule 5032 autres signes	
51 Confusion	510 erreurs de signes		

6. Erreurs concernant les lettres non justifiables d'un enseignement		
60. Voyelle		douçatre
61. Consonne	610 consonne finale non justifiable d'un enseignement	abrit frai chaleure ailleur
	611 consonne grecque	téâtre
	612 consonne latine	sculter
	613 fausse étymologie	domter (domitare)
	614 consonne simple ou double injustifiable	chariot/charriot boursouflé/boursoufflé

Un exemple de typologie bâtie par des élèves

Quand je relis, je n'entends pas le mot juste.	1	J'ai oublié des lettres
	2	J'ai ajouté des lettres
	3	J'ai inversé des lettres
	4	J'ai confondu des sons voisins :
		Ex [t] et [d]
		[k] et [g]
		[f] et [v]
		[s] et [ʃ]
		[p] et [b]
		[ʃ] et [ʒ]
		[e] et [ɛ]
	4'	J'ai fait une erreur d'accent
Quand je relis, j'entends le mot juste, mais ce n'est pas le mot juste.		**Je n'ai pas choisi le bon "costume"**
	5	cf. mot de la même famille
	5'	cf. homonyme
	6	Je ne peux pas savoir ⇒ je consulte le dictionnaire
		J'ai mal accordé :
	7	déterminant – nom
	8	nom – adjectif
	9	sujet – verbe
	10	participe passé avec être
	11	participe passé avec avoir (avant)
	12	J'ai fait une erreur de conjugaison
	13	J'ai confondu infinitif – participe passé
	14	J'ai confondu infinitif – verbe conjugué
	15	Je me suis trompé dans la ponctuation
	16	J'ai oublié le trait d'union
	17	J'ai oublié la majuscule

Les échelles

Un autre outil est régulièrement mentionné dans les diverses instructions officielles. Ce sont les échelles orthographiques[4] qui répertorient les mots du français et les rangent par échelons en fonction de leur fréquence et/ou de leur difficulté orthographique mesurées après que l'on eut dicté lesdits mots à des dizaines de milliers d'élèves francophones.

Ces listes sont destinées à évaluer le niveau en orthographe lexicale des élèves par rapport à un niveau moyen établi statistiquement. Elles peuvent aider le maître à apprécier la difficulté orthographique des mots qui posent problème aux élèves, mais fonder exclusivement sur ces listes l'apprentissage des acquisitions en orthographe lexicale risque de faire passer au second plan les besoins **réels** des élèves qui apparaissent surtout lors des productions écrites.

Et la dictée ?

Impossible de traiter de l'orthographe à l'école sans envisager la dictée. En 1980, un ouvrage édité sous l'égide de l'INRP (Fernand Nathan) avait un titre révélateur : *Orthographe : avec ou sans dictée ?*

Tout le monde, ou presque, convient aujourd'hui que, sous sa forme la plus traditionnelle – lorsqu'elle porte sur un texte d'auteur dicté sans préparation –, la dictée n'a quasiment aucune efficacité pour l'apprentissage. Elle demeure la forme traditionnelle de l'évaluation sommative de l'orthographe à certains concours ou examens – c'est le cas pour le Brevet des collèges – mais reste totalement étrangère à l'évaluation formative.

Elle doit donc être aménagée de différents points de vue :

• **Les fonctions qui lui sont assignées :** s'agit-il de tester la capacité à bien orthographier un texte inconnu ou de vérifier l'intégration d'apprentissages antérieurs (sur un texte choisi ou produit en fonction des compétences étudiées) ? On parlera alors de **dictée de contrôle**.

• **Le choix du texte dicté à l'élève :** portera-t-elle sur un texte comportant de façon significative la difficulté étudiée ? un texte étalonné en fonction des échelles de difficulté orthographique ? un texte ou des phrases à trous ou encore des mots isolés (l'élève ne devant écrire que les mots faisant l'objet de l'évaluation) ?

• **Les modalités de conduite :**

– **dictée de contrôle;**

– **dictée assistée** : après une première écriture, les enfants peuvent chercher des aides dans divers outils de référence individuellement (cahier, fiches, carnet d'orthographe, affichages, dictionnaire, table de conjugaison…) ou collectivement (grâce aux suggestions d'autres élèves);

– **commentaire orthographique d'un texte** : les élèves sont appelés à justifier l'orthographe de quelques-uns des éléments d'un texte, du point de vue lexical et/ou grammatical;

---

4. La plus ancienne et la plus connue est l'*Échelle Dubois-Buyse*, de F. Ters, G. Mayer, D. Reichenbach, OCDL, 5e édition, Fernand Nathan, 1977 ; des mêmes auteurs citons aussi le *Vocabulaire orthographique de base*, OCDL, 4e édition, 1977, qui classe les mots des échelles par centres d'intérêt.

– **reconstitution de texte** : il s'agit de rétablir sous sa forme écrite intégrale un texte préalablement étudié sous ses divers aspects lexicaux, articulations et rythme de syntaxe, et dont il ne subsiste que quelques éléments tenant lieu de repères ;

– **"dictée chiffon"** : un texte est écrit au tableau, le maître en efface des fragments que les enfants doivent reconstituer ;

– **autodictée** : les élèves s'efforcent de retranscrire correctement un texte qu'ils ont dû préalablement mémoriser.

AU CONCOURS

■ Les sujet possibles

Synthèse de documents

Il existe en quelque sorte une problématique d'ensemble :

• Pourquoi l'orthographe est-elle un problème?
On peut avancer trois hypothèses :
– à cause de son fonctionnement ? (problème linguistique)
– à cause de son enseignement ? (problème didactique et pédagogique)
– à cause du rôle qu'on lui fait jouer ? (problème social et culturel).

On peut aussi détailler certains des problèmes qu'elle pose :

• À quoi sert l'orthographe?
– A-t-elle une fonction sociale (marqueur de distinction socioculturelle, instrument de sélection)?
– A-t-elle une fonction linguistique?

• Comment fonctionne l'orthographe française?
– Est-elle logique ou arbitraire?
– Faut-il ou non la réformer?

• Comment enseigner l'orthographe?
– Relève-t-elle de la même pédagogie que les autres disciplines? Peut-on construire les compétences?
– Quel est le statut de l'erreur en orthographe? Erreur ou faute? Faut-il noter l'orthographe ou en faire une évaluation formative?
– Faut-il un enseignement spécifique de l'orthographe ou un enseignement intégré à la production d'écrits? À quel moment interviennent le souci orthographique et les activités (différées et/ou décrochées) dans le processus d'écriture?

• Comment évaluer l'orthographe?
– En vertu de quels principes linguistiques?
– Avec quels outils?

Analyse des productions d'enfants

L'analyse centrée sur l'orthographe est un des grands "classiques" du concours. Il peut vous être demandé de relever les erreurs et de les corriger. Il vous faudra alors relever les erreurs, toutes les erreurs, rien que les erreurs. Prenez garde de n'en oublier aucune et, encore plus, de ne pas trouver fautive une forme « de bon aloi » !

Ce travail peut porter sur la photocopie du texte produit par l'enfant ou, de plus en plus souvent, sur une version dactylographiée accompagnant ou remplaçant l'écrit initial afin d'éviter des cas litigieux (tel « point » est-il un signe de ponctuation mal placé ou une tache due à la mauvaise qualité de la photocopie ?).

Analyse didactique

Pour l'orthographe, l'épreuve de didactique peut porter sur des extraits de manuels (ils sont légion), ou encore des préparations magistrales.

■ Sujet 1 : analyse de production d'élève

Nous allons analyser du point de vue de l'orthographe la version dactylographiée du texte sur lequel vous avez déjà travaillé au chapitre 21.

Inédit

L'histoire de l'aigle

C'est l'histoire d'un aigle qui voulai faire quelque chose destraordinaire, pour être chef d'une bande. Mais ne trouvant quoi faire il essaya de se suisider. Il essaya une, deux, trois fois mais il ni arriver pas. Au bout de la quatriéme fois car aucun oiseaux ne savait volait il sota dans le vide au moment ou il sota il ne put par car il deplia c'est ailles est s'envola il montra son exploi à tous les oiseaux et il essayaire il reusire tous et son reve fut accompli Et c'est depuis ce jour que les oiseaux volent.

CORRIGÉ

*Commentaires : En comparant à l'original, manuscrit, on notera que la version dactylographiée ne permet pas de rendre compte de la façon qu'a cet élève d'écrire la lettre p, réduite à sa hampe, qui lui fait écrire **pur** au lieu de pour comme on peut le constater à sa façon d'écrire plus loin **pas, put, deplia, exploi**.*

*Ne vous étonnez pas outre mesure s'il vous arrive d'hésiter entre deux interprétations pour certaines erreurs ; dans les cas où il peut y avoir un doute raisonnable, signalez-le (par exemple ici pour **essayaire**).*

*Lorsqu'un mot comporte plusieurs erreurs « indépendantes », il faut les répertorier autant de fois que c'est nécessaire : **reusire** est ici une forme triplement erronée.*

Nous allons appliquer à ce texte une typologie simplifiée fondée sur les principes de classement de Nina Catach.

Erreurs dans les correspondances phonie-graphie	
Sans incidence sur la prononciation	**Avec incidence sur la prononciation**
• *il sota* (x2) (choix d'un mauvais graphème) • *essayaire* (choix d'un mauvais graphème ou d'un suffixe – ai – supposé marquer un temps du passé?)	• *estraordinaire* (choix d'un mauvais graphème) • *suisider* (choix d'un mauvais graphème) • *quatriéme* (erreur d'accentuation) • *deplia* (absence d'accentuation) • *ailles* (choix d'un mauvais graphème changeant la prononciation de tout le mot!) • *reusire* (absence d'accentuation) • *reusire* (choix d'un mauvais graphème) • *reve* (absence d'accentuation)

NB. Nous ne distinguons volontairement pas ici entre erreurs semblant relever de la phonétique (à supposer – ce qui n'est pas sûr – que l'élève prononce *estraordinaire* avec l'assent!) et erreurs relevant de la phonographie proprement dite (la graphie *suisider* ne traduisant pas une prononciation hautement improbable).

Erreurs portant sur les morphogrammes	
Marques grammaticales	**Marques lexicales**
Verbes • *qui voulai** (oubli de la terminaison de la 3ᵉ pers. du singulier) • *arriv**er** (marque de l'infinitif au lieu de l'imparfait) • *vol**ait** (marque de l'imparfait au lieu de l'infinitif) • *essayaire*, *reusire** (oubli de la terminaison de la 3ᵉ pers. du pluriel) **Noms** • *oiseau**x** (marque du pluriel avec un déterminant au singulier) **Pronoms** • *il** (oubli de la marque du pluriel)	• *exploi** (oubli de la marque de dérivation : cf. exploiter)
• Nous considérerons aussi comme erreur portant sur un morphogramme la non-segmentation de *de**straordinaire* puisqu'elle résulte de la non-reconnaissance d'un morphème grammatical : la préposition « de ».	

Erreurs portant sur les homonymes (ou logogrammes)	
Homonymes grammaticaux	**Homonymes lexicaux**
• *ni* au lieu de *n'y* • *ou* au lieu de *où* • *c'est* au lieu de *ses* • *est* au lieu de *et*	

Erreurs portant sur la ponctuation

• Certaines erreurs de ponctuation sont manifestes et peuvent être corrigées en laissant le texte en l'état ; ainsi l'absence de la virgule après : *Mais ne trouvant quoi faire* [...]

• Par contre dans :
Au bout de la quatrième fois car aucun oiseaux ne savait volait il sota dans le vide au moment ou il sota il ne put par car il deplia c'est ailles est s'envola [...]
les corrections de ponctuation sont subordonnées à une réécriture du texte, ce qui dépasse l'orthographe proprement dite.

■ Sujet 2 : analyse didactique

Comparer les trois documents suivants :

Document A: *L'orthographe quotidienne au CE*, p. 26, Fernand Nathan, 1983.

Document B: *Savoir orthographier*, ouvrage coordonné par A. Angoujard, p. 66-67, Hachette Éducation, 1994.

Inédit

Document C: *L'orthographe à 4 temps CE*, pp. 21-23, Hachette Éducation, 1994.

1) Quels sont les objectifs (compétences faisant l'objet de l'apprentissage) ?

2) Sur quel matériau porte l'observation ?

3) Quelle est la démarche suivie ?
a) Quelle est la « motivation » pour les élèves ?
b) Quelle est leur activité : Quand la règle apparaît-elle ? Qui l'a trouvée et comment ?

C O R R I G É

1 Quels sont les objectifs (compétences faisant l'objet de l'apprentissage) ?

• **Document A :**
Connaître les valeurs de la lettre s, c'est-à-dire connaître sa prononciation : [s] ou [z].
Savoir que la lettre s doublée (ss) se prononce [s].

• **Document B :** Connaître deux graphies possibles du son [s] à l'initiale des mots –s et c– et certaines de leurs conditions d'apparition.

• **Document C :**
Savoir que le son [z] peut être transcrit par z et souvent par s, entre deux voyelles.
Savoir que le son [s] peut être transcrit par s, c, ç, et souvent ss, entre deux voyelles.

Les trois objectifs ne sont pas identiques mais voisins. Les compétences orthographiques visées relèvent toutes des correspondances phonographiques et sont volontairement circonscrites. De ce point de vue nous ne noterons donc pas de différence significative tout en remarquant que B et C vont du son aux graphies, démarche proprement orthographique, tandis que A va de la graphie (la lettre s) aux sons. Les différences les plus significatives apparaîtront plutôt dans la démarche suivie.

Les valeurs de la lettre *s*

un escalier, le sol, cette rose, le hasard, ce tas, trois.

on voit   on entend

s   [s] : un escalier, le sol.

       [z] : cette rose, le hasard.

       on n'entend rien : ce tas, trois.

Attention : la lettre **s** est souvent doublée : on voit **ss**. Dans ce cas, on entend [s] : il est assis, basse.

1. Remplace les pointillés par *s* ou *ss*.

– Anne a construit un château de ...able. – Le capitaine a envoyé un me...age. – On a retrouvé le ...quelette d'un éléphant. – Luc adore manger des cui...es de grenouille. – Les athlètes font du ...port sur le ...tade. – La cha...e est ouverte, le lièvre court à toute vite...e.

2. Voici une liste de mots. Classe-les comme il convient.

– un ours. – une caisse. – un baiser. – un bison. – la brise. – une secousse. – une nasse. – une buse. – une brosse. – une phrase.

on entend [s]	on entend [z]
...	...
...	...

3. Lis les phrases suivantes.

– J'ai pris les billes dans ma case. – J'achète du raisin. – L'explorateur a capturé un bison. – Luc donne un baiser à papa. – Voilà une belle maison ! – Elle achète un savon noir. – Ma mère a des robes de satin. – Il a mal au dos. – J'aime la salade verte. – Il a visité le salon de l'enfance. – Tu étais debout toute la journée. – J'ai mis trop de temps à me laver.

a) Écris l'ensemble A des mots dans lesquels on voit la lettre *s*. Tu trouveras vingt éléments.

A = { ..., ..., ..., ..., ..., etc. }

b) Écris l'ensemble B des mots dans lesquels la lettre *s* se prononce [s].

B = { ..., ..., etc. }

c) Écris l'ensemble C des mots dans lesquels la lettre *s* se prononce [z].

C = { ..., ..., ..., etc. }

4. Souligne l'intrus.

– une pension. – la pastille. – une veste. – le poisson. – une dispute.

– le tissage. – une mission. – un parasol. – une secousse. – une housse.

5. Écris un verbe qui correspond à chacun des mots suivants.

Exemple : tas – tasser

– amas. – avis. – embarras. – mépris. – propos.

6. Même exercice. Emploie chaque verbe dans une phrase.

ras. – refus. – tamis. – tapis. – fracas.

26

Dans une classe de CE1/CE2, à la fin du mois d'octobre, la maîtresse a décidé de transformer l'interrogation d'un groupe d'élèves (faut-il écrire sinture ou ceinture ?) en un problème posé à l'ensemble de la classe sur les graphies du phonème [s] en début de mot.

Apprendre à parler l'orthographe
Cycles 2 et 3

Ex. : écrire le son [s] : s ou c ?

Nos élèves de CE1/CE2 ont tout d'abord entrepris de classer les mots de leur corpus. Après quelques tâtonnements, dus surtout à la tentation de privilégier des critères d'ordre sémantique[1], un accord s'est établi pour retenir le critère orthographique de surface le plus directement appelé par la formulation même de leur problème : la présence, à l'initiale du mot, de la lettre s ou de la lettre c pour transcrire le son [s]. Critère simple et pertinent : tous les mots ont ainsi pu être rangés en deux colonnes.

Classer les formes graphiques

Les élèves trouvaient ainsi, grâce à ce classement, la justification de leur problème et une première forme de résolution : l'existence, pour eux enfin manifeste, de deux graphèmes concurrents dans un domaine dont ils avaient jusqu'alors simplifié le fonctionnement par la mise en relation biunivoque du phonème [s] et de la lettre s. Ce qu'ils ont explicité de la manière suivante :

« – On a des mots qui commencent tous par le son [s].

– Le son [s] ne s'écrit pas de la même manière : dans la première colonne, tous les mots commencent par la lettre s ; dans la seconde colonne, tous les mots commencent par la lettre c.

– Il y a beaucoup plus de mots qui commencent par la lettre s que de mots qui commencent par la lettre c ».

Mais la visée opératoire de la recherche interdit aux élèves d'en rester là : il ne leur suffit pas d'avoir obtenu **une explication à leurs difficultés, il leur faut aussi trouver des solutions à ce qui est devenu problème de choix.**

Formuler une hypothèse

« Maintenant, disent-ils, il faudrait savoir quand on doit écrire **s** et quand on doit écrire **c** ». La recherche est ainsi relancée, elle passe nécessairement par une observation plus fine des mots classés.

Ici, c'est leur dernière remarque, d'ordre quantitatif, qui va servir de tremplin : il doit bien y avoir une raison au fait que le nombre de mots commençant par la lettre s est très supérieur au nombre de mots commençant par la lettre c. Nouveau problème donc.

Sa résolution passe cette fois par la **formulation d'une hypothèse** « peut-être que, pour savoir, il faut regarder les autres lettres des mots, celles qui suivent ? ». C'est la découverte, essentielle pour nos élèves, de la nécessité de **scruter l'environnement des graphèmes** pour comprendre vraiment le fonctionnement du système phonogrammique.

Expliquer l'hypothèse

Et cette observation débouche à nouveau sur des formulations qui explicitent les constatations opérées :

« – Dans les mots qui commencent par le son [s] écrit avec la lettre s, on peut trouver après cette lettre toutes les voyelles, et des consonnes.

– Dans les mots qui commencent par le son [s] écrit avec la lettre c, on ne peut trouver après cette lettre que les voyelles e et i (et y). »

Analyse, on le voit, **méthodique** : elle **permet aux élèves de construire progressivement leurs savoirs.**

Mais **le maître** joue, ici encore, un **rôle déterminant,** et notamment par les exigences qu'il manifeste dans les moments d'explicitation. Dans tous les cas, quel que soit l'âge des élèves, la **recherche des formulations les plus exactes** constitue en effet un aspect essentiel des apprentissages d'ordre métalinguistique : c'est à travers de telles formulations que **les savoirs se structurent,** et ce sont elles qui les rendent **opératoires.**

Apprendre l'orthographe, c'est aussi apprendre à parler l'orthographe.

6 Les sons [s] et [z]

serpent
zèbre

Observe

1 *Complète chaque série de phrases avec le mot qui convient.*

1 Je n'ai pas eu de ... . / Fuir dans le ... . ┃ désert – dessert
2 Nous ... un écrou. / Nous ... la cible. ┃ visons – vissons
3 La truite est un ... . / La cigarette est un ... . ┃ poison – poisson
4 Mon ... habite à Lens. / La chatte dort sur un ... . ┃ cousin – coussin

Observe chaque groupe de mots encadrés ; ces deux mots se prononcent-ils de la même manière ?

2 *Classe ces mots dans un tableau.*

la télévision – bonsoir – une usine – une rose – la musique – un visage – la dimension – renverser – le reste – un casque – la poste – un disque

je vois « s » entre deux voyelles et j'entends [z]	je vois « s » entre une voyelle et une consonne et j'entends [s]
la télévision	

La lettre « s » se prononce-t-elle toujours de la même manière ?

3 *Lis ces mots à voix haute et classe-les.*

une blouse – une poésie – la politesse – une mésange – la brosse – la cuisine – aussitôt – le dessin – l'ardoise – la vitesse – un oiseau – le plaisir – la maison – le chasseur – la cuisse – la raison

j'entends [s]	j'entends [z]
la politesse	une blouse

Lorsque « s » est entre deux voyelles, que doit-on faire pour entendre le son [s] ?

21

4 *Lis ces mots à voix haute ; recopie-les et souligne la lettre (ou les lettres) qui se prononce(nt) [s].*

le **s**ingulier

une pastille	une racine	un bassin	la récréation
une tresse	le sirop	un pouce	du persil
le cirque	le citron	juste	patient
une personne	le ruisseau	sauter	un garçon
décembre	la caisse	une leçon	une chaussure

Quelles sont les différentes façons d'écrire le son [s] ? Après la lettre « c », quelle(s) voyelle(s) trouves-tu ? Et après « ç » ?

Complète

▼ la maison   la musique   raser
Entre deux voyelles, le son [z] s'écrit souvent avec un « **?** ».

▼ le gazon   douze   bronzer   zéro
Le son [z] peut aussi s'écrire avec un « **?** ».

▼ le passage   le buisson   casser
Entre deux voyelles, le son [s] s'écrit souvent avec deux « **?** ».

▼ la salade   la France   la leçon   la récréation
Le son [s] peut aussi s'écrire avec un « **?** », un « **?** », un « **?** » ou un « **?** ».

Si tu hésites, consulte l'aide-mémoire page 130.

Exerce-toi

1 *Dans ces mots, on entend [s]. Complète-les par « s » ou « ss ».*

un bi...cuit au chocolat	un co...tume de clown
des chau...ures de ski	un poi...on d'eau douce
un bon con...eil	pou...er un cri
une trou...e à outils	une dépen...e importante
la cour...e à pied	traver...er la rue

22

2 *Dans ces mots, on entend [s] ou [z]. Complète-les par « s » ou « ss ».*

une sai...on chaude et humide	La maître...e entre en cla...e.
un jeu amu...ant	ca...er un va...e
la cui...on des pâtes	cueillir des ceri...es
une formule de polite...e	une phra...e interrogative
un cha...eur de papillons	le do...ier d'une chai...e
une tarte aux frai...es	un maga...in de chemi...es

3 *Complète en accordant l'adjectif entre parenthèses (lis les groupes de mots à voix haute).*

(gros)	une ... pomme	(permis)	une sortie ...
(bas)	une maison ...	(français)	la langue ...
(gris)	la couleur ...	(orageux)	une soirée ...
(chinois)	une peinture .	(faux)	une réponse ...
(assis)	une place ...	(roux)	une chevelure ...

4 *Écris les verbes entre parenthèses au présent de l'indicatif.*

(brosser) Mme Forestier ... ses vêtements.
(penser) Le navigateur ... arriver dans douze jours.
(lancer) Nous ... des dizaines de ballons.
(choisir) Les enfants ... leurs cadeaux.
(réussir) Nous ne ... pas à retrouver notre chemin.

ÉCRIS

C'est bien la première fois qu'il a aussi soif !

► *Les deux mots, « fois » et « soif », s'écrivent avec les mêmes lettres dans un ordre différent. Ce sont des anagrammes. Cherche l'anagramme des mots suivants : « rose – cause – suer ». Essaie ensuite d'écrire une phrase dans laquelle tu emploieras les deux mots à la fois.*

23

2 **Sur quel matériau porte l'observation?**

• **Document A :** Dans l'encadré, le « corpus » est réduit à 8 mots dans lesquels la lettre s est en caractère gras. On ne peut plus, en fait, parler de corpus.
On a ainsi :
– un mot dans lesquels   s-   est à l'initiale : *le sol*
– un mot dans lesquels   -s-   est entre voyelle et consonne : *un escalier*
– deux mots dans lesquels   -s-   est entre voyelles : *cette rose, le hasard*
– deux mots dans lesquels il est à la finale : *ce tas, trois*
Il faut ajouter *assis* et *basse* dans la note finale présentée comme une remarque supplémentaire et non sur le même plan (cf. *Attention*).

Bizarrement un exercice (3) fournit aussi un corpus de 20 mots et une consigne de classement. Aucune règle n'en est tirée, cela semble dévolu à la mise en commun avec le maître.

• **Document B :** Un corpus qui ne nous est pas détaillé mais qui doit être suffisamment important pour permettre, par exemple, de constater qu'il y a beaucoup plus de mots qui commencent par la lettre s- que de mots qui commencent par la lettre c-.

• **Document C :** Quatre activités d'observation comportant chacune un corpus distinct allant de 8 à 20 mots : 1) Quatre paires minimales, soit des mots identiques à un phonème près ; 2) 12 mots ; 3) 16 mots ; 4) 20 mots).

3 **Quelle est la démarche suivie?**

a) Quelle « motivation » pour les élèves?
Dans le document B, la décision de travailler ce point d'orthographe a été prise par la maîtresse qui veut tirer parti d'un problème ponctuel <u>rencontré par les élèves</u> dans la production d'un écrit.
Dans les documents A et C nous avons affaire à une leçon d'un manuel (mais rien n'interdit au maître de se servir du manuel à l'occasion d'un problème d'orthographe effectivement rencontré par un ou plusieurs élèves).

b) Quelle est l'activité des élèves : Quand la règle apparaît-elle? Qui l'a trouvée et comment?

• **Document A :** À en juger par la page du manuel, la règle n'est formulée nulle part (sauf pour   -ss-   →   [s]). Le tableau initial ne saurait en tenir lieu. L'exercice 3 propose un classement de type mathématique (par ensemble) mais sur un corpus trop limité. Tel quel ce document semble hésiter entre une démarche traditionnelle donnant une règle que l'élève doit appliquer et une démarche véritable de construction du savoir portant sur un corpus suffisant.

• **Document B :** Nous avons affaire à une démarche diamétralement opposée, de construction des savoirs par les élèves avec l'aide du maître (cf. l'avant-dernier alinéa).
Cette démarche aboutit à une élaboration progressive de la règle :
1. Classement des mots du corpus.
2. Constat de deux graphies pour transcrire le son   [s]   à l'initiale des mots.
3. Constat de la fréquence (s revient bien plus souvent que c).
4. Recherche d'une règle permettant de choisir entre les deux lettres.
5. Formulation d'une hypothèse : influence de la deuxième lettre.
6. Formulation de la règle.
L'élaboration de la règle se traduit par des rédactions successives faisant le point sur les constats.

Cette démarche vaut doublement : elle aboutit à un savoir fiable (et, en tant que tel, validé par la maîtresse) ; elle a une valeur méthodologique : elle vaut pour la construction d'autres savoirs en orthographe et dans d'autres disciplines.

• **Document C :** Nous avons ici un manuel qui propose aux élèves une démarche guidée et progressive. Cette démarche sollicite la compétence qui fait l'objet de la leçon.
Dans un premier temps, pour compléter :

Je n'ai pas eu de ... – Fuir dans le ... par **désert** ou **dessert**

Nous ... un écrou – Nous ... la cible par **visons** ou **vissons**

les élèves doivent constater, en oralisant, les prononciations différentes de -s- et -ss- et pour cela connaître ce point de combinatoire. Il en va de même pour les 4 activités.

Les observations suscitées par les questions qui suivent chaque activité sont ensuite reprises et systématisées sous forme de règle dans un deuxième temps (rubrique « Complète »). On voit bien que ce manuel s'efforce de récréer les conditions d'une démarche de construction du savoir : La règle est proposée (nous avons affaire à un manuel), mais elle doit être complétée par l'élève conformément aux constatations faites dans les activités précédentes. Viennent ensuite de façon classique des exercices d'application pouvant servir à l'évaluation ou à la consolidation des savoirs ayant fait l'objet du travail précédent.

On peut noter ici que cette démarche autorise un certain degré d'autonomie qui permet au maître de travailler en priorité avec un autre groupe qui le requiert davantage.

Pistes bibliographiques

■ Ouvrages de base

◆ Un texte officiel, le dernier paru sur le sujet : Circulaire du 14 juin 1977, *Bulletin Officiel de l'Éducation nationale* n° 25, p. 1835, 30 juin 1977.

◆ Sous la direction d'A. Angoujard, *Savoir orthographier*, Hachette Éducation, 1994.

◆ Michel Gey, *Didactique de l'orthographe française*, Nathan Université, 1987.

■ Pour aller plus loin

◆ Nina Catach, *L'orthographe française*, Nathan Université, 3e édition, 1995.

◆ D. Ducard, R. Honvault, J.-P. Jaffré, *L'orthographe en trois dimensions*, Nathan, 1995.

◆ J.-P. Jaffré, *Didactiques de l'orthographe*, Hachette éducation, 1992.

31 | La ponctuation

À quoi sert la ponctuation ?

◼ Pour poser le problème

Dans la liste suivante, vous choisirez parmi les seize affirmations :
– les trois qui vous conviennent le mieux,
– les trois que vous rejetez le plus nettement.

A. Un texte sans ponctuation est illisible.
B. La ponctuation est une affaire d'attention.
C. Le point virgule est une bizarrerie inutile.
D. La ponctuation, c'est très compliqué pour pas grand-chose.
E. La ponctuation permet de lire à haute voix.
F. La maîtrise de la ponctuation est une compétence de haut niveau.
G. La ponctuation note du sens.
H. En poésie, la ponctuation relève de la fantaisie.
I. La ponctuation note l'intonation et le rythme.
J. La ponctuation a été inventée par les imprimeurs.
K. La ponctuation a un rapport étroit avec la grammaire.
L. La ponctuation est l'affaire des écrivains.
M. La ponctuation permet de repérer les dialogues.
N. La ponctuation, ce n'est pas très important.
O. L'usage de la virgule ne peut pas être maîtrisé avant douze ans.
P. Il n'y a pas de règles précises pour la ponctuation.

◼ Premiers éléments de réponse

La ponctuation, un lieu de débats

Les affirmations que vous avez choisies figurent dans une liste contradictoire : on perçoit d'emblée que la ponctuation non seulement ne peut se réduire à une définition simple, mais qu'en outre elle constitue un lieu de débats.

Importance ou non de la ponctuation ? (A, D, N, P)
On nie parfois cette importance ; par exemple, certains championnats d'orthographe dont la dictée est abondamment médiatisée accordent une importance considérable à un trait d'union figurant dans un mot composé rarissime, mais refusent de prendre en compte la ponctuation… Si la tradition scolaire a retenu les quatre éléments orthographe-grammaire-conjugaison-vocabulaire, elle n'a accordé à la ponctuation qu'une

place occasionnelle. Et pourtant une observation simple de notre langue écrite fait apparaître immédiatement le rôle de la ponctuation, facteur essentiel de lisibilité.

Complexité et arbitraire de la ponctuation? (C, D, H, J, O, P)
La ponctuation obéit à des règles parfois tacites (existent-elles vraiment?). Qui est responsable de la norme? Les imprimeurs ne sont ni des linguistes, ni des académiciens fondés à légiférer. L'usage de certains signes est flottant…, voire fantaisiste. En poésie, tout est permis : c'est dire l'inconséquence apparente d'un tel codage. Peut-on vraiment parler d'un système de la ponctuation?

Au service de l'oral ou au service de l'écrit? (E, G, I, K, M)
E et I s'opposent nettement à G et K. Quel est le rôle de la ponctuation : noter une manière d'oraliser l'écrit, comme le font les signes musicaux? ou noter des éléments linguistiques sans rapport avec la réalisation vocale (relations grammaticales, sens…)?

Compétence élémentaire ou compétence de haut niveau? (B, F, L, O)
On voit s'opposer ici deux conceptions. *Pour la première*, la ponctuation relèverait de l'attention, du soin… (l'absence de ponctuation serait due à la négligence, l'étourderie, et pourrait se corriger sans difficultés). *Pour la seconde*, en revanche, la maîtrise de la ponctuation serait la marque d'une compétence achevée en matière de langue écrite, du côté de celui qui écrit, et symétriquement du côté du lecteur. Bien ponctuer serait l'indice que l'on maîtrise les finesses de la langue, et même que l'on sait la manier pour créer une œuvre originale.

Beaucoup d'idées reçues, pas toujours exactes… Voici quelques éléments d'information, permettant de poser plus clairement le débat.

L'origine de la ponctuation

La ponctuation moderne n'a pas été inventée par les grammairiens, écrivains ou académiciens mais par les imprimeurs. Avant l'invention de l'imprimerie, la ponctuation était extrêmement sommaire, pour ne pas dire fantaisiste ou inexistante. Les lecteurs, en nombre limité, étaient des clercs, capables de décrypter des messages dont la lisibilité n'était pas considérée comme une exigence essentielle par certains copistes. Avec l'imprimerie, non seulement le nombre des lecteurs s'est accru, mais en outre les imprimeurs ont éprouvé le besoin de perfectionner et d'unifier le système. Petit à petit, la ponctuation s'est construite, de manière de plus en plus complexe. Les grammairiens ne sont venus qu'après, et se sont contentés d'en normaliser et d'en justifier l'usage[1].

> Chez les Grecs, la ponctuation n'était pas usitée à l'époque classique; souvent même les mots n'étaient pas séparés les uns des autres. C'est Aristophane de Byzance (IIe siècle av. J.-C.) qui imagina la première ponctuation nette et précise; ce grammairien employait trois signes : le point parfait (en haut), le point moyen (au milieu), et le sous-point (en bas). Ces trois signes correspondaient respectivement à notre point, à notre point-virgule et à nos deux points. Les signes de ponctuation enseignés dans les écoles de l'Antiquité n'étaient d'ailleurs pas employés dans la pratique, si ce n'est que le point se plaçait souvent après chaque mot pour le séparer du suivant, comme cela peut se voir dans les inscriptions latines.
>
> Maurice Grevisse[2], *Le Bon Usage*, éditions Duculot, 1961.

---

1. Si l'on souhaite approfondir sur l'histoire de la ponctuation (sujet peu étudié), on lira plusieurs articles dans le numéro 45 de la revue *Langue Française*, publié en 1980 sous la direction de Nina Catach.
2. Il est vivement conseillé de prononcer Grevisse avec un e muet (comme écr**e**visse) et non avec un é fermé (comme Gr**é**vy).

La ponctuation s'est développée en France au XVIᵉ siècle, avec l'usage de l'imprimerie ; on utilise alors le **point**, la **virgule**, les **deux points**, le **point d'interrogation**. Auparavant, dans les manuscrits, on utilisait, depuis le IXᵉ siècle, des points pour signaler des arrêts de la voix, mais de façon un peu incohérente. Au XVIIᵉ siècle, on répand l'usage du **point-virgule** et du **point d'exclamation**, celui des **points de suspension** au XVIIIᵉ siècle, des **tirets** et des **crochets** au XIXᵉ.

Les grammairiens se sont efforcés de faire coïncider les signes de ponctuation avec les données de l'analyse logique de la phrase. Les textes antérieurs au XIXᵉ siècle avaient souvent une ponctuation moins logique, parfois fantaisiste, qui reflétait plus naturellement les particularités de chaque diction (mais nous lisons ces textes dans des éditions modernes, où la ponctuation a été normalisée). Voici, par exemple, deux phrases de Diderot dont la ponctuation est différente de la norme moderne :

> *Mille plats intrigants, sont bien vêtus, et tu irois tout nu ?*
> (Une virgule sépare le sujet du verbe.)
>
> *J'aurai à mes gages, toute la troupe vilmorienne.*
> (Une virgule sépare le verbe de son complément d'objet direct.)

(J.-C. Chevalier et al., *Grammaire Larousse du Français Contemporain*, 1964.)

Peut-on parler de norme ou d'usage(s) ?

Existe-t-il une norme en matière de ponctuation comme en matière d'orthographe ? Oui et non. Oui, si l'on considère que certaines pratiques sont obligatoires (terminer une phrase par un point, ne pas séparer le sujet et le verbe par une virgule…).

Non si l'on considère que de nombreux faits sont laissés au libre choix du scripteur (virgules, points-virgules…) ou encore que le sous-système des signes d'énonciation[3] est l'objet de variations multiples, où l'ingéniosité graphique l'emporte parfois sur la codification rigoureuse.

On chercherait vainement un traité de la ponctuation établi par une autorité prescriptive, qui imposerait une norme, comme celle de l'orthographe, régie par l'Académie française et son dictionnaire, complété par des arrêtés ministériels fixant la liste des tolérances.

La ponctuation constitue en effet un pluri-système perfectionné qui rend difficile des prescriptions simples. Affaire de langue ou affaire de style et d'écriture ? Tout à la fois : la norme, l'usage et aussi la connaissance approfondie des ressources de la langue.

Quoi qu'il en soit, il faut distinguer :
– **la ponctuation nécessaire**, obligatoire (contrainte par la norme et/ou les usages), sans laquelle le texte n'est pas acceptable (par exemple : point en fin de phrase…) ;
– **la ponctuation facultative**, libre, relevant de choix d'écriture ou de choix stylistiques (telle virgule qui peut s'ajouter ou se supprimer…).

On peut ajouter les recherches de type poétique qui, dans le domaine de la ponctuation comme dans ceux de la syntaxe ou du lexique, essaient d'explorer, en toute liberté, les ressources du système en le transgressant ou le subvertissant.

---

3. Voir la définition plus bas : les fonctions de la ponctuation

La maîtrise de la ponctuation, une compétence de haut niveau

Contrairement à une idée tenace, la ponctuation n'est donc pas une des compétences simples, élémentaires, exigibles dès les premiers apprentissages. Bien au contraire, il apparaît que la maîtrise de la ponctuation constitue le couronnement de la maîtrise de la langue écrite. Il ne s'agit nullement d'un savoir-faire mécanique, mais de l'intégration en profondeur d'indices et de signes de fonctionnements linguistiques, syntaxiques, sémantiques, textuels, littéraires..

Les évaluations montrent à l'envi que les élèves entrant en sixième sont très loin d'avoir acquis la maîtrise du système. Ce n'est pas nouveau, et c'est normal. Il faut se demander pourquoi, et surtout comment enseigner/construire cette compétence. Une chose est certaine : l'enseignement-apprentissage de la ponctuation suppose une didactique aux antipodes de la pratique simpliste d'une « remédiation » à base d'exercices sommaires et répétitifs.

Les fonctions de la ponctuation

Pendant longtemps, la ponctuation « a eu bien de la peine à trouver sa place dans l'étude de la langue, coincée qu'elle était entre la grammaire, l'orthographe, la typographie ou encore la stylistique »[4]. Les études proprement linguistiques sont récentes. Elles mettent en évidence l'existence d'un système pluriel, jouant sur plusieurs plans : grammatical, communicatif et sémantique, portant sur plusieurs types d'unités (du mot au texte).

Dans le cadre de ce chapitre, nous nous bornerons à mettre en évidence quelques faits essentiels, indispensables à la construction d'une didactique de la ponctuation intégrée à la construction des compétences de lecture-écriture.

■ Les signes d'énonciation

Signes de ponctuation et signes d'énonciation

L'usage courant confond deux systèmes ; on désigne couramment, dans la plupart des manuels de grammaire, sous le terme générique de **ponctuation** :

– le **système de la ponctuation** proprement dit, qui sert, dans la cadre de la phrase et du texte, à permettre le fonctionnement des unités linguistiques, indépendamment du locuteur qui est censé les proférer (points, virgules, points-virgules, etc.) ;

– les **signes d'énonciation**, utilisés pour signaler les **discours directs** et qui ont pour fonction d'identifier le locuteur, de distinguer narrateur et personnages (guillemets, tirets…)[5].

Ces deux systèmes sont différents quant à leur rôle, leur mode de fonctionnement et leur codification plus ou moins normée.

---

4. Daniel Bessonnat, *Pratiques* n°7, « La Ponctuation ». Ce numéro spécial de la revue *Pratiques* peut être utile à ceux qui souhaiteraient approfondir leur information sur la ponctuation et ses approches didactiques.
5. Il va de soi que les signes d'énonciation ne concernent que le **discours direct** *stricto sensu*. Le discours indirect, en effet, n'introduit aucun changement de locuteur, puisque les paroles des personnages sont censées être prises en compte par le narrateur.

Les signes d'énonciation : de multiples variantes

Il n'existe pas un usage unique pour signaler et délimiter les énoncés relevant du discours direct. Fréquemment, après un verbe introducteur suivi de deux points, on va à la ligne, et on ouvre les guillemets. Le changement d'interlocuteur s'opère par un retour à la ligne et un tiret. On ferme les guillemets lorsque le dialogue est terminé Les incises[6] sont intégrées au dialogue.

> *Perrine demanda à Philippe :*
> *« Qu'est-ce que tu appelles exactement un archilexème ?*
> *– C'est une sorte de proforme lexicale, répondit Philippe.*
> *– Quoi ? tu veux dire un hyperonyme ?*
> *– Si tu veux. Une espèce de machin comme ça.*
> *– Un machin, un truc, quoi... »*

Le même dialogue peut être présenté avec des variantes :
– tiret initial au lieu de guillemets,
– éventuellement, absence de retour à la ligne,
– présentation en dialogue de théâtre...

Parfois, les écrivains, maquettistes et imprimeurs jouent sur les caractères (polices, styles, corps...), la mise en page, les encadrés, les blancs... De plus en plus souvent, les guillemets disparaissent complètement (voir à cet égard la façon dont fonctionnent les signes d'énonciation dans les albums de littérature de jeunesse, pour la désolation de certains maîtres, qui y cherchent en vain la confirmation d'une norme, qu'ils voudraient rassurante, simple et intangible).
Le traitement de texte encourageant les manipulations techniques tend encore à favoriser la multiplicité des solutions. L'essentiel semble être non de respecter une norme, mais de faciliter la tâche du lecteur : il ne doit pas y avoir ambiguïté dans l'identification du locuteur et des changements de personnages.

■ La ponctuation privilégie de plus en plus la langue écrite

On dit souvent que la ponctuation a pour rôle de noter des faits phonétiques dits « suprasegmentaux » en marge des phonèmes eux-mêmes (qui sont notés par les signes alphabétiques). Elle aurait ainsi pour fonction de signaler les pauses et les intonations. L'histoire de la ponctuation montre que le système a progressivement évolué d'une fonction « **phonétique** » à une fonction « **logico-syntaxique** ».

Dès qu'une phrase présente un certain degré de complexité ou de longueur, il est impossible de repérer un schéma intonatif simple. Les schémas intonatifs permettant d'identifier les types de phrase fondamentaux (interrogatif, déclaratif, exclamatif) autorisent des variations et des nuances presque infinies. C'est la logique du système oral, à la fois complexe et riche.
La ponctuation relève de la logique d'un autre système, qui a tendance à prendre une autonomie de plus en plus marquée : le système de la langue écrite. Certes, les deux faces, orale et écrite, ne sont pas étrangères l'une à l'autre ; mais on ne peut pas plus

---

6. On appelle *incise* un segment énoncé par le narrateur, inclus dans le discours direct d'un personnage (dans l'exemple ci-dessus, ***répondit Philippe*** est une incise). Les incises obéissent à certaines règles : séparation par une ou des virgules, inversion du sujet.

déduire mécaniquement l'oral de l'écrit que l'on ne peut déduire l'écrit de l'oral : il s'agit d'analyser leur fonctionnement propre, et de chercher les éventuels points de convergence et de divergence.

Aussi, plutôt que de chercher dans les signes de ponctuation des indicateurs automatiques de pause ou d'intonation, mieux vaut les considérer comme des indices qui permettent au lecteur d'identifier le fonctionnement syntaxique de la phrase écrite et d'en construire le sens. Au lecteur ensuite de proposer, s'il le souhaite, une oralisation. Il y aurait donc influence **indirecte** de la ponctuation sur la mise en oral : la ponctuation est un indice permettant de construire le sémantisme de la phrase; lorsque ce sémantisme est construit, il peut donner lieu à diverses interprétations phoniques[7].

> Les variations de la ponctuation reflètent des conceptions différentes de la culture, de la mentalité collective, en particulier « le passage progressif d'une culture de la voix et de l'oreille à une culture de l'œil, du livre ». Des travaux à entreprendre devraient dégager l'importance respective des aspects rythmiques et respiratoires, syntaxiques, sémantiques de la ponctuation dans les textes passés et présents.
>
> D'après Nina Catach, *Langue française* n° 45, 1980.

■ La fonction démarcative
(délimiter des unités syntaxiques)

Il s'agit d'une fonction de nature syntaxique, d'une importance particulière.
Mieux vaut parler de **démarcation** que de **pause** : la première permet d'identifier des unités syntaxiques, à l'écrit comme à l'oral; la deuxième indique, à l'oral, un arrêt de l'émission sonore (on parle parfois de « groupes de souffle », dont l'identification est aléatoire, et ne coïncide pas forcément avec les groupes délimités par les signes de ponctuation).

La démarcation permet de segmenter des unités relevant de la syntaxe, de longueur variable. On observe la même approximation pour l'ensemble du système, entre le fonctionnement oral et la correspondance du fonctionnement écrit :
– *unités distinctives* : aux phonèmes ne correspondent qu'imparfaitement les lettres;
– *unités significatives* : aux monèmes ne correspondent qu'imparfaitement les mots;
– *unités syntaxiques* : aux unités syntaxiques ne correspondent qu'imparfaitement les groupes de mots délimités par la ponctuation (sauf sans doute pour la phrase, unité syntaxique la plus solidement démarquée par le système **majuscule-point**).

Délimitation des phrases

À l'évidence, c'est la fonction la plus impérative de la ponctuation : la phrase est l'unité syntaxique de base sur laquelle repose le fonctionnement de la langue écrite.

La démarcation s'opère en combinant, de manière redondante, deux signes de nature différente : **majuscule en début de phrase / point à la fin.**

Il est indispensable de faire remarquer comment ces deux indices écrits se sont érigés, au prix d'un scandale logique, en éléments définitoires de la phrase. Ce n'est que dans un texte déjà écrit et correctement ponctué que l'on peut délimiter les phrases grâce à la majuscule initiale et au point final. Mais pour les phrases orales? pour les phrases que l'on est en train d'écrire? qu'est-ce qui permet de dire ce qu'est une phrase et

---

7. Voir sur ce sujet la position vigoureuse mais peu nuancée d'Eveline Charmeux, *La lecture à l'école*, Cédic

quelles sont ses frontières? Les très nombreuses définitions de la phrase[8] sont toutes ou incomplètes, ou fausses, ou trop vagues, ou d'une complexité qui les rend inutilisables...

Chomsky s'en tire avec l'**intuition de la phrase,** relevant de la **grammaticalité,** compétence linguistique nullement immédiate, et qui ne saurait se réduire à aucun mécanisme simple. En définissant la phrase comme « ce qui commence par une majuscule et se termine par un point », on prend l'effet pour la cause et le marquage formel pour la réalité syntaxique profonde...

Démarcation interne

A l'intérieur des phrases, la ponctuation permet de délimiter des groupes syntaxiques. C'est en général la virgule qui remplit cette fonction.

> *Les chats, les chiens, les lapins, tous ces animaux familiers prennent une place importante dans un monde qui éloigne de plus en plus la vie quotidienne de la nature.*

Les groupes nominaux successifs et juxtaposés qui composent le sujet sont séparés par des virgules.

■ La fonction syntaxique

Identification des types de phrases

La nature du point terminant la phrase permet d'identifier certains **types obligatoires :**
• la phrase **exclamative** est terminée par un point d'exclamation;
• la phrase **interrogative** est terminée par un point d'interrogation.

Deux cas :
– Soit le point d'exclamation ou d'interrogation termine une phrase dont la structure syntaxique est celle d'une exclamative ou d'une interrogative :

> *Quel mystère hallucinant!*
> *Où t'en vas-tu ainsi, aimable polyglotte?*

– Soit le point d'exclamation ou d'interrogation constitue la seule marque permettant d'identifier le type de la phrase :

> *Je suis stupéfait!*
> *Tu t'en vas déjà?*[9]

• La phrase **déclarative** et la phrase **impérative** sont terminées par un point :

> *L'histoire de la ponctuation n'a été que partiellement étudiée.*
> *Dépêchez-vous de relire et n'oubliez pas la ponctuation.*

• Les types **facultatifs** (négatif, passif, emphatique) ne sont signalés par aucune marque particulière.

> *Je ne supporte pas l'arrogante nullité des économistes.*
> *Pendant trois heures, la circulation fut déviée par les gendarmes de Sète.*
> *C'est le feu qui m'attise.*

(Il s'agit ici de trois phrases déclaratives, terminées par un point.)

---

8. On en aurait recensé plus de quatre cents.
9. Il s'agit du type **syntaxique** des phrases, indépendamment de leur valeur pragmatique. Ainsi, l'exemple cité « Tu t'en vas déjà? » est une phrase interrogative. On ne confondra pas avec son rôle pragmatique qui, selon le contexte de communication, peut être l'expression d'une exclamation, d'un reproche, d'un regret, etc.

Indication des fonctions dans la phrase

Nous prendrons deux exemples pour illustrer ce rôle fondamental de la ponctuation, qui permet d'opposer des fonctions grammaticales différentes, et par le même coup d'opposer des sens différents.

- **Complément de verbe et complément de phrase :**

> *(1)   Il est mort naturellement.*
> *(2)   Il est mort, naturellement.*

La virgule de la phrase 2 indique que l'adverbe naturellement est un complément de phrase. Il porte donc sur l'ensemble de l'assertion (= on pouvait bien s'attendre à ce qu'il mourût...). L'absence de virgule de la phrase 1 indique que l'adverbe se rattache directement au verbe, dont il constitue un complément (= il est mort de mort naturelle).

- **Épithète et apposition :**

> *(3)   Les élèves malades sont restés au lit.*
> *(4)   Les élèves, malades, sont restés au lit.*

Dans la phrase 3, l'adjectif épithète permet de déterminer de quels élèves il s'agit (= seuls les élèves malades sont restés au lit). Dans la phrase 4, la mise entre virgules de l'adjectif indique qu'il s'agit d'une apposition qui apporte un renseignement supplémentaire sur les élèves (= tous les élèves sont restés au lit, et cela parce qu'ils étaient malades).

■ La fonction logico-sémantique

Cette fonction est assez proche de la fonction idéographique. Certains signes sont directement porteurs de sens.

> *Je n'irai pas à la plage aujourd'hui : il y a trop de vent et trop de souvenirs.*

Les deux points sont l'équivalent d'un connecteur logique, marquant une relation de cause entre les deux propositions (car, parce que, étant donné que...).

■ La fonction idéographique

Certains signes, essentiellement le point d'interrogation, le point d'exclamation, les points de suspension peuvent être utilisés seuls dans des contextes particuliers. Ils jouent alors quasiment le rôle d'idéogrammes[10] :

> *« Mais enfin, où étais-tu passé ?*
> *– ...*
> *– Tu ne peux pas répondre ?*
> *– ...*
> *– Tu ne devines pas ce qui vient d'arriver !*
> *– ?*
> *– J'ai gagné dix millions en escroquant les pauvres.*
> *– !!! »*

---

10. Signes graphiques qui renvoient directement à un concept. (Par exemple : § ou ❤)

L'utilisation des…?! (que l'on peut d'ailleurs combiner entre eux) indique la nature des réactions de l'interlocuteur (silence, perplexité, surprise, étonnement, etc.). La bande dessinée utilise largement cette ressource, notamment dans les phylactères, en jouant en outre sur la typographie des signes, du « lettrage » (dimension, tracé, couleur…).

■ La fonction stylistique : choix d'écriture

> L'usage laisse une certaine latitude dans l'emploi des signes de ponctuation. Tel écrivain multiplie les virgules, les points-virgules, les deux points, les tirets; tel autre n'en use qu'avec modération…
>
> Grevisse, *op. cité.*

Par exemple, Sartre affectionne les deux points à valeur logique; en revanche, on connaît des usagers de la langue (qui ne sont pas forcément des écrivains!) qui ont en horreur certains signes comme le point-virgule et évitent de les employer. Il s'agit là de choix d'écriture, conscients ou non, rendus possibles par un usage qui est loin d'avoir tout codifié. On peut donc trouver des solutions assez différentes, pour un même texte :

(1)   *Le malheur l'a frappé. Il n'est plus si orgueilleux.*
(2)   *Le malheur l'a frappé; il n'est plus si orgueilleux.*
(3)   *Le malheur l'a frappé : il n'est plus si orgueilleux.*
(4)   *Le malheur l'a frappé, il n'est plus si orgueilleux.*
(5)   *Le malheur l'a frappé : il n'est plus si orgueilleux!*
(6)   *Le malheur l'a frappé, il n'est plus si orgueilleux…*

On voit sur ces exemples la multiplicité des effets possibles. Le fait de séparer les deux propositions par des signes comme le point, la virgule, le point-virgule, les deux points produit un effet de disjonction ou au contraire de connexion (explication, conséquence…).

■ L'usage poétique de la ponctuation

Avec l'usage poétique de la ponctuation, on aborde des recherches d'écriture, particulièrement nombreuses depuis le début du xxe siècle, qui tendent à considérer le poème ou le texte littéraire comme un objet qui construit sa propre régularité.

Une des pratiques les plus couramment attestées (d'Apollinaire à Aragon, en passant par Reverdy, Guillevic, Dobzynski…) est celle qui consiste à supprimer tout signe de ponctuation : il s'agit, d'une part, de construire la matérialité sonore et visuelle du poème, sa respiration et son espace textuel par des signes plus adéquats que la ponctuation, jugée indigente et contraignante (blancs, alinéas, coupe du vers. .), d'autre part de permettre des ambiguïtés syntaxiques et sémantiques qui enrichissent les potentialités du texte.

On trouvera des exemples de poèmes jouant sur les ressources de la ponctuation dans le chapitre 24, *La poésie à l'école*, notamment le texte de Charles Dobzynski : *Lion.*

Un signe complexe par excellence, la virgule

Pourquoi avoir choisi la virgule ?

La virgule, du latin *virgula*, petite verge, est le signe le plus employé (entre 50 et 70 % de l'ensemble des signes de ponctuation). En outre, elle est sans conteste le signe dont l'utilisation est la plus complexe, voire la plus subtile. Presque toutes les fonctions de la ponctuation peuvent être assurées par la virgule qui, en outre, est parfois obligatoire, parfois interdite, souvent facultative. Avec la virgule, on est donc au cœur du plurisystème et des problèmes qu'il pose aux usagers de la langue.

■ La virgule « coordonne » des éléments syntaxiquement équivalents

• Elle lie des éléments de même nature et de même fonction.
La virgule permet de juxtaposer (coordonner sans lier comme le ferait la conjonction *et*) :

– Des groupes nominaux de même fonction :

> *Je ne supporte plus ces tapirs eczémateux, ces blaireaux repus, ces chacals pelés.*

– Des groupes prépositionnels de même fonction :

> *Je garde de mon enfance le souvenir d'années tranquilles, de calme, de silence*
>
> (Julien Gracq.)[11]

– Des adjectifs de même fonction :

> *Le vieillard podagre, cacochyme, égrotant se leva alors avec vivacité.*

– Des propositions de même nature et de même fonction :

> *Alors apparut cet homme que nous admirons tous, dont la voix nous bouleverse.*

– Des adverbes, des conjonctions, etc., à condition qu'ils soient de même nature et de même fonction.

• Elle lie des éléments de même fonction, mais de nature différente :
– Des expansions du nom (épithètes, compléments de nom, relatives) :

> *Cet homme chauve, d'un aspect distingué, que chacun connaît dans le quartier...*

• Lorsque les éléments équivalents constituent une séquence d'au moins trois unités, on lie généralement (mais c'est facultatif) les deux derniers par la conjonction *et* :

> *J'ai vu le loup, le renard et la belette.*

• Les coordinations par *et*, *ni*, *ou* excluent en général l'emploi de la virgule :

> *J'ai rencontré Pierre, Paul et Jacques.*

---

11. Exemple cité par J.-C. Chevalier (voir bibliographie en fin de chapitre).

Toutefois, à la fin d'une énumération, si la liaison est assurée à la fois par une conjonction et une virgule, le terme relié est mis en relief, par un effet de renchérissement :

> *J'ai rencontré Pierre, Paul, et Jacques.*

Lorsque l'énumération ne comporte que deux termes, l'emploi de la virgule est peu usité ; on utilise selon le cas *et* ou *ni* :

> *J'ai faim et soif.*
> *Je n'ai ni faim ni soif.*

On insère parfois, entre deux virgules, la conjonction *et* (*ou*), qui fonctionne alors avec une valeur adverbiale :

> *Il se séparèrent à midi avec des serments d'amour éternel, et, le soir venu, chacun d'eux partit à la recherche d'une aventure nouvelle.*

La coordination par *ou* fonctionne en tous points comme la coordination par *et*

■ La virgule détache des éléments syntaxiquement différents

• La virgule est l'indice de la fonction « mise en apposition »
Les termes mis en apposition sont séparés du mot ou groupe complété par une virgule :

> *Moi, héron, que je fasse une si pauvre chère ?*

La virgule permet de distinguer complément déterminatif et apposition :

> *(1)   Les spectateurs mécontents se sont rués sur l'arbitre.*
> *(2)   Les spectateurs, mécontents, se sont rués sur l'arbitre.*

Il en est de même pour distinguer relative déterminative et relative appositive :

> *(3)   Les touristes qui ont contracté une fièvre exotique ont été rapatriés illico.*
> *(4)   Les touristes, qui ont contracté une fièvre exotique, ont été rapatriés illico.*

Dans ces exemples, c'est la virgule qui permet une interprétation correcte du sens.[12]

• La virgule isole les mots mis en apostrophe

> *Perrine, j'attends toujours votre réponse.*

• La virgule isole toujours le complément de phrase

> *(1)   Il s'est longtemps demandé comment il partirait à Nice.*
> *(2)   Il s'est longtemps demandé comment il partirait, à Nice.*

La phrase (1) est sans ambiguïté : le groupe *à Nice* est complément du verbe ; il indique donc la destination projetée. Dans la phrase (2), le détachement du complément peut en faire soit un circonstanciel détaché du verbe (il s'agit toujours de partir à Nice), soit un complément de phrase : c'est à Nice que le sujet s'interroge sur son départ… Dans ce cas, le contexte peut aider à trancher.

---

12. Le complément déterminatif et la relative déterminative (1) et (3) permettent d'identifier le contenu de la référence du nom : il ne s'agit pas de tous les spectateurs ou de tous les touristes, seulement de ceux qui sont mécontents ou malades ; l'apposition (2) et (4) se rapporte à l'ensemble des spectateurs ou des touristes ; elle a ici une valeur explicative.

Lorsque le complément de phrase est en tête de la phrase, la virgule est obligatoire :

> *(3)   A Nice, il s'est longtemps demandé comment il partirait.*

Toutefois, lorsque le complément en tête de phrase se réduit à un élément bref (un adverbe dans la phrase ci-dessous), la virgule peut-être omise :

> *(4)   Ici nous trouverons l'agitation et le bruit.*

• **Dans le cadre de la proposition, la virgule peut,** parfois mais assez rarement, **détacher certains compléments circonstanciels.**

Si le complément de phrase est toujours isolé par une virgule, quelle que soit sa position (en tête de phrase, avant ou après le verbe), les compléments circonstanciels du verbe ne sont, en général, pas séparés de celui-ci par une virgule. C'est notamment impossible pour les verbes refusant un emploi absolu :

> **Il revient, de Sète. *Il va, à Montpellier.*

Les cas où il est possible de détacher le complément du verbe (sans qu'il s'agisse bien entendu d'un complément de phrase) sont relativement rares :

> *Le poilu se hâte, vers Verdun.* (J. Delteil)[13]

• **Dans le cadre de la phrase, on observe le même fonctionnement que dans celui de la proposition.**

– Les circonstancielles compléments de phrase sont détachées par une virgule :

> *La presse unanime attaqua le ministre, quand la démission de l'ambassadeur fut connue.*
> *Quand la démission de l'ambassadeur fut connue, la presse unanime attaqua le ministre.*

– Les circonstancielles compléments du verbe de la principale sont rarement séparables par une virgule :

> *J'irai le voir avant qu'il parte.*   (virgule impossible ?)
> *Je le veux bien, puisque vous le voulez.*   (virgule possible)

• **La virgule détache les propositions incises.**

> *Je vous le rendrai, **dit-elle**, avant l'août, foi d'animal.*

• **La virgule détache les propositions participiales.**

> ***La pêche finie**, on fuma quelques mélancoliques cigarettes.*

• **La virgule signale l'ellipse d'un verbe ou d'un autre mot énoncé dans une proposition précédente.**

> *Les grands yeux étaient mornes, les paupières, striées de rides, les commissures des narines, marquées de plis profonds.* (E. Jaloux)[14]

---

13. Exemple cité par J.-C. Chevalier (voir bibliographie en fin de chapitre).
14. Exemple cité par Grevisse (voir bibliographie en fin de chapitre).

■ Les emplois interdits de la virgule

• On ne doit pas mettre de virgule entre le sujet et le verbe.

> *Le chat, la chatte, les chatons mangent[15].*

• On ne doit pas mettre de virgule entre le verbe et les compléments d'objet:

> *Le chat mange ses croquettes.*
> (complément d'objet direct).
>
> *Il obéit à sa conscience.*
> (complément d'objet indirect).
>
> *Il donne sa langue au chat.*
> (compléments d'objet direct et d'objet second).

• On ne doit pas mettre de virgule entre le verbe et l'attribut du sujet :

> *Que tu es bête! Tu es un vrai bouffon.*

■ Les emplois facultatifs de la virgule

Au delà des emplois obligatoires et des interdictions, il reste une latitude importante. Les emplois de la virgule relèvent de choix d'écriture. C'est le signe le plus employé, mais on note des différences importantes entre les écrivains : 68 % de l'ensemble des signes employés par Claude Simon sont des virgules, le pourcentage tombe à 48 % pour Michel Butor[16].

La virgule permet de donner au texte sa respiration; elle peut produire un effet de nivellement entre de nombreux segments brefs; elle peut souligner une intention… Il est évidemment impossible de faire un inventaire complet de ses valeurs stylistiques, souvent liées au contexte, au type d'écrit, au genre littéraire, au registre de langue…

■ Quelques usages rituels

Ils relèvent d'une sorte de savoir-vivre épistolaire. Ils tendent à se perdre, mais suscitent toujours l'attention vétilleuse des puristes.

• Dans les dates, on sépare le jour de la semaine et le quantième par une virgule :

> *Lundi, 14 octobre 1996.*

• Dans les adresses, on sépare le numéro et le nom de le rue :

> *12, rue Martin Luther King*

• Dans les suscriptions de lettres, on sépare le lieu et la date :

> *Toulouse, le 10 mars 1997.*

---

15. On voit par cet exemple que la virgule ou son absence jouent ici un rôle syntaxique; l'absence de virgule n'empêche nullement de séparer par une pause sujet et verbe.
16. D'après une étude de Claude Gruaz, publiée dans *Langue française* n°45.

La ponctuation à l'école

■ Les textes officiels

Dans les textes officiels, aucune rubrique autonome n'est consacrée à la ponctuation. On y trouve des allusions dans les deux volets : « Programmes de l'école primaire » et « Compétences à acquérir au cours de chaque cycle. »

• Programmes
– Tout au long du cycle des apprentissages fondamentaux, les éléments suivants font l'objet d'un apprentissage structuré, puis systématisé : le texte, le paragraphe, la phrase dans le texte, la ponctuation.
– Cycle des approfondissements : consolidation de la ponctuation.

• Compétences dans le domaine de la langue
– Cycle des approfondissements : l'élève doit pouvoir identifier et écrire différents types de phrases (déclarative, interrogative, impérative…) en s'appuyant sur la ponctuation, la syntaxe, le mode du verbe.

La ponctuation n'est pas séparée des connaissances nécessaires à la maîtrise de la langue. En outre, il n'existe pas un programme qui préciserait pour chaque cycle le contenu des compétences à maîtriser.

■ Éléments pour une didactique

Une didactique cohérente de la ponctuation reste sans doute à construire. On énoncera ici des principes illustrés par quelques exemples.[17]

Agir sur les représentations des élèves : réhabiliter la ponctuation

Ce travail indispensable ne se conçoit que sur le long terme. Dès les premiers contacts avec la langue écrite, il s'agit d'aider à construire des représentations justes de la ponctuation. Et d'abord de répondre à la question : à quoi sert la ponctuation ?

La ponctuation est nécessaire, elle permet de construire le sens de ce qu'on lit, de fournir au lecteur des indices indispensables. Elle relève de systèmes complexes, que l'on peut progressivement découvrir.

Dès les premiers contacts avec l'écrit, on ne présente aux enfants que des textes complets (et non des pages de manuels mutilées de certains de leur codes, majuscules, ponctuation…). Ces codes dits « extralphabétiques », au même titre que les mots et les lettres, font l'objet d'observations et de remarques sur leur forme, leur fonction…
On accorde une importance particulière aux marques du dialogue, particulièrement fréquentes dans la littérature de jeunesse, et au caractère fortement signifiant. De même, la bande dessinée offre des possibilités intéressantes : certains signes de ponctuation (? !) y notent directement du sens.

---

17. Si l'on souhaite approfondir le sujet, on peut consulter le n°70 de la revue *Pratiques*.

Tout au long de la scolarité, des situations-jeux permettent, à travers des exemples, de saisir le rôle et le sens des signes de ponctuation. Par exemple, expliquer la différence de sens entre les phrases :

> *Laurent aime Karine, Dominique, Fabien.*
> *Laurent aime Karine ; Dominique, Fabien.*[18]

D'une manière générale, adopter vis à vis de la ponctuation une attitude positive, fondée sur son utilité, explicitée avec les élèves.

Établir des hiérarchies : ponctuation de base et ponctuation seconde

Tous les signes ne sont pas à mettre sur le même plan. La priorité absolue est bien la segmentation et la démarcation des phrases. L'utilisation des signes intraphrastiques relève d'une urgence moindre.
De même, l'utilisation des signes du dialogue, fortement signifiante et d'une difficulté moindre, peut figurer dans les priorités.

L'obligatoire et le facultatif

L'utilisation facultative (à des fins expressives et stylistiques) n'a de sens que si les fonctions obligatoires sont repérées. C'est petit à petit que peut s'opérer une diversification progressive des ressources de la ponctuation. L'interaction lecture-écriture est évidemment une condition indispensable.

Clarifier progressivement les différentes fonctions

Démarcation, fonction logico-sémantique, fonction expressive… ne peuvent être découvertes que progressivement, ne serait-ce que parce que ce sont souvent les mêmes signes qui sont porteurs de ces fonctions diversifiées. S'il est indispensable de passer à un moment ou à un autre à une explicitation des fonctionnements, on ne dira jamais assez l'importance de l'imprégnation par des textes exemples, qui fournissent les situations de travail et de référence. La grammaticalité de la ponctuation se fonde sur une intuition de la langue, à construire sur le long terme. Elle ne saurait se réduire à l'explicitation de règles abstraites.

Intégrer les apprentissages à la lecture et l'écriture

On fait la différence entre ponctuation pour le lecteur et ponctuation pour le scripteur. Pour le lecteur, la ponctuation existe déjà dans le texte ; elle est un indice de décodage à prendre en compte. Pour le scripteur, c'est au moment de la mise en texte et de la révision que se pose le problème de la ponctuation. En écrivant un texte, il faut savoir comment délimiter les phrases produites. Il y a certes interaction entre les deux situations, mais nullement transferts simples.
Les savoirs à construire pour lire et écrire ne sont pas exactement équivalents ; il est nécessaire de partir de situations réelles de lecture et d'écriture pour repérer les problèmes à résoudre.

---

18. Revue *Pratiques* n°70, pp. 16 et suivantes.

Tenir compte des types d'écrits et des types de textes

Si le système de la ponctuation a une cohérence d'ensemble, il s'observe à travers des types d'écrits et de textes. Par exemple, c'est dans le texte littéraire que la complexité et la richesse sont les plus grandes. Mais on pourra observer des différences notables entre romans, écrits de théâtre et poèmes… De même, une liste, une recette, un article de presse avec ses titres ne se ponctuent pas de la même manière. C'est souvent par la comparaison que l'on pourra faire apparaître, au-delà des variétés concrètes, les invariants du système.

Adopter une démarche de résolution de problèmes et construire des outils

La construction des compétences suppose que la démarche permette aux enfants de s'approprier des savoirs et savoir-faire à partir des problèmes réellement rencontrés, en lecture et en production d'écrits. Les activités d'apprentissage sont fondées sur la recherche de solutions. On retrouve la démarche constructiviste maintes fois rencontrée. Les outils construits par les élèves peuvent être de différentes sortes : exemples-types, règles, fiches de synthèse sur des questions telles que : comment présenter un dialogue, comment délimiter une phrase, virgules obligatoires et virgules interdites, etc.

Jouer avec la ponctuation

La ponctuation source de jeux et de plaisir ? C'est possible et même souhaitable. Voici quelques idées :
– les titres de journaux qui jouent sur la ponctuation : découper, classer, inventer… ;
– changer le sens d'un titre, d'une phrase avec la ponctuation ;
– jouer avec des poèmes non ponctués : les travestir à l'écrit ; les travestir à l'oral… ;
– réaliser un classeur collectif des bizarreries de ponctuation relevées un peu partout (titres, jeux de mots…), etc.

AU CONCOURS

Rappelons aux candidats que c'est d'abord dans leurs propres écrits qu'ils doivent faire la preuve qu'ils maîtrisent correctement la ponctuation. C'est important pour le confort du lecteur (qui se trouve être en l'occurrence un correcteur que l'on a tout intérêt à ne pas indisposer par des négligences excessives).

■ Les sujets possibles

La ponctuation peut constituer le sujet d'une **synthèse**. Elle peut aussi faire l'objet de questions relevant du **deuxième volet**, sans en constituer le sujet central.
Mais sa place principale est incontestablement dans **la question 2**, analyse de production écrite d'élève. Nous en proposons ci-après une question, avec corrigé.

Des exemples de sujet possiles en didactique :
• **Lecture et ponctuation au cycle 2 :** À l'occasion de l'analyse d'un passage de manuel de lecture CP, remarques sur les signes de ponctuation (absence, présence, variété, rôle…). Quelles conclusions peut-on en tirer sur la conception de la lecture et de son apprentissage?

• **Production d'écrit et ponctuation :**
– Place et rôle de la ponctuation dans des activités de production d'écrits. Importance accordée à ce critère.
– Les dialogues et leurs marques : quelles exigences? quelles activités proposer?
– Transposition de bulles de BD en dialogues. Quels signes d'énonciation?

• **Fonctionnement de la langue (grammaire) :**
– Discours direct et discours indirect. Transpositions; incidence sur les types de phrases et la ponctuation.
– Fonctions particulières : apposition, complément de phrase… Le rôle de la virgule. Test syntaxique de détachement

■ Sujet d'analyse de production d'élève

Après avoir lu la production écrite de Nasséra, élève de CE2:

1) Vous modifierez la ponctuation de manière à la rendre acceptable.

Inédit

2) Vous classerez et analyserez les différentes catégories de dysfonctionnements relevant de la ponctuation.

3) La ponctuation de ce texte correspond-elle aux compétences attendues à ce niveau?

Il était une fois, une petite maison dans la prairie, non loin du village. Dans cette maison, y habitent, deux enfants, une mamie et un chat. Le seul malheur c'est que ce village ne savait pas qu'il habitait pas loin de la maison d'un monstre terrible. Un jour les deux enfants la mamie et le chat, partirent se promener. Tout à coup, un volcan explosa, le monstre sortit pour manger tout le monde, mais, le chat n'aime pas ça, il courut le griffer, le monstre eut tellement peur qu'il courut pour tenter de sauter par dessus le volcan, mais, patatras il tomba dans le volcan qui explosa. Le chat courut vers la mamie et les deux enfants effrayés, la mamie dit « au moins il nous embêtera plus »

Nasséra (CE2)
(L'orthographe a été corrigée)

C O R R I G É

1 Ponctuation modifiée

Il était une fois une petite maison dans la prairie, non loin du village. Dans cette maison, y habitent deux enfants, une mamie et un chat. Le seul malheur, c'est que ce village ne savait pas qu'il habitait pas loin de la maison d'un monstre terrible. Un jour, les deux enfants, la mamie et le chat partirent se promener. Tout à coup, un volcan explosa. Le monstre sortit pour manger tout le monde, mais le chat n'aime pas ça. Il courut le griffer. Le monstre eut tellement peur qu'il courut pour tenter de sauter par dessus le volcan, mais patatras! il tomba dans le volcan qui explosa. Le chat courut vers la mamie et les deux enfants effrayés. La mamie dit : « Au moins, il nous embêtera plus ! »

2 Les dysfonctionnements

• Signes d'énonciation et ponctuation du discours direct

Les paroles rapportées en discours direct sont correctement encadrées par des guillemets. Toutefois, il manque les deux points après le verbe introducteur *dit*. En outre, Nasséra n'a pas respecté les règles habituelles régissant la ponctuation dans la phrase rapportée entre guillemets : absence de majuscule et de point, absence de virgule après l'adverbe complément de phrase *Au moins*.

• Délimitation des phrases

Une seule phrase, selon la ponctuation de Nasséra, depuis *Tout à coup* jusqu'à *le volcan qui explosa*. La syntaxe ne comporte pas d'irrégularités, mais il est nécessaire de remplacer certaines virgules par des points afin de segmenter en plusieurs phrases. (La solution proposée, qui détache quatre phrases correctes, n'est pas la seule possible.)
De même, il est indispensable de délimiter les phrases (point et majuscule) à la dernière ligne : *effrayés. La mamie…*

• Emploi des virgules

– Virgules placées à des positions interdites :
  - entre le présentatif *Il était une fois* et le groupe nominal qu'il introduit ;
  - entre le sujet *les deux enfants, la mamie et le chat* et le verbe *partirent* ;
  - entre le verbe *habitent* et le sujet (inversé).

– Virgules absentes, nécessaires au regard de la syntaxe :
  - après le groupe détaché en tête de phrase *Le seul malheur* (transformation emphatique) ;
  - après le complément de phrase détaché en tête *Un jour* ;
  - entre les deux groupes nominaux *les deux enfants et la mamie*.

– Emploi discutable des virgules qui encadrent la conjonction de coordination *mais*.
  La solution proposée, qui consiste à placer une virgule avant la conjonction, introduit une légère disjonction que le sens et la syntaxe peuvent autoriser.

• Point d'exclamation

Nasséra n'utilise pas ce signe. Il pourrait apparaître deux fois dans ce texte, (sans qu'on puisse parler toutefois de dysfonctionnement) :
– pour donner plus de force à l'onomatopée interjective *patatras* ;
– pour transformer en phrase exclamative la phrase déclarative prononcée par la mamie, présentée sous forme de discours direct.
Ces deux emplois ne sont pas nécessaires au regard de la syntaxe ; ils peuvent être considérés comme relevant de choix d'ordre stylistique.

3 Compétences attendues à ce niveau

D'une manière générale, le texte de Nasséra ne présente pas de trop grandes difficultés de lisibilité. Il est normal que l'emploi des virgules ne soit pas correctement maîtrisé ; on perçoit le souci d'introduire, à l'intérieur des phrases, des signes de ponctuation pertinents. En revanche, le point le plus sensible concerne la segmentation et la démarcation des phrases, assez bousculées dans certains passages. Visiblement, cette compétence fondamentale est en cours d'acquisition, ce qui semble normal au début du cycle 3.

Pistes bibliographiques

■ Ouvrages de base

Il existe peu d'éléments aisément accessibles. Le présent chapitre contient l'essentiel des connaissances indispensables pour le concours. Vous trouverez un chapitre consacré à la ponctuation dans les deux grammaires générales suivantes :

◆ Grevisse Maurice, *Le Bon Usage*, édition Duculot, 1961.
(Ouvrage constamment enrichi et réédité.)

◆ Chevalier Jean-Claude et al. *Grammaire Larousse du français contemporain*., Larousse, 1964.

■ Pour aller plus loin

◆ **Revue** *Langue française*, « La ponctuation » n°45, dirigé par Nina Catach, 1980.
(Revue spécialisée qui s'adresse à des lecteurs s'intéressant à la linguistique.)

◆ **Revue** *Pratiques*, « La ponctuation » n°70, coordonné par Daniel Bessonnat, 1991.
(Outre des éléments théoriques, ce numéro contient des propositions intéressantes sur la didactique de la ponctuation.)

◆ Jacques Drillon, *Traité de la ponctuation française*, Gallimard, 1991.

32 Le vocabulaire

Comment se retrouver dans l'univers des mots ?

■ Pour poser le problème

Voici des listes de mots ou expressions. Les termes qui composent ces listes n'ont pas été assemblés au hasard ; une relation les unit.

Pour chacune de ces listes, précisez en quoi consiste cette relation.

---

1. grailler, becqueter, bouffer, croûter, manger, se sustenter

2. saut, sceau, seau, sot
   ceint, sain, saint, sein

3. aigu, pointu, piquant, acéré

4. allocution/allocation, précepteur/percepteur, conjecture/conjoncture

5. c'est le jour et la nuit, mort ou vif, noir et blanc, choisir entre le bien et le mal

6. du gibier à plume, tremper sa plume dans l'encrier, un stylo à plume, un homme de plume

7. clé, bougie, pince, volant, graisser, ampoule, frein, châssis, pont, limousine, code

8. flamme, flammé, flammèche, flammerolle, enflammer, inflammable, ininflammable…

9. paris-brest, pithiviers, baba au rhum, chou à la crème, religieuse, tartelette, savarin

10. porter, apporter, comporter, déporter, emporter, exporter, importer, rapporter

11. maisonnette, livret, chambrette, fleurette, fourchette, propret, pauvrette

12. casse-tête, gagne-pain, coupe-jarret, chou-fleur, oiseau-mouche, arc-en-ciel, pot-de-vin, avant-goût, eau-de-vie

13. alcali, alcool, alcôve, alezan, algarade, algèbre, alidade, almanach

14. maquereau, bouquin, boulevard, mannequin, colza, ramequin, layette, ruban

15. mettre la main à la pâte, les pieds dans le plat, les bouchées doubles, la charrue avant les bœufs

---

■ Premiers éléments de réponse

1. Tous ces verbes signifient peu ou prou « mâcher et avaler un aliment solide ou pâteux, afin de se nourrir[1] ». Même si l'on peut trouver quelques nuances quant à la quantité ingérée et à la distinction mise à se nourrir, la nuance vient moins du sens que du contexte dans lequel chacun de ces termes pourrait être utilisé. Ils varient donc par le **registre** (cf. chap. 6).

2. Pour chacune des deux listes, les quatre mots se prononcent de façon identique mais s'écrivent différemment, ce sont des **homonymes**.

3. On considère généralement que ces différents mots ont le même sens, qu'ils sont **synonymes** mais nous verrons que cette définition doit être nuancée.

4. Les mots ainsi rapprochés n'ont aucun rapport quant au sens mais sont très voisins par la forme. Ces mots qui donnent souvent lieu à des confusions sont des **paronymes**.

5. Pour le sens commun, la *nuit* est le **contraire** du *jour*, le *blanc* celui du *noir*, etc. Pour les lexicologues, les mots ainsi opposés sont des **antonymes**.

6. Dans cette série d'expressions, un même mot – *plume* – est employé avec des sens différents mais pouvant être mis en relation. Cette pluralité de sens est la **polysémie**. L'ensemble des sens d'un même mot constitue son **champ sémantique**.

7. Tous ces mots ainsi rapprochés ont en commun de pouvoir se rapporter à l'automobile. Ce sont alors des éléments d'un même centre d'intérêt ou **champ lexical**.

8. Dans tous les mots de cette liste nous retrouvons un même radical : *flamme*. Ils appartiennent à la même **famille de mots**.

9. Tous ces noms désignent des gâteaux (ce qui explique l'absence de majuscule), ils appartiennent au même **champ générique**; si nous ajoutions des mots tels que *beurrer*, *moule*, *chantilly*, *cuisson*… nous aurions un champ notionnel comme en 7

10. Tous ces verbes ont été formés par **dérivation** à partir du verbe simple – *porter* – en lui adjoignant des **préfixes**.

11. Tous ces mots ont été formés par **dérivation** par adjonction du même **suffixe** diminutif *-et* / *-ette*. Une *maisonnette* est une petite maison, etc.

12. Nous avons ici affaire à des **mots composés**.

13. Les mots de cette liste présentent une analogie de forme : ils commencent tous par les deux lettres *al-*, un article de la langue arabe à laquelle ils ont été **empruntés** au Moyen-Âge ou à la Renaissance; leur présence en français contemporain témoigne donc d'échanges linguistiques mais aussi intellectuels anciens.

14. Tous ces mots bien de chez nous proviennent pourtant d'une même langue étrangère. *Mannequin* devrait vous mettre sur la voie si vous le rapprochez du plus célèbre Bruxellois… le Manneken Pis. Tous ces mots sont des **emprunts** faits au flamand (ou néerlandais) à des époques diverses.

15. Ce sont des locutions imagées qu'il ne faut surtout pas prendre au pied de la lettre mais au **sens figuré** !

---

1. C'est la définition que le *Lexis* donne de « manger ».

Un ensemble complexe à enseigner

Le lexique du français pourrait être qualifié de « plurisystème » au même titre que l'orthographe. L'étude en est passionnante mais complexe; nous ne pouvons donc, dans le cadre de ce chapitre, que nous borner à des notions et à une terminologie simples sans excéder de beaucoup celles qui sont abordées au cycle 3 et dont voici un aperçu à travers cet extrait de la table des matières d'un manuel :

VOCABULAIRE			
1	Le dictionnaire (1)	16	Un canidé
2	Rivières et fleuves	17	Les suffixes
3	Le dictionnaire (2)	18	La correspondance
4	Rêves et rêveries	19	Les familles de mots
5	Le dictionnaire (3)	20	Grand et petit
6	Sports et arts martiaux	21	Les homonymes
7	Un mot, plusieurs sens	22	L'inquiétude, la tristesse
8	Troc, échange et vente	23	Sens propre, sens figuré
9	Les synonymes	24	La protection de la nature
10	Les sentiments	25	Les niveaux de langue
11	Les mots composés	26	Le théâtre
12	La pêche	27	Les mots d'origine étrangère
13	Les préfixes	28	La peinture
14	Fiction et réalité	29	Les familles de sens
15	Les contraires	30	Le voyage

Landier J.-C., Marchand F.,
La courte échelle, CM1, Hatier, 1996.

Cette liste donne à première vue une impression de diversité, voire d'hétérogénéité; nous n'y retrouvons pas un enchaînement de leçons comme dans la table des matières d'un manuel de grammaire. Nous remarquons cependant que l'étude du vocabulaire, ainsi répartie sur trente semaines, est conduite selon deux axes :

• Si nous considérons d'abord les quinze leçons sur fond grisé précédées d'un nombre pair, nous constatons que toutes pourraient être des titres de chapitres d'une encyclopédie thématique. Les mots étudiés y sont regroupés selon des critères non linguistiques. Au demeurant, cette liste de quinze centres d'intérêt pourrait être différente : pourquoi la pêche y figure-t-elle et pas la chasse ? Pourquoi un canidé et non pas un félin ?

• Si nous examinons maintenant toutes les leçons précédées d'un nombre impair, nous voyons qu'au contraire elles correspondent, pour la plupart, à un découpage relevant de la linguistique et plus précisément de la lexicologie. Nous voyons aussi que, pour parler des mots, il faut recourir à des mots. L'étude du vocabulaire met en œuvre de façon privilégiée la fonction métalinguistique et requiert la pratique d'un **métalangage** précis.

Cette dualité dans la façon d'aborder le vocabulaire – d'un point de vue encyclopédique et lexicologique – se retrouve d'ailleurs dans les dictionnaires et dans nombre de manuels.

■ Quelques définitions

On définit d'ordinaire, par commodité, le **lexique** ou le **vocabulaire** par opposition à la grammaire (ou syntaxe) : tandis que cette dernière est faite de l'ensemble des règles permettant de combiner les mots pour constituer des syntagmes et les syntagmes pour constituer des phrases, le lexique regroupe l'ensemble des unités pouvant être ainsi combinées, soit **les mots** de la langue.

Les linguistes considèrent généralement que l'ensemble des mots disponibles dans une langue donnée constituent son **lexique** tandis que l'ensemble des mots dont dispose effectivement un locuteur de cette langue constitue son **vocabulaire**. Dans la pratique cette distinction n'est pas toujours observée et ces mots s'avèrent interchangeables; l'usage scolaire, celui dont témoignent par exemple les tables des matières des manuels, privilégie le terme de vocabulaire.

L'étude du lexique recourt souvent aux notions de **signifiant** – image acoustique, suite de sons – et de **signifié** – contenu sémantique, concept – dont l'association constitue le **signe linguistique**. Ce dernier ne s'identifie pas au mot que les linguistes considèrent en effet comme une notion peu fiable et à laquelle ils substituent souvent celle de **monème** (cf. au chapitre 9 le paragraphe consacré à la double articulation du langage). Alors qu'un mot unique tel que le verbe *décomposer* peut être justement décomposé en quatre **monèmes** (*dé-com-pose-r*), *pomme de terre* qui en compte trois renvoie en fait à un seul signifié et peut être remplacé par le mot unique *patate* qui, au prix d'un changement de registre, désigne le même tubercule comestible.

■ Des outils : les dictionnaires

Le dictionnaire est l'un des outils les plus utilisés dans les classes et il convient donc d'apprendre à s'en servir. Nous voyons dans la table des matières citée plus haut que trois leçons lui sont expressément consacrées au début de l'année; il en va de même dans la plupart des manuels de français « généralistes » qui proposent d'apprendre le bon usage du dictionnaire comme préalable à l'étude du vocabulaire.

Deux types de dictionnaires sont particulièrement utiles : les dictionnaires encyclopédiques, mais aussi et surtout les dictionnaires de langue.

Le dictionnaire encyclopédique
(dit aussi dictionnaire de choses)

Il donne en priorité des informations sur le référent, sur la chose désignée par le mot. Il comporte souvent des développements importants accompagnés d'illustrations, de schémas. On peut le voir sur cet extrait du *Petit Larousse Illustré*, l'ouvrage de ce type le plus répandu en France, par la façon dont est traité le mot « étoile ». On peut en effet constater que plus de la moitié de la rubrique est consacrée à de la vulgarisation scientifique relevant de l'astronomie.

ÉTOILE n.f. (lat. *stella*). **I.** *Astre* **1.** Tout astre qui brille dans le ciel nocturne. ◇ *À la belle étoile* : en plein air, la nuit. **2.** ASTRON. Astre formé d'une sphère de gaz très chauds au cœur de laquelle se produisent une réactions de fusion nucléaire et qui constitue une puissante source d'énergie. ◇ *Cour. Étoile filante* : météore. – *Étoile à neutrons* : petite étoile extrêmement dense, résultant de l'implosion du cœur d'une supernova et formée presque exclusivement de neutrons. – *Étoile Polaire* : v. *partie n.pr.* Polaire. – *Étoile variable*, soumise à des variations sensibles d'éclat. – *Étoile double, géante, naine* → **double, géant, nain**. **3.** Astre considéré comme influençant la destinée humaine. *Être né sous une bonne étoile.* **II.** *Sens spécialisés* **1.** Dessin en forme d'étoile. **2. a.** Fêlure à fentes rayonnantes. **b.** Rond-point à plus de quatre voies. **3.** *Étoile de David* : symbole judaïque constitué par une étoile à six branches. **4. a.** Décoration en forme d'étoile à cinq branches. **b.** En France, insigne du grade des officiers généraux. (→ *grade*). **5.** En ski, test de niveau des débutants. ◇ *Première, deuxième, troisième étoile* : qualifications sanctionnant le résultat du test de l'étoile. **6.** Indice de classement attribué à certains sites, hôtels, restaurants, produits. **7.** THERM. Unité de froid équivalant à – 6 °C et qui, multipliée, indique le degré maximal de réfrigération d'un conservateur ou d'un congélateur. **8.** *Étoile de mer* : invertébré marin en forme d'étoile, carnassier, aux bras longs et souples régénérant facilement. (Diamètre max. 50 cm ; embranchement des échinodermes, classe des astérides.) SYN. : *astérie.* **III.** *Artiste* **1.** Artiste célèbre au théâtre, au cinéma, etc. SYN. : *star.* **2.** *Danseur, danseuse étoile*, ou *étoile*. **a.** Danseur, danseuse de classe internationale. **b.** Échelon suprême dans la hiérarchie de certains ballets ; interprète possédant ce grade.

ENCYCL. Les étoiles naissent de la contraction de vastes nuages de matière interstellaire (nébuleuses). Lorsque leur température devient suffisante, des réactions thermonucléaires s'amorcent dans leurs régions centrales et leur permettent de rayonner. Leur évolution comporte une succession de périodes durant lesquelles elles se contractent sous l'effet de leur propre gravitation ; la matière qui les constitue subit ainsi un échauffement de plus en plus intense, qui autorise le déclenchement de réactions nucléaires entre éléments de plus en plus lourds. Pendant la majeure partie de leur vie, elles tirent leur énergie de la transformation d'hydrogène en hélium (cas du Soleil actuel). Lorsque leur combustible nucléaire s'épuise, elles connaissent une phase explosive puis subissent une phase ultime d'effondrement gravitationnel qui engendre, selon leur masse, une *naine blanche, une *étoile à neutrons ou un *trou noir. C'est grâce à l'enregistrement et à l'analyse de leur spectre que l'on parvient à déterminer la composition chimique des étoiles, les conditions physiques (température et pression) régnant dans leur atmosphère, leurs mouvements, etc.

■ **ÉTOILE.** Étoile de mer

LES 20 ÉTOILES LES PLUS BRILLANTES DU CIEL

nom usuel	nom officiel	magnitude visuelle apparente	distance en années de lumière
Sirius	α Grand Chien	– 1,4	8,6
Canopus	α Carène	– 0,7	190
Rigil Kentarus	α Centaure	– 0,3	4,3
Arcturus	α Bouvier	0	36
Véga	α Lyre	0	26,5
Capella	α Cocher	+ 0,1	45
Rigel	α Orion	+ 0,2	900
Procyon	α Petit Chien	+ 0,4	11,4
Achernar	α Éridan	+ 0,5	130
Agena	β Centaure	+ 0,6	390
Altaïr	α Aigle	+ 0,7	16
Bételgeuse	α Orion	+ 0,8*	650
Aldébaran	α Taureau	+ 0,8	68
Acrux	α Croix du Sud	+ 0,9	400
l'Épi	α Vierge	+ 1	260
Antarès	α Scorpion	+ 1**	425
Pollux	β Gémeaux	+ 1,1	36
Fomalhaut	α Poisson austral	+ 1,2	23
Deneb	α Cygne	+ 1,3	1 600
Mimosa	β Croix du Sud	+ 1,3	490

* *en moyenne (magnitude apparente variable entre 0,4 et 1,3)*
** *en moyenne (magnitude apparente variable entre 0,9 et 1,8)*

Le Petit Larousse Illustré, p. 393, édition 1997.

Le dictionnaire de langue
(dit aussi dictionnaire de mots)

Il donne en priorité des informations sur le signe linguistique et notamment ses relations structurales avec d'autres éléments du vocabulaire. Dans cette catégorie figurent le *Robert* (grand ou petit) publié par la maison d'édition du même nom et le *Lexis* publié par Larousse; tous deux se présentent sur leur couverture comme un « dictionnaire de la langue française ».

Nous pouvons voir la multiplicité et la complexité des informations d'ordre proprement linguistique apportées par ce type d'ouvrage, en analysant deux articles successifs du *Lexis* (cf. p. 313). Rappelons, si vous étiez tentés de l'oublier, qu'un dictionnaire de langue vous est absolument **in-dis-pen-sa-ble** à tous égards.

Les élèves ont à leur disposition des dictionnaires de complexité croissante adaptés à leur âge, mais ils doivent assez tôt apprendre à se servir d'ouvrages analogues, dans leur principe et leur fonctionnement, aux ouvrages dont se servent les adultes. Cela nécessite des exercices d'entraînement, à commencer par ceux qui visent à la maîtrise de l'ordre alphabétique; on les trouve dans les manuels généralistes ou dans des livrets spécialisés que les éditeurs publient volontiers pour renvoyer les élèves aux dictionnaires qu'ils publient.

D'où viennent les mots du français ?

■ Aux origines de la langue

Tous les mots du français ont une histoire, qu'ils viennent du gaulois comme *bec* ou *bouleau*, ou soient de création récente comme *avion* ou *zapper*.

La majorité des mots que nous utilisons chaque jour, à commencer par ceux qui précèdent dans la phrase en cours, viennent du **latin** et remontent à un **étymon**. Ainsi l'étymon du français *rose* est le latin *rosa*, celui de *maître* est *magister*. Leur histoire individuelle peut être instructive et elle passionne souvent les élèves :

> Lorsque les moines se réunissaient, le coutume voulait que soit lu en préambule un « chapitre » (du latin « capitulum ») de la « Règle » ou de l'Écriture. C'est ainsi que fut donné le nom de « chapitre » aux assemblées de religieux. Ces assemblées étaient souvent réunies pour juger le cas d'un moine qui avait contrevenu à la règle et pour le réprimander en présence du chapitre, en un mot pour le « chapitrer ».
>
> Bernard C. Galey, *L'Étymo-jolie*, p. 63, Tallandier, 1991.

Cependant les élèves ont d'abord besoin de savoir employer les mots avec leur(s) sens actuel(s) et l'évocation du latin – qu'ils ignorent – ne saurait être systématique.

Beaucoup d'autres mots parmi ceux qui constituent le fonds ancien de notre langue sont **d'origine germanique** et témoignent des invasions. Là aussi il n'est généralement pas utile de recourir à l'étymologie et de faire remarquer par exemple aux enfants que des adjectifs de couleur (*bleu*, *blanc*, *gris*, *brun*…) remontent à des termes germaniques qui ont supplanté leurs correspondants latins. Il faut compter aussi avec

1. CINGLER (a) [sɛ̃gle] **(b)** v. intr. **(c)** (anc. français. sigler, du scand. *Sigla* **(d)**, faire voile; 1080) *Mar.* Faire voile vers un point déterminé **(e)** : *Cingler vers le port, vers la haute mer* **(f)**. *À ma gauche cinglaient les caravelles génoises* (Arnoux) **(g)**.

2. CINGLER (a) [sɛ̃gle] **(b)** v. tr. **(c)** (de *sangler*, frapper avec une sangle, du lat. *Cingula,* **(d)** ceinture ; 1125). **1.** *Cingler quelqu'un, quelque chose*, le frapper d'un coup vif, avec un objet mince et flexible (lanière, baguette, etc.) **(e)** : *Mariette encore flageolante des coups qui l'ont cinglée* (Vailland) **(g)**. – **2.** (sujet **(h)** nom désignant le vent, la pluie ou les vagues) Frapper, s'abattre vivement et continûment sur : *La pluie cingle les vitres* **(f)**. *Un vent glacial vous cinglait à chaque carrefour* (syn. FOUETTER) **(i)**. – **3.** (1866). [sujet nom de personne. Ou désignant une attitude] Atteindre par des mots blessants : *Il cingla son adversaire d'une réplique impitoyable.* – **4.** (1765). *Tech.* **(j)** Tracer des lignes droites sur une pièce de bois, au moyen d'arcanne.– **5.** (1765). *Métall.* **(j)** Forger ou corroyer le fer au sortir des fours de puddlage ou d'affinage. ◆ **cinglant, e (h)** adj. (1866). **1.** *Une pluie cinglante.* – **2.** Se dit de paroles vexantes, blessantes, adressées à quelqu'un, et du ton sur lequel on les exprime : *Il donne un ordre, un conseil, parfois lance un blâme cinglant* (Duhamel). ◆ **cinglement (h)** n. m. (1851). *Le cinglement de l'averse.* ◆ **cinglage (h)** n. m. (1827). *Métall.* Action de supprimer les pores existant dans les loupes de fer sortant des fours à puddler.

a. entrée ou adresse : mot qui fait l'objet de l'article, imprimé en gras

b. prononciation standard (« celle qui paraît la plus courante dans le cadre de l'usage parisien cultivé ») transcrite à l'aide de l'Alphabet phonétique international

c. caractérisation grammaticale (verbe intransitif pour 1, transitif pour 2)

d. étymologie, origine supposée :

– étymon suivi de sa traduction

– date d'apparition du mot ou du sens du mot

(Nous avons ici affaire à deux homophones totalement différents puisqu'ils remontent à deux étymons différents.)

e. définitions : différents sens du même mot

f. exemple forgé par les rédacteurs de l'article

g. exemple consistant en une **citation** littéraire

h. pour certains sens, le mot est replacé dans sa **construction**

i. synonyme pour un sens donné (substituable dans le contexte des exemples précédents)

j. registre : ici vocabulaire des sciences et techniques.

k. mots de la même **famille** : *cinglant* est le participe présent devenu adjectif qualificatif, *cinglement* et *cinglage* sont deux noms dérivés par suffixation

Définitions du *Dictionnaire de la langue française. Lexis,* Larousse, 1992.

NB : Les appels de notes entre parenthèses figurant dans les deux rubriques – ex : v. intr. **(c)** – ont été ajoutés par nous et renvoient aux explications en regard.

L'existence de deux verbes (1. cingler et 2. cingler) montre que les deux termes sont considérés comme **homonymes**.
Le premier mot n'a qu'un sens : il est **monosémique**.
Le second mot a plusieurs sens numérotés de 1 à 5; il est **polysémique** ; ces différents sens composent son **champ sémantique**.

les termes que le français standard a recueillis auprès des dialectes d'oïl ou d'oc aux dépens desquels il s'est imposé : *abeille, amour, daurade* viennent de l'occitan; *adret, congère, moraine* du franco-provençal; *crevette, rescapé* du picard, etc.

■ Les emprunts aux langues étrangères

Sans vouloir faire un sort à tous les mots, il peut être très intéressant de faire prendre conscience aux enfants que le lexique du français emprunte des termes à une foule de langues voisines ou parfois très éloignées, du fait de la géographie, de l'histoire, des échanges économiques ou culturels... C'est une façon captivante de les prémunir contre le chauvinisme linguistique qui sévit souvent.

À votre tour, exercez-vous !

Pour mettre en évidence la variété des emprunts du français à d'autres langues, voici une liste de 32 noms venant d'autant de langues différentes. Pour chacun d'entre eux, dites à laquelle il a pu être emprunté, via parfois une autre langue.

La connaissance des réalités ainsi désignées vous sera généralement très utile pour indiquer, à défaut de la langue exacte, la provenance géographique et culturelle de la plupart de ces termes.

1	apartheid	9	banderille	17	orang-outang	25	lama
2	totem	10	toundra	18	fjord	26	ananas
3	edelweiss	11	odyssée	19	bazar	27	angora
4	badminton	12	tohu-bohu	20	tabou	28	banane
5	baraka	13	bungalow	21	fétiche	29	anorak
6	maïs	14	édredon	22	vigogne	30	cacao
7	yaourt	15	aquarelle	23	spoutnik	31	robot
8	ketch-up	16	hara-kiri	24	drakkar	32	zombi

Solution

1. afrikaans, langue des Boers d'Afrique du sud / **2. algonquin**, langue de tribus indiennes d'Amérique du Nord / **3. allemand** / **4. anglais** / **5. arabe** / **6. taino**, langue des Arawaks, peuple indien des Caraïbes / **7. bulgare** / **8. chinois** / **9. espagnol** / **10. finnois** (Finlande) par l'intermédiaire du russe / **11. grec** / **12. hébreu** / **13. hindi**, par l'intermédiaire de l'anglais / **14. islandais** / **15. italien** / **16. japonais** / **17. malais** / **18. norvégien** / **19. persan** / **20. polynésien** / **21. portugais** / **22. quéchua**, langue amérindienne du Pérou / **23. russe** / **24. suédois** / **25. tibétain ou quéchua**, selon que le mot désigne un moine bouddhiste ou un mammifère ruminant de la Cordillère des Andes ! / **26. tupi-guarani**, langue amérindienne du Brésil / **27. turc**, francisation du nom de l'actuelle capitale de la Turquie, Ankara / **28.** emprunt à une **langue de Guinée** (Afrique de l'Ouest) par l'intermédiaire du portugais / **29. inuktinuk**, langue des Inuits ou Eskimos / **30. nahuatl** (Mexique) par l'intermédiaire de l'espagnol / **31. tchèque** / **32. créole de Haïti**.

Pour plus d'informations sur l'origine et l'histoire de ces mots et du lexique actuel du français, l'ouvrage de référence est le *Dictionnaire historique de la langue française*, publié sous la direction d'Alain Rey et édité par le *Robert* (1992) dont la consultation s'avère toujours passionnante (réédition 1998 en 3 volumes).

Ce phénomène d'emprunt linguistique est une constante dans l'histoire de la langue car lorsqu'apparaissent un objet ou un concept importés, le nom correspondant est souvent emprunté à la langue étrangère dans laquelle il a été nommé pour la première fois. Il en va ainsi de *spoutnik* emprunté au russe en 1958 et depuis supplanté par *satellite* qui a laissé en orbite son épithète *artificiel*, de *scanner* venu de l'anglais en 1968, de *surimi* arrivé du Japon au début des années 90, de *taliban* entré dans le *Petit Larousse* en 1998 pour les raisons que l'on devine.

■ La création lexicale

Les nouveaux termes dont le besoin se fait sentir peuvent aussi être formés à partir de monèmes existant déjà en français : c'est le cas de *discographie* en 1963 avec les éléments *disco-* (déjà présent dans discothèque) et *-graphie* (utilisé dans photographie et beaucoup d'autres mots). Leur construction obéit à des procédés éprouvés que nous allons voir maintenant.

La dérivation

Elle consiste à former des mots à partir de monèmes lexicaux (**lexèmes**) servant de bases (dits aussi radicaux) auxquels viennent s'adjoindre des monèmes grammaticaux appelés **affixes**. On distingue ainsi les **préfixes** placés devant la base (*proposer*, *infaillible*) et les **suffixes** placés après la base (*maniérisme*, *infaillible*).

• **L'adjonction de préfixes** au verbe *venir* donne un grand nombre de verbes nouveaux :

> *advenir, circonvenir, convenir, devenir, parvenir, prévenir, provenir, revenir, survenir...*

• **L'adjonction de suffixes** à la base verbale *port-* donne :

> *porter, portant, porté, portable, portage, portatif, portance, portement, porteur/euse, portoir...*

• **La préfixation** donne un mot appartenant à la même catégorie grammaticale :

> *perméable* (adj) ↦ *imperméable* (adj)
> *geler* (verbe) ↦ *dégeler* (verbe)
> *fortune* (nom) ↦ *infortune* (nom)

• Il n'en va pas toujours de même pour **la suffixation** :

> *fourche* (nom) ↦ *fourchette* (nom)   *bleu* (adj) ↦ *bleuâtre* (adj)
> mais *bleu* (adj) ↦ *bleuir* (verbe)   *fagot* (nom) ↦ *fagoter* (verbe)

Les familles de mots

La combinaison d'une base et des divers affixes qui viennent s'y agréger donne une famille de mots plus savamment nommée champ dérivationnel ou champ morpho-sémantique puisque les mots qui le composent sont unis par des relations de forme et de sens.

Ces familles de mots peuvent être présentées sous forme d'énumération des termes qui la composent : *ironie, ironique, ironiquement, ironiser, ironiste*

Elles peuvent aussi se présenter sous forme de tableaux rendant compte de la double dérivation (par préfixes et suffixes). En voici un exemple relativement simple : la famille de nombre formée sur deux lexèmes -nombr(e)- et -numér- (base savante directement reprise du latin).

Les dérivés de *-nombre*

Préfixes \ Suffixes	Ø	-er	-eux	-able	-ment
Ø	+	+	+	+	
dé-		+		+	+
in-				+	
in-dé-				+	
sur-	+				

Les cases marquées d'une croix signalent l'existence d'un mot : ainsi, si le verbe *dénombrer* ou l'adjectif *innombrable* sont attestés, le verbe **innombrer* ou l'adjectif **surnombrable* n'existent pas en français. Le Ø indique l'absence d'affixe : *surnombre* comporte un préfixe mais pas de suffixe.

Les dérivés de *-numér-*

Préfixes \ Suffixes	Ø	-al	-aire	-er	-ique	-iquement	-ation	-atif	-ateur -atrice	-iser	-isation	-iseur
Ø		+	+		+	+	+	+	+	+	+	+
é-				+			+	+	+			
sur-			+									

On voit qu'à la différence de *nombre*, -numér- n'apparaît que dans des dérivés comportant obligatoirement un suffixe et, éventuellement, un préfixe.

La composition

Un mot composé est le résultat de l'association de lexèmes existant indépendamment en tant que mots simples. Divers cas de figure sont possibles; parmi les plus fréquents, nous pouvons citer :
– **deux noms** : *un gentleman-cambrioleur, une couche-culotte*
– **un nom et un adjectif épithète** : *un cordon-bleu, un blanc-seing,*
– **un verbe et un nom** : *un casse-noisettes, un porte-bagages,*
– **un énoncé substantivé** : *un m'as-tu-vu, le qu'en-dira-t-on,*
La présence ou l'absence de trait d'union n'est guère significative et sert surtout de façon anecdotique à multiplier les chausse-trapes lors de compétitions d'orthographe médiatisées.

Beaucoup de mots savants sont formés à partir de racines latines et grecques dont l'ensemble constitue comme un jeu de construction notamment pour les scientifiques. La racine -*thérapie* entre ainsi dans un grand nombre de mots médicaux désignant une façon de soigner : *cryothérapie* par le froid / *thermothérapie* par la chaleur / *héliothérapie* par le soleil / *thalassothérapie* par les bains de mer / *hydrothérapie* par les eaux thermales / *phytothérapie* par les plantes… la liste n'est pas close et est peut-être même appelée à s'allonger; si, par bonheur, on découvre un jour que l'on peut guérir certaines maladies en mangeant force huîtres, il sera toujours possible de créer l'*ostréothérapie*!

Sigles et abréviations

La prolifération de termes complexes fréquemment employés amène à les abréger pour ne garder que leurs initiales: ce sont des **sigles** que l'on doit épeler ou des **acronymes** qui peuvent être prononcés comme un mot ordinaire; ces derniers comportent parfois le début de certains mots. Cette réduction vaut plus souvent pour des noms propres: la *Régie Autonome des Transports Parisiens* est davantage connue par son sigle *RATP*, prononcé en épelant; l'*Oulipo* cher à Queneau, Perec et autres Oulipiens est l'*Ouvroir de Littérature Potentielle*. Ce procédé aboutit aussi à des noms communs : le nom *sida* vient de *Syndrome d'ImmunoDéficience Acquise*. Les mêmes mots, mais dans un ordre différent, aboutissent à *aids* en anglais.
L'**abréviation** témoigne aussi à sa façon de la créativité lexicale et de la tendance naturelle des usagers de la langue à la simplifier pour en faciliter l'usage quotidien : le *cinématographe* a été heureusement réduit à *cinéma* et même à *ciné* tandis qu'est apparu un dérivé populaire : le *cinoche*.

Création par métaphore

Un mot qui existait déjà peut se voir affecter un sens supplémentaire suggéré par une analogie : c'est ainsi que *puce*, nom féminin désignant un petit insecte sauteur et suceur de sang, en est venu à désigner vers 1985 une petite surface de matériau semi-conducteur (silicium) « qui supporte un ou plusieurs circuits intégrés, et notamment un microprocesseur » (*Petit Larousse*). Pour désigner le même objet, l'anglais recourt à une métaphore différente et parle de *chip*.
Les nouvelles technologies de l'information et de la communication amènent ainsi une floraison de mots nouveaux : tantôt c'est le terme anglais qui est repris tel quel (*e-mail* qui semble irrémédiablement l'emporter sur *courriel*), tantôt c'est un mot français imagé qui s'impose : le *navigateur* (les québécois préfèrent *butineur*) permet de rechercher une information sur Internet alors que l'anglais *browser* n'est pas employé par les francophones.

Des noms propres de personnages (*poubelle*, *godillot*…) ou de marques (*frigidaire*, *rustine*, *karcher*…) peuvent se répandre et devenir des noms communs d'usage courant avant d'acquérir la légitimité que constitue l'insertion dans un dictionnaire de grande diffusion.
Chaque année les journalistes font grand cas des nouveaux mots intronisés dans le *Petit Larousse* ou le *Robert*. Lorsqu'un mot nouveau apparaît ainsi en français, il est d'abord qualifié de **néologisme** ce qui lui donne, pour beaucoup de défenseurs autoproclamés de la langue française, une situation de « sans papiers » linguistique.

La structuration du lexique

Les lexicologues mettent de l'ordre dans le lexique d'une langue, en l'occurrence le français, en regroupant les mots d'après les relations qu'ils entretiennent; les ensembles ainsi constitués sont baptisés **champs**.

■ Le champ lexical

Dans la mesure où les mots sont chargés de nommer les êtres, les choses…, ces relations sont d'ordre non linguistique. *Taureau*, *vache*, *bœuf*, *génisse*, *veau* n'ont entre eux aucune parenté linguistique bien que tous ces termes désignent des mammifères ruminants appartenant à l'espèce bovine. Ils appartiennent avec d'autres termes (*étable, joug, bouvier…*) à un même **champ lexical**, dit aussi **notionnel** ou **associatif**, voire **thématique**[2] pour désigner l'inventaire des différents mots se rapportant à un même thème, une même notion, un même domaine d'activité.

Voici par exemple l'amorce d'un champ lexical, celui de la météorologie proposé comme « banque de mots » à des élèves :

Le temps peut être beau, superbe, magnifique… couvert, maussade, mauvais, affreux, épouvantable… ensoleillé, clair, serein…, gris, brumeux… sec, pluvieux, neigeux, variable, changeant, lourd, orageux…

La température, glaciale, froide, fraîche, douce, tiède, chaude, torride… la chaleur, la canicule..

Les précipitations, la pluie, les gouttes, la bruine, le crachin, l'ondée, l'averse, le déluge, les giboulées, la grêle… le parapluie, l'imperméable…

Le vent, la brise, un coup de vent, la rafale, la bourrasque, la tornade… un vent léger, fort, impétueux, violent…

Les nuages, la brume, le brouillard, la purée de pois… se dissiper.

L'orage, la foudre, l'éclair, le roulement du tonnerre, le paratonnerre… tonner, gronder, foudroyer…

La neige, les flocons, le chasse-neige, la glace, le gel, le verglas… glisser, déraper, déneiger…

Pleuvoir, bruiner, neiger, geler…

Le thermomètre, le baromètre, le bulletin météorologique, les prévisions…

L'approche thématique est fréquente dans les manuels de français, notamment au cycle 3 ; on peut voir qu'elle occupe la moitié du temps dévolu à l'étude du vocabulaire dans *La courte échelle* dont la table des matières est reproduite dans ce chapitre, p. 309.

C'est là une approche certes légitime mais qui comporte une dérive possible, celle de la recherche systématique, hors contexte, du maximum de mots référant de près ou de loin à un domaine. Cette pratique, souvent qualifiée d'« enrichissement du

---

2. Il arrive souvent que les lexicologues ne soient pas d'accord entre eux sur le « métalexique », lexique du lexique.

vocabulaire » risque d'amener à des nomenclatures interminables dont les composants sont peu ou mal utilisés dans le discours effectif des élèves. Ainsi un manuel peut-il demander à ces derniers :

> Essaie de construire le plus grand champ lexical possible à partir du mot **cuisine**.
>
> Pense à la pièce et aux ustensiles, à ceux qui la font, aux plats qu'on y prépare, aux adjectifs qui indiquent les qualités de la bonne cuisine, aux verbes qui indiquent la façon de faire.
>
> Compte les mots trouvés.

Obadia M., Rausch A., Les efficaces, français, CM, p. 147, Nathan, 1995.

Nous ne vous demanderons pas de vous livrer à un tel inventaire et nous nous contenterons d'un petit exercice.

À votre tour, exercez-vous !

Parmi les mots suivants – chinois, fusil, piano, lit, roux – lesquels pourraient figurer dans le champ lexical du mot « cuisine » ?

Solution

La réponse est nette : tous ces mots pourraient figurer dans le champ lexical de la cuisine conçu de façon très extensive. Il n'est d'ailleurs pas précisé s'il s'agit de l'art culinaire ou du local conçu pour s'y adonner !

- Le *piano* est le nom familier que les professionnels donnent au grand fourneau d'un restaurant (sans doute à cause de sa forme et peut-être parce que certains chefs sont des virtuoses !) ;
- Le *fusil* est un ustensile servant à affûter les couteaux de boucherie ou de cuisine ;
- Le *chinois* désigne une petite passoire fine qui doit son nom à sa forme conique ;
- Le *lit* se trouve dans des expressions telles que *un lit de fines de herbes, un lit d'échalotes émincées*, etc. ;
- Un *roux* est une préparation faite de farine mélangée à du beurre, etc.

■ Le champ générique

À l'intérieur d'un champ thématique donné peuvent être mis en évidence des champs plus restreints composés de termes particuliers pouvant avoir un même **terme générique** :

> – ainsi *rose, dahlia, chrysanthème, violette, tulipe…* ont pour terme générique *fleur ;*

> – *marteau, pince, scie, fer à souder* ont pour terme générique *outil.*

On dira que *fleur* est l'**hyperonyme** de *rose* (terme incluant) et que *rose* est un **hyponyme** de *fleur* (terme inclus).

Dans la pratique de la classe, « hyperonyme » peut être avantageusement remplacé par « terme générique » au cycle 3. On le rencontre aussi qualifié de « mot-étiquette » et même de « mot-panier » à la maternelle. La maîtrise de ce type de relation lexicale est très importante dans la gestion des substituts (cf. chap. 27), qu'il s'agisse de reconnaître en lecture un même référent sous des appellations différentes ou d'éviter une répétition en écrivant (ainsi *le danois* pourra être repris par le terme générique *le chien*).

La définition

L'apprentissage de la définition figure expressément parmi les activités lexicales dans les instructions officielles. Deux notions sont capitales pour définir les monèmes, celle de **terme générique** déjà vue et celle de **trait distinctif** (ou différence spécifique).

Considérons les deux définitions suivantes :

> *doberman :* <u>chien</u> de garde, bien musclé, d'origine allemande
> *chihuahua :* petit <u>chien</u> d'agrément à poil ras du nom d'une ville du Mexique.

Le terme générique commun est **chien**, et les autres notations constituent des traits permettant de distinguer entre les diverses races de l'espèce canine :
– la taille (petit *vs* gros)
– la destination (de garde *vs* d'agrément)
– le pelage (à poil ras *vs* à poil long)
– l'origine (Allemagne *vs* Mexique)
– la conformation (bien musclé), etc.

Si l'on fait l'expérience de demander à plusieurs personnes de rédiger une définition du terme *marteau* pris au sens premier, chacun commencera sa définition par un terme générique bien choisi (*outil*) ou mal choisi (*objet, ustensile*) qui sera accompagné de traits distinctifs relatifs à sa description (un manche et une tête métallique) ou sa destination (servant à enfoncer les clous, à taper…).

L'analyse sémique

Elle consiste à décomposer en sèmes le signifié d'un terme. Le **sème** est défini comme « trait sémantique pertinent représentant l'unité minimale de signification » (*Lexis*, Larousse) ou comme « unité minimale différentielle de signification » (*Petit Robert*). Cette analyse se révèle utile pour relever les points communs et les différences. Faire une analyse sémique comparée de *chou-fleur* et *hallebardier* n'apporterait pas grand chose mais il est utile, pour apprendre à employer un vocabulaire précis, de s'entraîner à comparer des termes voisins. En voici un excellent exemple portant sur trois verbes[3] :

	faire passer des		d'un lieu à un autre	l'opération et le lieu d'arrivée sont		
	gens	choses		prévus	imprévus	
évacuer	x		x		x	« Quand l'incendie s'est déclaré, on a *évacué* la salle. »
transporter	x	x	x	x		« C'est le car qui *transporte* les enfants des écoles. »
déménager		x	x	x		« Nous *déménagerons* la semaine prochaine. »

La procédure a parfois été étendue à un plus grand nombre de termes appartenant à un même champ générique (*voies urbaines, moyens de transport, sièges*) mais elle se révèle le plus souvent très délicate et d'une pratique difficile en classe.

---

3. Galisson R., *L'apprentissage systématique du vocabulaire*, tome 1, p.30, coll. Le Français dans le monde, Hachette/Larousse, 1970.

■ Polysémie et champ sémantique

Soit les deux listes de mots suivantes :

– *fennec, fenouil, manganèse, humérus, ornithorynque*
– *loup, carotte, fer, côte, canard*

Les mots de la première liste ont un sens et un seul : ils sont **monosémiques**. Ceux de la seconde ont plusieurs sens (dits aussi acceptions), ils sont **polysémiques**.

Par exemple *humérus* ne saurait désigner que l'os long constituant le squelette du bras, de l'épaule au coude, quel que soit le contexte, tandis que *canard* outre le palmipède pourra notamment désigner une fausse note, un journal peu crédible, etc.

Certains mots peuvent ainsi figurer dans plusieurs champs thématiques dans lesquels ils prennent chaque fois un sens particulier ; un exemple bien connu est celui du nom *opération*. Le sens général d'« action d'un pouvoir, d'une fonction, d'un organe qui produit un effet selon sa nature » que lui assigne le *Petit Robert* le fera utiliser :
– en arithmétique comme terme générique englobant l'addition ou la soustraction…,
– en chirurgie pour désigner une intervention telle qu'une greffe ou une ablation,
– dans le vocabulaire militaire où il s'appliquera à une offensive ou à une retraite,
– dans le vocabulaire financier où il pourra désigner un dépôt ou un retrait de fonds.

Le dictionnaire rendra compte par la structure de la rubrique de cette pluralité de sens. La polysémie constitue un cas de figure extrêmement fréquent et de nombreux mots très usités possèdent selon les contextes des significations différentes dont l'ensemble constitue leur **champ sémantique**. Prenons comme exemple le mot *tambour*.

Le mot *tambour* peut désigner :

I ◆ 1. un instrument à percussion, formé de deux peaux tendues sur un cadre cylindrique.
◆ 2. l'homme qui joue de cet instrument.
◆ 3. tout instrument à percussion à membrane tendue

II ◆ 1. une petite entrée à double porte (comme un sas) servant à mieux isoler l'intérieur d'un édifice.
◆ 2. le cylindre sur lequel s'enroulait la chaîne d'une horloge.
◆ 3. l'assise cylindrique d'un fût de colonne.
◆ 4. le métier circulaire pour broder à l'aiguille.
◆ 5. différents objets cylindriques : tambour de moulinet, de machine à laver, roue de loterie, mémoire d'ordinateur en forme de cylindre, etc.
◆ 6. un bouton gradué, une pièce cylindrique de véhicule dite tambour de frein.
◆ 7. un engin de pêche cylindrique.

D'après *Le Petit Robert*, 1988.

On voit que les sens qui composent le champ sémantique du mot *tambour* s'appliquent à des objets ayant le plus souvent avec l'instrument originel une analogie de forme. On peut en conclure que la forme cylindrique constitue un **sème** constitutif du signifié de tambour et qualifié de **dénotatif**.

Ajoutons, ce ne que disait pas (encore ?) le dictionnaire en 1988, que le mot tambour peut prendre un autre sens aisément compréhensible dans une expression familière du Sud-Ouest « rouler comme un tambour », qui caractérise une conduite rapide et dangereuse. Le caractère peu élaboré du tambour et de sa musique peut, par métaphore, constituer un autre sème dit **connotatif**, car il n'est pas au même degré constitutif du noyau dur de son signifié

Explorer le vocabulaire commun

Les recherches, déjà anciennes, sur le « français fondamental » ont bien montré que le vocabulaire dont un individu a besoin pour s'exprimer sans difficulté dans la vie courante n'est que de quelques milliers d'unités et que 8 ou 10 000 mots sont déjà une belle richesse, de sorte qu'il ne devrait pas être impossible, au cours d'une scolarité, de faire une exploration systématique à peu près complète du vocabulaire commun. Il semble donc raisonnable de tenir compte de la fréquence pour aller du plus usuel au plus rare. Dans cette perspective, le point de départ d'un enseignement systématique du vocabulaire réside dans l'étude des mots très peu spécifiques qui apparaissent en tête des diverses listes de fréquences, et que tout le monde croit connaître. Or, il y a un lien entre fréquence et polysémie. Les mots en question sont à la fois les plus fréquents, les plus polysémiques et ceux qui donnent le plus de fil à retordre au linguiste.

Picoche J., in « Pour une didactique des activités lexicales à l'école »,
Repères n° 8, INRP, 1993

Sens propre et sens figuré

Beaucoup de mots possèdent outre leur sens premier, dit **sens propre**, un ou plusieurs sens dérivés de celui-ci par analogie et constituant des métaphores passées dans l'usage et lexicalisées, enregistrées par les dictionnaires; on parle alors de **sens figuré**. Nous aurons ainsi :

	sens propre	sens figuré
échelle	appareil simple constitué de deux montants parallèles reliés par des barreaux régulièrement espacés, et servant à monter et à descendre.	l'échelle des valeurs l'échelle sociale l'échelle des traitements…
clef	pièce métallique que l'on introduit dans une serrure pour l'actionner.	la clef de la réussite la clef du problème la clef des champs…

D'après les définitions du *Dictionnaire de la langue française. Lexis*, Larousse, 1992.

Étant donné l'abondance et la fréquence des mots possédant des sens figurés, ce point du fonctionnement du vocabulaire figure expressément au programme du cycle 3 et donne lieu à des exercices spécifiques.

Un même mot peut avoir **plusieurs sens** :
– **le sens propre** qui est le sens le plus usuel : «Le cambrioleur a dévalisé la banque».
– **le sens figuré** qui utilise une image pour exprimer une idée : «J'ai dévalisé le frigidaire».

Indique si les verbes en italique sont au sens propre ou au sens figuré.
• Nous avons *marché* durant des heures en plein désert. / Elle n'a pas *marché* dans notre combine.
• Nous *pèserons* de toute notre influence. / Il s'est *pesé* ce matin : il a pris du poids.
• Nous avons *salué* la voisine. / Ce pilote a réalisé un exploit : il faut *saluer* son courage.
• Papa *tape* sur un clou pour fixer le tableau. / Mon camarade se moque de moi, il me *tape* sur les nerfs

La courte échelle, CM1, p. 160, Hatier, 1996.

Un des domaines où le sens figuré joue à plein est celui des **locutions**, expressions imagées lexicalisées et répertoriées dans le dictionnaire :

– *chercher midi à quatorze heures*,

– *lécher les vitrines*,

– *avoir un cheveu sur la langue*,

– *avoir un papa gâteau, une maman poule*, etc.

Selon la définition qu'en donne Alain Rey, la locution est « une unité fonctionnelle plus longue que le mot graphique, appartenant au code de la langue (devant être apprise) en tant que forme stable ( )»[4] L'enrichissement du vocabulaire passe autant par la connaissance de ces expressions dont certaines sont très courantes que par l'acquisition systématique du plus grand nombre possible de mots. L'usage abusif de ces locutions donne lieu à de réjouissants rapprochements, ainsi pour une présentatrice d'un bulletin météorologique, selon que la température va augmenter ou diminuer : « le mercure se fait tirer les oreilles » ou « le mercure a décidé de mettre les bouchées doubles ».

Un exercice fréquent consiste à proposer aux élèves de trouver le sens de ces expressions :

Cherche pour chaque expression de la première colonne celle qui lui correspond le mieux dans la deuxième.

mettre la main à la pâte	apprendre le métier de boulanger s'occuper à des tâches matérielles aider
mettre la dernière main	achever un travail, un ouvrage, en réglant les derniers détails être le dernier à faire quelque chose ajouter une pincée de sel à une sauce
faire des pieds et des mains	se débattre jouer au rugby essayer de se libérer
marcher la main dans la main	se promener dans la rue faire quelque chose en accord complet avec une autre personne marcher en posant ses pieds exactement dans les traces laissées par celui qui précède.

Davinroy P., Dufayet P., *La magie des mots*, p. 35, L'École des Loisirs, 1981.

---

4. Introduction au *Dictionnaire des expressions et locutions*, p. VII, Les usuels du Robert, 1989.

Dénotation et connotation

Quiconque se plonge dans un dictionnaire ne peut manquer d'être frappé par le nombre de mots dont beaucoup – au premier rang desquels des termes techniques – sont inconnus de lui. S'il va plus avant et explore les rubriques, le lecteur attentif sera tout aussi frappé par la multiplicité de sens que peuvent prendre certains mots.

Pourtant, si le dictionnaire répertorie pour chaque mot l'ensemble des sens que reconnaissent les membres d'une communauté linguistique, soit sa **dénotation**, il ne peut rendre compte de tous les sens particuliers, souvent affectifs, personnels ou partagés, qui peuvent venir s'ajouter aux sens répertoriés par le dictionnaire. Ce sont ces sens considérés comme seconds et « périphériques » que l'on englobe dans sa **connotation**. Un terme peut cependant avoir des sens connotés largement partagés par beaucoup d'utilisateurs d'une langue du fait d'une communauté de culture plus ou moins marquée.

Ainsi, le *chêne* évoquera souvent la Gaule et les druides grâce à l'école mais aussi à *Astérix*, pour beaucoup il symbolisera la force et il fera peut-être aussi penser à la justice avec l'image de Saint-Louis à Vincennes.
Le *loup* suscitera sans doute des connotations très contrastées selon que persistera l'image du mangeur de moutons et de petites filles véhiculée par les fables, les contes, les récits à la veillée et réactualisées par les bergers, ou au contraire celle d'un animal libre et fier que défendent les écologistes ou les auteurs contemporains comme Daniel Pennac dans *L'œil du loup* [5].

On voit que si la dénotation relève de la langue, la connotation est du domaine du discours. À ce titre elle ne saurait être enseignée systématiquement et chacun construit un réseau de connotations unique grâce aux conversations, aux lectures, aux films, etc.

■ Les synonymes

On définissait traditionnellement les synonymes comme des mots différents appartenant à la même classe (verbes, adjectifs, noms) et ayant le même sens :

– *se rappeler* a pour synonymes *se remémorer*, *se souvenir* ;

– *courageux* a pour synonymes *brave*, *hardi*, *vaillant*, *valeureux* ;

– *peur* a divers synonymes : *frayeur*, *appréhension*, *crainte*, *angoisse*, *terreur*.

Cette conception est aujourd'hui nuancée car l'expérience montre qu'il n'existe pratiquement pas de cas où deux mots seraient interchangeables et pourraient donc commuter dans tous les contextes. Ils peuvent différer par le degré de généralité, l'intensité, le registre et souvent par une nuance qui les exclut de certains contextes et les rend particulièrement pertinents dans d'autres. Les élèves sont donc amenés à le constater dans la plupart des manuels.

---

5. Pocket Junior, Nathan, 1994.

> **Les synonymes sont différents selon le contexte :**
>
> – *un gros homme* : un homme corpulent, fort, obèse, bedonnant
> – *un gros appétit* : un grand, solide appétit
> – *une grosse faute* : une faute grave, lourde, sérieuse
> – *une grosse pluie* : une pluie forte, abondante, torrentielle
> – *un gros mot* : un mot grossier, trivial, vulgaire
>
> **Un synonyme est toujours approximatif :**
>
> | Synonymes | Nuances de sens |
> |---|---|
> | localité / ville | ville est plus précis que localité |
> | colère / rage | rage est plus fort que colère |
> | copain / pote | pote est plus familier que copain |

Marchand F., Vaysse G., *Les savoirs de l'école, Français*, cycle 3, p. 111, Hachette Livre, 1997.

■ Les antonymes

Ce sont les mots que l'on qualifie généralement de contraires : la *jeunesse* est le contraire de la *vieillesse*, *courageux* est le contraire de *lâche*.
Les contraires peuvent être deux mots totalement différents *(propre / sale, ouvrir / fermer)* ou l'un des deux peut résulter d'une dérivation par un préfixe *(propre / malpropre, propre / impropre, agréable / désagréable)*.

Tout comme pour les synonymes, les élèves doivent observer que les contraires peuvent être différents selon le contexte.

> **Voici quelques contraires de l'adjectif *frais* dans :**
>
> de l'air frais / de l'air vicié   des légumes frais / des légumes secs
> du poisson frais / du poisson pourri   un teint frais / un teint fatigué
> du pain frais / du pain rassis

Marchand F., Vaysse G., *Les savoirs de l'école, Français*, cycle 3, p. 112, Hachette Livre, 1997.

■ Les homonymes

L'homonymie représente la forme la plus marquée de la polysémie, celle dans laquelle les différents signifiés d'un même signifiant sont à ce point éloignés qu'on peut considérer que l'on n'a plus affaire à un seul mot possédant un champ sémantique complexe, mais à plusieurs mots dits **homonymes**.

Plusieurs cas sont possibles :

• **L'évolution phonétique a fait que des mots qui n'avaient aucun rapport à l'origine se prononcent de la même façon** – ils sont dits **homophones** – **mais ont une orthographe différente** qui reflète leur étymologie. Ils peuvent poser problème lorsqu'il s'agit de les orthographier, mais leur étude comparée ne relève pas d'un traitement lexical.

ceint (du latin « cinctum »), *sain* (« sanum »), *saint* (« sanctum »), *sein* (« sinum »)

• À partir de mots différents, l'évolution phonétique a abouti à des mots identiques à l'oral – ils sont homophones – mais aussi à l'écrit; ils sont en outre **homographes**. C'est le cas des deux verbes *cingler* (cf. supra p. 313) dont l'un vient du latin et l'autre du scandinave. Cette différence initiale apparaît souvent dans la différence de genre grammatical

> *un livre* vs *une livre,* *un moule* vs *une moule,* *un page* vs *une page*

• À partir d'un mot unique, l'évolution sémantique a fait apparaître des sens à ce **point différents** que la quasi-totalité des locuteurs ne reconnaît ni leur origine commune, ni le rapport qui les unit. Le verbe *voler*, au sens de dérober, vient de *voler*, au sens de se déplacer dans les airs, par l'intermédiaire du vocabulaire de la fauconnerie.

• Il est très souvent difficile de décider si l'on a toujours affaire à un mot unique polysémique ou à plusieurs mots homonymes. Les auteurs de dictionnaire peuvent trancher dans un sens ou dans l'autre :
– ils peuvent privilégier le point de vue **diachronique**, l'évolution sémantique au fil des siècles : ils opteront alors pour un seul mot ;
– ils considèrent plutôt la langue d'un point de vue **synchronique** et constatent la disparité des sens dans l'usage actuel : ils opteront alors pour plusieurs mots. Ceci n'a d'ailleurs aucune conséquence sur l'usage que chacun peut faire du dictionnaire, tous les différents sens étant en fin de compte répertoriés et mis en rapport.

Ainsi pour le mot *langue*, le *Petit Robert* et le *Lexis* adoptent deux partis différents : le premier penche pour la polysémie, le second pour l'homonymie[6].

Petit Robert	*Lexis*
LANGUE	**1. LANGUE**
I. ◆	**1.** Système structuré de signes vocaux ou transcrits graphiquement, utilisé par les individus pour communiquer entre eux.
1° Organe charnu, musculeux, allongé et mobile, placé dans la bouche.	**2.** Système de signes particulier à un groupe, à un milieu, à une activité, à un individu.
2° Ce corps charnu en tant qu'organe de la parole.	
II. ◆	**3.** Moyen quelconque d'exprimer les idées.
1° Langage commun à un groupe social (communauté linguistique).	**4.** *Langue diplomatique, langue liturgique, langue mère, etc.*
2° Système d'expression potentiel opposé au discours, à la parole qui en est l'utilisation momentanée.	**2. LANGUE** Organe charnu, fixé par sa partie postérieure au plancher buccal [...]
3° Langage correspondant à un domaine d'emploi à l'intérieur d'une même communauté linguistique. *Langue populaire, littéraire…*	**3. LANGUE**
4° Ce qu'un individu connaît d'une langue : la façon dont il l'emploie. *La langue d'un écrivain.*	**1.** Ce qui a la forme d'une langue : *Une langue de terre* [...]
5° Mode d'expression non langagier. *La langue musicale.*	**2.** Une des huit divisions régionales de l'Ordre de Malte.
III. ◆	**3.** Cassure qui, des bords d'une pièce de verre, se dirige vers son milieu.
1° Chose en forme de langue. Nom de divers outils ou instruments.	**4.** Géogr. *Langue glaciaire*, partie d'un glacier de montagne en aval du névé.

6. Les rubriques des deux ouvrages ont été réduites à leurs traits essentiels pour faire apparaître la différence de structure qui nous intéresse ici.

Attention paronymes!

Voisins des homonymes, les paronymes ont des signifiants non pas identiques mais très voisins tandis que leurs signifiés n'ont généralement aucun rapport. Ils constituent ainsi des paires de mots entre lesquels la confusion est possible et qui font l'objet de mises en garde. Il ne faut pas confondre :

> *collision* et *collusion*,
> *déprédation* et *dépravation*,
> *perpétrer* et *perpétuer*,
> *comptabilité* et *compatibilité*.

On cite souvent des perles savoureuses, réelles ou inventées, dues à des confusions entre paronymes : un tel reçoit des piqûres de *courtisane* alors que d'évidence son état nécessitait de la *cortisone*, on ne veut pas être le bouc *hémisphère* et, pour ne pas être importuné par les insectes, on couche avec un *mousquetaire*[7].

Les choix didactiques

■ L'apprentissage du vocabulaire associé à d'autres activités

On peut légitimement penser que l'enfant s'approprie avant tout le vocabulaire dans des situations de communication et qu'il retient surtout les mots qu'il rencontre, tant à l'oral qu'à l'écrit, dans des contextes et des situations qui motivent leur emploi et sélectionnent leurs significations. C'est le cas, bien entendu du vocabulaire lié aux diverses disciplines mais aussi de mots apparus à l'occasion de projets, d'activités diverses. Cet apprentissage est explicite pour certains termes; il donne lieu à des recherches, des explications, des exercices. Il demeure implicite pour d'autres que l'élève incorpore de lui-même à son vocabulaire.

L'apprentissage du vocabulaire dans des textes à lire

• Explication de termes inconnus

Les textes proposés aux enfants pour qu'ils les lisent abondent parfois en mots qu'ils rencontrent pour la première fois ou dont ils ignorent le sens qu'ils prennent dans un nouveau contexte. Les auteurs de manuels proposent donc en marge du texte un mot ou une expression synonyme du terme qui semble devoir poser problème.

Cette façon de procéder est davantage destinée à faciliter la lecture individuelle du texte en vue d'une mise en commun en classe que l'acquisition du vocabulaire.
D'une part, il n'est pas toujours facile de décider quels mots peuvent poser problème au plus grand nombre d'enfants. D'autre part, la traduction « automatique » des termes présumés difficiles semble rendre inutile la recherche individuelle ou collective de leur sens en recourant au contexte, aux mots de la même famille. C'est pourtant cette réflexion qui permettrait aux élèves de mieux s'approprier ces termes et de construire des stratégies de recherche du sens réutilisables pour d'autres textes, le dictionnaire venant confirmer ou infirmer les hypothèses ainsi émises.

---

7. Lacroix J.-P., *S comme sottise*, J. Grancher éd, 1984.

Le fantôme de Canterville

Quelque temps après, Mr Otis fut réveillé par un bruit bizarre dans le couloir, à l'extérieur de sa chambre. On eût dit un tintement de métal, et il semblait se rapprocher d'instant en instant. Il se leva immédiatement, frotta une allumette, et regarda l'heure. Il était exactement une heure. Mr Otis était très calme, et se tâta le pouls qui n'était nullement fébrile. Le bruit étrange se prolongea encore, et il entendit en même temps distinctement un bruit de pas. Il chaussa ses pantoufles, prit dans sa mallette une petite fiole oblongue et ouvrit la porte. Juste en face de lui il vit, au pâle clair de lune, un vieillard d'aspect terrible. Il avait des yeux rouges pareils à des charbons incandescents ; une longue chevelure grise lui tombait sur les épaules en tresses emmêlées ; ses vêtements, d'une coupe ancienne, étaient salis et élimés. De lourdes menottes et des fers rouillés lui pendaient aux poignets et aux chevilles.

« Cher Monsieur, dit Mr Otis, permettez-moi vraiment d'insister auprès de vous pour que vous huiliez ces chaînes : je vous ai apporté à cette fin un petit flacon de lubrifiant Soleil Levant Tammany. On le dit totalement efficace dès la première application, et il y a, sur l'emballage, plusieurs attestations allant dans ce sens, émanant de quelques-uns de nos ecclésiastiques les plus éminents [...] »

Oscar Wilde, *Le fantôme de Canterville et autres contes*, Le Livre de Poche, 1979.

fébrile : *agité.*

une fiole : *une petite bouteille.*
oblongue : *de forme allongée.*

incandescent : *qui brûle.*

un lubrifiant : *un produit pour graisser.*

un ecclésiastique : *un religieux.*
éminent : *remarquable, excellent.*

Lecture proposée par Léon R., Colas E., dans *Comme un livre*, CM2, p. 123, Hachette Livre, 1998.

• **Explication de termes prenant un sens particulier dans le contexte**

Mon pays

Et si tu passais, en juin, entre les prairies fauchées, à l'heure où la lune ruisselle sur les meules rondes qui sont les dunes de mon pays, tu sentirais, à leur parfum, s'ouvrir ton cœur. [...]

Et si tu arrivais, un jour d'été, dans mon pays, au fond d'un jardin que je connais, un jardin noir de verdure et sans fleurs, si tu regardais bleuir, au lointain, une montagne ronde où les cailloux, les papillons et les chardons se teignent du même azur mauve et poussiéreux, tu m'oublierais, et tu t'assoirais là, pour n'en plus bouger jusqu'au terme de ta vie. [...]

Si tu suivais, dans mon pays, un petit chemin que je connais, jaune et bordé de digitales d'un rose brûlant, tu croirais gravir le sentier enchanté qui mène hors de la vie... Le chant bondissant de frelons fourrés de velours t'y entraîne et bat à tes oreilles comme le sang même de ton cœur, jusqu'à la forêt, là-haut, où finit le monde.

Colette, *Les Vrilles de la vigne*, Hachette Livre.

➡ Relis le premier paragraphe. Cherche dans ton dictionnaire les verbes ruisseler et sentir. Peux-tu à présent expliquer « la lune ruisselle » et « tu sentirais, à leur parfum, s'ouvrir ton cœur » ? Comment Colette a-t-elle joué avec le verbe sentir ?

Lecture et exercice proposés par Buhler V. et al., *Les couleurs du français*, p. 32, Hachette Livre, 1998.

• Travail sur les champs lexicaux

Soit un texte de 125 lignes environ, dont nous n'avons gardé qu'un extrait :

Helen Keller au cirque

L'odeur, ou plus exactement la puanteur, lui paraissait
délicieuse, à elle qui avait l'odorat si développé et délicat !
Helen s'appliquait à reconnaître tous les « parfums » violents
qui l'entouraient. Il y avait l'odeur de la sciure ; elle la
connaissait pour avoir visité une scierie près de la ferme de
Tuscumbia. Il y avait l'odeur délicieuse du maïs grillé et des
hamburgers qu'elle aimait particulièrement… Il y avait
surtout une odeur nouvelle, l'étrange odeur des fauves,
cette odeur qui prenait Helen à la gorge et la faisait tousser.
Mais pour rien au monde elle ne serait partie !

Lorena A. Hickok, *L'Histoire d'Helen Keller*,
trad. R. Rosenthal, Robert Laffont, 1988.

Parmi les questions posées, une rubrique s'intitule « Enrichis ton vocabulaire » :

1. Dans le texte, quels noms ont un rapport avec l'odorat (l. 20 à 29) ? Quels adjectifs
qualifient l'odorat et chacun de ces noms ?
2. Comment appelle-t-on :
- les artistes qui marchent très haut au-dessus du sol, sur un fil ?
- la grande tente du cirque ?
- le discours des clowns qui invitent les spectateurs à entrer ?
- l'instrument de musique mécanique qui joue un air de foire ?

Texte et exercice proposés sous la direction de M.-C. Courtois, dans *À mots contés*,
lecture et expression, CM2, pp.15-19, Belin, 1998.

L'apprentissage du vocabulaire pour les textes qu'on écrit

• La pertinence du vocabulaire

C'est un des critères de réussite d'un écrit et elle est à ce titre prise en compte lors de
l'évaluation (cf chap 21).

Cette pertinence s'apprécie à la fois du point de vue pragmatique (adéquation à la
situation de communication, au type d'écrit, au destinataire…) et sémantique. Elle est
aussi fonction de l'effet visé · dans un récit, le vocabulaire choisi pour écrire le portrait
d'un personnage dépendra du genre du texte, du rôle que joue le personnage… Il va
de soi que cette pertinence est d'autant plus importante que l'écrit à produire comporte
un enjeu direct de communication.

Les activités différées ou décrochées portant sur le vocabulaire doivent permettre,
aussi souvent que possible, de mettre en relation l'apprentissage systématique et des
situations de communication véritables.

• Le problème de la répétition

C'est une préoccupation majeure, et souvent exagérée, dans la révision des écrits. Sont particulièrement mal vus les verbes dits «passe-partout» et en particulier *faire*. Cette question relève généralement du vocabulaire dans les manuels et la leçon consacrée aux synonymes comporte souvent une « chasse » aux répétitions.

Évite les répétitions en utilisant des synonymes du verbe *faire*.

J'ai beaucoup de chance mon frère aîné est vraiment parfait ! Dernièrement, il m'a fait un petit bateau en bois et il m'a fait un beau cadeau : un ballon tout neuf. Il m'aide tous les matins à faire mon lit. À la maison il rend service à tout le monde et fait la vaisselle quand maman est fatiguée. Et puis, c'est un grand sportif : il fait du judo !

La courte échelle, CM1, p. 64, Hatier.

Ce type d'exercice appelle quelques remarques .

– **Éviter les répétitions** dans un texte réellement écrit par un élève et dans un texte *ad hoc* dans lequel elles ont été volontairement multipliées ne revient pas au même; dans le texte ci-dessus c'est l'abondance qui fait problème et non telle ou telle occurrence du verbe faire.
– **La hantise de certains verbes** *(faire, avoir, mettre…)* néglige le fait qu'ils sont souvent des éléments « neutres » et quasi « transparents » de locutions verbales. Certes l'on pourrait écrire *il m'a **fabriqué** un bateau, il **pratique** le judo* mais qu'apporterait de plus *il **lave** la vaisselle, il m'a **offert** un beau cadeau*. Enfin que mettre à la place de *faire son lit* parfaitement lexicalisé au point de figurer dans le proverbe *Comme on fait son lit on se couche* !

Le problème de la répétition doit donc être traité en priorité dans les écrits produits par les élèves dans le cadre plus large de l'emploi des substituts (cf. chap.27) en prenant chaque fois en compte les données pragmatiques et sémantiques.

• Motiver l'étude du vocabulaire

Toutes les occasions qui permettent d'explorer un champ lexical et/ou de structurer le vocabulaire avec un autre objectif que le seul apprentissage de ce dernier sont à exploiter. De ce point de vue les activités scientifiques ou artistiques permettent, en évitant de céder à la tentation de l'enrichissement souvent confondu avec l'accumulation de termes nouveaux, de découvrir de nouvelles réalités et les mots qui servent à les nommer.

L'apprentissage de termes ou de sens nouveaux peut aller de pair avec la structuration du vocabulaire lors de certaines activités, ainsi par exemple:
– **lors d'un travail sur la presse**, on peut construire une grille sémique (cf. p. 320) pour caractériser les diverses publications : périodicité, public visé, aire de diffusion, thèmes traités… et recourir à un vocabulaire spécifique (quotidien, hebdomadaire, mensuel local, régional, national, etc.).
– **lors de l'initiation au classement des ouvrages et à la recherche documentaire** en BCD, la notion de terme générique, la construction de champs génériques permettent à la fois de structurer et d'enrichir le vocabulaire.

• Le plaisir des mots

Nous n'aurons garde d'oublier la forme ludique que peut prendre l'appropriation du vocabulaire grâce aux jeux sur les mots et avec les mots. Il s'agit moins en l'occurrence de se servir de ces jeux pour apprendre le vocabulaire que de profiter, en plus du plaisir que l'on en retire, du pouvoir sur les mots qu'ils confèrent à celui qui s'y livre.

Énigmes et devinettes

« Qu'est-ce qui peut être de pin, d'arrosoir, de terre, d'Adam mais non d'Eve ? La pomme, bien entendu ! »
« Qu'est-ce qui peut être de scie mais pas de là, de lait ou de sagesse ? La dent, évidemment. »

– Pour se familiariser avec les expressions imagées et les proverbes, rien de tel que de les mélanger, on pourra ainsi *prendre la belle étoile* pour *loger à la poudre d'escampette* ou bien encore *mettre la charrue dans une botte de foin* pour *chercher une aiguille avant les bœufs.*

– On peut jouer à créer un bestiaire fabuleux où figurera le célèbre *crocolion* accompagné de la *serpanthère* et d'autres monstres qu'imagineront les enfants. On peut aussi inventer des ustensiles bizarres et pourtant très utiles tels la *scithare* qui permet de jouer de la musique tout en coupant du bois et qui inventera le *mycoprocesseur* qui garantira une abondante cueillette au chercheur de champignons ?

– Certaines activités d'écriture peuvent aussi permettre d'explorer le lexique sans souci du réalisme pour le plaisir de collectionner les mots. Prenons par exemple le début d'une histoire drôlatique qui commence par la présentation d'un monstre ridicule ·

> *Au milieu d'une sombre forêt, dans une caverne humide et grise, vivait un monstre poilu. Il était laid ; il avait une tête énorme, directement posée sur deux petits pieds ridicules, ce qui l'empêchait de courir. Il ne pouvait donc pas quitter sa caverne. Il avait aussi une grande bouche, deux petits yeux glauques, et deux longs bras minces qui partaient de ses oreilles et qui lui permettaient d'attraper les souris.*

> (Henriette Bichonnier, *Le monstre poilu*,
> illustr. Pef, Folio Benjamin n° 74, Gallimard, 1982.)

Ce portrait peut être l'occasion d'un réjouissant défoulement lexical grâce auquel on peut saturer le texte en accumulant les détails et notamment les adjectifs pour enlaidir le malheureux monstre : il pourra en particulier devenir *crasseux, globuleux, visqueux, poisseux, pustuleux, boutonneux…* et, pour la couleur, *verdâtre, jaunâtre, blanchâtre,* etc.

On pourra au contraire décider d'en faire un « antimonstre » gentil et propre sur lui et multiplier les détails en ce sens.

■ L'apprentissage systématique

La maîtrise du vocabulaire passe aussi par un apprentissage systématique et donc toujours explicite. Les tables de manuels de français, telle celle de *La courte échelle* vue dans ce chapitre, nous montrent que cet apprentissage se fait selon deux axes :

• **Étude systématique de différents champs notionnels** qui se succèdent au fil des semaines. Cette étude déborde d'ailleurs le cadre de l'enseignement du vocabulaire comme en témoignent certaines pages de manuels de français. La leçon intitulée *Rivières et fleuves* du document ci-après relève tout autant de l'apprentissage de notions de géographie que de celui du lexique du français même si cette façon de procéder risque de ne pas rencontrer l'assentiment des géographes qui préféreraient sans doute une vraie leçon de géographie comportant *ipso facto* le recours à un vocabulaire spécialisé.

 VOCABULAIRE

Rivières et fleuves

Sita et la rivière (4)

Un peu plus tard, les poules restantes s'envolèrent sur le rocher et s'y nichèrent tant bien que mal.

L'eau montait de plus en plus vite. Bientôt, on ne vit plus que le rocher derrière la hutte, le toit de celle-ci et l'arbre.

C'était un très grand arbre, aux branches touffues, et il semblait impossible que la rivière eût raison de lui. Mais combien de temps Sita devrait-elle rester ainsi juchée ? Elle grimpa un peu plus haut et, ce faisant, dérangea une corneille noire installée au sommet de l'arbre. (…)

● *Relis les extraits de Sita et la rivière. Quelle catastrophe naturelle raconte cette histoire ?*

1 * *Aide-toi d'un dictionnaire ou d'une encyclopédie pour compléter les légendes de ces photos.*

  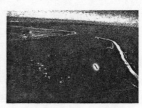

● La rivière est sortie de son…

● La rivière rencontre le fleuve, c'est le…

● Le fleuve se jette dans la mer : c'est l'… ou l'…

2 * *Reproduis ce dessin et place les mots :*
source - cours d'eau - berge - méandres - affluent.

3 * *Complète avec les verbes :*
se jette - prend - déborde - arrose - coule.

La Loire .... sa source au Mont Gerbier-de-Jonc. La Seine .... Paris. La Dordogne est une rivière qui .... dans la Garonne. Lorsqu'il pleut beaucoup la Meuse .... Le Rhône .... en Suisse et en France.

4 ** *Sur le modèle de ce poème, décris en quelques phrases un fleuve ou une rivière que tu connais bien.*

Tout près du lac filtre une source,
Entre deux pierres, dans un coin ;
Allègrement l'eau prend sa course
Comme pour s'en aller bien loin (…)
À ma coupe l'oiseau s'abreuve ;
Qui sait ? Après quelques détours
Peut être deviendrai-je un fleuve
Baignant vallons, rochers et tours.

Théophile Gautier

SEMAINE 2   **15**

La courte échelle, CM1, p. 15, Hatier, 1996.

Cette leçon de vocabulaire comporte, on le voit, trois exercices (numérotés 1, 2, 3) visant l'apprentissage de termes appartenant au champ lexical défini par le titre. Une des phrases à compléter (« La Loire *prend sa source* au Mont Gerbier-de-Jonc ») est même de celles que l'on apprenait jadis par cœur dans un résumé de géographie.

• Étude des notions lexicales qui permettent de structurer le vocabulaire
et d'établir des relations entre les mots et leurs emplois avec recours au métalangage
lexical qui fournit les titres des chapitres ainsi retenus :

Un mot, plusieurs sens

Le rubis perdu (5)

« **V**otre Majesté m'autorise-t-elle quelques jours de délai pour retrouver
le rubis ? osa-t-il en s'inclinant respectueusement.

– Fort bien, répondit le roi en se réjouissant intérieurement. Je te donne
trois jours. Après quoi, si tu échoues, **toi même** et ceux que tu aimes paierez
de votre vie. Ta maison sera rasée et les ânes en saccageront les décombres.
Il n'en restera rien ! »

Le ministre s'en retourna chez lui le <u>cœur</u> lourd. Il chercha et chercha encore
le rubis. Au <u>fond</u> de lui, il n'avait guère d'espoir car la <u>disparition</u> lui
paraissait bien mystérieuse.

Ruskin Bond, Le rubis perdu, extrait de Le prince et la guenon, « Cascade », Rageot Éditeur.

> ● *Cherche dans ton
> dictionnaire les différents
> sens des mots soulignés
> et indique celui qui
> correspond au contexte.*

■ Un mot peut avoir un seul sens, comme *frayeur*, ou plusieurs, comme *cœur*, *fond* ou
disparition.

■ L'article de dictionnaire indique ces différents sens (relis la page 35). Il faut savoir les
employer correctement dans des phrases.

1* *En t'aidant d'un dictionnaire, classe les mots :
ceux qui ont un seul sens et ceux qui en ont
plusieurs.*

feu - compote - marche - lit - table - chandail
- piste - chagrin.

2* *Trouve pour chaque phrase le sens du verbe
<u>frapper</u>.*

● Frappez à la porte avant d'entrer !

● Il ne faut pas frapper un animal !

● La banque de France vient
de frapper une nouvelle pièce.

● J'ai des difficultés à m'en souvenir,
ce détail ne m'a pas frappé.

| marquer |
| donner une empreinte |
| taper |
| battre |

3* *Remplace le mot <u>opération</u> par :* combat
- manœuvre - affaire - intervention chirurgicale.

● Pierre a subi une opération délicate. ● Les bour-
siers ont fait une mauvaise opération financière.
● Sortir la voiture de ce garage est une opération
délicate. ● L'opération s'est terminée par la victoire
de nos troupes.

4** *Remplace le mot <u>compter</u> par les divers sens
que tu trouveras dans le dictionnaire.*

● Votre jugement compte beaucoup pour nous.
● Cette ville compte un million d'habitants.
● Didier est très bon en mathématiques : il compte
très bien.
● Nous comptons aller en classe de nature au mois
de mars.
● Tu peux compter sur moi, je ne trahirai pas ton
secret.

5** *En cherchant dans le dictionnaire, indique
les divers sens du mot <u>chair</u>.*

● Maman a préparé un plat avec de la chair de pou-
let. ● Je l'ai aperçu en chair et en os. ● Ma nouvelle
voisine est bien en chair. ● Ton histoire m'a donné la
chair de poule.

6** *Donne les divers sens des mots suivants.
Rédige une phrase pour chaque sens :*

voie - rampe - pont.

PÉRIODE 2

La courte échelle, CM1, p. 52, Hatier, 1996.

Cette leçon obéit à un schéma classique que l'on retrouve dans beaucoup de manuels :
– un texte présentant un nombre réduit d'exemples du point de lexique à observer;
– le résumé de la leçon qui ne saurait en aucun cas résulter de la seule observation du
texte précédent;

– quelques exercices d'application parfois approximatifs; dans l'exercice n° 5 il est demandé de donner les divers sens du mot *chair* alors qu'il appartient dans trois phrases à des expressions qui forment un tout indissociable pour le sens : *en chair et en os*, *bien en chair*, *chair de poule*.

Tous les auteurs de manuels mettent en avant leur souci de ne pas dissocier l'étude de la langue et donc du vocabulaire et celle des textes. Cependant, comme pour la grammaire, il est souvent difficile de concilier l'étude approfondie d'une notion et le recours à un texte qui ne serve pas seulement d'alibi en tête de leçon. Cette façon de faire semble être devenue une règle dans beaucoup d'ouvrages qui proposent de la sorte une ration hebdomadaire de vocabulaire dans une leçon d'une page.

A U   C O N C O U R S

■ Les sujets possibles

Le vocabulaire et son apprentissage peuvent faire l'objet des trois types d'épreuve.

Synthèse de textes

La lexicologie, étude théorique du lexique, n'offre guère de problématique susceptible d'apparaître en synthèse. On peut rencontrer cependant des problèmes de didactique du vocabulaire : son apprentissage relève-t-il plutôt de la langue ou du discours? Dans une synthèse portant plus largement sur la norme et la variation et leur prise en compte dans l'enseignement, le vocabulaire peut tenir une place importante car il témoigne de façon très apparente de la variation langagière.

Analyse de productions d'élève

Elle peut porter sur un texte dont il faudra évaluer l'aspect lexical. Il s'agira alors de relever les éventuelles impropriétés ou maladresses et de les analyser précisément. On pourra aussi, surtout si le libellé du sujet le précise, ne pas borner l'analyse aux seuls points qui posent problème et faire état des réussites.

Analyse didactique

On pourra par exemple avoir à repérer, dans des manuels ou des préparations, des conceptions opposées de l'apprentissage du lexique : S'agit-il en priorité d'enrichir ou de structurer? Les notions lexicales sont-elles étudiées sous forme d'exercices systématiques portant sur de brefs énoncés juxtaposés, dans des textes à lire ou à l'occasion de textes à produire?

■ Sujet d'analyse de production d'élève

En faisant abstraction de tous les autres faits de langue, quelles remarques peut-on faire sur le vocabulaire utilisé par cette élève?

Inédit

Samedi matin, je me suis levé de mon lid je me suis lavés je me suis abiller je suis aller dans la cuisine j'ai ouver le placare et la j'ai voulu prendre un croissan mé il en avez plu je savez très bien qui les avez manjé tou d'un cou ma sœur arrive elle a la poche de croissan je lui dit tu aurer pues men lésser un, elle me dit tu avait qu'a te levait plus tos je luie dit que je vait pas me levez plus tôt pour mangé un croissan la elle ma dit un gromau et elle et partie j'ai cru que jaller la tuer je suies aller dans sa chambre j'ai arraché les rideaux et j'ai défait son lit elle était pas la toute fasson ma sœur fait sa maline parce que elle a 17 an la ma mer arrive je lui et tous espliquer et ma mère a dit de toute fasson se nè pas la preumière bagare et ni la derniere. la ma sœure arrive et elle a vue la chambre et elle a rien dit et dans ma tête je me suis dis de toute fasson elle né pas méchante mes chiante.

Texte libre, Stéphanie, CM2.

CORRIGÉ

je me suis levé de mon lid	pléonasme : je *me suis levé* = *je suis sorti du lit*
dans ma tête je me suis dit	cas douteux : peut-être considéré comme un pléonasme ou comme un redoublement d'expression voulu pour *je me suis dit en moi-même*
Samedi matin, je me suis levé de mon lid je me suis lavés je me suis abiller je suis aller dans la cuisine j'ai ouver le placare	Accumulation lexicale par démultiplication des actions. Stéphanie décompose en ses éléments en «script», elle procède comme ferait quelqu'un qui au lieu de dire *j'ai pris ma voiture* détaillerait toutes les opérations que cela nécessite : *j'ai ouvert la porte, je me suis assis au volant, j'ai mis le contact, etc.*
je lui dit, elle me dit, je luie dit, elle ma dit, ma mère a dit, elle a rien dit, je me suis dis	Répétition d'un même verbe. Sans jeter l'anathème sur la répétition, on pourrait varier l'expression pour la rendre plus précise (*répondre, répliquer…*).
tou d'un cou	Problème orthographique causé par l'existence de l'homonymie lexicale.

la poche	Selon les régions, ce terme pourra paraître conforme à l'usage ou étrange et l'on y verra un régionalisme pour dire *un sac*
un gromau	À force d'entendre associés l'adjectif «gros» et le nom «mot», Stéphanie traite le «gros mot» comme une unité lexicale; elle n'identifie pas les deux lexèmes qui le composent et elle se forge une orthographe personnelle. Le découpage *pulo vert* relève d'une erreur inverse (deux lexèmes au lieu d'un) mais du même type.
j'ai cru que jaller la tuer	Hyperbole (exagération) lexicalisée et n'exprimant pas une haine si vigoureuse qu'il y pourrait paraître.
fait sa maline bagarre chiante	Registres peu académiques. *Faire sa maline* est un trait de langage enfantin, les dictionnaires ignorent *maline* pourtant très employé et donnent *maligne* pour féminin de malin. *Chiante* est proscrit par le bon usage comme tous les termes de la même famille.
elle né pas méchante mes chiante	La précision témoigne d'une reformulation par souci de précision sémantique; Stéphanie ignore manifestement le registre du dernier mot.

Pour conclure, nous pouvons établir une corrélation entre les remarques ci-dessus et le fait que cet écrit est un texte «libre», ce qui a pour effet de neutraliser les critères pragmatiques et sémantiques pris en compte lors d'une production en situation de communication. Pour nous en tenir au vocabulaire, l'absence de vrai destinataire n'incite pas Stéphanie à se poser la question de la pertinence du registre. Pour raconter des faits quotidiens, elle recourt naturellement aux mots qu'elle doit employer d'ordinaire pour converser avec les camarades de son âge et qui, alors, ne lui posent aucun problème. Ce qu'écrit Stéphanie représente sa pratique habituelle de l'oral et en fait l'authenticité.

Certes cet oral non transposé est inadapté à l'écrit mais l'absence d'enjeu rend la révision problématique. Par rapport à quels critères, textuels notamment, peut-on l'évaluer? Faut-il vraiment le «corriger» pour l'améliorer et que va-t-il en rester? On peut parier qu'il y perdrait à coup sûr le naturel qui fait son charme mais l'on voit par là même les limites d'un enseignement de l'écrit fondé sur une pratique exclusive ou exagérément dominante du texte libre.

Pistes bibliographiques

■ Ouvrages de base

Tout travail sur le vocabulaire suppose que l'on se réfère constamment à un dictionnaire de langue; le *Petit Robert* ou le *Lexis* souvent cités dans ce chapitre constituent d'excellents outils de travail.

◆ *Vocabulaire*, Le Robert et Nathan, 1995.

◆ Gardes-Tamine Joëlle, *La Grammaire*, tome 1, «Phonologie, morphologie, lexicologie», Armand Colin, 1990.

◆ Mortureux Marie-Françoise, *La lexicologie entre langue et discours*, Sedes, 1997.

■ Pour aller plus loin

◆ Le Roy des Barres Alexandre, *Utiliser dictionnaires et encyclopédies*, Hachette, 1993.

◆ Walter Henriette *L'aventure des mots français venus d'ailleurs*, Robert Laffont, 1997.

◆ «Pour une didactique des activités lexicales à l'école», *Repères* n° 8, INRP, 1993.

◆ Sous la direction d'Alain Rey, *Dictionnaire historique de la langue française*, Le Robert, 1992 (réédition 1998 en 3 volumes).

◆ Picoche Jacqueline, *Précis de lexicologie française*, Nathan, 1977.

Glossaire

La linguistique et la didactique du français recourent à des termes qui peuvent poser problème du fait de leur spécialisation ou de leur pluralité de sens. Voici donc des définitions et des explications pour vous aider à lire ce livre et d'autres ouvrages en vue du concours.

■ Cohérence, cohésion, connexité[1]

Les trois termes se rapportent au contrôle du caractère approprié des enchaînements à l'intérieur d'un discours. De même que les phrases obéissent à des règles de grammaticalité, les discours obéissent à des contraintes pour l'enchaînement des phrases.

• Cohérence

La cohérence renvoie aux propriétés du texte ou du discours qui permettent son interprétation. Il n'est pas nécessaire, pour qu'un texte soit cohérent, que toutes les relations logiques entre les énoncés soient explicitement indiquées. Le lecteur peut les rétablir par inférence.

On comprend bien l'enchaînement des deux phrases suivantes « *L'eau est trop froide. Je reste sur la plage* » parce qu'on sait qu'il est plus facile de se baigner quand l'eau est à bonne température.

En revanche, il est plus difficile de comprendre le texte suivant « *Marie avait faim. Elle ouvrit le guide Michelin.* » sauf si l'on sait que les guides Michelin proposent des sélections de restaurants.

• Cohésion

Un discours est cohésif s'il existe des relations propositionnelles entre les énoncés qui le constituent : les procédés de reprise (pronoms personnels, substituts lexicaux…), l'emploi des temps verbaux constituent des marques de cohésion.

Un discours peut être cohérent sans être cohésif, comme dans l'enchaînement question / réponse :
– *Quelle heure est-il ?*
– *Le facteur est déjà passé.*
Tout à fait interprétable si le facteur passe tous les jours à peu près à la même heure.

• Connexité

On appelle connexité les relations linguistiquement marquées entre énoncés. Les connecteurs comme *mais*, *car*, *donc*, *quand même*, *en fait*, *d'ailleurs*, constituent des marques de connexité

---

1. Définitions et exemples empruntés à Jacques Moeschler et Anne Reboul, *Dictionnaire Encyclopédique de Pragmatique*, Seuil, Paris, 1994.

Certains discours non marqués du point de vue de la connexité peuvent être cohérents
Des discours riches en marques de connexité peuvent ne pas être cohérents.

■ Combinatoire

Le sens de ce mot a varié avec l'évolution des conceptions de la lecture et de son apprentissage :

• **Dans la méthode syllabique,** il désignait l'activité consistant à « combiner » consonnes et voyelles pour produire des syllabes orales.

• **Dans les méthodes phono-graphiques** telles que le *Sablier*, la combinatoire devient plutôt la recherche systématique des graphies diverses correspondant à un même phonème.

• **Aujourd'hui, combinatoire** désigne le double système complexe de combinaisons :
– entre les lettres pour former des syllabes et des mots à l'écrit;
– entre les lettres, les syllabes et les mots écrits ainsi obtenus et leur traduction orale.

Par exemple à l'écrit **a+i** donne le digramme **ai** correspondant au phonème [ɛ] ; si l'on y adjoint le n, **a+i+n** donnera le trigramme **ain** correspondant au phonème [ɛ̃]; si l'on ajoute encore la lettre e, **a+i+n+e** donnera un mot de deux syllabes graphiques **ai-ne** et d'une ou deux syllabes phoniques [ɛnə] ou [ɛn] suivant les individus.

■ Compétence

• **Dans le langage courant,** la compétence désigne la capacité reconnue à un individu dans un domaine déterminé, du fait de ses connaissances et de son expérience, et qui lui permet d'émettre des avis ou d'agir efficacement.

• **Pour les linguistes,** à la suite de Chomsky, la compétence est indissociable de la performance à laquelle elle s'oppose. La **compétence** désigne la connaissance implicite qu'a de sa langue maternelle tout sujet parlant tour à tour locuteur et auditeur. Cette connaissance implique la faculté de produire, de « générer » un nombre non fini de phrases nouvelles grammaticalement correctes mais aussi de porter des jugements de grammaticalité sur les phrases entendues, de reconnaître les phrases ambiguës ou mal formées et éventuellement de les interpréter. La **performance** est, quant à elle, la mise en œuvre de la compétence dans des phrases que produisent ou comprennent les utilisateurs de la langue.

• **En pédagogie** ce terme donne lieu à des acceptions très flottantes :
Pour certains, les compétences, comme par exemple la qualité de l'orthographe ou la correction de la phrase sont des éléments constitutifs d'un ensemble qui les organise que l'on nomme **capacité**, on parlera ainsi de la capacité d'écoute ou de la capacité de lecture.
Pour d'autres au contraire, ce rapport doit être inversé et une capacité est un élément constitutif d'une compétence plus large.
Très souvent les deux termes sont employés l'un pour l'autre, la compétence étant définie comme la capacité à.. et vice versa.

■ Critère

« Caractère ou propriété d'un objet d'après lequel on porte sur lui un jugement d'appréciation » (G. De Landsheere). Voir dans le chapitre 19, *L'évaluation des productions écrites,* des exemples analysés et les différences entre **critères / indices / règles de fonctionnement.**

■ Démarche

Le mot démarche est abondamment et diversement utilisé. D'une certaine manière, il s'oppose à méthode en ce sens que **méthode** se situerait plutôt du côté de l'enseignant et du savoir et que **démarche** se situerait davantage du côté de l'élève et de l'apprentissage. À cet égard, le sens figuré de ce mot proposé par *Le grand Larousse de la langue française* convient tout à fait : « manière de penser, de progresser dans la connaissance ».

La **démarche pédagogique** ou la **démarche de l'enseignant** utilise éventuellement une méthode, par exemple dans l'apprentissage de la lecture, mais elle est plus large car elle s'efforce d'intégrer le travail de l'élève (sa propre démarche avec le cas échéant la prise en compte de ses représentations, de ce qu'on sait des opérations mentales nécessaires et de ses blocages et difficultés) et aussi plus personnelle à chaque enseignant. ▶ Voir méthode de lecture.

■ Double articulation

Selon la définition d'A. Martinet : « Une langue est un instrument de communication selon lequel l'expérience humaine s'analyse, différemment dans chaque communauté, en unités douées d'un contenu sémantique et d'une expression phonique, les monèmes; cette expression phonique s'articule à son tour en unités distinctives et successives, les phonèmes, en nombre déterminé dans chaque langue, dont la nature et les rapports mutuels diffèrent eux aussi d'une langue à l'autre. » ▶ Voir chap. 9, *Phonétique et phonologie*

■ Faits de langue

Les faits de langue concernent les fonctionnements qui relèvent du système de la langue; qu'est-ce qui est acceptable ou non, dans telle langue et dans telle situation? constructions syntaxiques, accords, orthographe, utilisation du lexique… On exclut donc de ces faits ce qui manifeste un choix du locuteur (éléments qui relèvent du style ou de l'écriture : par exemple utilisation de figures comme la métaphore, ou reprises par des répétitions). En revanche, la perspective des grammaires textuelles conduit à inclure dans les faits de langue des fonctionnements relevant de certains types d'écrits et de discours : choix énonciatifs, etc. ▶ Voir chap. 3, *L'analyse des productions d'élèves.*

■ Fonction

Selon les contextes, ce terme peut désigner ·

• **Les fonctions du langage** associées par Roman Jakobson aux six éléments constitutifs de son schéma de la communication. ▶ Voir chap. 5, *De la langue à la communication*

• **Les fonctions grammaticales :** en grammaire traditionnelle, rôle joué dans la phrase par un de ses composants. Pour chaque élément, chaque mot, on doit donner sa **nature** (nom, adjectif, verbe, etc.), ses modalités (genre, nombre, personne, etc.), sa **fonction** (sujet, complément, épithète, etc.), c'est-à-dire les relations qu'il entretient avec d'autres termes de la phrase. ▶ Voir chap. 25, *La grammaire de la phrase*

■ Genre

• **Selon la tradition (genre littéraire)** détermination d'une forme générale et de procédés stylistiques spécifiques, le plus souvent repérables historiquement, voire explicitement définis dans des manifestes littéraires. Le sonnet est un genre poétique. Parmi les textes de théâtre, on distingue tragédie et comédie. Les genres narratifs sont le roman (réaliste, d'aventures, policier…) la nouvelle (fantastique, de science fiction, policière…), la fable, le fait divers… Aristote a le premier dressé une poétique des genres.

• **Selon la linguistique textuelle (genre social),** notion développée par Bahktine : « Le locuteur reçoit, outre les formes prescriptives de la langue commune (les composantes et les structures grammaticales), les formes non moins prescriptives pour lui de l'énoncé, c'est-à-dire les genres du discours; pour une intelligence réciproque entre locuteurs, ces derniers sont aussi indispensables que les formes de la langue… La richesse et la variété des genres du discours sont infinies car la variété virtuelle de l'activité humaine est inépuisable et chaque sphère de cette activité comporte un répertoire de genres du discours qui va se différenciant et s'amplifiant à mesure que se développe et se complexifie la sphère donnée. » (Cité par Jean-Paul Bronckart, *Activités langagières, textes et discours*, Delachaux et Niestlé.)

■ Graphème (orthographe)

Le graphème peut être défini comme la plus petite unité distinctive et/ou significative de la chaîne écrite, composée d'une ou de plusieurs lettres. Le graphème a pour fonction de transcrire une valeur phonique et/ou sémique dans la chaîne parlée. Ex : *sch*, *é, m, a, t, i, s, er* dans *schématiser*. On peut classer les graphèmes en trois catégories :

• **Les phonogrammes,** graphèmes chargés de transcrire les phonèmes ainsi que leurs règles de position. Ex : *g dans gare, girafe, guerre.*

• **Les morphogrammes,** graphèmes chargés de transcrire des marques grammaticales (genre et nombre pour les noms et adjectifs, mode, temps, personne et nombre pour les verbes) et des marques lexicales : forme simple/forme dérivée (*chant / chanter; champ / champêtre*) et formes fléchies d'un même mot (*blanc / blanche; gris / grise…*).

• **Les logogrammes :** graphèmes chargés de distinguer les homophones. Ex : *sept, cet, set, Sète; air, aire, erre, ère, hère, haire.*

Ces trois principes totalement imbriqués constituent un système complexe mais organisé. C'est ce que Nina Catach appelle « le **plurisystème** de l'orthographe française ».

■ Hétérogénéité

Un texte est constitué de *n* séquences enchaînées ou emboîtées. Ainsi une fable de La Fontaine, à dominante argumentative, comporte une ou plusieurs séquences narratives repérables, dans lesquelles s'insèrent des séquences descriptives ou dialogales.

■ Langue

• **Système de signes vocaux et éventuellement graphiques**, propre à une communauté d'individus, qui l'utilisent pour s'exprimer et communiquer entre eux (Larousse). Le français, l'anglais, le tupi-guarani… sont des **langues naturelles**.

• **Les langues sont des systèmes composés de signes linguistiques**; le linguiste André Martinet en donne une définition extrêmement précise dans ses *Éléments de linguistique générale*, Armand Colin. ▶ Voir Double articulation.

• **Langue / Parole**
Opposition sur laquelle F. de Saussure a fondé la linguistique au début du xxᵉ siècle :

« L'étude du langage comporte deux parties : l'une essentielle, a pour objet la langue, qui est sociale et indépendante de l'individu; cette étude est uniquement psychique; l'autre, secondaire, a pour objet la partie individuelle du langage, c'est-à-dire la parole y compris la phonation : elle est psychophysiologique. […] On peut à la rigueur, conserver le nom de linguistique à chacune de ces deux disciplines et parler d'une linguistique de la parole. Mais il ne faudra pas la confondre **avec la linguistique proprement dite, celle dont la langue est l'unique objet**.
En séparant la langue de la parole, on sépare du même coup : 1. ce qui est social de ce qui est individuel; 2. ce qui est essentiel de ce qui est accessoire et plus ou moins individuel. » (Ferdinand de Saussure, *Cours de Linguistique générale*, Payot.)

■ Métalangagières (activités)

Les recherches en didactique du français ont montré qu'à côté des situations de communication orales et écrites, il était important de proposer aux élèves des « activités métalangagières » pour les aider à progresser dans la maîtrise de la langue. Ces activités visent à faire opérer aux élèves des prises de conscience, des mises à distance sur le fonctionnement de la langue, des textes et des discours utilisés quand on communique. Elles peuvent porter sur l'identification des unités minimales de l'oral et de l'écrit (travail sur le repérage des phonèmes dans la chaîne parlée, les correspondances phonie-graphie et la valeur des lettres), sur les constituants de la phrase et leurs fonctions (« leçons de grammaire »), sur les formes verbales et leurs emplois (« leçons de conjugaison »), sur la reconnaissance des types de textes, d'écrits ou de genres, sur les différents paramètres d'une situation de communication…
Ces activités – aussi importantes qu'elles soient – ne doivent pas prendre le pas sur les activités de communication. Dans les années 70, le Plan de Rénovation proposait de réserver 2/3 du temps aux situations de communication et 1/3 aux activités de type « méta ».

■ Méthode de lecture

• Désigne improprement – mais c'est une habitude solidement ancrée – **l'ensemble souvent composé autour d'un manuel**, que des auteurs et des éditeurs proposent, généralement aux maîtres du CP, comme supports et outils exclusivement destinés à l'apprentissage de la lecture parfois limité à l'apprentissage du code.

• Désigne aussi **le processus suivi par le maître dans l'enseignement de la lecture**; il y avait jadis la méthode alphabétique opposée à la méthode syllabique, puis est venue la méthode globale; aujourd'hui on peut grosso modo parler de méthodes ascendante, descendante, interactive.

■ Morphosyntaxique

Le point de vue morphosyntaxique concerne la relation des signes linguistiques entre eux (constructions, accords…). C'est l'entrée privilegiée de la grammaire traditionnelle. Habituellement appliqué à la phrase, ce point de vue peut s'étendre aux relations entre phrases et au texte dans son ensemble. ► Voir chap. 19, *L'évaluation des productions écrites*.

■ Paradigmatique/syntagmatique

Les rapports syntagmatiques régissent les combinaisons des éléments successifs de la chaîne parlée ou écrite. Les rapports paradigmatiques associent une unité de la langue présente dans un énoncé avec d'autres unités absentes. Par exemple dans l'énoncé *Le petit chat miaule*, les rapports sur l'axe syntagmatique font apparaître un ordre de succession entre les quatre mots, une relation entre le déterminant *le* et le nom *chat*, un accord entre le sujet et le verbe, etc. Les rapports paradigmatiques amènent à considérer une classe de termes possibles à la place de *le (ce, mon, notre, les…)*, une autre classe à la place de *petit (joli, gros, vieux…)*.

■ Performance ► Voir compétence.

■ Phonème

C'est la plus petite unité isolable dans la chaîne parlée. Le phonème n'a pas de sens en lui-même mais sa fonction est de permettre la distinction entre des signifiés différents : rang [ʀɑ̃], rond [ʀõ], rein [ʀɛ̃], rue [ʀy], rit [ʀi]… Les phonèmes sont en nombre limité dans une langue (entre 33 et 36, en français) et ce nombre est variable selon les différentes régions de France : au nord de la Loire, par exemple, on ne réalise pas la différence entre [ɛ̃] et [œ̃]. Certains phonèmes ne s'opposent que par un seul trait articulatoire dit « trait pertinent » comme par exemple [k] / [g]; [t] / [d]; [p] / [b]… Les confusions des enfants vont porter sur ces phonèmes voisins.

■ Phonétique/phonologie

La **phonétique** et la **phonologie** ont en commun d'être des sciences qui étudient les unités phoniques de l'oral.

• **La phonétique** est une science descriptive qui inventorie et classe toutes les réalisations sonores d'une langue (voyelles, consonnes, semi-voyelles; intonation; hauteur…). Elle se subdivise elle-même en deux sciences distinctes :

– la « phonétique articulatoire » qui classe les sons en fonction des organes qui les produisent. Il s'agit d'étudier quels sont les organes qui interviennent à l'émission ainsi que leurs différentes positions.

– la « phonétique acoustique » qui s'intéresse à la réception des sons et les classe en fonction de paramètres physiques différents (fréquence, durée, intensité…).

• **La phonologie** est une science plus explicative dans la mesure où elle rend compte du fonctionnement des unités sonores d'une langue comme éléments produisant du sens. Elle met en évidence le réseau des oppositions distinctives du système phonémique d'une langue.

■ Pragmatique

La pragmatique est une des branches les plus récentes de la linguistique. Le point de vue pragmatique concerne la relation entre le message (oral ou écrit) et ses utilisateurs. Il s'agit de le considérer par rapport à la situation dans laquelle il est censé fonctionner : quel est l'enjeu de ce message ? Qui parle ? À qui ? Pour produire quel effet ? etc. ▶ Voir chap. 19, *L'évaluation des productions écrites.*

■ Projet

On définira le terme de projet dans un contexte qui est celui d'expressions telles que . **travail en projet, projet d'écriture, pédagogie de projet**. Pour qu'il y ait projet, il faut que l'élève soit réellement impliqué dans une tâche dont il perçoit l'enjeu. Le travail en projet est donc du côté de l'élève, et non du côté du maître, même si ce dernier doit assumer la mise en œuvre d'une démarche d'appropriation des savoirs. ▶ Voir chap. 20, *Écrire et réécrire : le travail en projet.*

■ Récit

Terme générique englobant toute une série de genres dans lesquels on relate des actions réelles ou imaginaires.

• **Dans la linguistique de l'énonciation** issue de Benveniste, le **système du récit**, caractérisé par l'usage concomitant de la troisième personne (la non personne) et du passé simple comme temps de base, s'oppose au **système du discours** marqué par l'emploi d'embrayeurs tels que « je » et « tu » ainsi que du présent considéré comme temps de base à partir duquel seront utilisés le passé composé et l'imparfait pour évoquer les faits antérieurs. Hors du cadre de ce type d'analyse, on rencontre bien sûr des récits (au sens commun) qui utilisent la première ou la troisième personne avec le passé composé : les récits de vie, les témoignages… et d'autres qui associent la première personne et le passé simple : les romans policiers.

• **Récit** se trouve également opposé à **morale** en ce qui concerne **les fables** : le récit étant la part narrative, la manière de raconter l'histoire, la morale la partie de la fable proposant plus ou moins explicitement un sens, une interprétation, une leçon.

■ Sémantique

La sémantique (du grec *sémantikos* «qui signifie») est traditionnellement la branche de la linguistique qui étudie le sens des mots, leur origine (étymologie), leur évolution dans le temps (approche diachronique), les rapports de sens qu'entretiennent les mots ou les différents sens d'un mot (polysémie, synonymie… : approche synchronique). Le point de vue sémantique concerne la relation entre le message (oral ou écrit) et le référent dont il traite. ▶ Voir chap. 19, *L'évaluation des productions écrites.*

■ Séquence textuelle

Unité constituante composante du texte. Un texte est constitué le plus souvent de plusieurs séquences qui peuvent être enchaînées (une narration puis un commentaire) ou enchâssées (une description à l'intérieur d'un récit).
Comme unité constituée, la séquence est composée de macro-propositions différentes selon les types de séquentialités et composées elles-mêmes de *n* micro-propositions.

Adam, dans un article de la revue *Pratiques* n° 56 (« Les types de textes », 1987), distingue :

– **la séquentialité narrative,** dont rend compte le schéma quinaire (état initial, complication, actions, résolution, état final), que l'on trouve par exemple dans le reportage, le fait divers, le roman, la nouvelle, le conte, le récit oral, la parabole, la fable, la BD (le plus souvent), un film narratif…

– **la séquentialité descriptive** caractérisée par un thème-titre décliné en sous-thèmes faisant l'objet de prédications que l'on trouve représentée dans les descriptions romanesques, mais aussi les descriptions de guides touristiques ou d'agences immobilières…

– **la séquentialité injonctive** qui prescrit un comportement au destinataire . recette de cuisine, notice de montage, consignes, règlements, règle de jeu… Adam la range aujourd'hui à l'intérieur de la séquentialité descriptive.

– **la séquentialité explicative,** lorsqu'un texte répond à une question en *pourquoi* (pourquoi y a-t-il des marées ?) ou en *comment* (Comment les dinosaures ont disparu ?).

– **la séquentialité argumentative :** « Un discours argumentatif vise à intervenir sur les opinions, attitudes ou comportements d'un interlocuteur ou d'un auditoire en rendant crédible ou acceptable un énoncé (conclusion), appuyé, selon des modalités diverses, sur un autre (argument/donnée/raison) représentée dans les discours politiques, les préfaces-manifestes, les textes publicitaires, un éditorial de journal, un tract… ».

– **la séquentialité dialogale :** dialogue de roman, conversation, interview..

■ Syntagmatique ▶ Voir Paradigmatique.

■ Texte

• **Suite cohérente et linéaire d'éléments linguistiques** articulés de manière séquentielle d'après des principes donnés (Gulich).

• **Ensemble organisé d'énoncés** obéissant à des règles de cohésion-connexité-cohérence (voir ces termes).
– la cohésion textuelle assure la continuité textuelle dans l'enchaînement des phrases,
– la connexité est assurée par des connecteurs,
– ces procédés d'écriture génèrent l'impression de cohérence ou d'incohérence de l'ensemble du texte.

■ Type de discours

Pratique du langage par des sujets dans une situation et un contexte donnés. Un type de discours n'a pas de réalité lorsqu'il est isolé de son contexte, de ses rapports à d'autres discours, des situations qui le déterminent et où il a des effets. On parle ainsi de discours politique, de discours publicitaire, de discours littéraire, de discours scientifique, de discours religieux, de discours journalistique…

■ Types d'écrits

Les diverses formes d'écrits sociaux considérés sous l'angle de leur support spécifique (dépliant, affiche, journal, lettre) présentant ses caractéristiques propres.

Un même type d'écrit peut impliquer diverses séquences textuelles. Ainsi une lettre au soir d'une visite touristique à Paris peut être de type :

– narratif : *si je raconte ce que j'ai fait dans la journée,*

– argumentatif : *si je veux démontrer la supériorité de l'avion ou du TGV pour se rendre dans la capitale,*

– explicatif : *si je veux faire comprendre le fonctionnement du funiculaire de Montmartre,*

– injonctif : *si je donne un itinéraire d'un monument à un autre,*

– ou les quatre à la fois selon les passages de ma lettre.

Cette notion utile en didactique est de plus en plus souvent remplacée par celle de genre social. ▶ Voir Genre social, Hétérogénéité, Séquences textuelles.

HATIER CONCOURS

Collection dirigée par
Roland Charnay et Michel Mante

Préparation au concours de recrutement de professeur des écoles

– Mathématiques (2 tomes)

– Français (2 tomes)

– Histoire et Géographie

– Exposé et entretien (la pratique enseignante)

Nouveauté 99

– Biologie

**Admission en 1ʳᵉ année d'IUFM
Concours administratifs catégorie C**

– Les QCM de mathématiques

– Les QCM de français

HATIER

TABLE D'ILLUSTRATION

CRPE Français tome 2

p. 43 © Nathan, extrait de « Sciences & technologie cycle 3 niv. 1 », dessins de Léonie Schlosser – **p. 44** © Larousse-Bordas 1997, extrait de « Mon Bibliotexte » cycle 3 « CE2 CM1 CM2 », texte de R. Tavernier avec : © Gallimard : G. Morel & J. Wilkinson « Le Livre des Arbres »/ © Hachette Jeunesse : B. Clavel « Légendes des montagnes et des forêts »/ © La Fourmilière : « Fourmi verte » n° 9 mars 97 – **p. 45** © Larousse-Bordas 1997, extrait de « L'Ami-lire » CM2 – **pp. 91-113** extrait de « Évaluer les écrits à l'école primaire » coll. Pédagogies pour demain-Didactiques, Groupe EVA, INRP © Hachette Livre 1991 – **pp. 119 à 124** © Nathan, extrait de « expression écrite CM1 », Schneuwly & Revaz – **pp. 145-146-147** © Éditions Hatier, extraits de « 7 clés pour lire et pour écrire » CM1, J. CL. Landier, M. Varier, illustrations de Catherine Mondoloni – **p. 177** extrait de « Grammaire et expression-555 exercices niveau CM », J. Coruble-Leclec'h, J.-C. Lucas et J. Rosa, © Hachette Livre 1996 – **p. 184** © Nathan, extrait de « Français CM », Collection Les Efficaces – **p. 187** Extrait de « Entraînement à la grammaire, CM2 », © Hachette Classiques 1980 : © texte de Pierre Roux et André-Guy Couturier, Illustration de A. Arnaud, poème de Jacques Prévert, extrait de « Inventaire » in « Paroles »© Gallimard – **p. 189** © Éditions Hatier, extrait de « La courte échelle » CM1, J. CL. Landier, photo DeWilde HoaQui – **p. 267** © Le Nouvel Observateur – **pp. 274 à 277** © Nathan, extrait de « Didactique de l'orthographe française » 1985, Michel Gey – **p. 283** © Nathan, extrait de « l'orthographe quotidienne au CE », de Bois & Henri – **p. 284** extrait de « Savoir orthographier », coll. Pédagogies pour demain-Didactiques, coordonné par A. Angoujard, INRP, © Hachette Livre 1994 – **p. 285** extrait de « l'orthographe à 4 temps CE », sous la direction de D. Berlion, III. de H. George-Guyon, © Hachette Livre 1994 – **p. 309** © Éditions Hatier, extrait de « La courte échelle » CM1, J. CL. Landier, E. Marchand – **p. 311** le Petit Larousse Illustré 1998, © Larousse-Bordas 1997 – **p. 332-333** © Éditions Hatier, extrait de « La courte échelle » CM1, J. CL. Landier, photos de Diaf & Altitude.

GROUPE CPI

Achevé d'imprimer en février 2001 par
BUSSIÈRE CAMEDAN IMPRIMERIES
à Saint-Amand-Montrond (Cher)
N° d'édition : 18701. — N° d'impression : 010544/1.
Dépôt légal : février 2001.
Imprimé en France